ANSYS Fluent 流体计算从入门到精通 第2版

2024中文版

丁伟　等编著

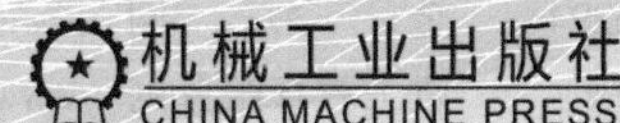

ANSYS Fluent 软件是目前国际上主流的商业 CFD 软件，只要涉及流体、热传递及化学反应等工程问题，都可以用该软件进行求解。本书通过大量实例系统地介绍了 Fluent 2024 的使用方法。

全书共 12 章，首先讲解了计算流体力学的基础理论与 Fluent 的基本情况，随后针对 Fluent 可以解决的流体仿真问题，包括稳态模拟、瞬态模拟、内部流动、外部流动、离散相模拟、传热流动、多孔介质和气动噪声、动网格模拟、滑移网格模拟、理想气体模拟、多相流分析等进行应用分析，同时均辅以案例，从几何建模到网格划分，再到计算求解，最后到结果后处理的整个分析过程展开了详细讲解，通过利用 Fluent 进行流体模拟计算的每一步骤，帮助读者掌握使用 Fluent 软件的工作流程和计算方法。

本书结构严谨、条理清晰、重点突出，提供了教学视频（扫码观看)、案例文件和授课用 PPT 等学习资源，非常适合广大 Fluent 的初中级读者学习使用，也可以作为大中专院校相关专业、培训机构流体计算方面的教材，同时还可以作为工程技术人员的参考用书。

图书在版编目（CIP）数据

ANSYS Fluent 流体计算从入门到精通：2024 中文版 / 丁伟等编著. -- 2 版. -- 北京：机械工业出版社，2024. 10. --（CAD/CAM/CAE 工程应用丛书）. -- ISBN 978-7-111-76849-4

Ⅰ. TB126-39

中国国家版本馆 CIP 数据核字第 2024X9U776 号

机械工业出版社（北京市百万庄大街 22 号　邮政编码 100037）
策划编辑：丁　伦　　　　　责任编辑：丁　伦　李晓波
责任校对：张　征　张昕妍　　责任印制：邓　博
北京盛通数码印刷有限公司印刷
2024 年 12 月第 2 版第 1 次印刷
185mm×260mm · 20.75 印张 · 568 千字
标准书号：ISBN 978-7-111-76849-4
定价：109.00 元

电话服务	网络服务
客服电话：010-88361066	机　工　官　网：www. cmpbook. com
010-88379833	机　工　官　博：weibo. com/cmp1952
010-68326294	金　　书　　网：www. golden-book. com
封底无防伪标均为盗版	机工教育服务网：www. cmpedu. com

前　言

ANSYS Fluent 软件是目前国际上主流的商业 CFD 软件，只要涉及流体、热传递及化学反应等工程问题，都可以使用该软件进行计算求解。Fluent 具有丰富的物理模型、先进的数值方法以及强大的前后处理功能，在航空航天、汽车设计、石油天然气、涡轮机设计等方面有着广泛的应用。例如，在石油天然气工业上的应用包括燃烧、井下分析、喷射控制、环境分析、油气消散/聚集、多相流、管道流动等。

Fluent 可计算的物理问题包括可压与不可压流体、耦合传热、热辐射、多相流、粒子输送过程、化学反应和燃烧问题。还拥有诸如气蚀、凝固、沸腾、多孔介质、相间传质、非牛顿流、喷雾干燥、动静干涉、真实气体等大批复杂现象的使用模型。

本书特色

- 内容详略得当。本书在编制过程中，结合编者二十余年的 CFD 使用经验，从 Fluent 软件的各功能应用，由点到面，通过算例将 Fluent 的应用详细介绍给读者。
- 算例信息量大。本书算例涉及信息面全面，读者在学习的过程中应从整体分析出发，了解 CFD 的分析流程。
- 通过案例引导学习。本书结构清晰、由浅入深，设计了基础应用案例和综合行业案例，能帮助读者尽快掌握 Fluent 的实际应用。案例操作中一些关键参数设置通常提供细节描述，读者在学习过程中不仅可以了解参数如何设置，还能够了解设置的原因。
- 拥有海量学习资源。本书配套有相关的案例模型文件和教学视频（扫码观看），同时在公众号提供各种学习资料，读者还能通过公众平台与编者互动，获取学习帮助。

本书内容

ANSYS Fluent 是强大的 CFD 软件，2024 版较以前的版本在性能方面有了一定的改善，本书以该版本为基础，结合案例进行详细讲解。

全书共 12 章，首先讲解计算流体的基础理论与方法，随后针对 Fluent 可以解决的流体仿真问题佐以案例，从几何建模到网格划分，再到计算求解到结果后处理整个分析过程展开详细讲解，帮助读者尽快掌握软件的应用。全书章节安排如下。

第 1 章　计算流体力学基础与 Fluent 简介
第 2 章　稳态模拟分析
第 3 章　瞬态模拟分析
第 4 章　内部流动分析
第 5 章　外部流动分析
第 6 章　离散相模拟分析
第 7 章　传热流动分析
第 8 章　多孔介质和气动噪声分析
第 9 章　动网格模拟分析
第 10 章　滑移网格模拟分析
第 11 章　理想气体模拟分析
第 12 章　多相流分析

特别说明： 本书中的求解结果可通过 Workbench 的结果后处理模块 CFD-POST 进行查看，该模块为英文版，目前尚未推出中文版，因此在查看结果时操作步骤中的截图均为英文版界面。

技术支持

本书的配套资源包括书中所有案例的源文件，读者可以关注封底的“IT 有得聊”公众号获取下载链接进行下载。读者可以使用 Fluent 软件打开相应的源文件，根据本书的讲解进行学习，能够提高学习效率。

读者在学习过程中遇到难以解答的问题，可以通过“仿真技术”公众号获取帮助或加入 QQ 群（群号：459502768）与同行进行交流。另外，“仿真技术”公众号内还提供了丰富的学习资源，方便读者学习。

ANSYS Fluent 本身是一个庞大的流体计算的资源库与知识库，因编者水平有限，书中不足之处在所难免，敬请广大读者批评指正，也欢迎广大同行来电来信共同交流探讨。

最后再次希望本书能为读者的学习和工作提供帮助。

编　者

目　录

第 1 章 计算流体力学基础与Fluent简介

计算流体力学（Computational Fluid Dynamics），常简称为 CFD，其基本定义是通过计算机进行数值计算，模拟流体流动时的各种相关物理现象，包含流动、热传导、声场等。计算流体力学分析广泛应用于航空航天器设计、汽车设计、生物医学工业、化工处理工业、涡轮机设计、半导体设计等诸多工程领域。

Fluent 软件是当今世界上 CFD 仿真领域最为全面的软件包之一，具有广泛的物理模型，能够快速准确地得到 CFD 分析结果。本章将介绍计算流体动力学的基础理论和 Fluent 软件的功能应用。

学习目标：

1）了解计算流体力学的基础知识

2）掌握流体力学分析的过程

3）掌握 Fluent 软件的结构

4）掌握 Fluent 计算分析过程中所用到的文件类型

1.1 计算流体力学基础

本节将介绍计算流体力学一些重要的基础知识，包括计算流体力学的基本概念、求解过程、数值求解方法等。了解计算流体力学的基本知识，有助于理解 Fluent 软件中相应的设置方法，是做好工程模拟分析的根基。

1.1.1 流体力学的基本概念

下面先来讲解流体力学的基本概念。

1. 流体的密度

流体密度的定义是单位体积内所含物质的多少。若密度是均匀的，则有：

$$\rho=\frac{m}{V} \tag{1-1}$$

式中，ρ 为流体的密度；m 是体积为 V 的流体内所含物质的质量。

由上式可知，密度的单位是 kg/m^3。对于密度不均匀的流体，其某一点密度的定义为：

$$\rho=\lim_{\Delta V\to 0}\frac{\Delta m}{\Delta V} \tag{1-2}$$

例如，零下 4℃时水的密度为 1000kg/m^3，常温 20℃时空气的密度为 1.24kg/m^3。各种流体的具体密度值可查阅相关文献。

提示：流体的密度是流体本身固有的物理量，随着温度和压强的变化而变化。

2. 流体的重度

流体的重度与流体密度有一个简单的关系式，即：

$$\gamma=\rho g \tag{1-3}$$

式中，g 为重力加速度，其值为 9.81m/s²，流体的重度单位为 N/m³。

3. 流体的比重

流体的比重定义为该流体的密度与零下 4℃时水的密度之比。

4. 流体的黏性

在研究流体流动时，若考虑流体的黏性，则称为黏性流动，相应地称流体为黏性流体；若不考虑流体的黏性，则称为理想流体的流动，相应地称流体为理想流体。

流体的黏性可由牛顿内摩擦定律表示，即：

$$\tau=\mu\frac{\mathrm{d}u}{\mathrm{d}y} \tag{1-4}$$

说明：牛顿内摩擦定律适用于空气、水、石油等大多数机械工业中的常用流体。凡是符合切应力与速度梯度成正比条件的流体叫作牛顿流体，即严格满足牛顿内摩擦定律且 μ 保持为常数的流体，否则就称其为非牛顿流体。例如，溶化的沥青、糖浆等流体均属于非牛顿流体。

非牛顿流体有以下三种不同的类型：

塑性流体，如牙膏等。塑性流体有一个保持不产生剪切变形的初始应力 τ_0，只有克服了这个初始应力，其切应力才与速度梯度成正比，即：

$$\tau=\tau_0+\mu\frac{\mathrm{d}u}{\mathrm{d}y} \tag{1-5}$$

假塑性流体，如泥浆等。其切应力与速度梯度的关系是：

$$\tau=\mu\left(\frac{\mathrm{d}u}{\mathrm{d}y}\right)^n \quad (n<1) \tag{1-6}$$

胀塑性流体，如乳化液等。其切应力与速度梯度的关系是：

$$\tau=\mu\left(\frac{\mathrm{d}u}{\mathrm{d}y}\right)^n \quad (n>1) \tag{1-7}$$

5. 流体的压缩性

流体的压缩性是指在外界条件变化时，其密度和体积发生了变化。这里的条件有两种，一种是外部压强发生了变化；另一种是流体的温度发生了变化。

流体的等温压缩率为 β。当质量为 m、体积为 V 的流体外部压强发生 Δp 的变化时，相应地，其体积也发生了 ΔV 的变化，则定义流体的等温压缩率为：

$$\beta=-\frac{\Delta V/V}{\Delta p} \tag{1-8}$$

这里的负号是考虑 Δp 与 ΔV 总是符号相反。此外，β 的单位为 1/Pa。流体等温压缩率的物理意义为当温度不变时，每增加单位压强所产生的流体体积的相对变化率。

考虑压缩前后流体的质量不变，上式还有另外一种表示形式，即：

$$\beta=\frac{\mathrm{d}\rho}{\rho\mathrm{d}p} \tag{1-9}$$

气体的等温压缩率可由气体状态方程求得：

$$\beta=1/p \tag{1-10}$$

流体的体积膨胀系数为 α。当质量为 m、体积为 V 的流体温度发生 ΔT 的变化时，相应地，

其体积也发生了 ΔV 的变化，则定义流体的体积膨胀系数为：

$$\alpha=\frac{\Delta V/V}{\Delta T} \tag{1-11}$$

考虑膨胀前后流体的质量不变，上式还有另外一种表示形式，即：

$$\alpha=-\frac{\mathrm{d}\rho}{\rho\mathrm{d}T} \tag{1-12}$$

这里的负号是考虑随着温度的增高，体积必然增大，则密度必然减小。此外，α 的单位为 1/K。体积膨胀系数的物理意义为当压强不变时，每增加单位温度所产生的流体体积的相对变化率。

气体的体积膨胀系数可由气体状态方程求得：

$$\alpha=1/T \tag{1-13}$$

在研究流体流动过程时，若考虑流体的压缩性，则称为可压缩流动，相应地称流体为可压缩流体，例如相对速度较高的气体流动。

若不考虑流体的压缩性，则称为不可压缩流动，相应地称流体为不可压缩流体，例如水、油等液体的流动。

6. 液体的表面张力

液体表面相邻两部分之间的拉应力是分子作用力的一种表现。液面上的分子受液体内部分子吸引而使液面趋于收缩，表现为液面任何两部分之间的具体拉应力，称为表面张力，其方向和液面相切，并与两部分的分界线相垂直。单位长度上的表面张力用 σ 表示，单位是 N/m。

7. 质量力和表面力

作用在流体微团上的力可分为质量力与表面力。

质量力：与流体微团质量大小有关并且集中作用在微团质量中心上的力称为质量力。比如在重力场中的重力 mg，直线运动的惯性力 ma 等。

质量力是一个矢量，一般用单位质量所具有的质量力来表示，其形式如下：

$$\boldsymbol{f}=f_x\boldsymbol{i}+f_y\boldsymbol{j}+f_z\boldsymbol{k} \tag{1-14}$$

式中，f_x、f_y、f_z 为单位质量力在 x、y、z 轴上的投影，或简称为单位质量分力。

表面力：大小与表面面积有关而且分布作用在流体表面上的力称为表面力。表面力按其作用方向可以分为两种，一种是沿表面内法线方向的压力，称为正压力；另一种是沿表面切向的摩擦力，称为切应力。

作用在静止流体上的表面力只有沿表面内法线方向的正压力。单位面积上所受到的表面力称为这一点处的静压强。静压强有两个特征：

- 静压强的方向垂直指向作用面。
- 流场内一点处静压强的大小与方向无关。

说明：对于理想流体流动，流体质点只受到正压力，没有切向力。对于黏性流体流动，流体质点所受到的作用力既有正压力，也有切向力（单位面积上所受到的切向力称为切应力）。对于一元流动，切向力由牛顿内摩擦定律求出；对于多元流动，切向力可由广义牛顿内摩擦定律求得。

8. 绝对压强、相对压强与真空度

一个标准大气压的压强是 760mmHg，相当于 101325Pa，通常用 p_{atm} 表示。若压强大于大气压，则以此压强为计算基准得到的压强称为相对压强，也称为表压强，通常用 p_r 表示。若压强小于大气压，则压强低于大气压的值就称为真空度，通常用 p_v 表示。

如以压强 0Pa 为计算的基准，则这个压强就称为绝对压强，通常用 p_s 表示。这三者的关系如下：

$$p_r = p_s - p_{atm}, p_v = p_{atm} - p_s \tag{1-15}$$

说明：在流体力学中，压强都用符号 p 表示，但一般对于液体来说，压强用相对压强；对于气体来说，特别马赫数大于 0.1 的流动，应视为可压缩流动，压强用绝对压强。当然，特殊情况应有所说明。

9. 静压、动压和总压

对于静止状态下的流体而言，只有静压强。对于流动状态的流动，有静压力、动压力和总压强之分。

在一条流线上流体质点的机械能是守恒的，这就是伯努利（Bernoulli）方程的物理意义。对于理想流体的不可压缩流动，其表达式如下：

$$\frac{p}{\rho g}+\frac{v^2}{2g}+z=H \tag{1-16}$$

式中，$p/\rho g$ 称为压强水头，也是压能项，p 为静压强；$v^2/2g$ 称为速度水头，也是动能项；z 称为位置水头，也是重力势能项。这三项之和就是流体质点总的机械能，H 称为总的水头高。

若把上式等式两边同时乘以 ρg，则有：

$$p+\frac{1}{2}\rho v^2+\rho gz=\rho gH \tag{1-17}$$

式中，p 称为静压强，简称静压；$\frac{1}{2}\rho v^2$ 称为动压强，简称动压，也是动能项；ρgH 称为总压强，简称总压。

提示：对于不考虑重力的流动，总压就是静压和动压之和。

10. 边界层

对于工程实际中大量出现的大雷诺数问题，应该分成两个区域：外部势流区域和边界层区域。

对于外部势流区域，可以忽略黏性力，因此可以采用理想流体运动理论，解出外部流动，从而知道边界层外部边界上的压力和速度分布，并将其作为边界层流动的外边界条件。

在边界层区域必须考虑黏性力，而且只有考虑了黏性力才能满足黏性流体的黏附条件。边界层虽小，但是物理量在物面上的分布、摩擦阻力及物面附近的流动都和边界层内流动联系在一起，因此边界层非常重要。

描述边界层内的黏性流体运动的是 N-S 方程，但是由于边界层厚度 δ 比特征长度小很多，而且 x 方向速度分量沿法向的变化比切向大得多，所以 N-S 方程可以在边界层内进行简化，简化后的方程称为普朗特边界层方程，是处理边界层流动的基本方程。边界层示意图如图 1-1 所示。

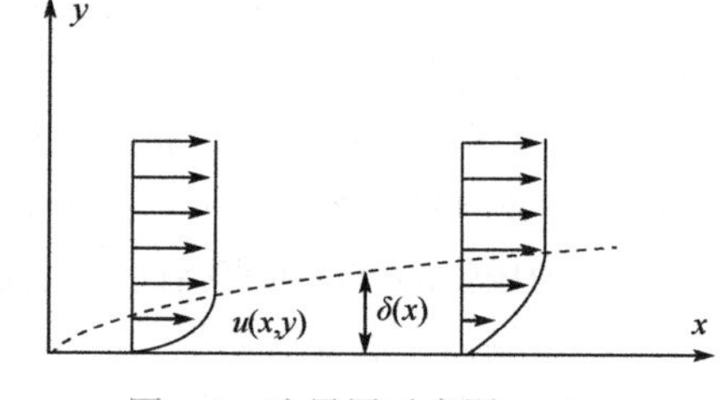

图 1-1 边界层示意图

大雷诺数边界层流动的性质：

边界层的厚重较物体的特征长度小得多，即 δ/L（边界层相对厚度）是一个小量。边界层内黏性力和惯性力同阶。

对于二维平板或楔边界层方程，通过量阶分析得到：

$$\frac{\partial u}{\partial x}+\frac{\partial v}{\partial y}=0$$

$$\frac{\partial u}{\partial t}+u\frac{\partial u}{\partial x}+v\frac{\partial u}{\partial y}=\frac{\partial U}{\partial t}+U\frac{\partial U}{\partial x}+v\frac{\partial^2 u}{\partial y^2} \tag{1-18}$$

边界条件：在物面 $y=0$ 上 $u=v=0$，在 $y=\delta$ 或 $y\to\infty$ 时，$u=U(x)$。

初始条件：当 $t=t_0$ 时，已知 u、v 的分布。

对于曲面物体，则应采用贴体曲面坐标系，从而建立相应的边界层方程。

11. 层流和湍流

自然界中的流体流动状态主要有层流和湍流两种形式。在众多中文文献中，湍流也被译为紊流。层流是指流体在流动过程中两层之间没有相互混掺，而湍流是指流体不是处于分层流动状态。一般说来，湍流是普通的，而层流则属于个别情况。

对于圆管内流动，当 $Re\leqslant2300$ 时，管流一定为层流；当 $Re\geqslant8000\sim12000$ 时，管流一定为湍流；当 $2300<Re<8000$，流动处于层流与湍流间的过渡区。

因为湍流现象是高度复杂的，所以至今还没有一种方法能够全面、准确地对所有流动问题中的湍流现象进行模拟。在涉及湍流的计算中，都要对湍流模型的模拟能力以及计算所需系统资源进行综合考虑后，再选择合适的湍流模型进行模拟。

Fluent 中采用的湍流模拟方法包括 Spalart-Allmaras 模型、standard k-epsilon 模型、RNG（重整化群）k-epsilon 模型、Realizable k-epsilon 模型、RSM（Reynolds Stress Model，雷诺应力模型）模型和 LES（Large Eddy Simulation，大涡模拟）方法。

1.1.2 计算流体力学的发展

计算流体力学简写为 CFD，是 20 世纪 60 年代起伴随计算科学与工程迅速崛起的一门学科分支。经过半个世纪的迅猛发展，这门学科已经相当成熟。近几十年来，各种 CFD 通用软件陆续出现，并成为商品化软件，服务于传统的流体力学和流体工程领域，如航空、航天、船舶、水利等。

由于 CFD 通用软件的性能日益完善，其应用的范围也不断地扩大，在化工、冶金、建筑、环境等相关领域中被广泛应用。而现在我们利用它来模拟计算平台内部的空气流动状况，也算是在相对前沿的领域中应用。

现代流体力学研究方法包括理论分析、数值计算和实验研究三个方面。这些方法针对不同的角度进行研究并相互补充。理论分析研究能够表述参数影响形式，为数值计算和实验研究提供有效的指导；试验是认识客观现实的有效手段，能验证理论分析和数值计算的正确性；计算流体力学通过提供模拟真实流动的经济手段补充理论及试验的空缺。

更重要的是，计算流体力学提供了廉价的模拟、设计和优化的工具，以及提供了分析三维复杂流动的工具。在复杂的情况下，测量往往很困难，甚至是不可能的，而计算流体力学却能方便地提供全部流场范围的详细信息。

与试验相比，计算流体力学具有对于参数无限制、费用少、流场无干扰的特点。出于计算流体力学的这些优点，我们选择它来进行模拟计算。简单来说，计算流体力学所扮演的角色是：通过直观地显示计算结果，对流动结构进行仔细的研究。

计算流体力学在数值研究大体上沿两个方向发展，一个是在简单的几何外形下，通过数值方法来发现一些基本的物理规律和现象，或者发展更好的计算方法；另一个则为解决工程的实际需要，直接通过数值模拟进行预测，为工程设计提供依据。理论的预测出自于数学模型的结果，而不是出自于一个实际的物理模型的结果。计算流体力学是多领域交叉的学科，涉及计算机科学、流体力学、偏微分方程的数学理论、计算几何、数值分析等，这些学科的交叉融合、相互促进和支持，推动了学科的深入发展。

CFD 方法是对流场的控制方程通过计算数学的方法，将其离散到一系列网格节点上求其离散的数值解的一种方法。控制所有流体流动的基本定律是：质量守恒定律、动量守恒定律和能量守恒定律，由它们分别导出连续性方程、动量方程（N-S 方程）和能量方程。应用 CFD 方法进行平台内部空气流场模拟计算时，首先需要选择或者建立过程的基本方程和理论模型，依据的基本原理是流体力学、热力学、传热传质等平衡或守恒定律。

从基本原理出发可以建立质量、动量、能量、湍流特性等守恒方程组，如连续性方程、扩散方程等。这些方程构成连理的非线性偏微分方程组，不能用经典的解析法，只能用数值方法求解。

求解上述方程必须首先给定模型的几何形状和尺寸，确定计算区域并给出恰当的进出口、壁面以及自由面的边界条件，而且还需要适宜的数学模型及包括相应的初值在内的过程方程的完整数学描述。

求解的数值方法主要有有限差分法（FDM）和有限元（FEM）以及有限分析法（FAM），应用这些方法可以将计算域离散为一系列的网格并建立离散方程组，离散方程的求解是由一组给定的猜测值出发迭代推进，直至满足收敛标准。常用的迭代方法有 Gauss-Seidel 迭代法、TDMA 方法、SIP 法及 LSORC 法等。利用上述差分方程及求解方法既可以编写计算程序，又可以选用现有软件实施过程的 CFD 模拟。

1.1.3 计算流体力学的求解过程

CFD 数值模拟一般遵循以下几个步骤：

1）建立所研究问题的物理模型，再将其抽象成为数学、力学模型。之后确定要分析的几何体的空间影响区域。

2）建立整个几何形体与其空间影响区域，即计算区域的 CAD 模型，将几何体的外表面和整个的计算区域进行空间网格划分。网格的稀疏以及网格单元的形状都会对以后的计算产生很大的影响，不同的算法格式为保证计算的稳定性和计算效率，一般对网格的要求也不一样。

3）加入求解所需要的初始条件，入口与出口处的边界条件一般为速度、压力条件。

4）选择适当的算法，设定具体的控制求解过程和精度，对所需分析的问题进行求解，并且保存数据文件结果。

5）选择合适的后处理器读取计算结果文件，分析并且显示出来。

以上这些步骤构成了 CFD 数值模拟的全过程。其中数学模型的建立是理论研究的课堂，一般由理论工作者完成。

1.1.4 数值模拟方法和分类

在运用 CFD 方法对一些实际问题进行模拟时，常常需要设置工作环境、边界条件和选择算法等，特别是算法的选择，对模拟的效率及其正确性有很大的影响。要正确设置数值模拟的条件，有必要了解数值模拟的过程。

随着计算机技术和计算方法的发展，许多复杂的工程问题都可以采用区域离散化的数值计算并借助计算机得到满足工程要求的数值解。数值模拟技术是现代工程学形成和发展的重要动力之一。

区域离散化就是用一组有限个离散的点来代替原来连续的空间。实施过程是把所计算的区域划分成许多互不重叠的子区域，确定每个子区域的节点位置和该节点所代表的控制体积。其中的节点是需要求解的未知物理量的几何位置、控制体积、应用控制方程或守恒定律的最小几何单位。

一般把节点看成控制体积的代表，并且控制体积和子区域并不总是重合的。在区域离散化过程开始时，由一系列与坐标轴相应的直线或曲线簇所划分出来的小区域称为子区域。网格是离散的基础，网格节点是离散化物理量的存储位置。

常用的离散化方法有有限差分法、有限单元法和有限体积法。对这三种方法的介绍如下。

1. 有限差分法

有限差分法是数值解法中最经典的方法，是将求解区域划分为差分网格，用于有限个网格节点代替连续的求解域，然后将偏微分方程（控制方程）的导数用差商代替，推导出含有离散点上有限个未知数的差分方程组。这种方法的产生和发展比较早，也比较成熟，较多用于求解双曲线和抛物线型问题。但用有限差分法求解边界条件复杂，尤其是椭圆形问题时，不如有限单元法或有限体积法方便。

构造差分的方法有多种形式，目前主要采用的是泰勒级数展开方法。其基本的差分表达式主要有四种形式：一阶向前差分、一阶向后差分、一阶中心差分和二阶中心差分等，其中前两种格式为一阶计算精度，后两种格式为二阶计算精度。通过对时间和空间这几种不同差分格式的组合，可以组合成不同的差分计算格式。

2. 有限单元法

有限单元法是将一个连续的求解域任意分成适当形状的许多微小单元，并于各小单元分片构造插值函数，然后根据极值原理（变分或加权余量法），将问题的控制方程转化为所有单元上的有限元方程，把总体的极值作为各单元极值之和，即将局部单元总体合成，形成嵌入了指定边界条件的代数方程组，求解该方程组就得到各节点上待求的函数值。

有限元求解的速度比有限差分法和有限体积法慢，在商用 CFD 软件中应用并不广泛。目前常用的商用 CFD 软件中，只有 FIDAP 采用的是有限单元法。

提示：在处理椭圆问题时，有限单元法能表现出更高的适配性。

3. 有限体积法

有限体积法又称为控制体积法，是将计算区域划分为网格，并使每个网格点周围有一个互不重复的控制体积，将待解的微分方程对每个控制体积积分，从而得到一组离散方程。

其中的未知数是网格节点上的因变量。子域法加离散，就是有限体积法的基本思想。有限体积法的基本思路易于理解，并能得出直接的物理解释。

离散方程的物理意义，就是因变量在有限大小的控制体积中的守恒原理，如同微分方程表示因变量在无限小的控制体积中的守恒原理一样。

有限体积法得出的离散方程，要求因变量的积分守恒对任意一组控制集体都得到满足，对整个计算区域也得到满足，这是有限体积法的优点。

有一些离散方法，例如有限差分法，仅当网格极其细密时，离散方程才满足积分守恒；而有限体积法即使在粗网格的情况下，也能显示出准确的积分守恒。

就离散方法而言，有限体积法可视作有线单元法和有限差分法的中间产物，三者各有所长。有限差分法：直观、理论成熟、精度可选，但是不规则区域处理烦琐。虽然网格生成可以使有限差分法应用于不规则区域，但是对于区域的连续性等要求较严。使用有限差分法的好处在于易于编程，易于并行。

有限单元法适合处理复杂区域，精度可选。缺点是内存和计算量巨大，并行不如有限差分法和有限体积法直观。

有限体积法：适用于流体计算，可以应用于不规则网格，适用于并行，但是精度基本上只能是二阶。有线单元法在应力应变，高频电磁场方面有特殊优点。

由于 Fluent 的使用基于有限体积法，所以下面将以有限体积法为例，介绍数值模拟的基础知识。

1.2 Fluent 简介

Fluent 软件拥有模拟流动、湍流、热传递和反应等广泛物理现象的能力，在工业上的应用包括从流过飞机机翼的气流到炉膛内的燃烧，从鼓泡塔到钻井平台，从血液流动到半导体生产，以及从无尘室设计到污水处理装置等。软件中的专用模型可以用于开展缸内燃烧、空气声学、涡轮机械和多相流系统的模拟工作。

现今，全世界范围内数千计的公司将 Fluent 与产品研发过程中设计和优化阶段相整合，并从中获益。先进的求解技术可提供快速、准确的 CFD 结果，灵活的移动和变形网格，以及出众的并行可扩展能力。用户自定义函数可实现全新的用户模型和扩展现有模型。

Fluent 中的交互式的求解器设置、求解和后处理能力可轻易暂停计算过程，利用集成的后处理检查结果，改变设置，并随后用简单的操作继续执行计算。

Fluent 是用于模拟具有复杂外形的流体流动以及热传导的计算机程序。Fluent 提供了完全的网格灵活性，用户可以使用非结构网格。例如，二维三角形或四边形网格，三维四面体、六面体、金字塔形网格来解决具有复杂外形的流动，甚至可以使用混合型非结构网格。软件允许用户根据解的具体情况对网格进行修改（细化/粗化）。

对于大梯度区域，如自由剪切层和边界层，为了准确地预测流动，可以使用自适应网格。与结构网格和块结构网格相比，这一特点很明显地减少了产生“好”网格所需要的时间。对于给定精度，解适应细化方法使网格细化方法变得简单，并由于网格细化仅限于那些需要更多网格的求解域，大大减少了计算量。

由于 Fluent 是用 C 语言写的，具有很大的灵活性与能力，因此，动态内存分配、高效数据结构、灵活的解控制都是可能的。除此之外，为了高效的执行、交互的控制、以及灵活地适应各种机器与操作系统，Fluent 使用 client/server 结构，因此它允许同时在用户桌面工作站和强有力的服务器上分离地运行程序。

1.2.1 Fluent 的启动

在 Fluent 中，启动运行 Fluent 应用程序，有直接启动及在 Workbench 中启动两种方式：

1. 直接启动

在 Windows 系统中，单击“开始”→“所有应用”→“ANSYS 2024 R1”→“Fluent 2024”命令，便可启动 Fluent，进入软件主界面。

2. 在 Workbench 中启动

在 Workbench 中启动 Fluent，首先需要运行 Workbench 程序，然后导入 Fluent 模块，进入程序，步骤如下。

1）在 Windows 系统中，单击“开始”→“所有程序”→“ANSYS 2024 R1”→“Workbench 2024 R1”命令，启动 ANSYS Workbench 2024 R1，进入图 1-2 的主界面。

2）双击主界面工具箱中的“组件系统”→“Fluent”选项，即可在项目管理区创建分析项目 A，如图 1-3 所示。

3）双击分析项目 A 中的“设置”选项，直接进入 Fluent。Fluent 启动后，弹出“Fluent Launcher 2024 R1”对话框，如图 1-4 所示。

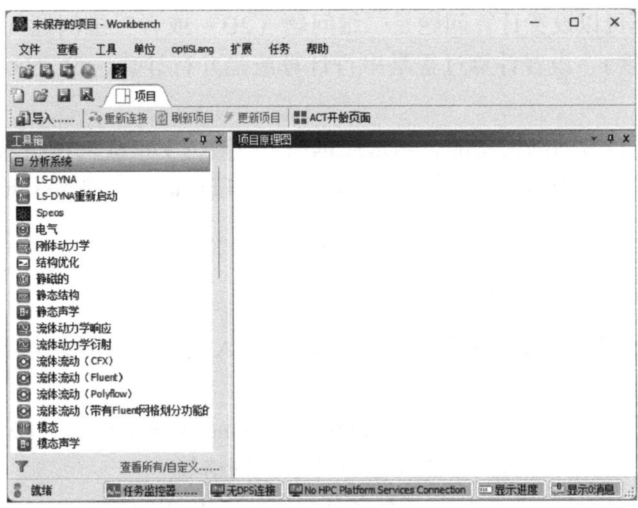

图 1-2　Workbench 主界面

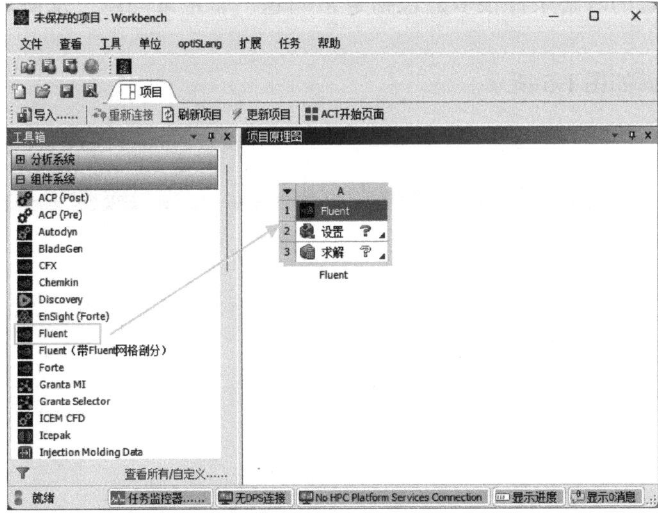

图 1-3　创建分析项目 A

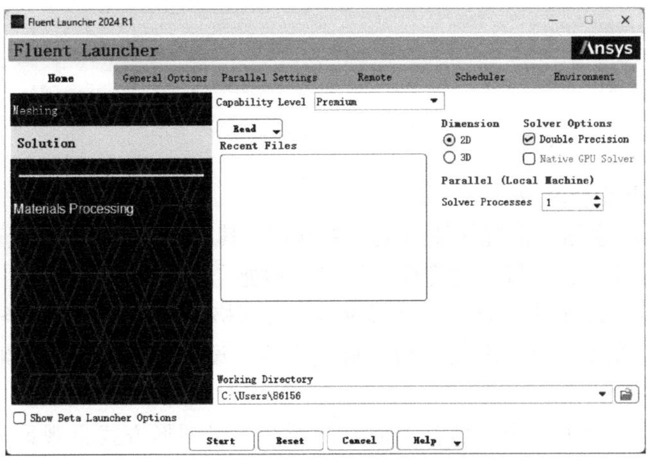

图 1-4　Fluent Launcher 界面

4）通过该对话框可以设置计算问题是二维问题（2D）或者三维问题（3D）、设置计算的精度（单精度或者双精度）、设置计算过程是串行计算或是并行计算、设置项目打开后是否直接显示网格等功能。

Meshing 是 Fluent 自带的网格功能，勾选此选项可以进入 Fluent 的网格划分模式。

提示：Meshing 只有在 3D 模型下才可选，这是因为 Fluent 整合的 Meshing 功能只能划分三维体网格。

1.2.2 Fluent 的用户界面

Fluent 的用户界面用于定义并求解问题，包括：导入网格、设置求解条件以及进行求解计算等。

Fluent 可以导入的网格类型较多，包括 ANSYS Meshing 生成的网格、CFX 网格工具生成的网格、CFX 后处理中包含的网格信息、ICEM CFD 生成的网格等。

Fluent 中内置了大量的材料数据库，包括各种常用的流体和固体材料，如水、空气、铁、铝等。用户可以直接使用这些材料定义求解问题，也可以在这些材料的基础上进行修改或者创建新材料。

Fluent 中可以设置的求解条件很多，包括定常问题、非定常问题、求解域、边界条件和求解参数。

Fluent 的用户界面如图 1-5 所示。

图 1-5　Fluent 的用户界面

界面大致分为以下 5 个区域：

1）主菜单：Fluent 遵循了常规软件的主菜单方式，其中包含了软件的全部功能。

2）功能区：包括文件、区域、物理模型等操作功能。

3）信息树：包括 Fluent 计算分析的全部内容，有网格、求解域、边界条件后处理显示等。

4）设置选项卡：在模型设置区某一功能被选中后，设置选项卡将用来对这一功能进行详细设置。

5）右半部分：分为上下两个区域，上面是图形区，以图形方式直观地显示模型；下面是文本交互区。

1.2.3 Fluent 的计算类型及应用领域

Fluent 可以计算的流动类型包括：

1）任意复杂外形的二维或三维流动。

2）可压、不可压流。

3）定常、非定常流。

4）无黏（软件界面中相关的汉化文字以“粘”为主，两者意义想通）流、层流和湍流。

5）牛顿、非牛顿流体流动。

6）对流传热，包括自然对流和强迫对流。

7）热传导和对流传热相耦合的传热计算。

8）辐射传热计算。

9）惯性（静止）坐标、非惯性（旋转）坐标中的流场计算。

10）多层次移动参考系问题，包括动网格界面和计算动子或静子相互干扰问题的混合面等问题。

11）化学组元混合与反应计算，包括燃烧模型和表面凝结反应模型。

12）源项体积任意变化的计算，源项类型包括热源、质量源、动量源、湍流源和化学组分源项等形式。

13）颗粒、水滴和气泡等弥散相的轨迹计算，包括弥散相与连续项相耦合的计算。

14）多孔介质流动计算。

15）用一维模型计算风扇和换热器的性能。

16）两相流，包括带空穴流动计算。

17）复杂表面问题中带自由面流动的计算。

简而言之，Fluent 适用于各种复杂外形的可压和不可压流动计算。

1.2.4 Fluent 的求解步骤

Fluent 是一个 CFD 的求解器，在计算分析之前读者要在头脑中先勾勒出一个计划，然后再按照计划进行工作。

1. 制订分析方案

制订步骤之前，需要了解下列问题：

1）确定工作目标：明确计算的内容、计算结果的精度。

2）选择计算模型：考虑如何划定流场、流场的起止点在哪、定义边界条件、是否可以用二维进行计算、网格采用的拓扑结构等。

3）选择物理模型：流动是无黏流、层流还是湍流；流动是可压的还是不可压的；是否需要考虑传热问题；流场是定常还是非定常的；计算中是否还要其他物理问题。

4）确定求解流程：要计算的问题能否采用系统缺省的设置简单地完成；是否可以加快计算的收敛；计算机的内存是否够用；计算需要多长时间。

仔细思考上述问题可以更好地完成计算，否则在计算的过程中就会遇到意想不到的问题，导致返工、时间浪费、效率降低等后果。

2. 求解步骤

确定所解决问题的特征之后，需要以下几个基本的步骤来解决问题：

1）创建网格。

2）运行合适的解算器：2D、3D、2DDP、3DDP。

3）输入网格。

4）检查网格。

5）选择解的格式。

6）选择需要解的基本方程：层流还是湍流（无黏）、化学组分还是化学反应、热传导模型等。

7）确定所需要的附加模型：风扇、热交换、多孔介质等。

8）指定材料物理性质。

9）指定边界条件。

10）调节解的控制参数。

11）初始化流场。

12）计算解。

13）检查结果。

14）保存结果。

15）必要的话，细化网格并改变数值和物理模型。

Fluent 的计算步骤与选项卡的对应项见表 1-1。

表 1-1 Fluent 计算步骤及对应的选项卡

步　骤	对应功能区的选项卡
输入网格	文件→读入
检查网格	区域→网格
选择求解格式	设置→通用
选择基本方程	设置→模型
物质属性	设置→材料
边界条件	设置→边界条件
调整求解控制参数	求解→方法/控制
初始化流畅	求解→初始化
计算求解	求解→运行计算
检查结果	结果→图形/报告
保存结果	文件→写出
根据结果对网格做适应性调整	区域→调整

1.3 本章小结

本章介绍了计算流体力学基础和 Fluent 软件的基本情况，包括流体力学的基本概念、Fluent 的主要计算方式和应用领域、Fluent 的图形用户界面和文字用户界面，以及 Fluent 的计算步骤等。

第2章 稳态模拟分析

一般流体流动根据与时间的关系可分为稳态流动和瞬态流动。稳态流动是指流体流动不随时间改变，计算域内任意一点的物理量不随时间变化而变化，从数学角度上讲，就是物理量对时间的偏导数为0。本章将通过实例分析介绍稳态流动。

学习目标：

1）掌握稳态计算的设定。

2）掌握稳态初始值的设定。

3）掌握稳态求解控制的设定。

4）掌握稳态的输出控制。

2.1 F1赛车外流场稳态流动

下面将通过一个赛车外流场分析案例，让读者对使用ANSYS Fluent 2024 R1分析处理稳态流动基本操作步骤的每一项内容有初步的了解。

2.1.1 案例介绍

图2-1为某F1赛车几何模型，其中入口流速为40m/s，请用ANSYS Fluent求解出压力与速度的分布云图。

图2-1 赛车几何模型

2.1.2 建立分析项目

启动Workbench并建立分析项目的操作步骤如下。

1）在Windows系统中执行“开始”→“所有程序”→“ANSYS 2024 R1”→“Workbench 2024 R1”命令，启动ANSYS Workbench。

2）双击主界面工具箱中的“组件系统”→“几何结构”选项，即可在项目管理区创建分析项目A，如图2-2所示。

3）在工具箱中的“组件系统”→“Fluent（带Fluent网格划分）”选项上按住鼠标左键并拖拽到项目管理区中，悬挂在项目A中的A2栏“几何结构”上，当项目A2的“几何结构”栏红色高亮显示时，即可放开鼠标创建项目B。项目A中的“几何结构”栏和项目B中的“网格”栏（A2和B2）之间出现了一条相连的线，表示它们之间几何体数据可共享，如图2-3所示。

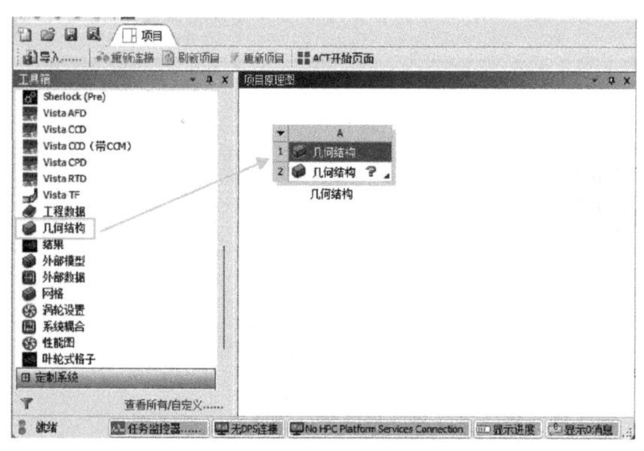

图 2-2　创建几何结构分析项目

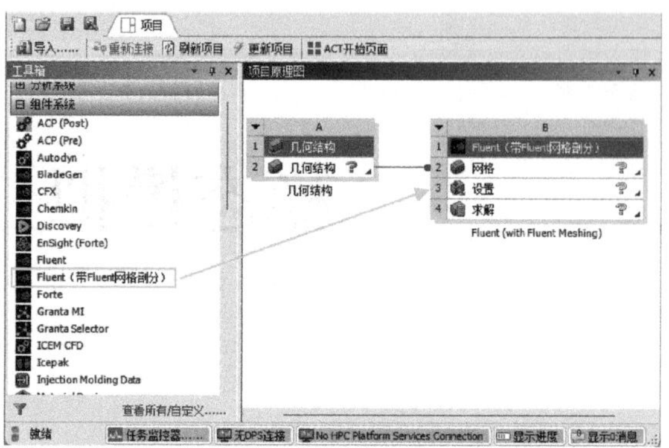

图 2-3　创建 Fluent（网格）分析项目

注：ANSYS 提供了多种流体网格划分工具，包括 ANSYS Meshing、Fluent Meshing、ICEM CFD 等，本算例是通过 Fluent Meshing 工具来进行网格划分的。

4）在工具箱中的“组件系统”→“结果”选项上按住鼠标左键并拖拽到项目管理区中，悬挂在项目 B 中的 B4 栏“求解”上，当项目 B4 的“求解”栏红色高亮显示时，即可放开鼠标创建项目 C。项目 B 中的“求解”栏（B4）和项目 C 中的“结果”栏（C2）之间出现了一条相连的线，表示它们之间数据可共享，如图 2-4 所示。

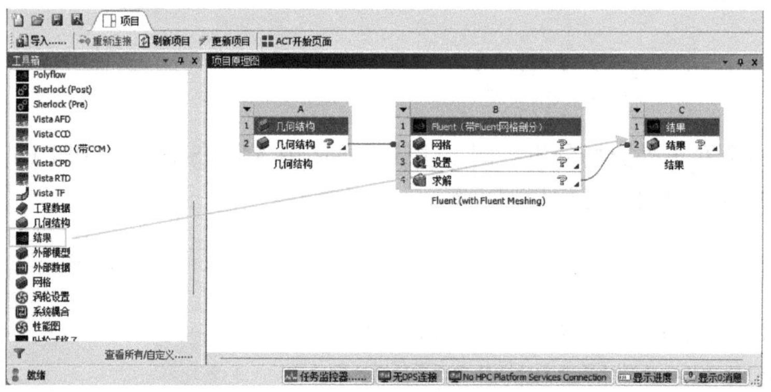

图 2-4　创建结果分析项目

2.1.3　导入几何体

导入几何体的操作步骤如下。

1）在 A2 栏的“几何结构”上单击鼠标右键，在弹出的快捷菜单中选择“导入几何模型”→“浏览”命令，如图 2-5 所示。此时会弹出“打开”对话框。

2）在“打开”对话框中选择文件路径，导入 formula_1. x_t 几何体文件，此时 A2 栏“几何结构”后的 ? 变为 ✓，表示实体模型已经存在。

3）双击项目 A 中的 A2 栏“几何结构”，进入 DesignModeler 界面，此时设计树中“导入 1”前显示 ⚡，表示需要生成。如果图形窗口中没有模型显示，单击 生成 按钮，显示模型，如图 2-6 所示。

注：在双击 A2 栏“几何结构”时，默认打开的 CAD 建模软件是 SpaceClaim，用户可以通过在 Workbench 界面单击主菜单中“工具”→“选项”按钮，弹出图 2-7 的“选项”对话框，单击选

择“几何结构导入”，在“常规选项”选项组中选择“偏好几何模型编辑器”为“DesignModeler”。

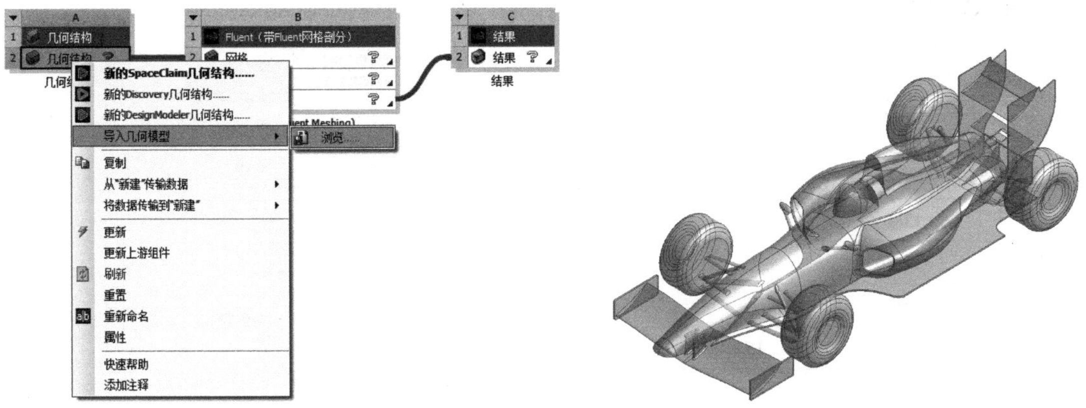

图 2-5　导入几何体

图 2-6　显示模型

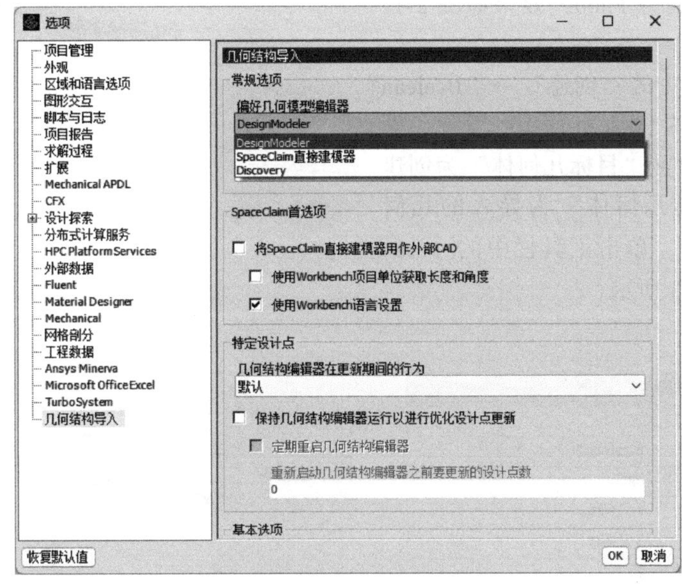

图 2-7　“选项”对话框

4）单击主菜单中的“工具”→“外壳”按钮，启动图 2-8 的外壳面板。对应不同参数输入距离值，见表 2-1。单击工具栏的 生成 按钮，创建赛车外流体计算域，将其命名为 bio，效果如图 2-9 所示。

表 2-1　外壳 1 参数

FD1	0. 5
FD2	0. 5
FD3	0. 5
FD4	0. 5
FD5	0. 5
FD6	3

详细信息视图

详细信息 外壳1

外壳	外壳1
形状	框
平面数量	0
缓冲	非均匀
FD1, 缓冲 +X值(>0)	0.5 m
FD2, 缓冲 +Y值 (>0)	0.5 m
FD3, 缓冲 +Z值(>0)	0.5 m
FD4, 缓冲 -X值(>0)	0.5 m
FD5, 缓冲 -Y值(>0)	0.5 m
FD6, 缓冲 -Z值(>0)	3 m
目标几何体	全部几何体
导出外壳	是

图 2-8　外壳 1 面板

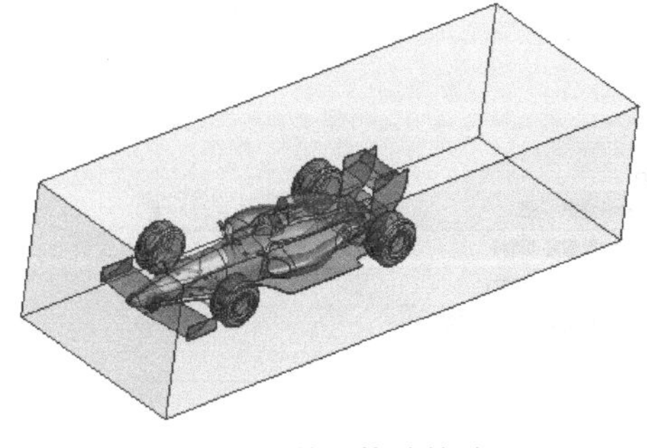

图 2-9　外流体计算域

5）同步骤 4），单击主菜单中“工具”→“外壳”按钮，启动图 2-10 的外壳面板。对应不同参数输入距离值，参数见表 2-2。

表 2-2 外壳 2 参数

FD1	5
FD2	5
FD3	8
FD4	1
FD5	1
FD6	15

详细信息视图

详细信息 外壳2	
外壳	外壳2
形状	框
平面数量	0
缓冲	非均匀
FD1, 缓冲+X值(>0)	5 m
FD2, 缓冲 +Y值 (>0)	5 m
FD3, 缓冲 +Z值(>0)	8 m
FD4, 缓冲 -X值(>0)	1 m
FD5, 缓冲 -Y值(>0)	1 m
FD6, 缓冲 -Z值(>0)	15 m
目标几何体	全部几何体
导出外壳	是

图 2-10 外壳 2 面板

6）单击工具栏中的 生成 按钮，创建外部流体域，将其命名为 Fluid，效果如图 2-11 所示。

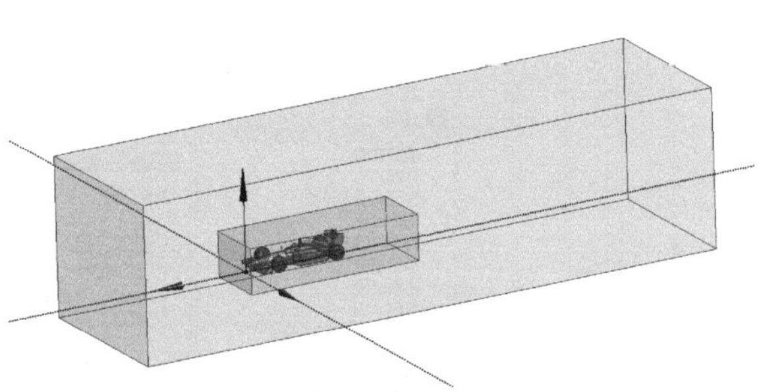

图 2-11 外部流体域

7）单击主菜单中的“创建”→“Boolean”按钮，启动图 2-12 的 Boolean 面板。设置“操作”为“提取”，设置“目标几何体”为创建的 bio，设置“工具几何体”为导入的几何体，即 F1 赛车模型，单击工具栏中的 生成 按钮，效果如图 2-13 所示。

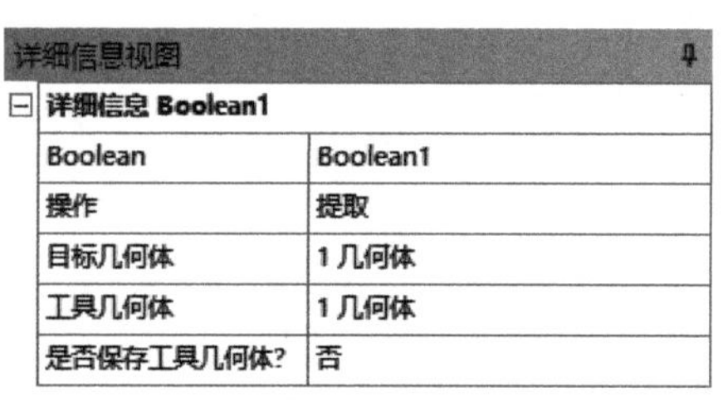

详细信息视图

详细信息 Boolean1	
Boolean	Boolean1
操作	提取
目标几何体	1 几何体
工具几何体	1 几何体
是否保存工具几何体?	否

图 2-12 Boolean 面板

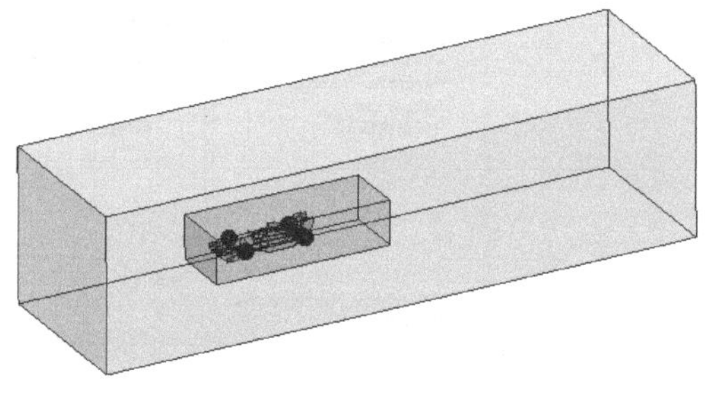

图 2-13 赛车外流场

8）单击主菜单中的“创建”→“切割”按钮，启动图 2-14 的切割面板。“基准平面”选择“YZ 面”，“切割目标”选择步骤 7）创建的赛车外流场，单击工具栏中的 生成 按钮，效果如图 2-15 所示。

详细信息视图

详细信息 切割1	
切割	切割1
切割类型	按平面切割
基准平面	YZ面
切割目标	全部几何体

图 2-14 切割面板

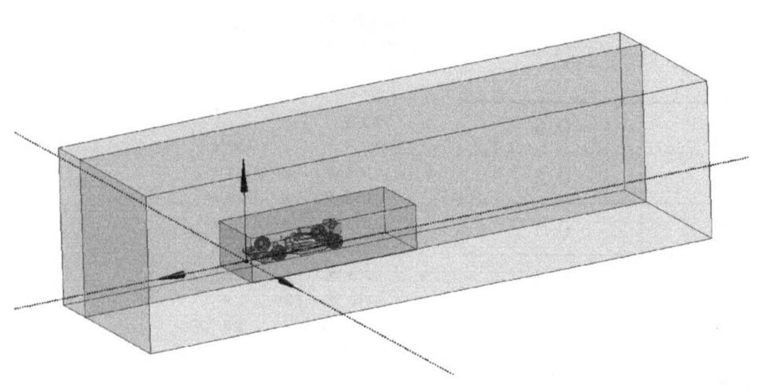

图 2-15 计算域分割

9）在设计树中右键单击切割生成的两个区域，在弹出的快捷菜单中选择“抑制几何体”命令，如图 2-16 所示。

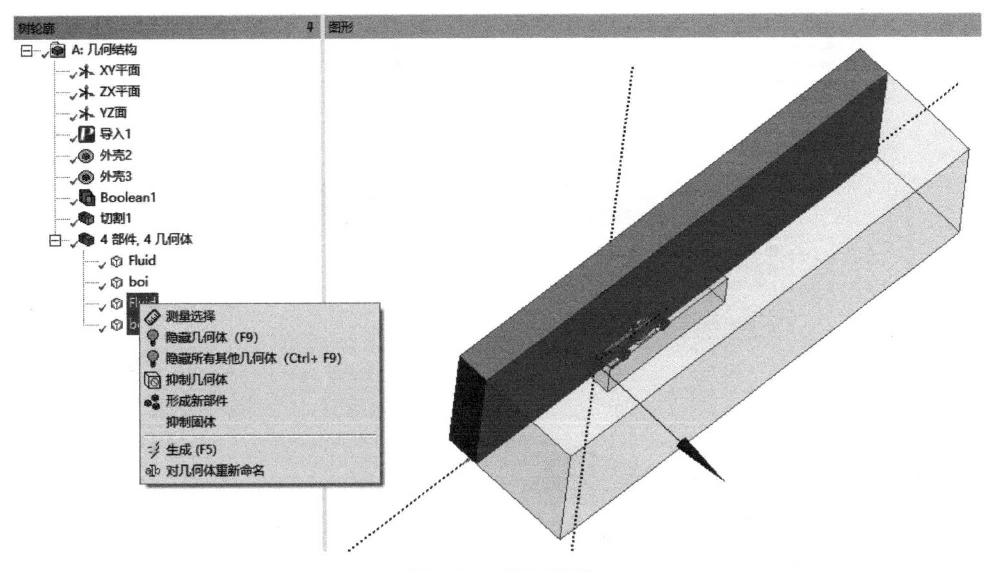

图 2-16　模型禁用

10）单击主菜单中的“创建”→“新平面”按钮，启动图 2-17 的平面面板。设置“基准平面”为“ZX 平面”，设置“转换 1（RMB）”为“偏移 Z”，设置 FD1 为 0.06m，单击工具栏的 生成 按钮。

11）单击主菜单中的“创建”→“切割”按钮，启动图 2-18 的切割面板。“基准平面”选择步骤 10）创建的平面 4，“切割目标”选择步骤 7）创建的赛车外流场，单击工具栏的 生成 按钮，效果如图 2-19 所示。

12）在设计树中右键单击分割出模型的下部分区域，在弹出的快捷菜单中选择“抑制几何体”命令，如图 2-20 所示。

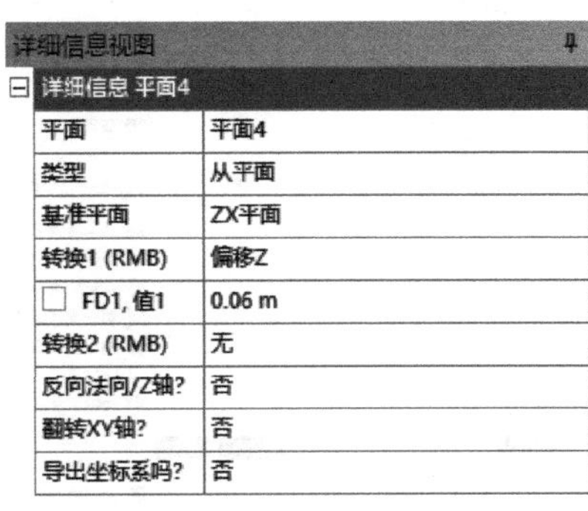

详细信息视图

详细信息 平面4	
平面	平面4
类型	从平面
基准平面	ZX平面
转换1 (RMB)	偏移Z
FD1, 值1	0.06 m
转换2 (RMB)	无
反向法向/Z轴?	否
翻转XY轴?	否
导出坐标系吗?	否

图 2-17　平面面板

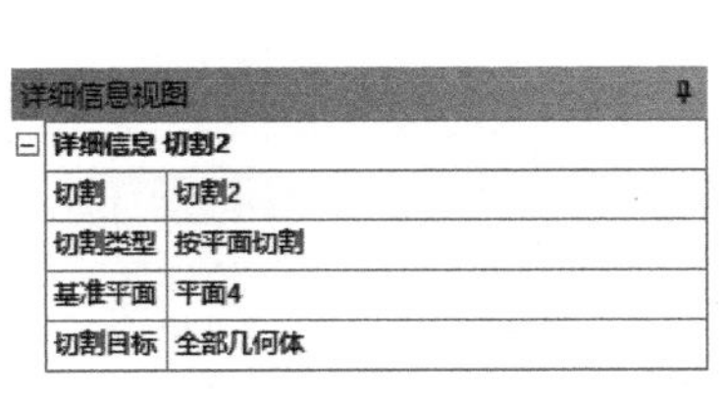

详细信息视图

详细信息 切割2	
切割	切割2
切割类型	按平面切割
基准平面	平面4
切割目标	全部几何体

图 2-18　切割面板

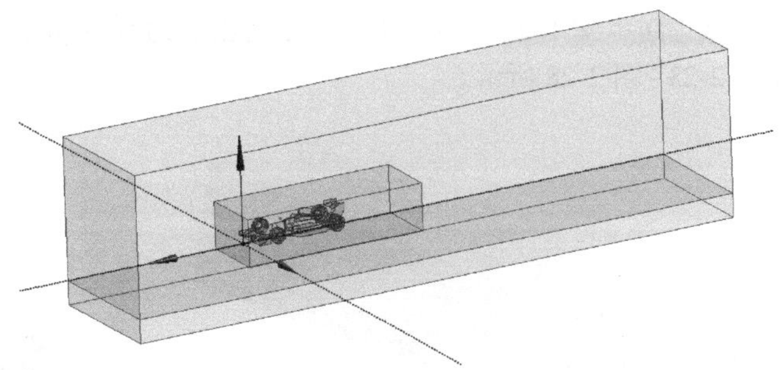

图 2-19　计算域分割

13）右键单击模型顶部，在弹出的快捷菜单中选择“命名的选择”命令，如图 2-21 所示。

14）然后弹出图 2-22 的面板，在“命名的选择”文本框中输入“top”。

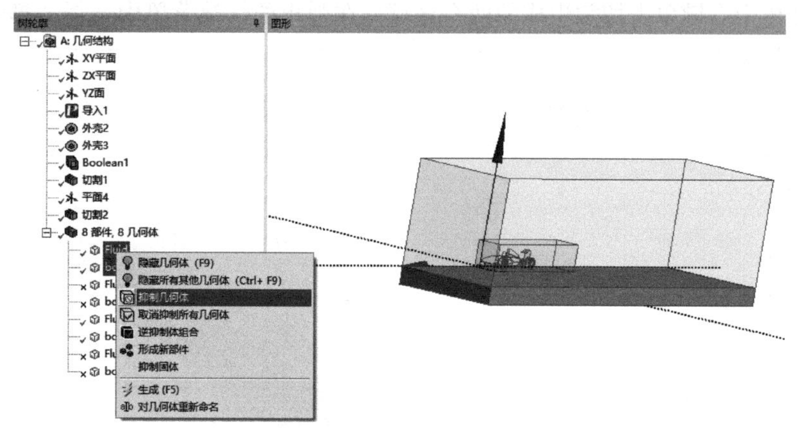

图 2-20　模型禁用

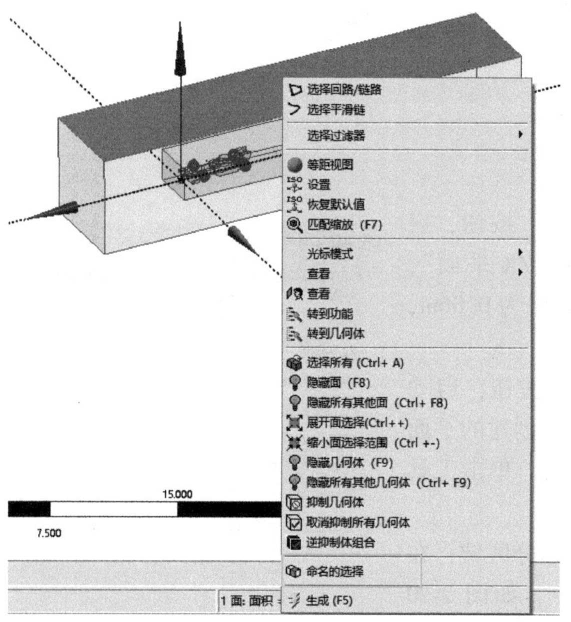

图 2-21　选择“命名的选择”命令

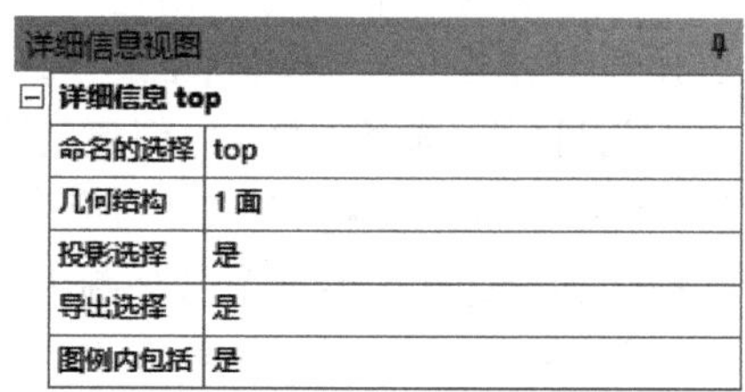

详细信息视图

详细信息 top	
命名的选择	top
几何结构	1 面
投影选择	是
导出选择	是
图例内包括	是

图 2-22　弹出的面板

15）同步骤 13）和步骤 14），分别创建边界 Symm_side、inlet、outlet、Symm、bottom 和 F1，如图 2-23～图 2-28 所示。

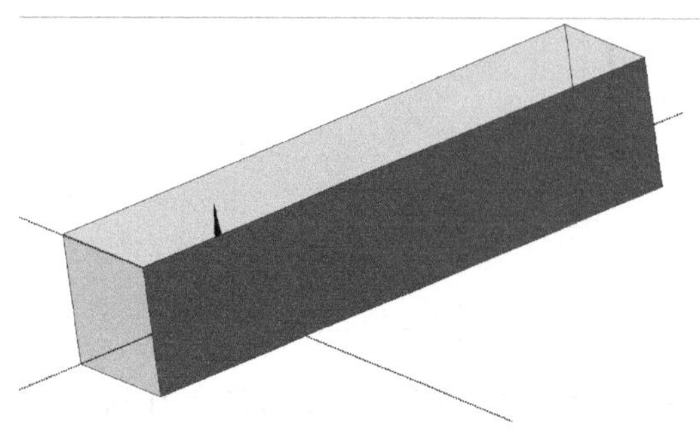
图 2-23　Symm_side 边界

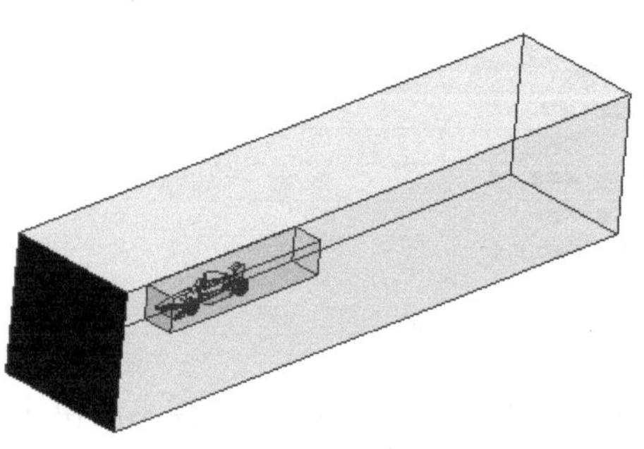
图 2-24　inlet 边界

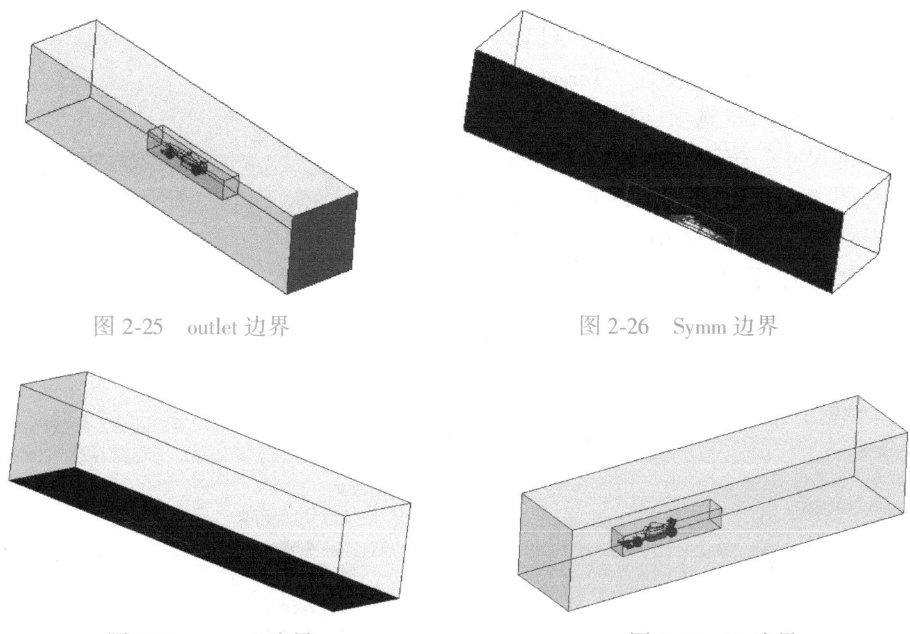

图 2-25　outlet 边界

图 2-26　Symm 边界

图 2-27　bottom 边界

图 2-28　F1 边界

16）执行主菜单中的“文件”→“关闭 Design Modeler”命令，退出 Design Modeler，返回 Workbench 主界面。

2.1.4　划分网格

划分网格的操作步骤如下。

1）双击项目 B 的 B2 栏“网格”项，进入图 2-29 的 Fluent Launcher 界面，单击“Start”按钮进入网格划分界面。

2）进入 Fluent Meshing 工作界面，选择“工作流程”→“导入几何模型”命令，弹出图 2-30 的导入几何模型面板。单击“导入几何模型”按钮导入几何模型，效果如图 2-31 所示。

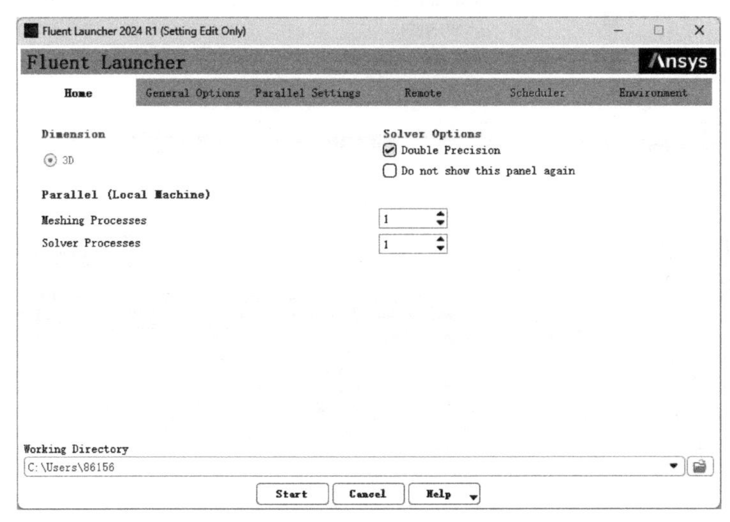

图 2-29　Fluent Launcher 界面

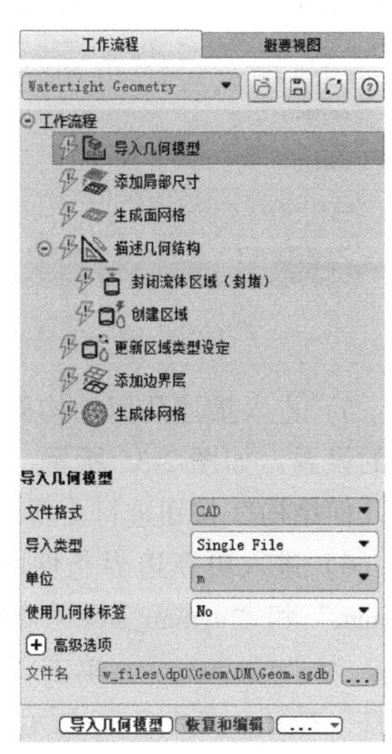

图 2-30　导入几何模型面板

3）选择“添加局部尺寸”选项，设置“尺寸函数类型”为“Face Size”，设置“Target Mesh Size [m]”为 0.05，选择 boi 选项（即网格加密区域），单击“添加局部尺寸”按钮，如图 2-32 所示。

4）进入图 2-33 的生成面网格面板，设置“Minimum Size [m]”为 0.01，设置“Maximum Size [m]”为 0.5，设置“曲率法向角 [度]”为 5，单击“生成面网格”按钮生成表面网格，效果如图 2-34 所示。

图 2-31　导入的几何模型

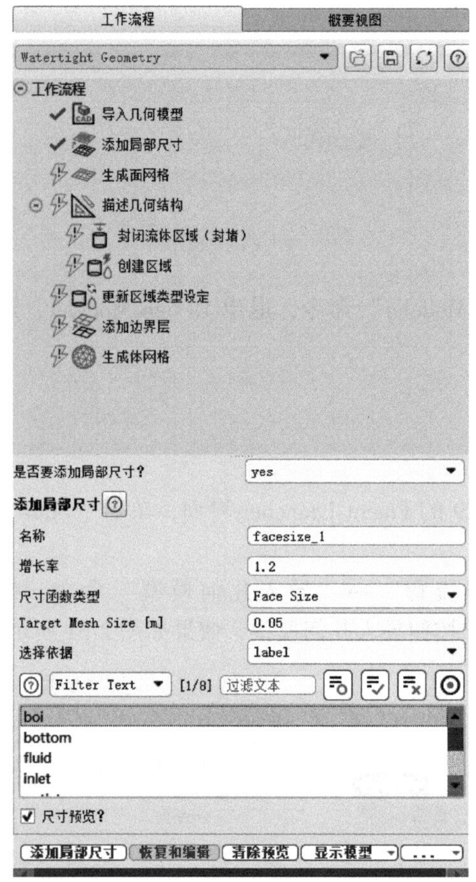

图 2-32　添加局部尺寸面板

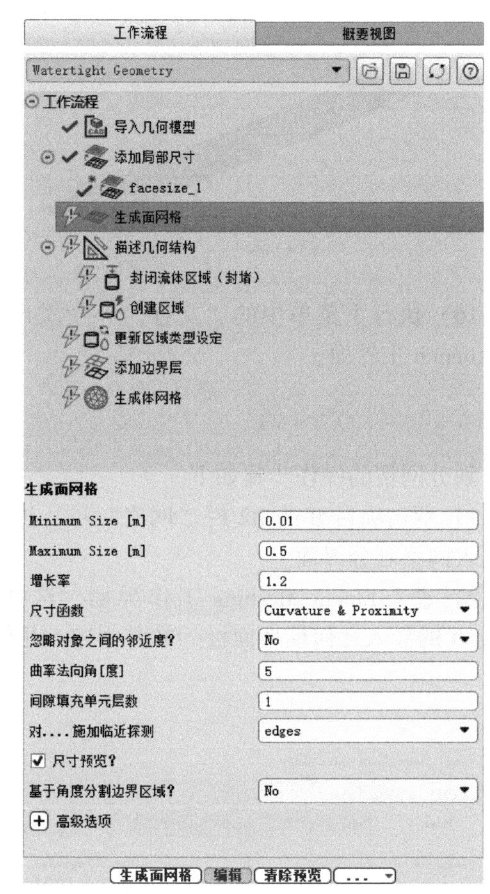

图 2-33　生成面网格面板

5）进入描述几何结构面板进行相应的设置，如图 2-35 所示。单击“描述几何结构”按钮进行更新。

6）进入更新边界条件面板，设置“symm”和“symm_side”的 Boundary Type 为“symmetry”，单击“更新边界条件”按钮，如图 2-36 所示。

7）进入更新区域类型设定面板，

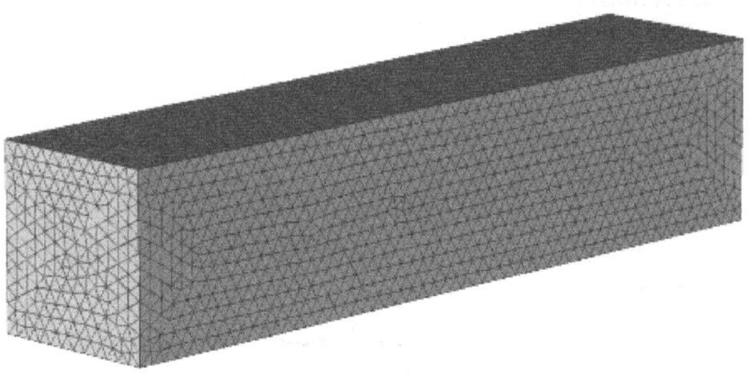

图 2-34　表面网格

保持默认值，单击“更新区域类型设定”按钮，如图 2-37 所示。

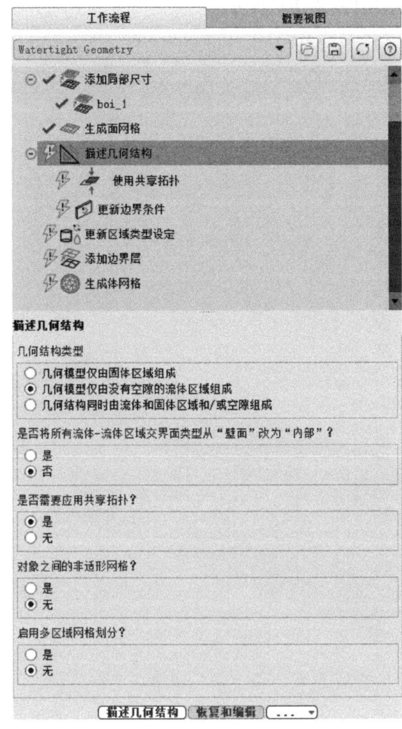

图 2-35　描述几何结构面板

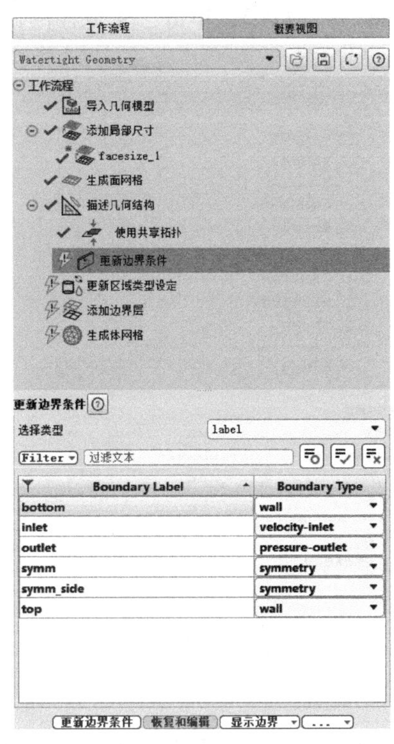

图 2-36　更新边界条件面板

8）进入添加边界层面板，保持默认值，单击“添加边界层”按钮，如图 2-38 所示。

图 2-37　更新区域类型设定面板

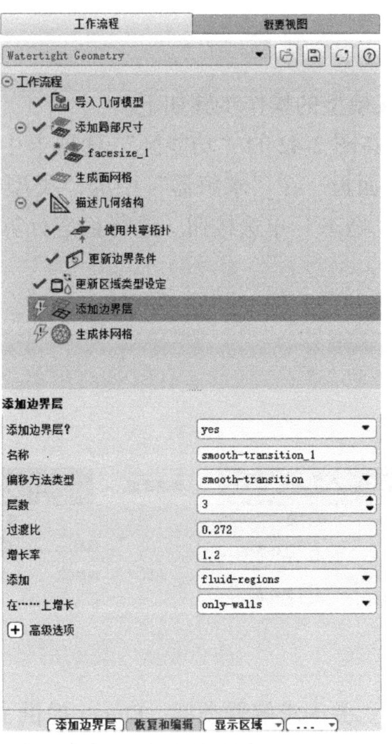

图 2-38　添加边界层面板

9）进入图 2-39 的生成体网格面板，选择“填充体网格”为“polyhedra”，设置“Max Cell Length［m］”为 0.5，单击“生成体网格”按钮，效果如图 2-40 所示。

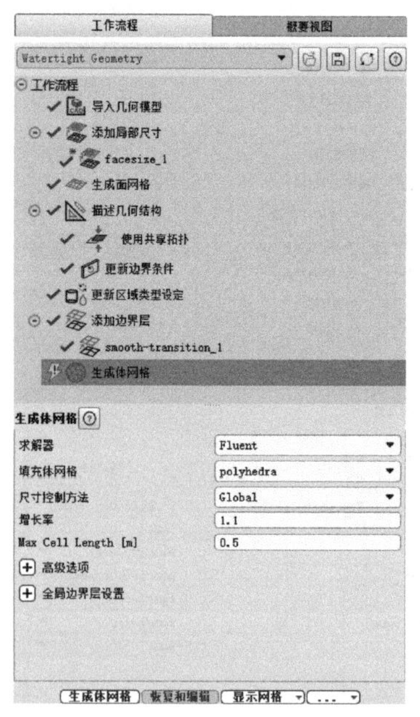

图 2-39 生成体网格面板

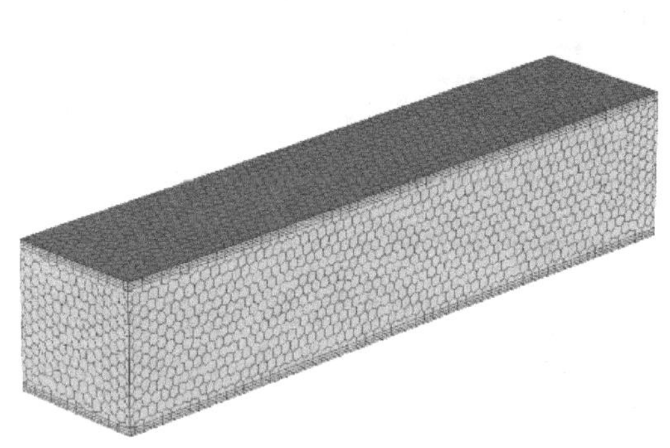

图 2-40 生成体网格

10）单击工具栏中的“求解”→“切换至求解模式”按钮，进入 Fluent 求解界面，如图 2-41 所示。

图 2-41 进入 Fluent 求解界面

2.1.5 定义模型

定义模型的操作步骤如下。

1）在图 2-42 的“功能区”选项卡中单击“物理模型”→“通用...”按钮，弹出图 2-43 的“通用”面板。在“求解器”中的“类型”区域中选择“压力基”单选按钮，在“时间”区域中选择“稳态”单选按钮，进行稳态计算。

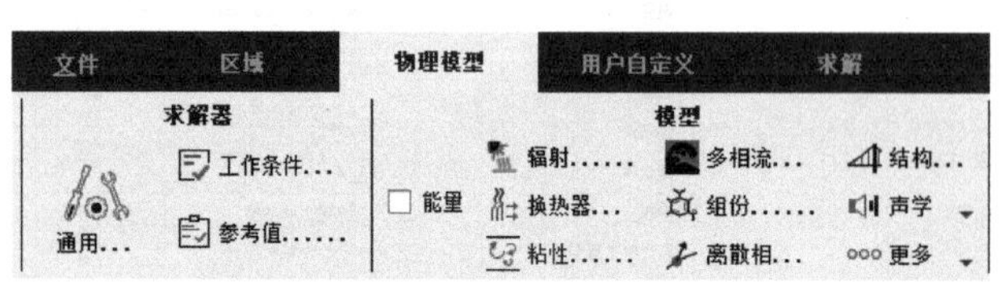

图 2-42 单击通用按钮

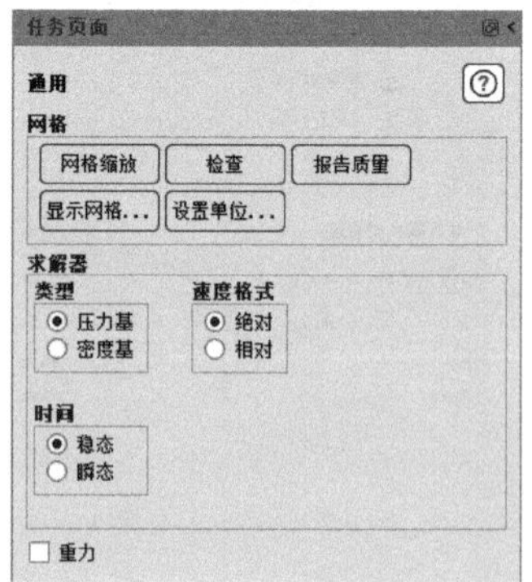

图 2-43 “通用”面板

注 1：关于求解器类型，Fluent 提供了两种选择。

- “压力基”是基于压力法的求解器，使用的是压力修正算法，求解的控制方程是标量形式的，擅长求解不可压缩流动，对于可压缩流动也可以求解。

- “密度基”是基于密度法的求解器，求解的控制方程是矢量形式的，主要离散格式有 Roe 和 AUSM+，该方法的初衷是让 Fluent 具有良好的求解可压缩流动能力，但目前格式没有添加任何限制器，因此还不太完善，只有 Coupled 的算法；对于低速问题，是使用 Preconditioning 方法来处理，使之也能够计算低速问题。

“密度基”下没有 SIMPLEC、PISO 这些选项，因为这些都是压力修正算法，不会在这种类型的求解器中出现的，一般还是使用“压力基”解决问题。

注 2：关于速度方程，在 Fluent 中速度方程可以指定计算时速度是“绝对速度”还是“相对速度”处理。“相对速度”选项只适用于“压力基”求解器。

2）在图 2-44 的“功能区”选项卡中单击“物理模型”→“模型”→“黏性”按钮，弹出图 2-45 的“黏性模型”对话框。

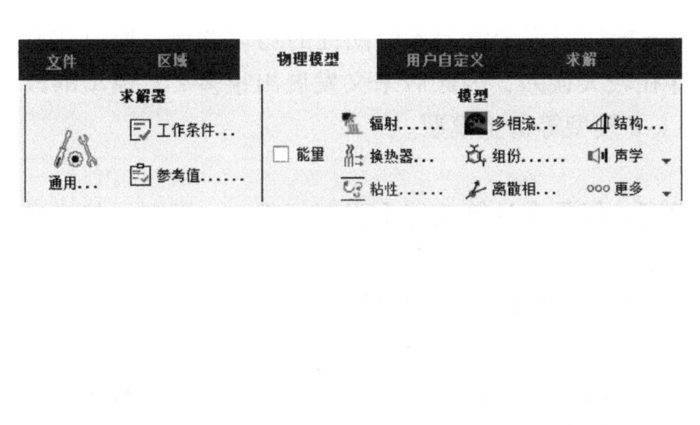

图 2-44 单击“黏性”按钮

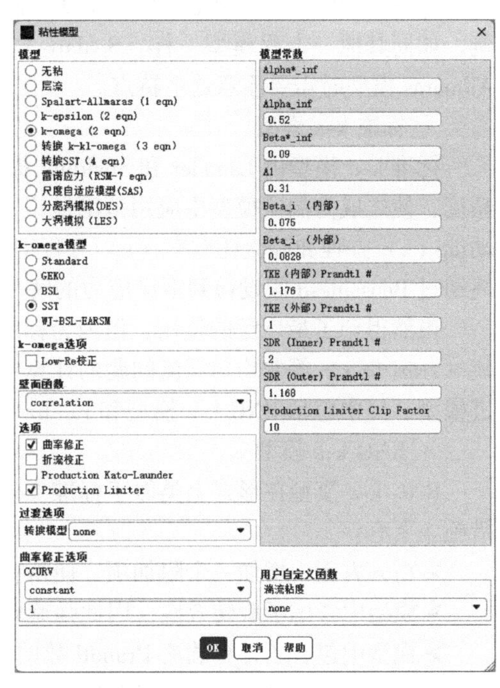

图 2-45 “黏性模型”对话框

在“模型”选项区域中选择“k-omega（2 eqn）”单选按钮，在“k-omega 模型”选项区域中选择“SST”单选按钮，在“选项”选项区域中勾选“曲率修正”复选框，单击“OK”按钮确认。

注：湍流出现在速度变动的地方。这种波动使得流体介质之间相互交换动量、能量和浓度变化，而且引起了数量的波动。由于这种波动是小尺度且是高频率的，所以在实际工程计算中进行直接模拟时，对计算机的要求会很高。实际上，瞬时控制方程可能在时间上、空间上是均匀的，或者可以人为改变尺度，这样修改后的方程耗费较少的计算机资源。但是，修改后的方程可能包含我们不知的变量，湍流模型需要用已知变量来确定这些变量。

Fluent 提供的湍流模型主要包括：Spalart-Allmaras 模型、标准 k-ε 模型、RNG k-ε 模型、带旋流修正 k-ε 模型、k-ω 模型、压力修正 k-ω 模型、雷诺应力模型、大漩涡模拟模型等。

接下来分别对 Fluent 的两种流体流动模拟方法和六种湍流模型进行介绍。

- 无黏

进行无黏计算。

- 层流

用层流模型进行流动模拟。层流同无黏流动一样，不需要输入任何与计算相关的参数。

- Spalart-Allmaras 模型

在一方程模型中，Spalart-Allmaras 模型被认为是最成功的一个模型，最早用于有壁面限制情况的流动计算中，特别是存在逆压梯度的流动区域内，对边界层的计算效果较好，因此经常用于流动分离区附近的计算，并且后来在涡轮机械的计算中也得到广泛应用。

最早的 Spalart-Allmaras 模型用于低雷诺数流计算，特别是在需要准确计算边界层黏性影响的问题中效果较好。Fluent 对 Spalart-Allmaras 进行了改进，使其可以在网格精度不高时使用壁面函数。在湍流对流场影响不大，同时网格较粗糙时，可以选用这个模型。

Spalart-Allmaras 模型是一种新出现的湍流模型，在工程应用问题中还没有出现多少成功的算例。如同其他一方程模型一样，Spalart-Allmaras 模型的稳定性也比较差，在计算中采用 Spalart-Allmaras 模型时需要注意这个特点。

- 标准 k-ε 模型

标准 k-ε 模型由 Launder 和 Spalding 提出，模型本身具有的稳定性、经济性和比较高的计算精度，使之成为湍流模型中应用范围最广、最为人熟知的一个模型。标准 k-ε 模型通过求解湍流动能（k）方程和湍流耗散率（ε）方程得到 k 和 ε 的解，然后再用 k 和 ε 的值计算湍流黏度，最终通过 Boussinesq 假设得到雷诺应力的解。

虽然得到了最广泛的使用，但因为标准 k-ε 模型假定湍流为各向同性的均匀湍流，所以在旋流（swirl flow）等非均匀湍流问题的计算中存在较大误差，因此后来又发展出很多 k-ε 模型的改进模型，其中包括 RNG k-ε 模型和 Realizable k-ε 模型等衍生模型。

- RNG k-ε 模型

RNG k-ε 模型在形式上类似于标准 k-ε 模型，但是在计算功能上强于标准 k-ε 模型，其改进措施主要有：

➢ 在 ε 方程中增加一个附加项，使得在计算速度梯度较大的流场时精度更高。

➢ 模型中考虑了旋转效应，因此强旋转流动计算精度也得到提高。

➢ 模型中包含了计算湍流 Prandtl 数的解析公式，而不像标准 k-ε 模型仅用用户定义的常数。

➢ 标准 k-ε 模型是一个高雷诺数模型，而重整化群 k-ε 模型在对近壁区进行适当处理后可以计算低雷诺数效应。

- Realizable k-ε 模型

Realizable k-ε 模型与标准 k-ε 模型的主要区别是：

➢ Realizable k-ε 模型中采用了新的湍流黏度公式。

➢ ε 方程是从涡量扰动量均方根的精确输运方程推导出来的。

k-ε 模型满足对雷诺应力的约束条件，因此可以在雷诺应力上保持与真实湍流的一致。这一点是标准 k-ε 模型和 RNG k-ε 模型都无法做到的。这个特点在计算中的好处是可以更精确地模拟平面和圆形射流的扩散速度，同时在旋转流计算、带方向压强梯度的边界层计算和分离流计算等问题中，计算结果更符合真实情况。

Realizable k-ε 模型是新出现的 k-ε 模型，虽然还无法证明其性能已经超过 RNG k-ε 模型，但是在分离流计算和带二次流的复杂流动计算中的研究标明，Realizable k-ε 模型是所有 k-ε 模型中表现最出色的湍流模型。

Realizable k-ε 模型在同时存在旋转和静止区的流场计算中，比如多重参考系、旋转滑移网格等，会产生非物理湍流黏性，因此在类似计算中应该慎重选用这种模型。

- k-ω 模型

k-ω 模型也是二方程模型。标准 k-ω 模型中包含了低雷诺数影响、可压缩性影响和剪切流扩散，因此适用于尾迹流动计算、混合层计算、射流计算，以及受到壁面限制的流动计算和自由剪切流计算。

剪切应力输运 k-ω 模型，简称 SST k-ω 模型，综合了 k-ω 模型在近壁区计算的优点和 k-ε 模型在远场计算的优点，将 k-ω 模型和标准 k-ε 都乘以一个混合函数后再相加就得到这个模型。在近壁区，混合函数的值等于 1，因此在近壁区等价于 k-ω 模型。在远离壁面的区域混合函数的值则等于 0，因此自动转换为标准 k-ε 模型。

与标准 k-ω 模型相比，SST k-ω 模型中增加了横向耗散导数项，同时在湍流黏度定义中考虑了湍流剪切应力的输运过程，并且模型中使用的湍流常数也有所不同。这些特点使得 SST k-ω 模型的适用范围更广，比如可以用于带逆压梯度的流动计算、翼型计算、跨音速激波计算等。

- 雷诺应力模型（RSM）

雷诺应力模型中没有采用涡黏度的各向同性假设，因此从理论上说比湍流模式理论要精确得多。雷诺应力模型不采用 Boussinesq 假设，而是直接求解雷诺平均 N-S 方程中的雷诺应力项，同时求解耗散率方程，因此在二维问题中需要求解 5 个附加方程，在三维问题中则需要求解 7 个附加方程。

从理论上说，雷诺应力模型应该比一方程模型和二方程模型的计算精度更高，但实际上雷诺应力模型的精度受限于模型的封闭形式，因此雷诺应力模型在实际应用中并没有在所有的流动问题中都体现出优势。只有在雷诺应力明显具有各向异性的特点时才必须使用雷诺应力模型，比如龙卷风、燃烧室内流动等带强烈旋转的流动问题。

2.1.6 设置边界条件

设置边界条件的操作步骤如下。

1）单击“功能区”选项卡中的“物理模型”→“区域”→“边界”按钮，打开图 2-46 的“边界条件”面板。

2）在“边界条件”面板中，双击“inlet”选项，弹出图 2-47 的“速度入口”对话框。设置“速度大小［m/s］”为 40，单击“应用”按钮确认并退出。

3）在“边界条件”面板中，双击“outlet”选项，弹出图 2-48 的“压力出口”对话框。保持默认设置，单击“应用”按钮确认并退出。

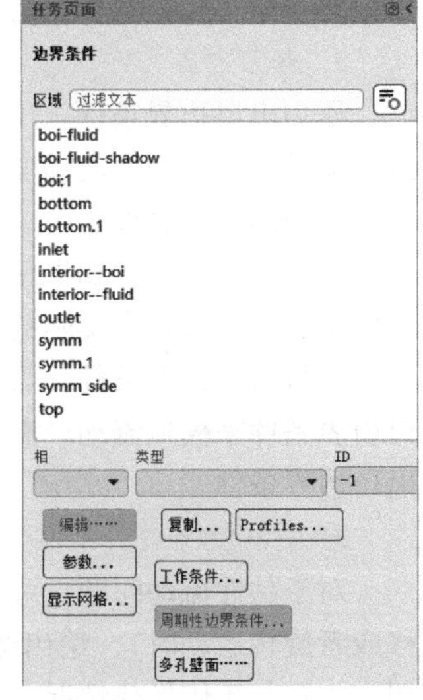

图 2-46 “边界条件”面板

注：边界条件就是在流体运动边界上控制方程应该满足的条件，一般会对数值计算产生重要的影响。即使对于同一个流场的求解，求解方法的不同，边界条件和初始条件的处理方法也是不同的。

在 CFD 模拟计算时，基本的边界类型包括以下几种：

1. 入口边界条件

入口边界条件就是指定入口处流动变量的值。常见的入口边界条件有速度入口边界条件、压力入口边界条件和质量流量入口边界条件。

1）速度入口边界条件：用于定义流动速度和流动入口的流动属性相关的标量。这一边界条件适用于不可压缩流，如果用于可压缩流会导致非物理结果，这是因为它允许驻点条件浮动。应注意不要让速度入口靠近固体妨碍物，因为这会导致流动入口驻点属性具有很高的非一致性。

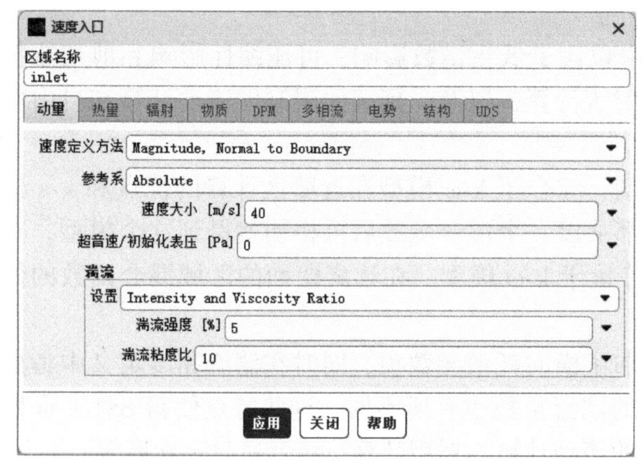

图 2-47 “速度入口”对话框

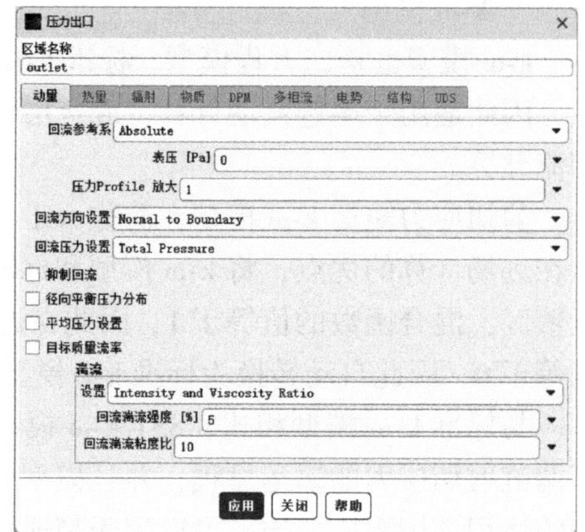

图 2-48 “压力出口”对话框

2）压力入口边界条件：用于定义流动入口的压力以及其他标量属性，既适用于可压流，也可以用于不可压流。压力入口边界条件可用于压力已知但是流动速度和速率未知的情况。这一情况可用于很多实际问题，比如浮力驱动的流动。压力入口边界条件也可用来定义外部或无约束流的自由边界。

3）质量流量入口边界条件：用于已知入口质量流量的可压缩流动。在不可压缩流动中不必指定入口的质量流量，因为密度为常数时，速度入口边界条件就确定了质量流量条件。当要求达到的是质量和能量流速而不是流入的总压时，通常就会使用质量入口边界条件。

说明：调节入口总压可能会导致解的收敛速度较慢，当压力入口边界条件和质量入口条件都可以接受时，应该选择压力入口边界条件。

2. 出口边界条件

压力出口边界条件：压力出口边界条件需要在出口边界处指定表压，表压值的指定只用于亚声速流动。如果当地流动变为超声速，就不再使用指定表压了，此时压力要从内部流动中求出，包括其他的流动属性。

在求解过程中，如果压力出口边界处的流动是反向的，回流条件也需要指定。如果对于回流问题指定了比较符合实际的值，收敛性困难问题就会不明显。

质量出口边界条件：当流动出口的速度和压力在解决流动问题之前未知时，可以使用质量出口边界条件来模拟流动。需要注意的是，如果模拟可压缩流或者包含压力出口时，不能使用质量出口边界条件。

3. 固体壁面边界条件

对于黏性流动问题，可设置壁面为无滑移边界条件，也可以指定壁面切向速度分量（壁面平移或者旋转运动时），给出壁面切应力，从而模拟壁面滑移。可以根据当地流动情况，计算壁面切应力和与流体换热情况。壁面热边界条件包括固定热通量、固定温度、对流换热系数、外部辐射换热、对流换热等。

4. 对称边界条件

对称边界条件应用于计算的物理区域是对称的情况。在对称轴或者对称平面上没有对流通量，垂直于对称轴或者对称平面的速度分量为 0。因此在对称边界上，垂直边界的速度分量为 0，任何量的梯度为 0。

5. 周期性边界条件

如果流动的几何边界、流动和换热是周期性重复的，则可以采用周期性边界条件。

边界类型的改变是有一定限制的，不能随意进行修改。边界类型可以分成四个大类，所有边界类型都可以被划分到其中一个大类中。边界类型的改变只能在大类中进行，而分属不同大类的边界类型是不能互相替换的。这四个大类的分类情况见表 2-3。

表 2-3 边界类型的分类

分　类	边界类型
面边界	轴边界、出口边界、质量流入口边界、压强远场条件、压强入口条件、压强出口条件、对称面（轴）条件、速度入口条件、壁面条件、入口通风条件、吸气风扇条件、出口通风条件、排气风扇条件
双面边界	风扇、多孔介质阶跃条件、散热器条件、壁面条件
周期性边界	周期条件
单元边界	流体、固体单元条件

2.1.7 调整求解控制

调整求解控制参数的操作步骤如下。

1）单击“功能区”选项卡中的“求解”→“方法”按钮，弹出图 2-49 的“求解方法”面板，保持默认设置不变。

2）单击“功能区”选项卡中的“求解”→“控制”按钮，弹出图 2-50 的“解决方案控制”面板，保持默认设置不变。

图 2-49 “求解方法”面板

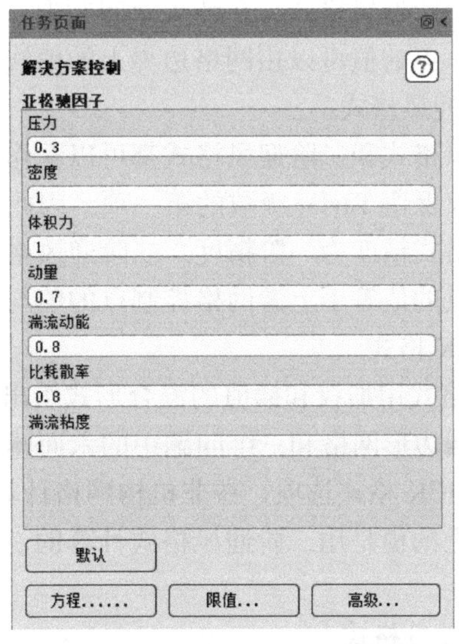

图 2-50 “解决方案控制”面板

注 1：在使用分离求解器时，通常可以选择三种压强—速度的关联形式，即 SIMPLE、SIMPLEC 和 PISO。SIMPLE 和 SIMPLEC 通常用于定常计算，PISO 用于非定常计算，但是在网格畸变很大时也可以使用 PISO 格式。

Fluent 缺省设定的格式为 SIMPLE 格式，但是因为 SIMPLEC 稳定性较好，在计算中可以将亚松弛因子适当放大，所以在很多情况下可以考虑选用 SIMPLEC。特别是在层流计算时，如果没有在计算中使用辐射模型等辅助方程，用 SIMPLEC 可以大大加速计算速度。在复杂流动计算中，二者收敛速度相差不多。

PISO 格式通常被用于非定常计算，但是也可以用于定常计算。PISO 格式允许使用较大的时间步长进行计算，因而在允许使用大时间步长的计算中可以缩短计算时间。但是在类似于大涡模拟（LES）这类网格划分较密集，因而时间步长很小的计算中，采用 PISO 格式计算则会大大延长计算时间。另外在定常问题的计算中，PISO 格式与 SIMPLE 和 SIMPLEC 格式相比并无速度优势。

PISO 格式的另一个优势是可以处理网格畸变较大的问题。如果在 PISO 格式中使用邻近修正（Neighbor Correction），可以将亚松弛因子设为 1.0 或接近于 1.0 的值。而在使用畸变修正（Skewness Correction）时，则应该将动量和压强的亚松弛因子之和设为 1.0，比如将压强的亚松弛因子设为 0.3，将动量的亚松弛因子设为 0.7。如果同时采用两种修正形式，则应将所有松弛因子设为 1.0 或接近于 1.0 的值。

在大多数情况下都不必修改缺省设置，而在有严重网格畸变时，可以解除邻近修正和畸变修正之间的关联关系。

注 2：Fluent 采用的离散格式包括一阶迎风格式、指数律格式、二阶迎风格式、QUICK 格式、中心差分格式等形式。

- 一阶迎风格式

“迎风”这个概念是相对于局部法向速度定义的。所谓迎风格式就是用上游变量的值计算本地的变量值。在使用一阶迎风格式时，边界面上的变量值被取为上游单元控制点上的变量值。

- 指数律格式

指数律格式认为流场变量在网格单元中呈指数规律分布。在对流作用起主导作用时，指数律格式等同于一阶迎风格式；在纯扩散问题中，对流速度接近于零，指数律格式等于线性插值，即网格内任意一点的值可以用网格边界上的值线性插值得到，而在对流和扩散作用相差无几时。

- 二阶迎风格式

一阶迎风格式和二阶迎风格式都可以看作流场变量在上游网格单元控制点展开后的特例：一阶迎风格式仅保留 Taylor 级数的第一项，因此认为本地单元边界点的值等于上游网格单元控制点上的值，其格式精度为一阶精度。二阶迎风格式则保留了 Taylor 级数的第一项和第二项，因而认为本地边界点的值等于上游网格控制点的值与一个增量的和，因而其精度为二阶精度。

- QUICK 格式

QUICK 格式用加权和插值的混合形式给出边界点上的值。QUICK 格式是针对结构网格，即二维问题中的四边形网格和三维问题中的六面体网格提出的，但是在 Fluent 中，非结构网格计算也可以使用 QUICK 格式选项。在非机构网格计算中，如果选择 QUICK 格式，则非六面体（或四边形）边界点上的值是用二阶迎风格式计算的。在流动方向与网格划分方向一致时，QUICK 格式具有更高的精度。

- 中心差分格式

在使用 LES 湍流模型时，可以用二阶精度的中心差分格式计算动量方程，并得到精度更高的结果。

以本地网格单元的控制点为基点，对流场变量做 Taylor 级数展开并保留前两项，也可以得出边界点上具有二阶精度的流场变量值。在一般情况下，这样求出的边界点变量值与二阶迎风差分得到的变量值不同，而二者的算术平均值就是流场变量在边界点上的用中心差分格式计算出的值。

注 3：Fluent 中各流场变量的迭代都由松弛因子控制，因此计算的稳定性与松弛因子紧密相关。在大多数情况下，可以不必修改松弛因子的缺省设置，因为这些缺省值是根据各种算法的特点优化得出的。在某些复杂流动情况下，缺省设置不能满足稳定性要求，计算过程中可能出现振荡、发散等情况，此时需要适当减小松弛因子的值，以保证计算收敛。

在实际计算中可以用缺省设置先进行计算，如果发现残差曲线向上发展，则中断计算，适当调整松弛因子后再继续计算。在修改计算控制参数前，应该先保存当前计算结果。调整参数后，计算需要经过几步调整才能适应新的参数。

一般而言，增加松弛因子将使残差增加，但是如果格式是稳定的，增加的残差仍然会逐渐降低。如果改变参数后，残差增加了几个量级，就可以考虑中断计算，并重新调入保存过的结果，再做新的调整。

在计算发散时，可以考虑将压强、动量、湍流动能和湍流耗散率的松弛因子的缺省值分别降低为 0.2、0.5、0.5、0.5。在计算格式为 SIMPLEC 时，通常没有必要降低松弛因子。

松弛因子是在”解决方案控制”（求解过程控制）面板中 Under-Relaxation Factors（松弛因子）旁的输入栏中设定的。单击 Default（缺省）按钮可以恢复缺省设置。

2.1.8 设置初始条件

设置初始条件的操作步骤如下。

1）单击“功能区”选项卡中的“求解”→“初始化”按钮，弹出图 2-51 的“解决方案初始化”面板。

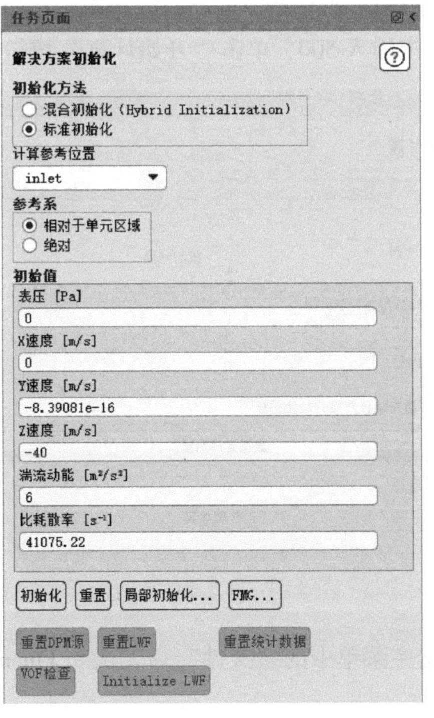

图 2-51 “解决方案初始化”面板

2）在“初始化方法”选项区域中选择“标准初始化”单选按钮，“计算参考位置”选择“inlet”选项，单击“初始化”按钮进行初始化。

2.1.9 求解过程监视

单击“功能区”选项卡中的“求解”→“报告”→“残差”按钮，弹出图 2-52 的“残差监控器”对话框。保持默认设置不变，单击“OK”按钮确认。

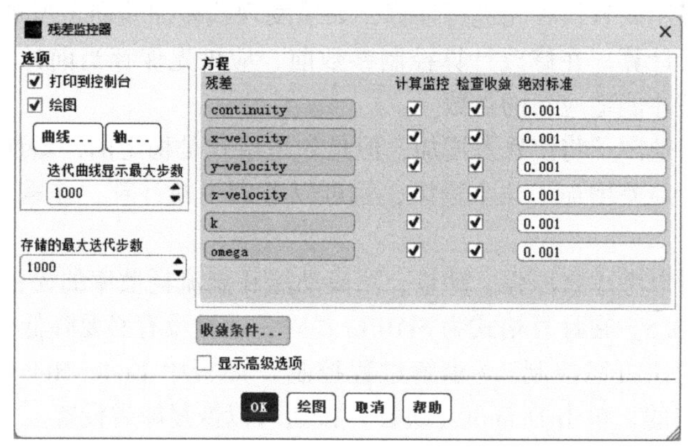

图 2-52 “残差监控器”对话框

2.1.10 计算求解

计算求解的操作步骤如下。

1）单击“功能区”选项卡中的“求解”→“运行计算”按钮，弹出图 2-53 的“运行计算”面板。在“迭代次数”数值框中输入 500，单击“开始计算”按钮开始计算。

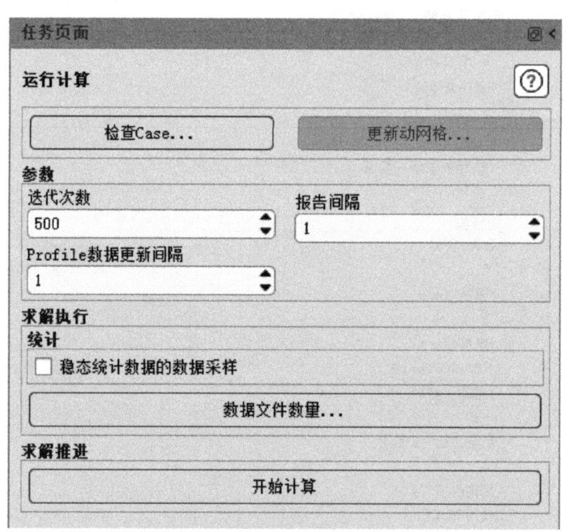

图 2-53 “运行计算”面板

2）计算收敛完成后，单击主菜单中的“文件”→“关闭 Fluent”按钮，退出 Fluent 界面。

2.1.11 结果后处理

结果后处理操作步骤如下。

1）双击 C2 栏“结果”项，进入 CFD-Post 界面。

2）双击图 2-54 模型树中的“Default Transform”，弹出图 2-55 的 Default Transform 面板。勾选

"Apply Reflection" 复选框，设置 "Method" 为 "YZ Plane"，设置 "X" 为 0.0 [m]，单击 "Apply" 按钮。

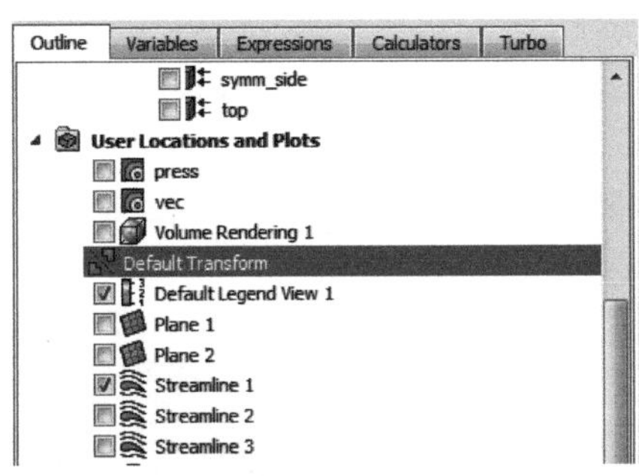

图 2-54　双击 "Default Transform"

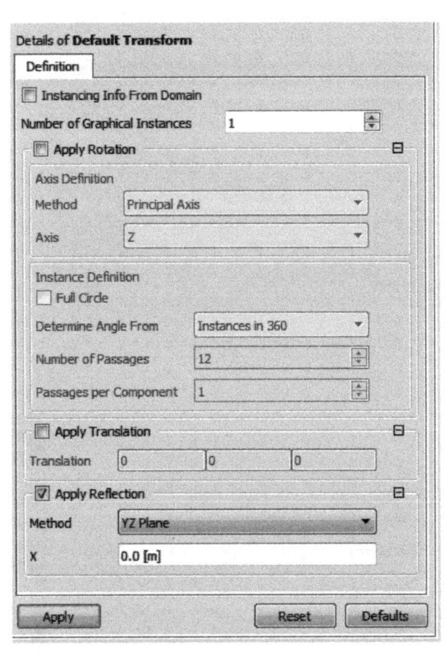

图 2-55　Default Transform 面板

3）单击工具栏中的 Location→ Plane （平面）按钮，弹出图 2-56 的 "Insert Plane"（创建平面）对话框，保持平面名称为 "Plane 1"，单击 "OK" 按钮进入图 2-57 的 Plane（平面设定）面板。

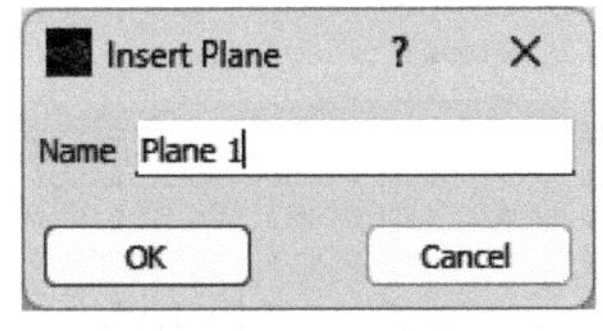

图 2-56　创建平面对话框

4）切换到 "Geometry"（几何）选项卡，选择 "Method" 为 "ZX Plane"，设置 Y 坐标的值为 0.4，单位为 m，单击 "Apply" 按钮创建平面，生成的平面如图 2-58 所示。

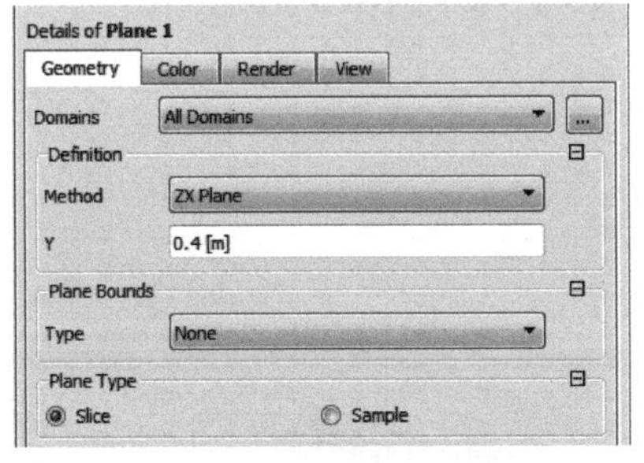

图 2-57　平面设定面板

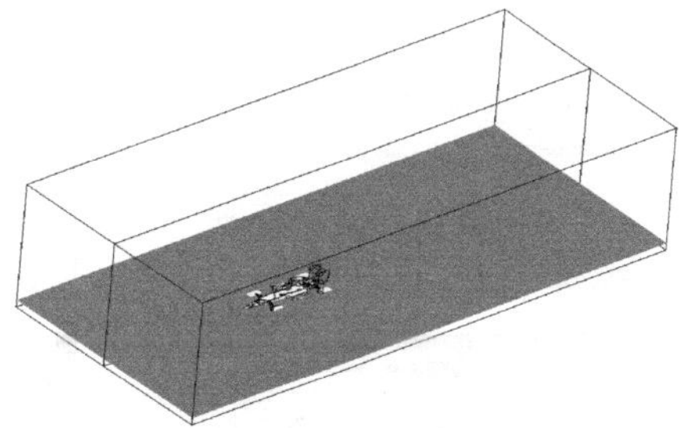

图 2-58　ZX 方向平面

5）单击工具栏中的（云图）按钮，弹出 Insert Contour（创建云图）对话框。输入云图名称为 "press"，单击 "OK" 按钮进入图 2-59 的云图设定面板。

6）在 "Geometry"（几何）选项卡中设置 "Locations" 为 "Plane 1"，设置 "Variable" 为 "Pressure"，单击 "Apply" 按钮创建压力云图，效果如图 2-60 所示。

7）同步骤 5)，创建云图 "vec"。

8）在图 2-61 的云图设定面板中，切换到 "Geometry"（几何）选项卡，设置 "Locations" 为 "Plane 1"，选择 "Variable" 为 "Velocity"，单击 "Apply" 按钮创建速度云图，效果如图 2-62 所示。

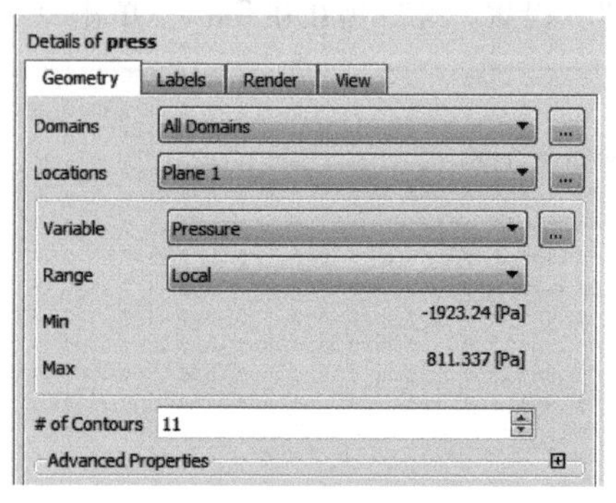

图 2-59 云图设定面板

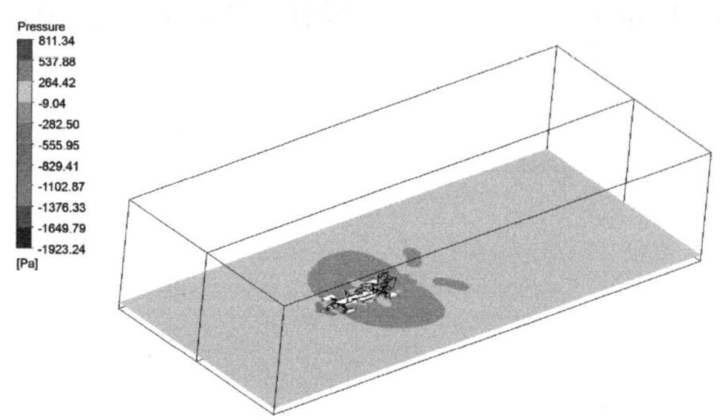

图 2-60 压力云图

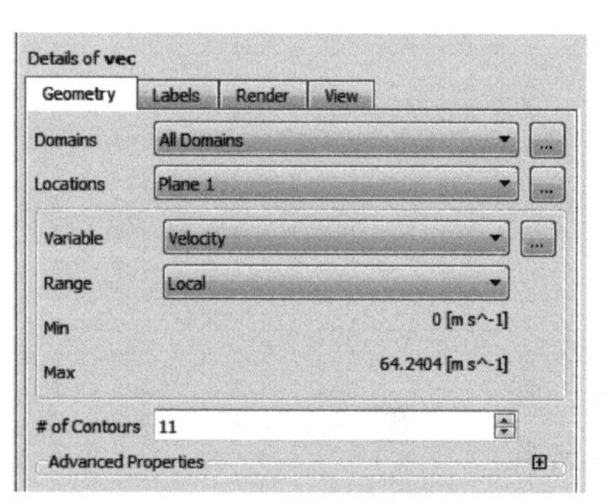

图 2-61 云图设定面板

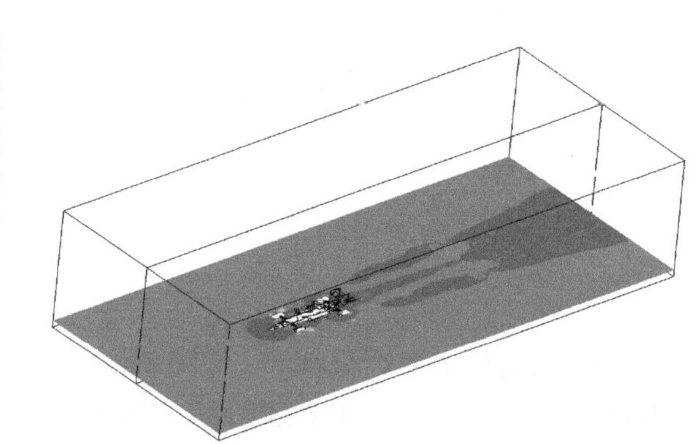

图 2-62 速度云图

9）单击工具栏中的（流线）按钮，弹出 Insert Streamline（创建流线）对话框。输入流线图名称为“Streamline 1”，单击“OK”按钮进入图 2-63 的流线设定面板。

10）切换到“Geometry”（几何）选项卡，设置“Type”为“Surface Streamline”，设置“Surfaces”为“Plane 1”，单击“Apply”按钮创建流线图，效果如图 2-64 所示。

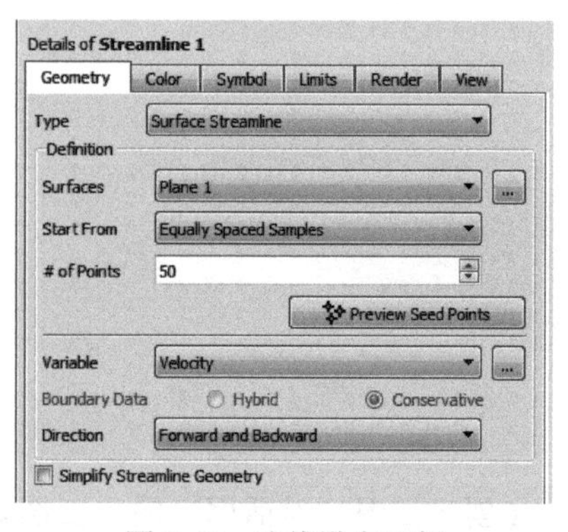

图 2-63 流线设定面板

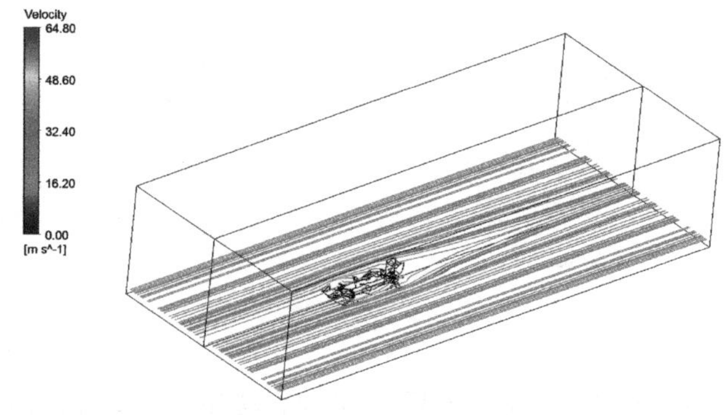

图 2-64 流线图

11）单击工具栏中的 Location→ Vortex Core Region（涡核区域）按钮，弹出 Insert Vortex Core Region（创建涡核区域）对话框，保持平面名称为“Vortex Core Region 1”，单击“OK”按钮进入图 2-65 的 Vortex Core Region（涡核区域）设定面板。

12）切换到“Geometry”（几何）选项卡，设置“Method”为“Swirling Strength”，设置“Level”为 0.01，单击“Apply”按钮创建涡核区域，效果如图 2-66 所示。

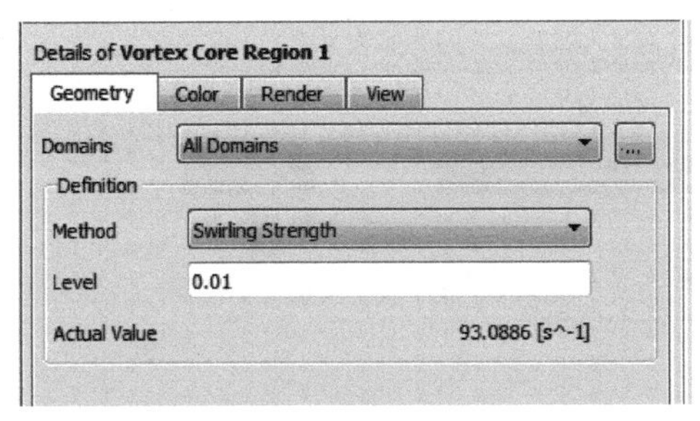

图 2-65　涡核区域设定面板

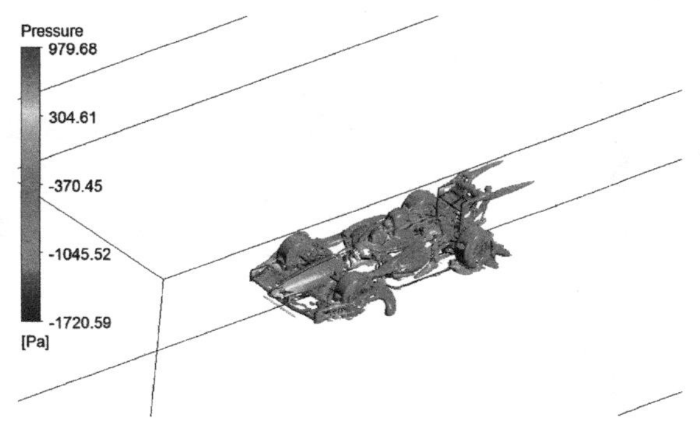

图 2-66　涡核区域

2.1.12　保存与退出

保存与退出的操作步骤如下。

1）在主菜单中执行“文件”→“关闭 CFD-Post”命令，退出 CFD-Post 模块，返回 Workbench 主界面。此时主界面项目管理区中显示的分析项目均已完成，如图 2-67 所示。

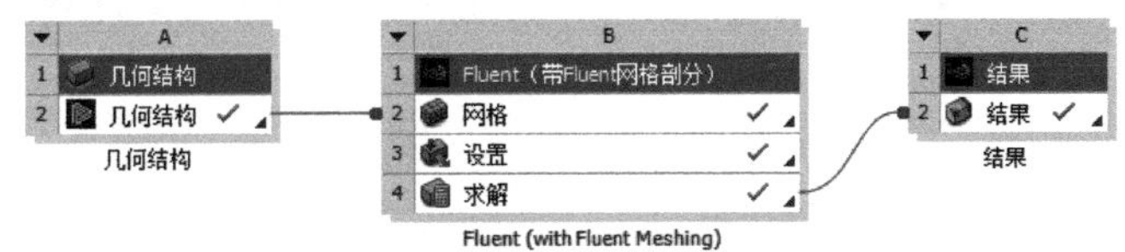

图 2-67　项目管理区中的分析项目

2）在 Workbench 主界面中单击常用工具栏中的保存按钮，保存包含有分析结果的文件。执行主菜单中的“文件”→“退出”命令，退出 ANSYS Workbench 主界面。

2.2　车轮外流场稳态流动

下面将通过一个车轮外流场分析案例，让读者对使用 ANSYS Fluent 2024 R1 分析处理稳态流动基本操作步骤的每一项内容有初步了解。

2.2.1　案例介绍

图 2-68 为某车轮几何模型，其中入口流速为 33m/s，请用 ANSYS Fluent 求解出压力与速度的分布云图。

图 2-68　车轮几何模型

2.2.2　建立分析项目

参考算例 2.1，启动 Workbench 并建立流体分析项目，如图 2-69 所示。

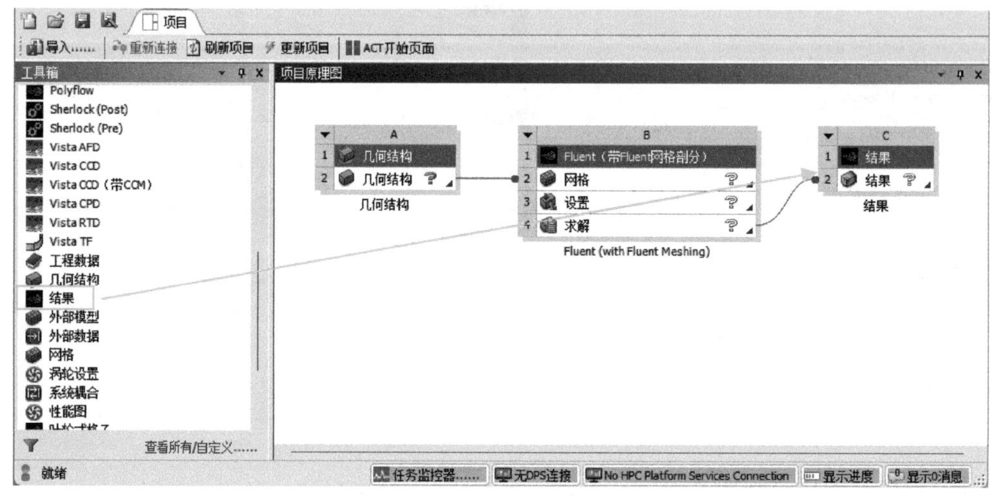

图 2-69　创建 Fluent 分析项目

2.2.3　导入几何体

导入几何体的操作步骤如下。

1）在 A2 栏的“几何结构”上单击鼠标右键，在弹出的快捷菜单中选择“导入几何模型”→“浏览”命令，此时会弹出“打开”对话框。

2）在“打开”对话框中选择文件路径，导入 wheel. step 几何体文件，此时 A2 栏“几何结构”后的 ? 变为 ✓，表示实体模型已经存在。

3）双击项目 A 中的 A2 栏“几何结构”，进入 Design Modeler 界面，此时设计树中 Import1 前显示 ⚡，表示需要生成。如果图形窗口中没有模型显示，单击 生成 按钮，显示模型，如图 2-70 所示。

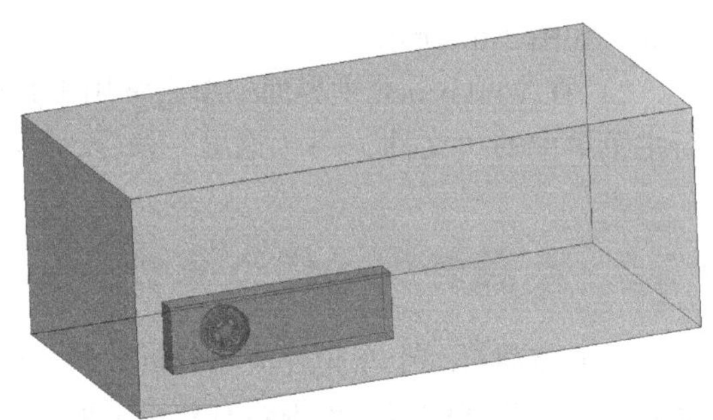

图 2-70　显示模型

4）右键单击模型顶部，在图 2-71 的快捷菜单中选择“命名的选择”命令，弹出图 2-72 的命名的选择面板，在“命名的选择”文本框中输入“inlet”。

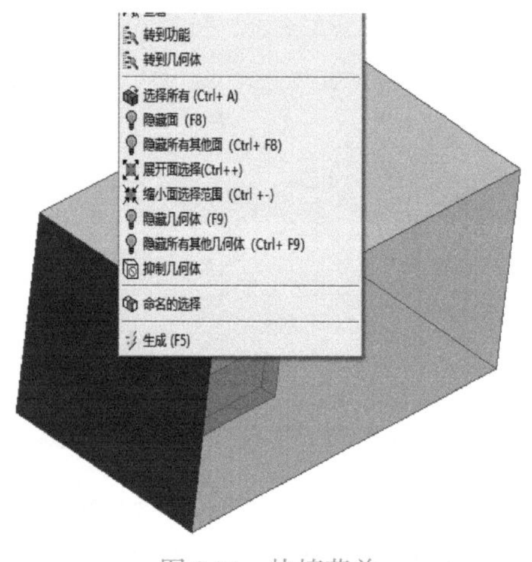

图 2-71　快捷菜单

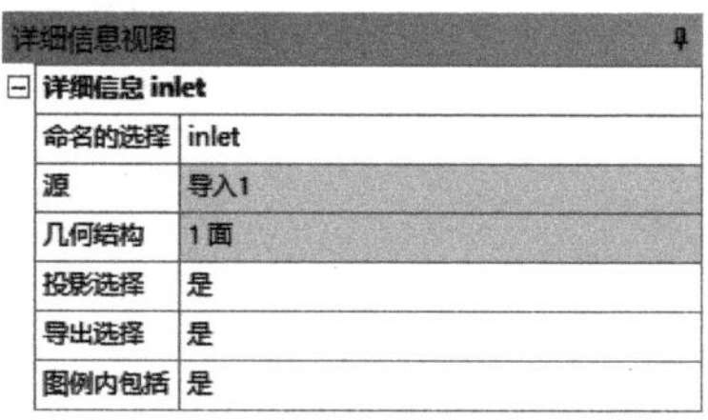

图 2-72　命名的选择面板

5）同步骤 4），分别创建边界 outlet、farwall、moving-floor、rotor-wheel 和 static-stand，如图 2-73~图 2-77 所示。

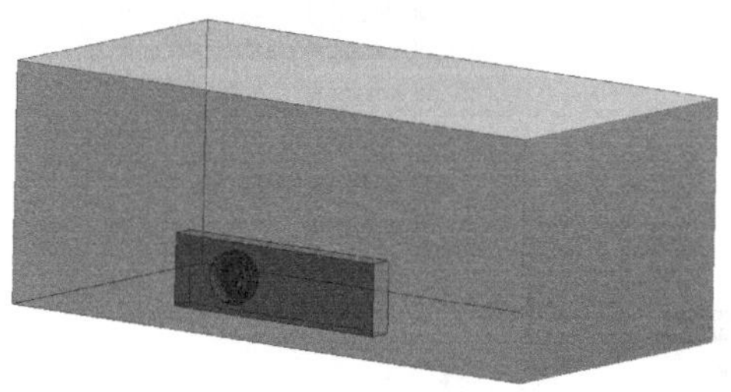
图 2-73　outlet 边界

图 2-74　farwall 边界

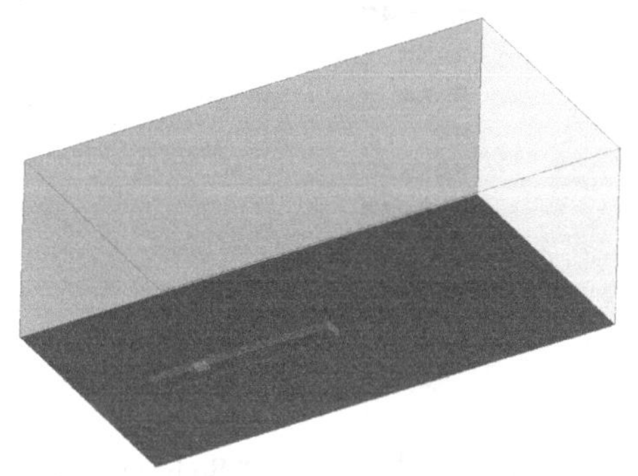
图 2-75　moving-floor 边界

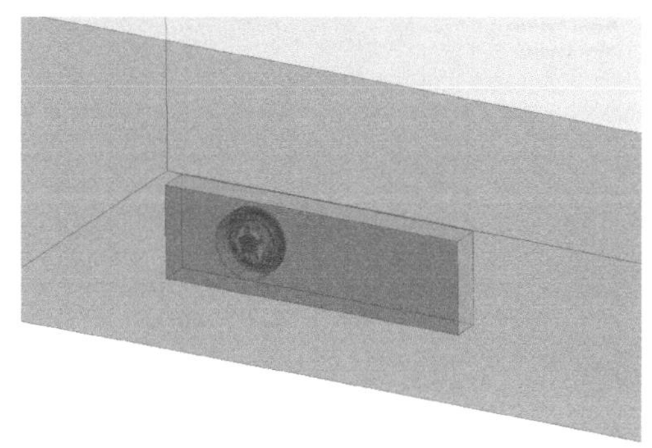
图 2-76　rotor-wheel 边界

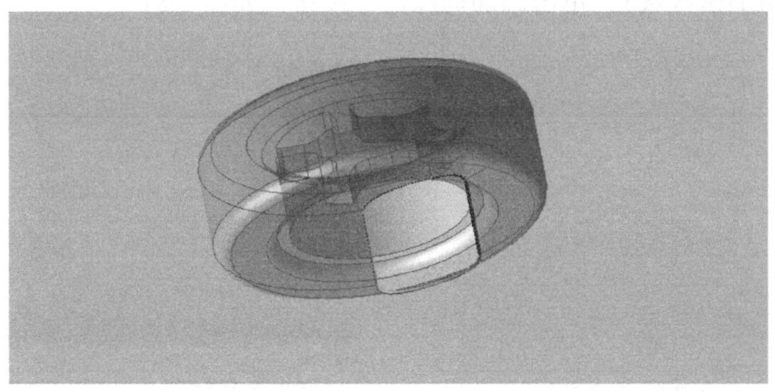
图 2-77　static-stand 边界

6）执行主菜单“文件”→“关闭 Design Modeler”命令，退出 Design Modeler，返回 Workbench 主界面。

2.2.4　划分网格

划分网格的操作步骤如下。

1）双击项目 B 中的 B2 栏“网格”项，进入图 2-78 的 Fluent Launcher 界面，单击“Start”按钮进入网格划分界面。

2）进入 Fluent Meshing 工作界面，选择“工作流程”→“导入几何模型”命令，弹出图 2-79 的导入几何模型面板。单击“导入几何模型”按钮导入几何模型，效果如图 2-80 所示。

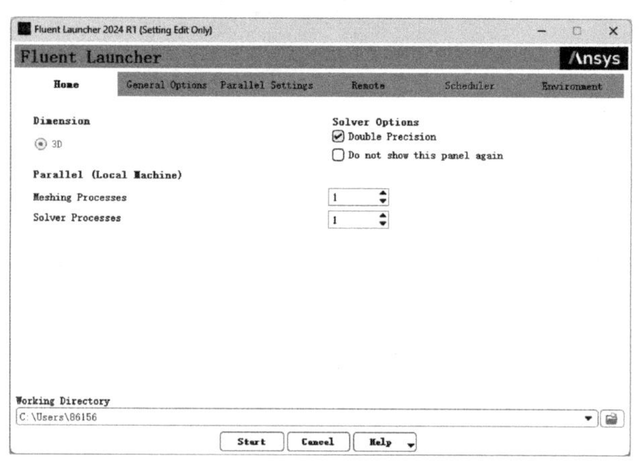

图 2-78　Fluent Launcher 界面

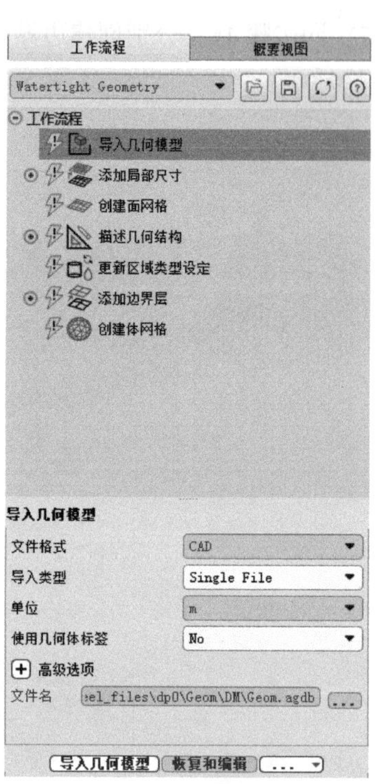

图 2-79　导入几何模型面板

3）单击“添加局部尺寸”命令，在“尺寸函数类型”下拉列表中选择“Body Of Influence”选项，设置“Target Mesh Size［m］”为 0.05，在“选择依据”列表框中选择“boi-near-boi-near”选项（即网格加密区域），单击添加局部尺寸按钮，如图 2-81 所示。

图 2-80　导入几何模型

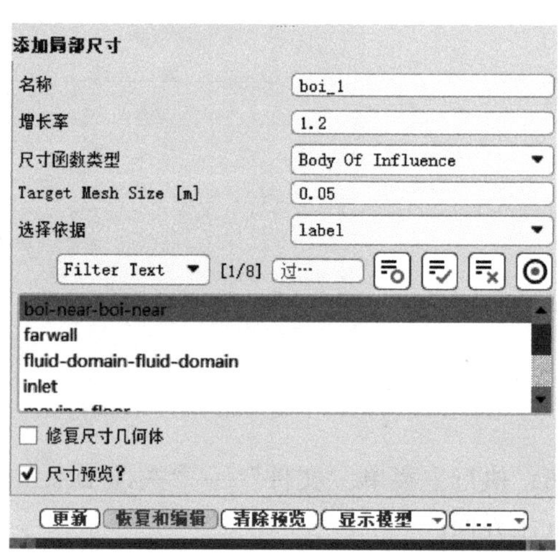

图 2-81　添加局部尺寸

4）进入图 2-82 的“创建面网格”面板，设置“Minimum Size［m］”为 0.008，设置“Maximum Size［m］”为 0.25，设置“曲率法向角［度］”为 5，单击“生成面网格”按钮生成表面网格，效果如图 2-83 所示。

5）进入“描述几何结构”面板，进行图 2-84 的设置，单击“描述几何结构”按钮进行更新。

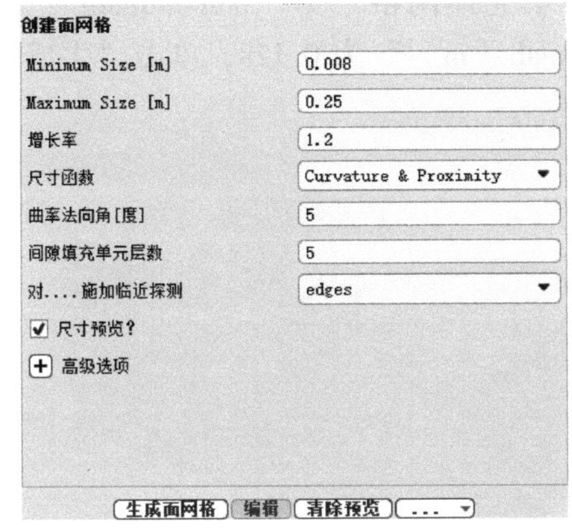

图 2-82　创建面网格面板

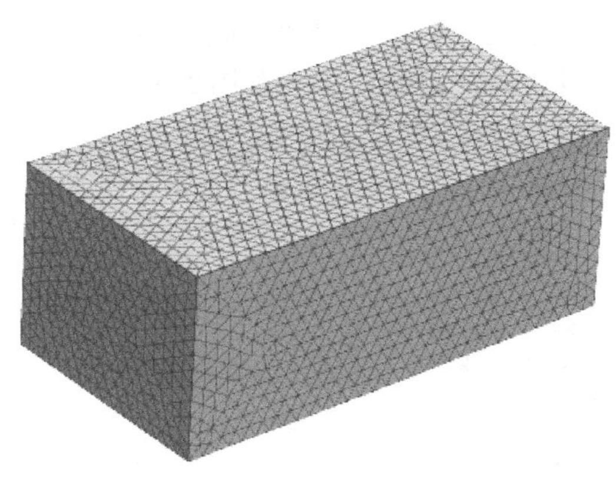

图 2-83　表面网格

6）进入“更新边界条件”面板，将“farwall”的 Boundary Type 设置为“symmetry”，单击“更新边界条件”按钮，如图 2-85 所示。

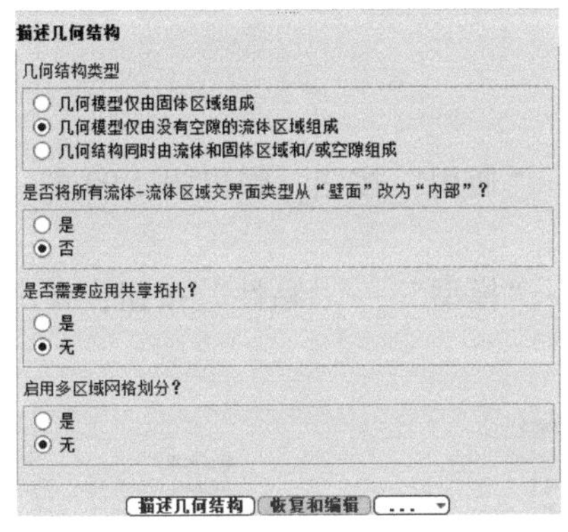

图 2-84　“描述几何结构”面板

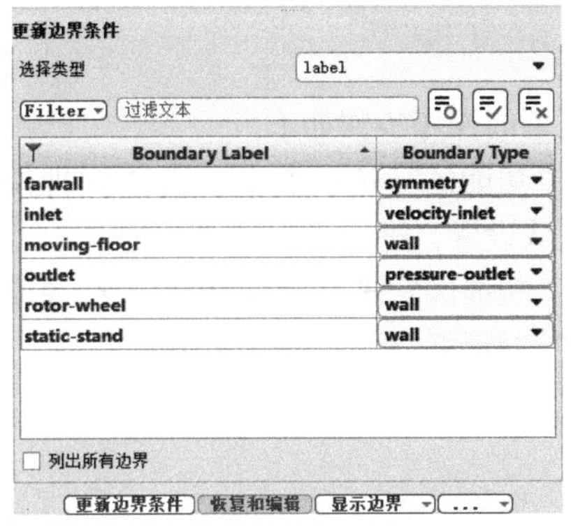

图 2-85　“更新边界条件”面板

7）进入“更新区域类型设定”面板，保持默认值，单击“更新区域类型设定”按钮，如图 2-86 所示。

8）进入“添加边界层”面板，保持默认值，单击添加边界层按钮，如图 2-87 所示。

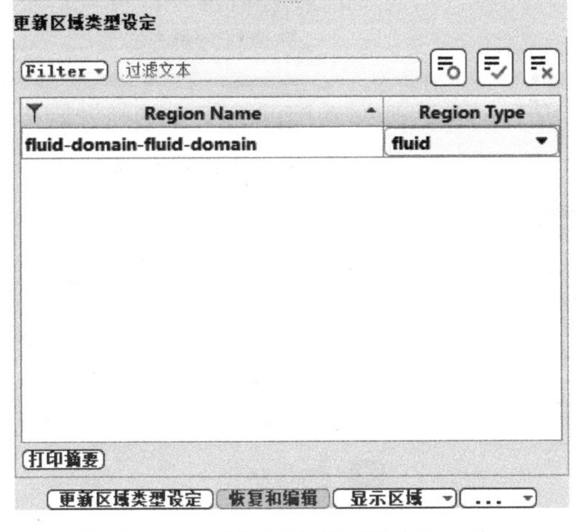

图 2-86　“更新区域类型设定”面板

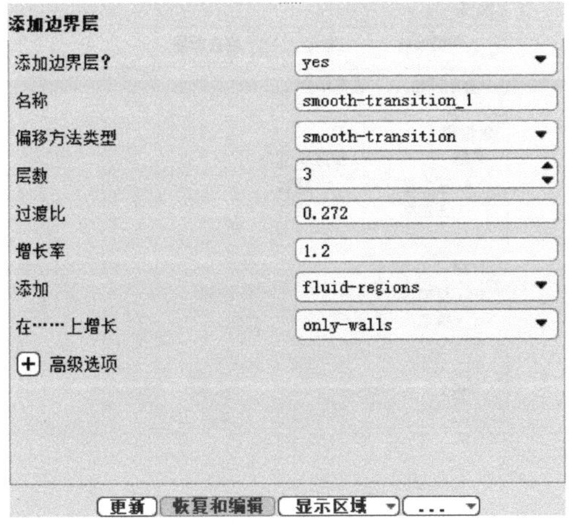

图 2-87　“添加边界层”面板

9）进入图 2-88 的“创建体网格”面板，选择“填充体网格”为“poly-hexcore”，设置“Min Cell Length［m］”为 0.008，设置“Max Cell Length［m］”为 0.128，单击“生成体网格”按钮生成表面网格，效果如图 2-89 所示。

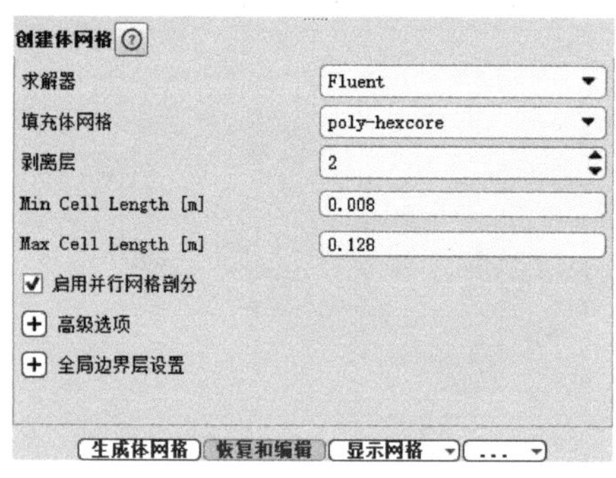

图 2-88 创建体网格面板

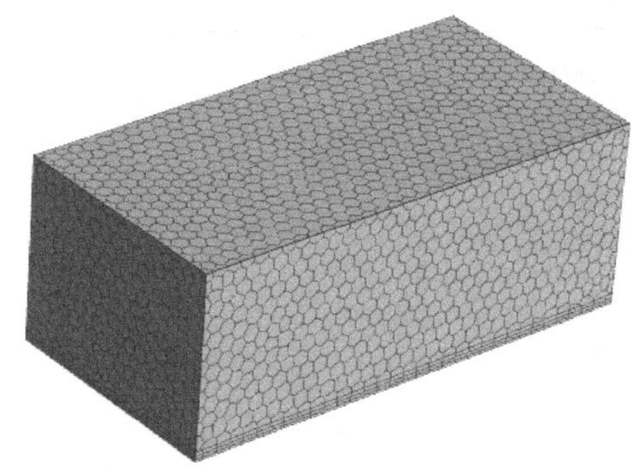

图 2-89 生成体网格

10）单击工具栏的“求解”→“切换至求解模式”按钮，进入 Fluent 求解界面。

2.2.5 定义模型

定义模型的操作步骤如下。

1）在“功能区”选项卡中单击“物理模型”→“通用”按钮，弹出图 2-90 的“通用”面板。保持默认设置，进行稳态计算。

2）在“功能区”选项卡中单击“物理模型”→“模型”→“黏性”按钮，弹出图 2-91 的“黏性模型”对话框。

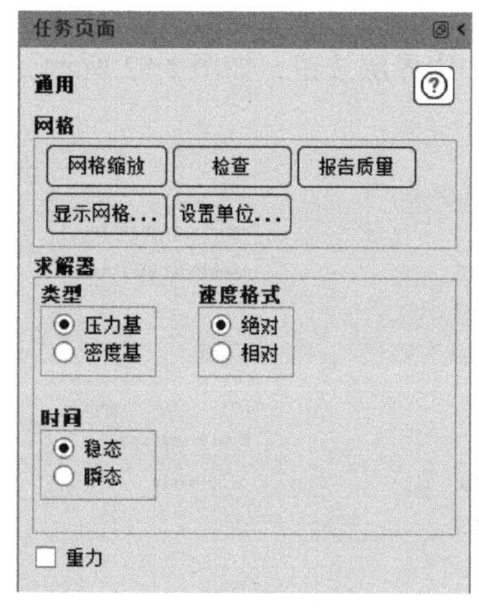

图 2-90 “通用”面板

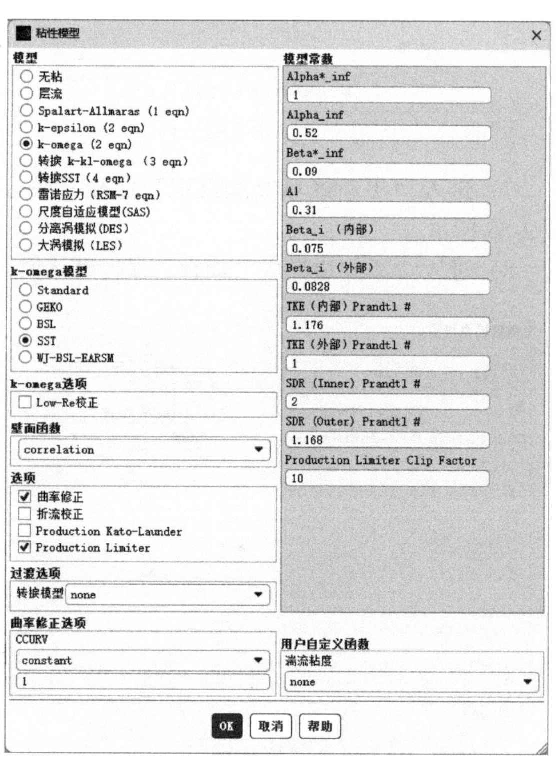

图 2-91 “黏性模型”对话框

3）在“模型”选项区域中选择“k-omega（2 eqn）”单选按钮，在“k-omega 模型”选项区域中选择“SST”单选按钮，在“选项”选项区域中勾选“曲率修正”复选框，单击“OK”按钮确认。

2.2.6 设置边界条件

设置边界条件的操作步骤如下。

1）单击“功能区”选项卡中的“物理模型”→“区域”→“边界条件”按钮，启动图 2-92 的“边界条件”面板。

2）在“边界条件”面板中双击“inlet”，弹出图 2-93 的“速度入口”对话框。设置“速度大小［m/s］”为 33，单击“应用”按钮应用并退出。

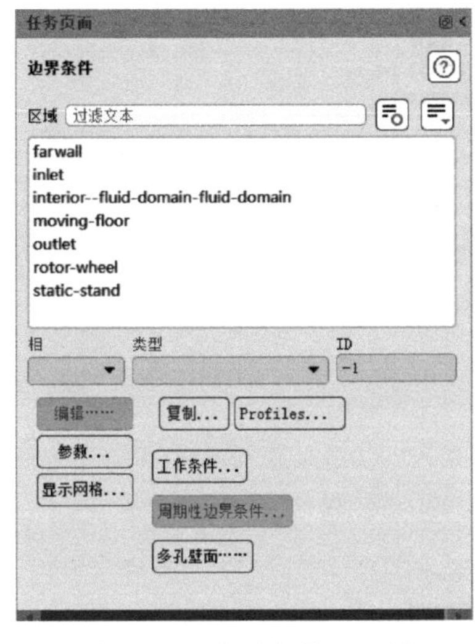

图 2-92 “边界条件”面板

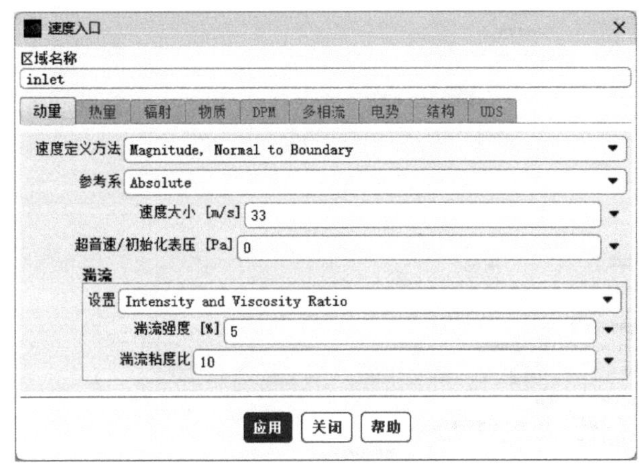

图 2-93 “速度入口”对话框

3）在“边界条件”面板中双击“outlet”，弹出图 2-94 的“压力出口”对话框，保持默认设置，单击“应用”按钮确认并退出。

4）在“边界条件”面板中双击“moving-floor”，弹出图 2-95 的“壁面”对话框。在“壁面运动”选项区域中选择“移动壁面”单选按钮，在“运动”选项区域中选择“平移的”单选按钮，将“速度［m/s］”设置为 33，在“方向”的 X 数值框中输入 1，单击“应用”按钮确认并退出。

5）在“边界条件”面板中双击“farwall”，弹出图 2-96 的“壁面”对话框。在“剪切条件”选项区域中选择“指定剪切力”单选按钮，单击“应用”按钮确认并退出。

6）在“边界条件”面板中双击“rotor-wheel”，弹出图 2-97 的“壁面”对话框。在

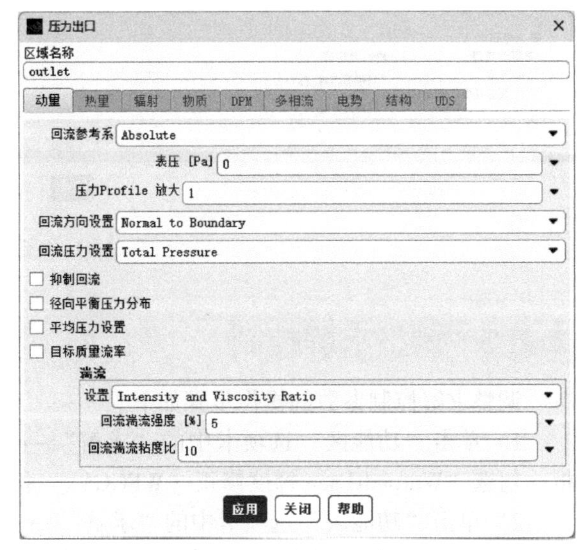

图 2-94 “压力出口”对话框

“壁面运动”选项区域中选择“移动壁面”单选按钮，在“运动”选项区域中选择“旋转的”单选按钮，将“速度［rad/s］”设置为 100，在“旋转轴方向”中 Z 数值框中输入 1，单击“应用”按钮确认并退出。

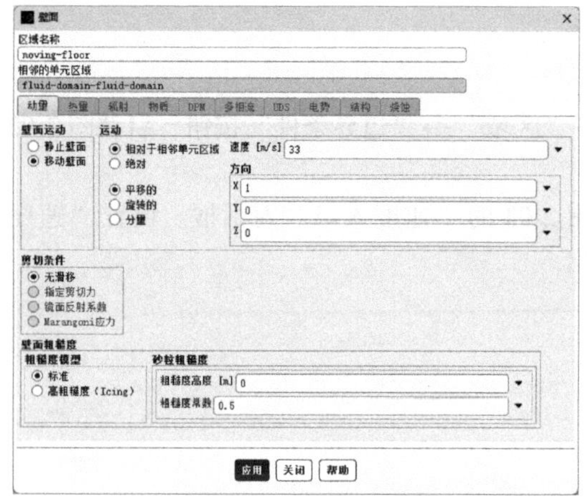

图 2-95 “壁面”对话框

图 2-96 “壁面”对话框

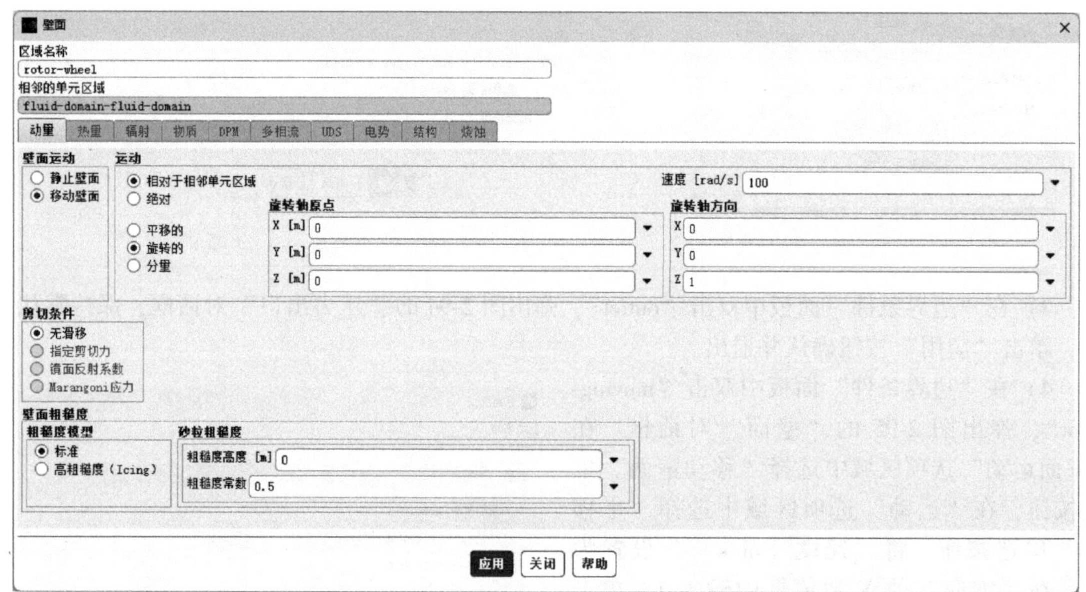

图 2-97 “壁面”对话框

2.2.7 调整求解控制

调整求解控制参数的操作步骤如下。

1）单击“功能区”选项卡中的“求解”→“方法”按钮，弹出图 2-98 的“求解方法”面板。勾选“Warped-Face 梯度修正（WFGC）”和“高阶项松弛”复选框。

2）单击“功能区”选项卡中的“求解”→“控制”按钮，弹出图 2-99 的“解决方案控制”面板。将“压力”设置为 0.2，其他保持默认设置不变。

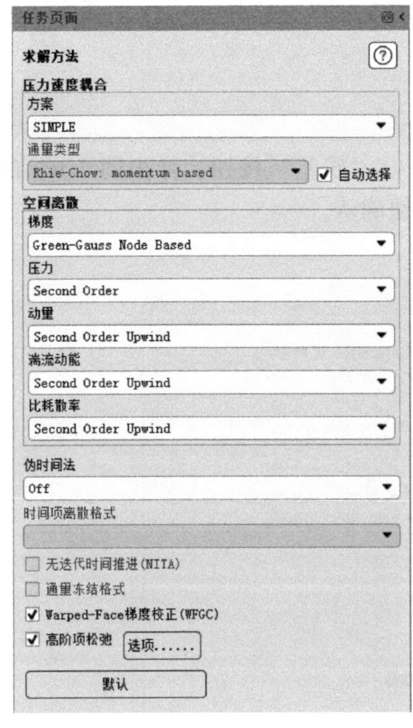

图 2-98 “求解方法”面板

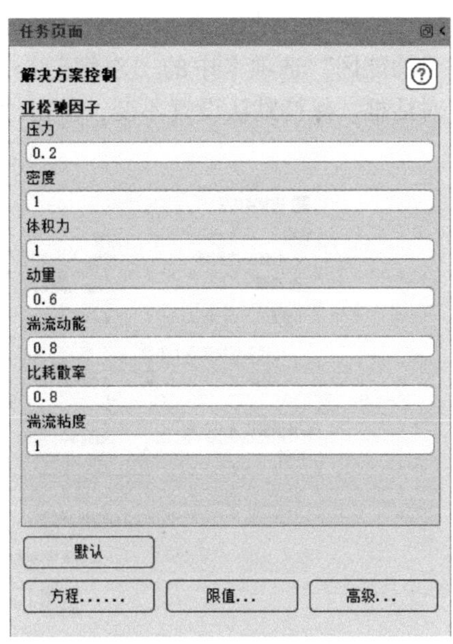

图 2-99 “解决方案控制”面板

2.2.8 设置初始条件

设置初始条件的操作步骤如下。

1）单击“功能区”选项卡中的“求解”→“初始化”按钮，弹出图 2-100 的“解决方案初始化”面板。

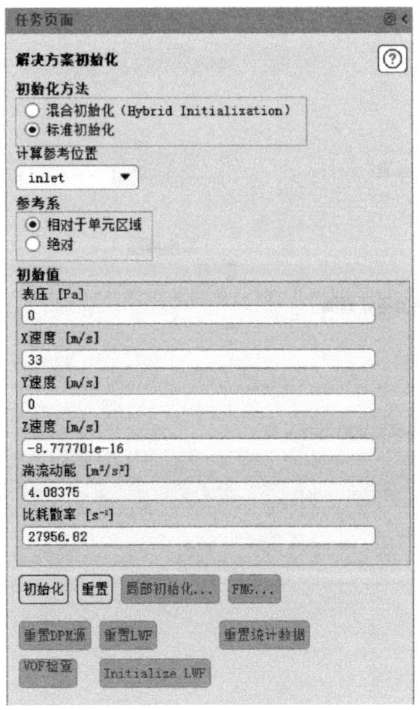

图 2-100 “解决方案初始化”面板

2）在“初始化方法”选项区域中选择“标准初始化”单选按钮，“计算参考位置”选择“inlet”选项，单击“初始化”按钮进行初始化。

2.2.9 求解过程监视

单击“功能区”选项卡中的“求解”→“报告”→“残差”按钮，弹出图 2-101 的“残差监控器”对话框。保持默认设置不变，单击“OK”按钮确认。

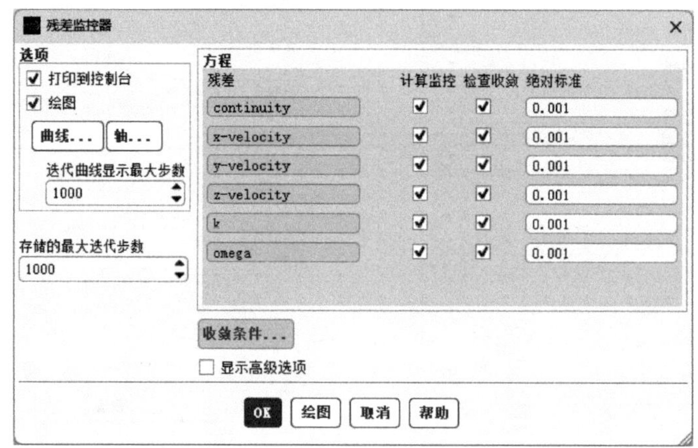

图 2-101 “残差监控器”对话框

2.2.10 计算求解

计算求解的操作步骤如下。

1）单击“功能区”选项卡中的“求解”→“运行计算”按钮，弹出图 2-102 的“运行计算”面板。在“迭代次数”数值框中输入 1000，单击“开始计算”按钮开始计算。

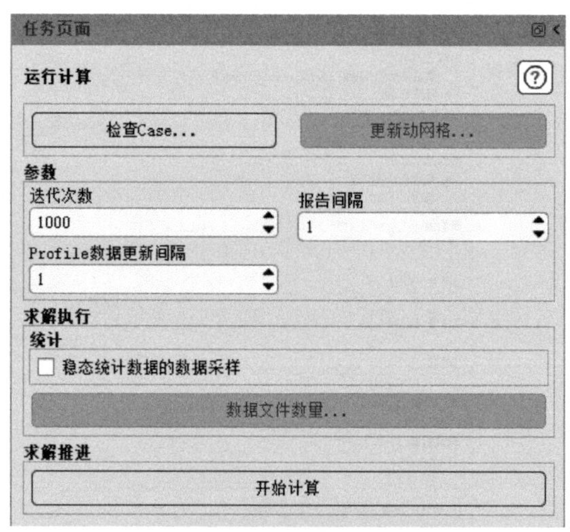

图 2-102 “运行计算”面板

2）计算收敛完成后，在主菜单中单击“文件”→“关闭 Fluent”按钮，退出 Fluent 界面。

2.2.11 结果后处理

结果后处理操作步骤如下。

1）双击 C2 栏“结果”项，进入 CFD-Post 界面。

2）单击工具栏中的 Location→ Plane（平面）按钮，弹出图 2-103 的“Insert Plane”（创建平面）对话框，保持平面名称为“Plane 1”，单击“OK”按钮进入图 2-104 的 Plane（平面设定）面板。

3）切换到“Geometry”（几何）选项卡，将“Method”设置为“XY Plane”，设置 Z 坐标值为 0，单位为 m，单击“Apply”按钮创建平面，生成的平面如图 2-105 所示。

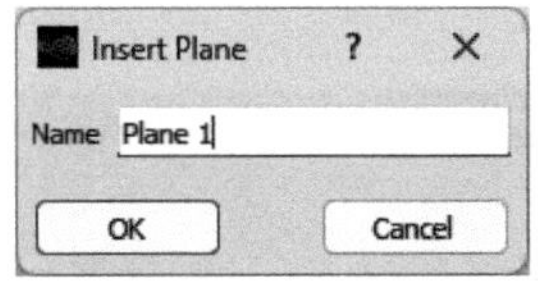

图 2-103 创建平面对话框

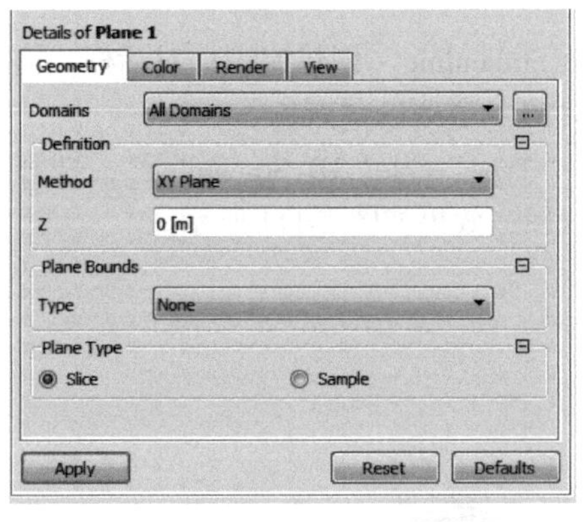

图 2-104 平面设定面板

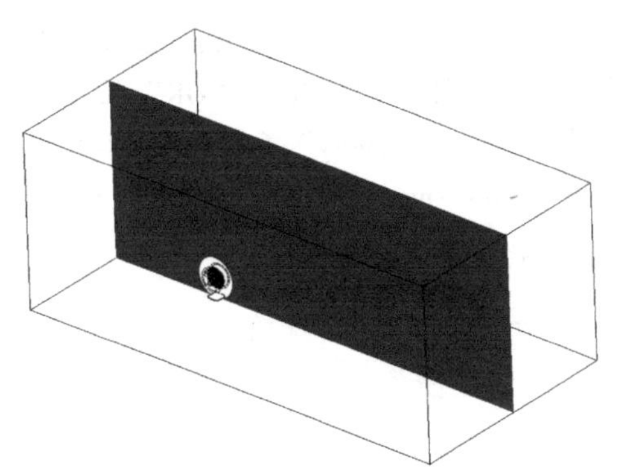
图 2-105 XY 方向平面

4）单击工具栏中的 （云图）按钮，弹出 Insert Contour（创建云图）对话框。输入云图名称为“Press”，单击“OK”按钮进入图 2-106 所示的云图设定面板。

5）切换到“Geometry”（几何）选项卡，选择“Locations”为“Plane 1”，选择“Variable”为“Pressure”，单击“Apply”按钮创建压力云图，效果如图 2-107 所示。

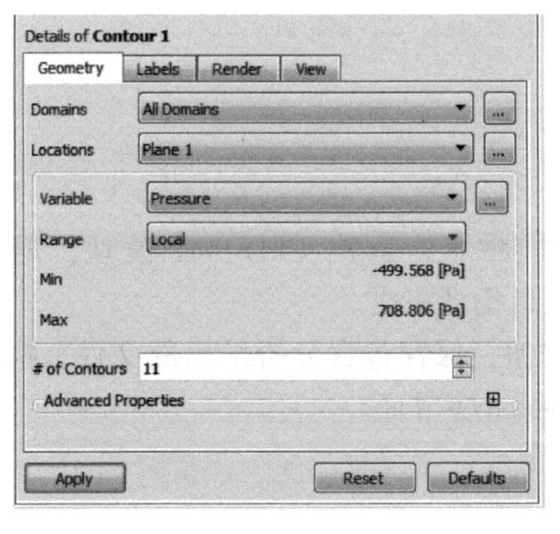

图 2-106 云图设定面板

图 2-107 压力云图

6）同步骤 5)，创建云图“Vec”。

7）在图 2-108 的云图设定面板中，切换到“Geometry”（几何）选项卡，选择“Locations”为“Plane 1”，选择“Variable”为“Velocity”，单击“Apply”按钮创建速度云图，效果如图 2-109 所示。

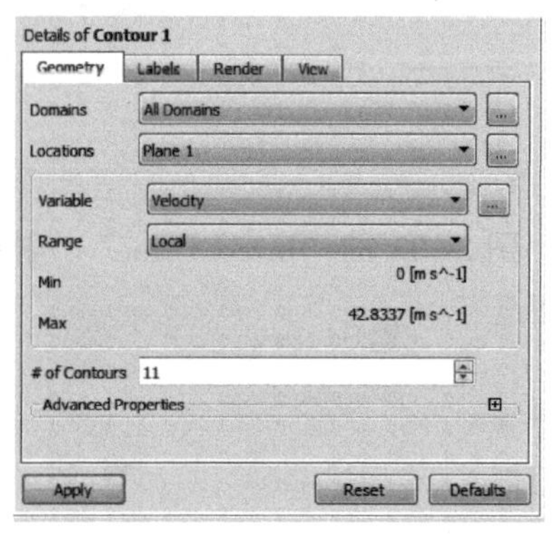

图 2-108　云图设定面板

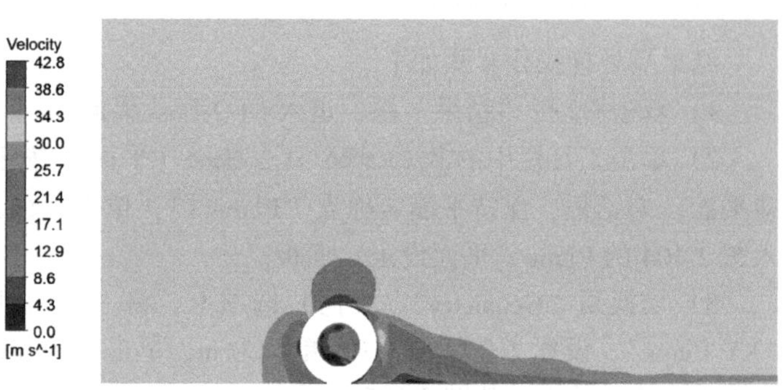

图 2-109　速度云图

8）单击工具栏中的（流线）按钮，弹出 Insert Streamline（创建流线）对话框。输入流线图名称为“Streamline 1”，单击“OK”按钮进入图 2-110 的流线设定面板。

9）切换到“Geometry”（几何）选项卡，选择“Type”为“3D Streamline”，选择“Start From”为“rotor wheel”，单击“Apply”按钮创建流线图，效果如图 2-111 所示。

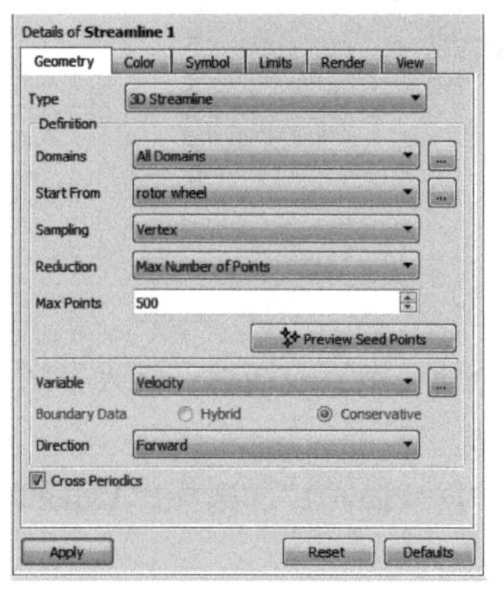

图 2-110　流线设定面板

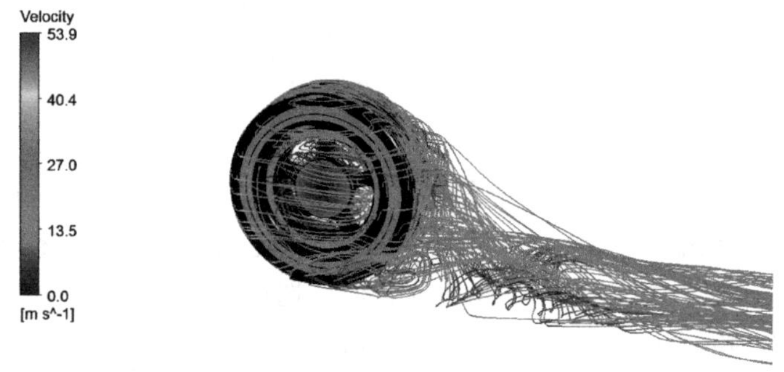

图 2-111　流线图

2.2.12　保存与退出

保存与退出的操作步骤如下。

1）执行主菜单中的“文件”→“关闭 CFD-Post”命令，退出 CFD-Post 模块，返回 Workbench 主界面。此时主界面项目管理区中显示的分析项目均已完成。

2）在 Workbench 主界面中单击常用工具栏中的保存按钮，保存包含分析结果的文件。执行主菜单中的“文件”→“退出”命令，退出 ANSYS Workbench 主界面。

2.3　本章小结

本章通过 F1 赛车外流场稳态流动、车轮外流场稳态流动两个实例介绍了 Fluent 处理稳态流动的工作流程。

通过本章内容的学习，读者可以掌握 Fluent 中稳态计算的设定、稳态初始值的设定、稳态求解控制的设定和稳态的输出控制。

第 3 章

瞬态模拟分析

上一章介绍的是流体流动不随时间改变的稳态流动，本章将介绍与之相对应的瞬态流动。瞬态流动是指流体流动随时间的发展发生变化，物理量是时间的函数，瞬态流动模拟能够使真实世界的条件更真实地重现。本章将通过实例分析来介绍瞬态流动。

学习目标：

1）掌握瞬态计算的设定。

2）掌握瞬态初始值的设定。

3）掌握瞬态时间步长的设定。

4）掌握瞬态求解控制的设定。

5）掌握瞬态的输出控制。

3.1 圆柱绕流

下面将通过圆柱绕流分析案例，让读者对 ANSYS Fluent 2024 R1 分析处理外部流动基本操作步骤的每一项内容有初步了解。

3.1.1 案例介绍

图 3-1 为某圆柱，其中来流流速为 40m/s，请用 ANSYS Fluent 分析圆柱外流场情况，并对圆柱受到的升力和拖拽力的敏感性进行分析。

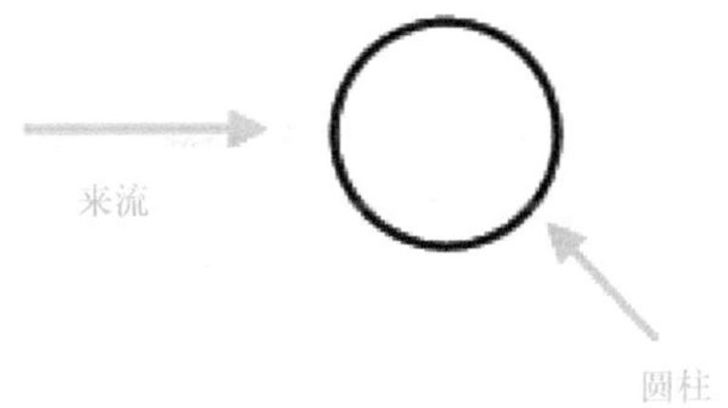

图 3-1 某圆柱

3.1.2 建立分析项目

启动 Workbench 并建立分析项目的操作步骤如下。

1）在 Windows 系统中，单击“开始”→“所有程序”→“ANSYS 2024 R1”→“Workbench 2024 R1”命令，启动 ANSYS Workbench。

2）双击主界面工具箱中的“分析系统”→“流体流动（Fluent）”选项，即可在项目管理区创建分析项目 A，如图 3-2 所示。

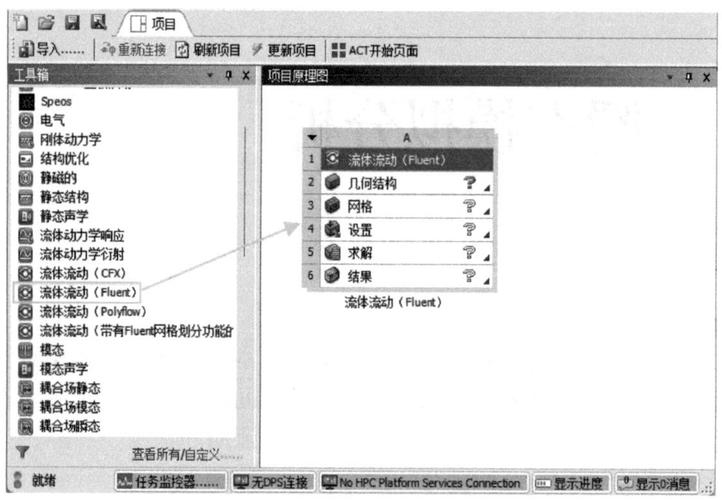

图 3-2 创建流体流动（Fluent）分析项目

注：与 2.1 节在 Workbench 中建立的流体分析项目相比，使用“分析系统”中的“流体流动（Fluent）”模块，可一次性建立从几何模型、网格划分、模型计算，最后到后处理的所有流体流程，这里的网格划分使用的是 ANSYS Meshing 工具。

3.1.3 创建几何体

创建几何体的操作步骤如下。

1）双击项目 A 中的 A2 栏“几何结构”，进入 Design Modeler 界面，如图 3-3 所示。

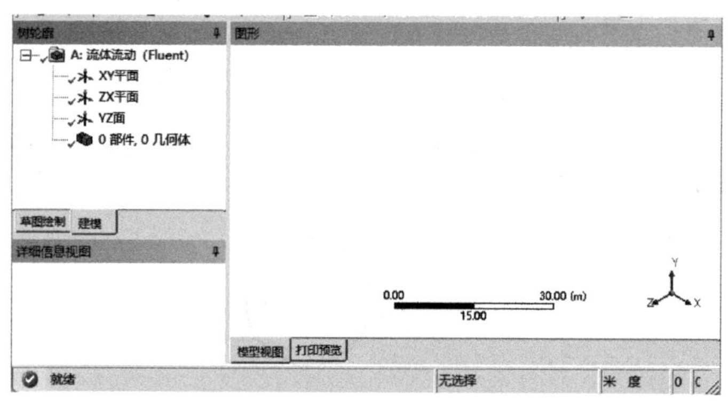

图 3-3 Design Modeler 界面

2）在图 3-4 的模型树中选择“XY 平面”选项，单击工具栏中的 （新草图）按钮，在“XY 平面”下生成“草图 1”，如图 3-5 所示。

图 3-4 模型树

图 3-5 生成草图 1

3）在模型树中选择“草图 1”，切换到“草图绘制”选项卡，进入图 3-6 的草图绘制面板，选择“矩形”选项，在 XY 平面中绘制矩形区域。选择“圆”选项，在 XY 平面中绘制圆形，如图 3-7 所示。

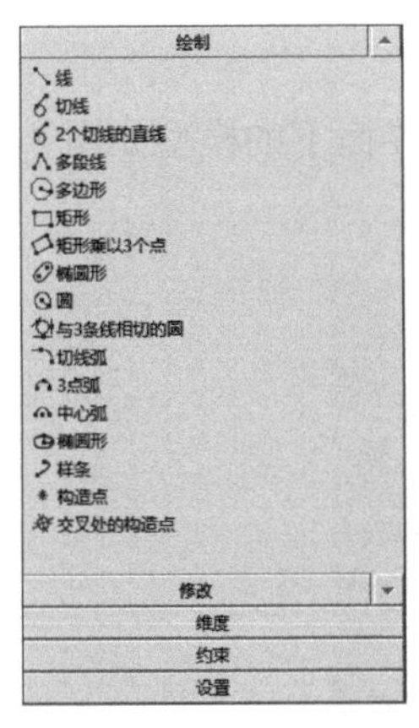

图 3-6　草图绘制面板

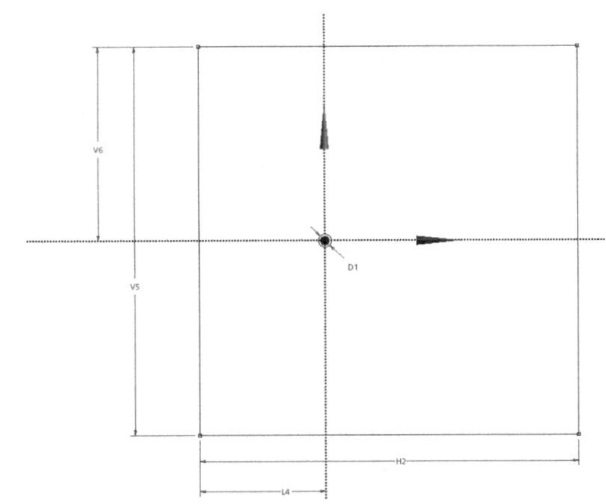

图 3-7　绘制圆形

4）在图 3-8 的模型树中选择“维度”中的“通用”选项，分别选择上述步骤中绘制的线段并设定尺寸，如图 3-9 所示。

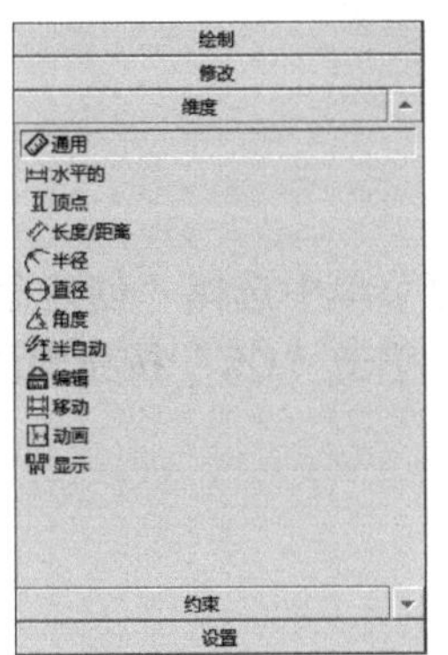

图 3-8　通用按钮

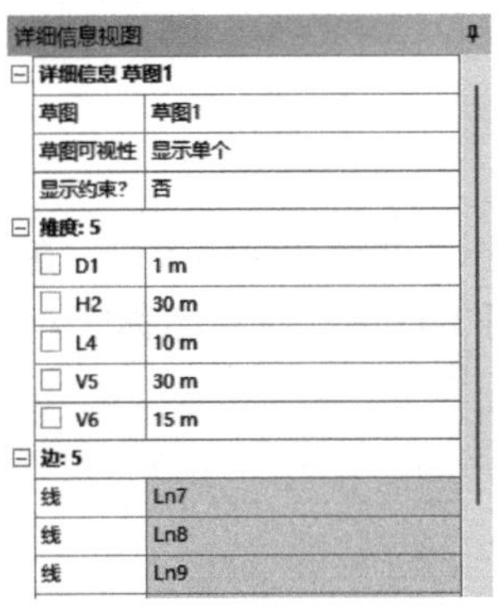

详细信息视图

详细信息 草图1	
草图	草图1
草图可视性	显示单个
显示约束?	否
维度: 5	
D1	1 m
H2	30 m
L4	10 m
V5	30 m
V6	15 m
边: 5	
线	Ln7
线	Ln8
线	Ln9

图 3-9　设定尺寸

5）单击主菜单中的“概念”→“草图表面”按钮，弹出图 3-10 的创建平面面板。设置“基对象”为步骤 3）创建的草图，“操作”选择“添加材料”，单击工具栏中的 生成 按钮创建平面，效果如图 3-11 所示。

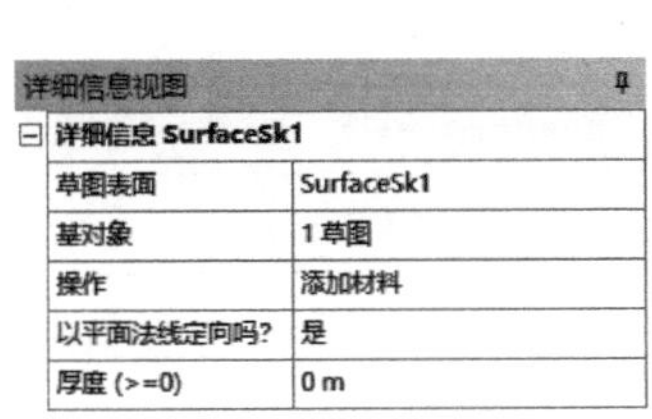

详细信息视图

详细信息 SurfaceSk1	
草图表面	SurfaceSk1
基对象	1 草图
操作	添加材料
以平面法线定向吗?	是
厚度 (>=0)	0 m

图 3-10　创建平面面板

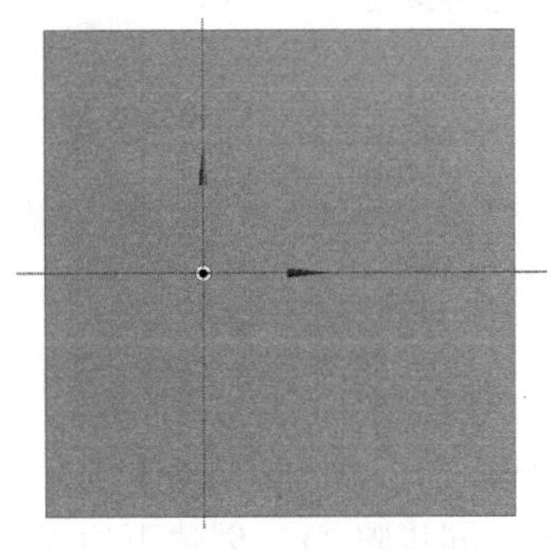

图 3-11　生成平面

6）执行主菜单中的“文件”→“关闭 Design Modeler”命令，退出 Design Modeler，返回 Workbench 主界面。

3.1.4 划分网格

划分网格的操作步骤如下。

1）双击 A3 栏的“网格”项，进入 Meshing 界面，Meshing 界面下的模型如图 3-12 所示。接下来将在该界面下进行模型的网格划分。

图 3-12 Meshing 界面下的模型

2）右键单击选择几何体入口，在弹出的图 3-13 所示的快捷菜单中选择“创建命名选择”命令，将弹出图 3-14 的“选择名称”对话框，输入名称“inlet”，单击“OK”按钮确认。

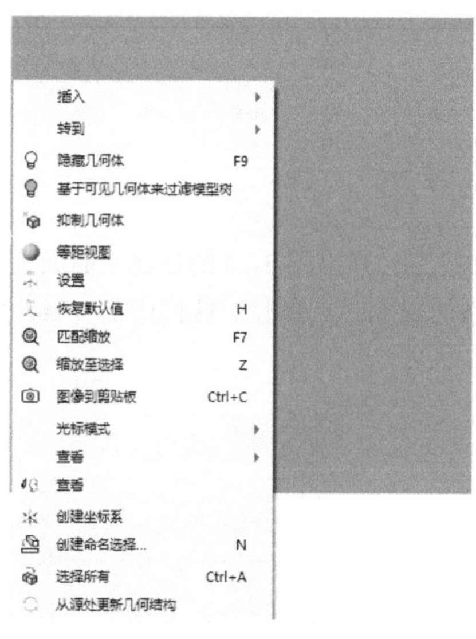

图 3-13 快捷菜单

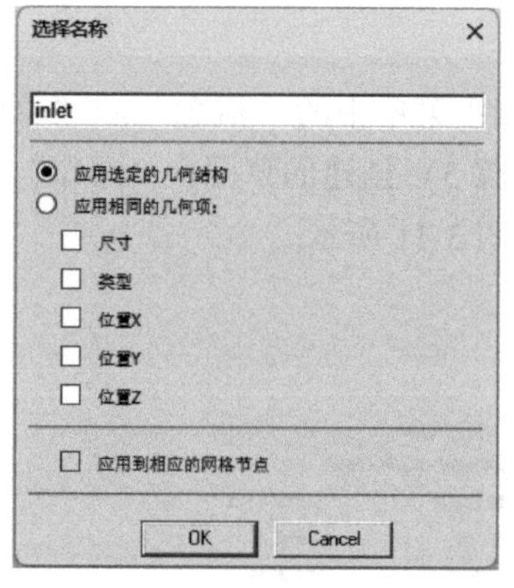

图 3-14 “选择名称”对话框

3）同步骤 2），创建几何体的出口，命名为“outlet”，创建上边界，命名为“top”，如图 3-15 所示。同步骤 2），创建下边界 bottom 和 ball。

4）右键单击模型树中的“网格”选项，如图 3-16 所示。依次选择“网格”→“插入”→“膨胀”命令，弹出图 3-17 的膨胀面板。

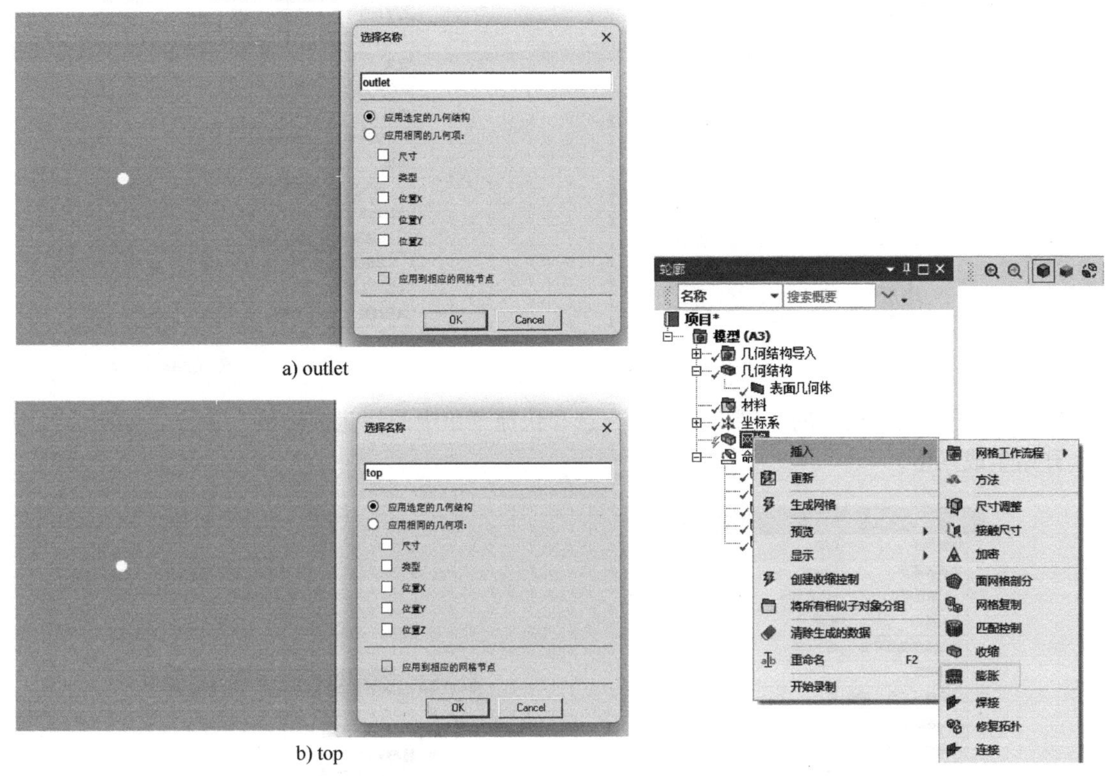

图 3-15　创建面名称　　　　图 3-16　设置网格边界层

选择“几何结构”为整个模型计算域，“边界”选择图 3-18 的壁面，在“最大层数”数值框中输入 10。

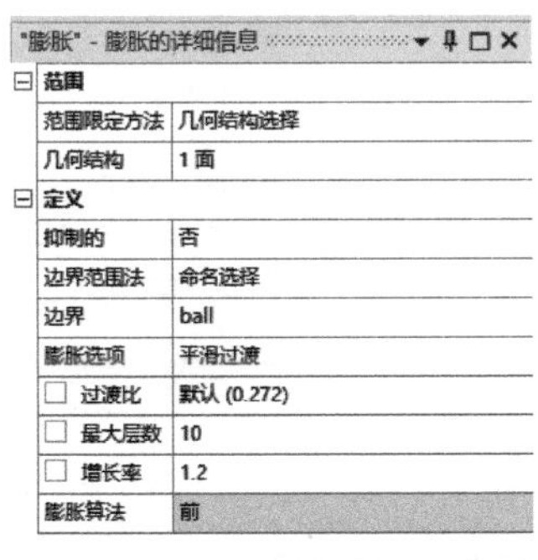

图 3-17　膨胀面板

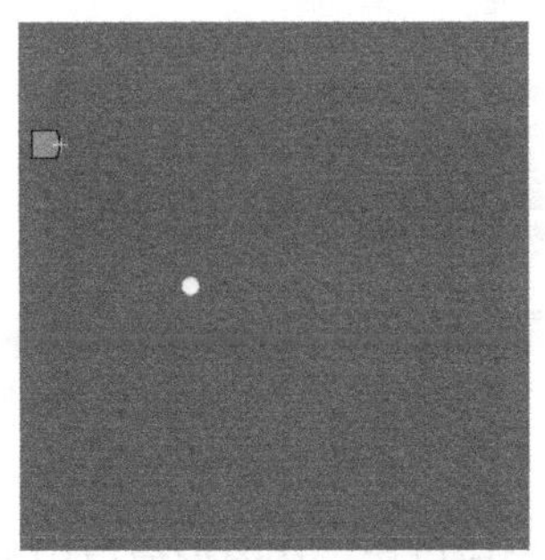

图 3-18　边界层选择

5）右键单击模型树中的“网格”选项，依次选择“网格”→“插入”→“尺寸调整”命令，如图 3-19 所示。弹出图 3-20 的边缘尺寸调整面板。选择“几何结构”为计算域中圆形边界，在“单元尺寸”文本框中输入 25. 0mm。

6）右键单击模型树中的“网格”选项，弹出图 3-21 的网格设置面板。设置“单元尺寸”为 500mm，展开“尺寸调整”区域，设置“增长率”为 1. 05，展开“质量”选项，设置“平滑”为“高”。

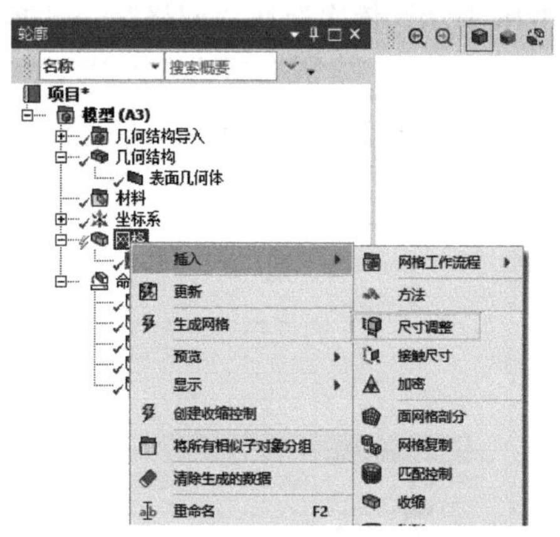

图 3-19 选择“尺寸调整”命令

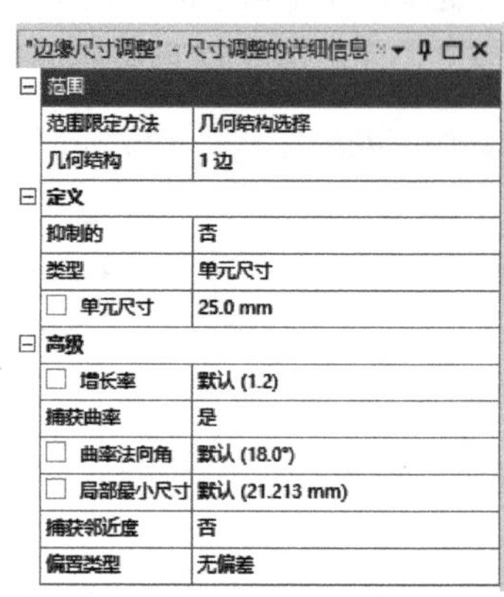

图 3-20 尺寸设置面板

7）右键单击模型树中的“网格”选项，选择快捷菜单中的“生成网格”命令，如图 3-22 所示。开始生成网格。

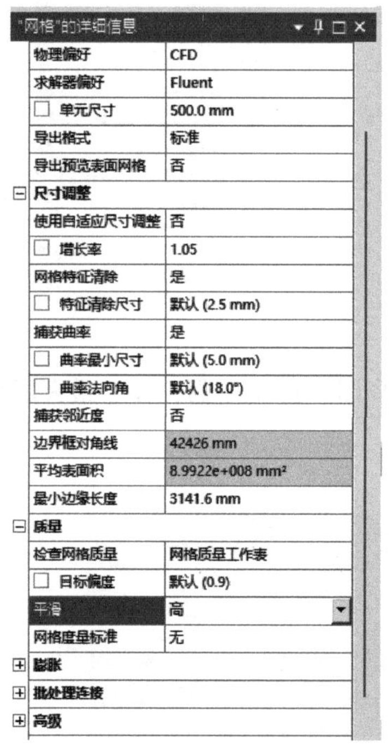

图 3-21 网格属性设置

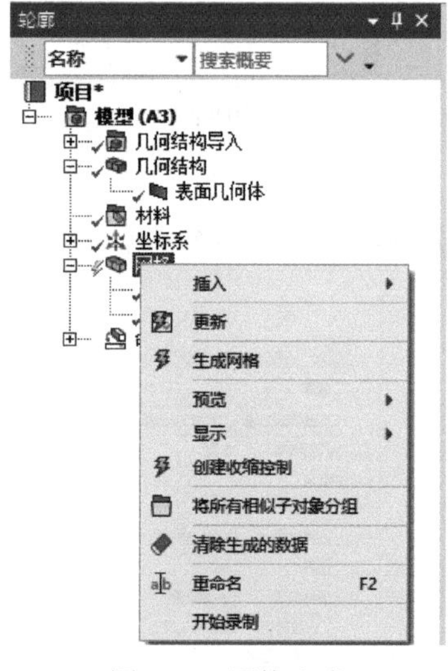

图 3-22 网格生成

8）网格划分完成以后，在图形窗口中显示图 3-23 所示的网格。

9）右键单击模型树中的“网格”项，在图 3-24 的网格的详细信息面板中展开“质量”选项区域，“网格质量标准”选择“正交质量”。这样能够统计出最小值、最大值、平均值以及标准偏差，同时显示网格质量的直方图，如图 3-25 所示。

10）执行主菜单中的“文件”→“关闭 Meshing”命令，退出网格划分界面，返回 Workbench 主界面。

11）右键单击 Workbench 界面中的 A3“网格”项，选择快捷菜单中的“更新”命令，完成网格数据往 Fluent 分析模块中的传递，如图 3-26 所示。

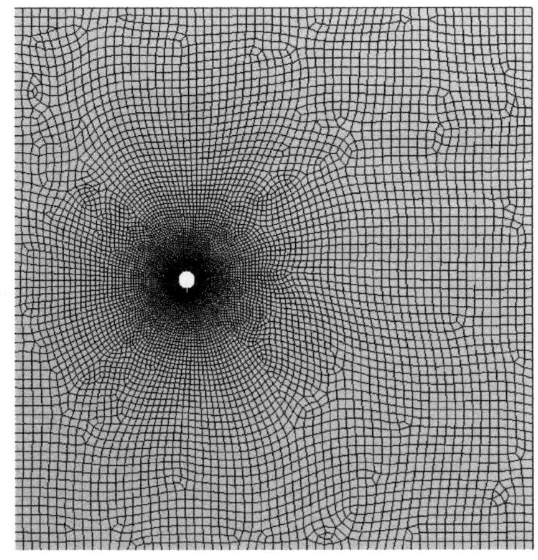
图 3-23　计算域网格

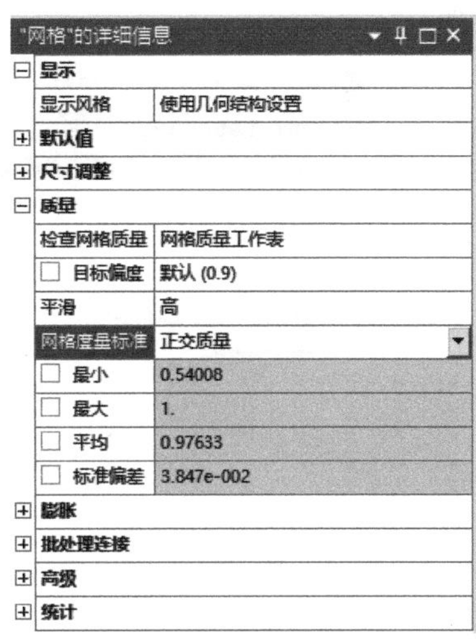

图 3-24　网格详细信息面板

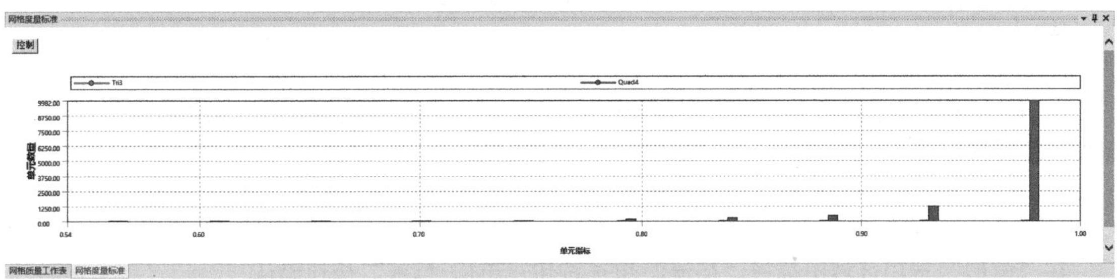
图 3-25　网格划分情况统计

图 3-26　更新网格数据

3.1.5　定义模型

定义模型的操作步骤如下。

1）双击 A4 栏“设置”项，打开图 3-27 的 Fluent Launcher 对话框，单击“Start”按钮进入

Fluent 界面。

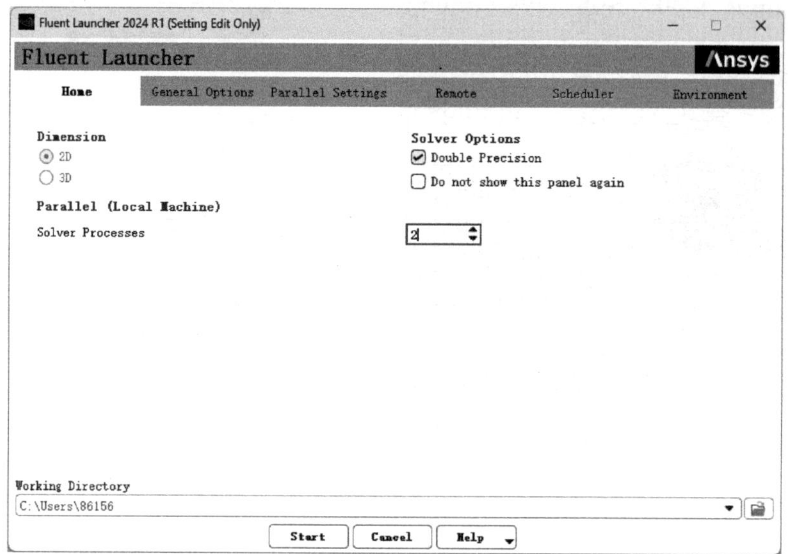

图 3-27 Fluent Launcher 对话框

2）在“功能区”选项卡中单击“物理模型”→“通用”按钮，弹出图 3-28 所示的“通用”面板，保持默认值。

3）在“功能区”选项卡中单击“物理模型”→“模型”→“黏性”按钮，弹出图 3-29 的“黏性模型”对话框。

在“模型”选项区域中选择“层流”单选按钮，单击“OK”按钮确认。

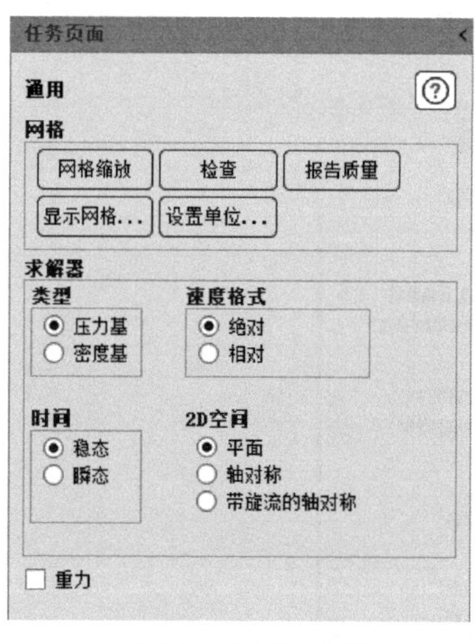

图 3-28 “通用”面板

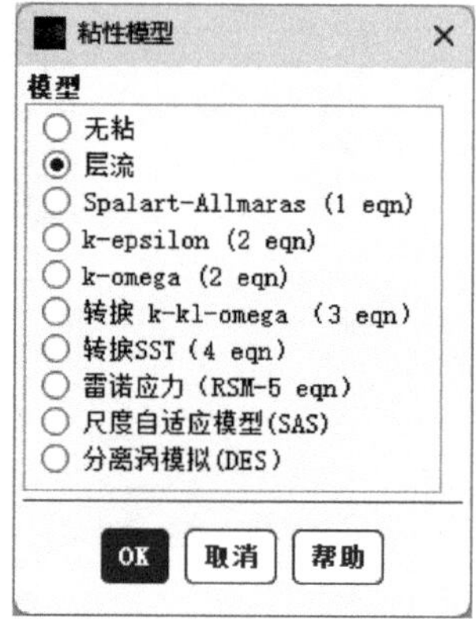

图 3-29 “黏性模型”对话框

3.1.6 设置材料

设置材料的操作步骤如下。

1）在图 3-30 的“功能区”选项卡中单击“物理模型”→“材料”→“创建/编辑”按钮，弹出图 3-31 的“创建/编辑材料”对话框。

2）在“创建/编辑材料”对话框中，将“属性”区域中的“密度［kg/m^3］”设置为 1，将“黏度［kg/(ms)］”设置为 0.01，单击“更改/创建”按钮并关闭“创建/编辑材料”对话框。

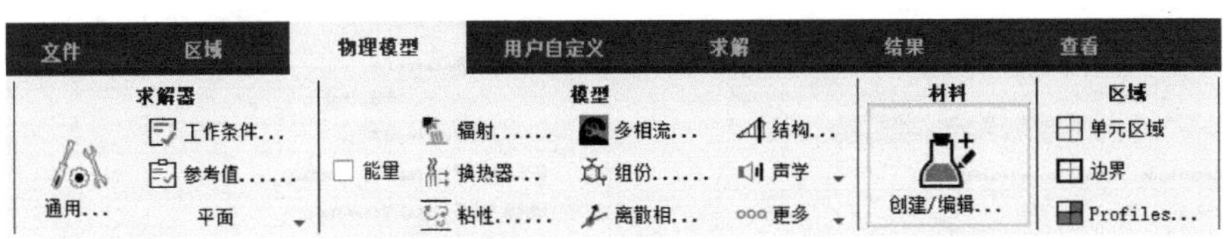

图 3-30　设置材料按钮

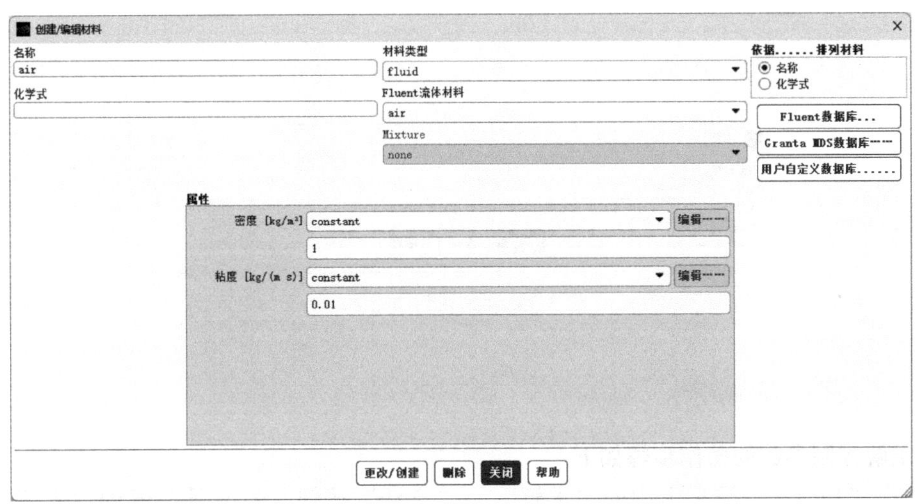

图 3-31　“创建/编辑材料”对话框

3.1.7　设置边界条件

设置边界条件的操作步骤如下。

1）单击“功能区”选项卡中的“物理模型”→“区域”→“边界条件”按钮，打开图 3-32 所示的“边界条件”面板。

2）在“边界条件”面板中双击“inlet”，弹出图 3-33 的“速度入口”对话框。设置“速度大小［m/s］”为 40，单击“应用”按钮确认。

3）在“边界条件”面板中双击“outlet”，弹出图 3-34 所示的“压力出口”对话框。保持默认值，单击“应用”按钮确认。

4）在“边界条件”面板中单击选择“top”，在“类型”下拉列表中选择 symmetry，弹出图 3-35 的“对称”对话框。保持默认值，单击“应用”按钮确认。

5）同步骤 4），将“bottom”的边界类型转换成 symmetry。

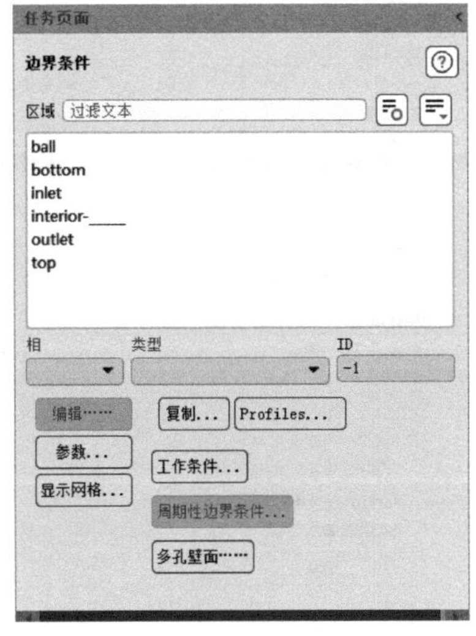

图 3-32　“边界条件”面板

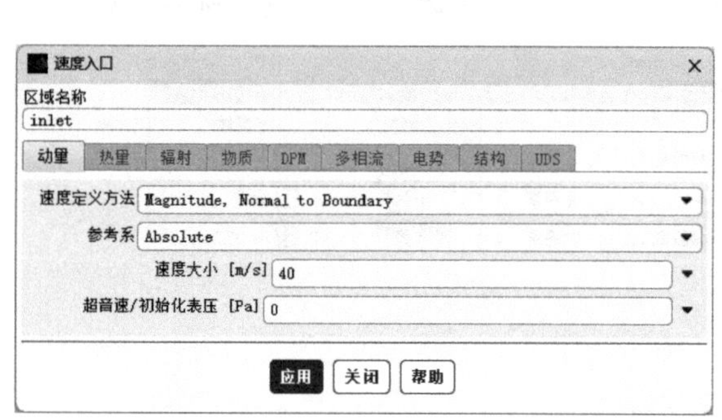

图 3-33 “速度入口”对话框

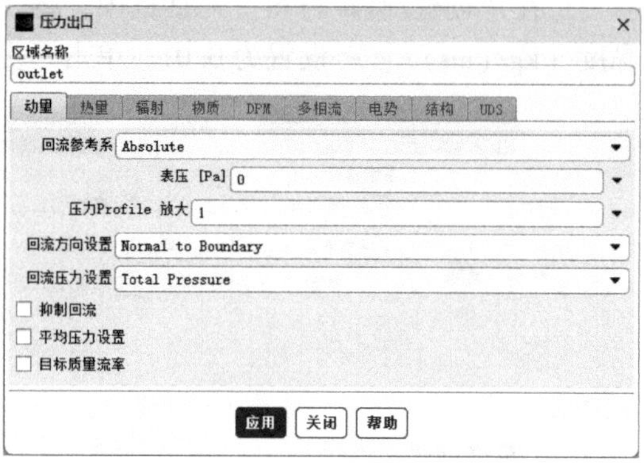

图 3-34 “压力出口”对话框

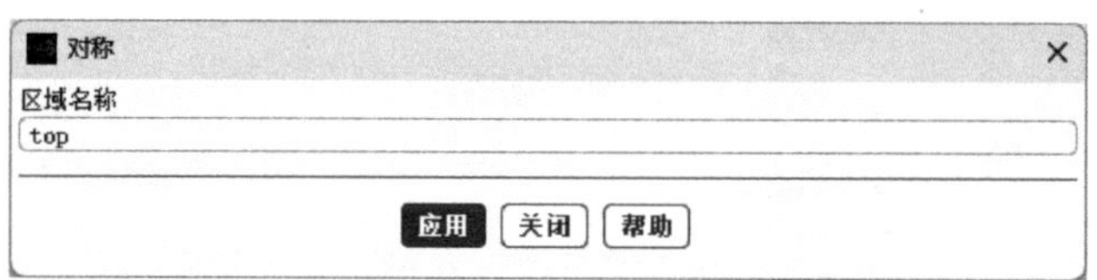

图 3-35 “对称”对话框

3.1.8 调整求解控制

调整求解控制参数的操作步骤如下。

1）单击“功能区”选项卡中的“求解”→“方法”按钮，弹出图 3-36 的“求解方法”面板。在“方案”下拉列表中选择“Coupled”选项。

2）单击“功能区”选项卡中的“求解”→“控制”按钮，弹出图 3-37 的“解决方案控制”面板，保持默认设置不变。

图 3-36 “求解方法”面板

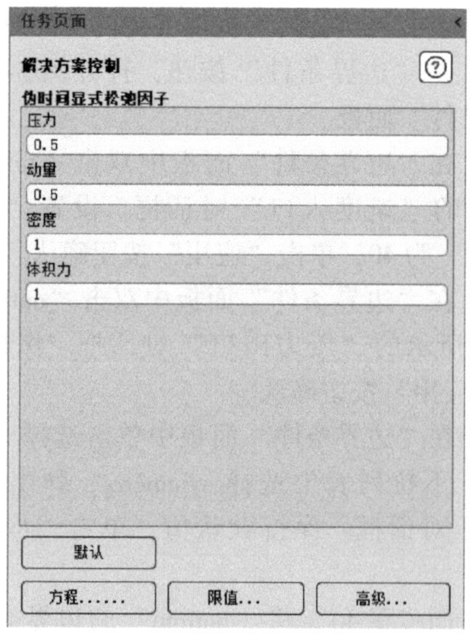

图 3-37 “解决方案控制”面板

3.1.9 设置初始条件

设置初始条件的操作步骤如下。

1）单击“功能区”选项卡中的“求解”→“初始化”按钮，弹出图 3-38 的“解决方案初始化”面板。

2）在“初始化方法”选项区域中选择“标准初始化”单选按钮，“计算参考位置”选择“inlet”选项，单击“初始化”按钮进行初始化。

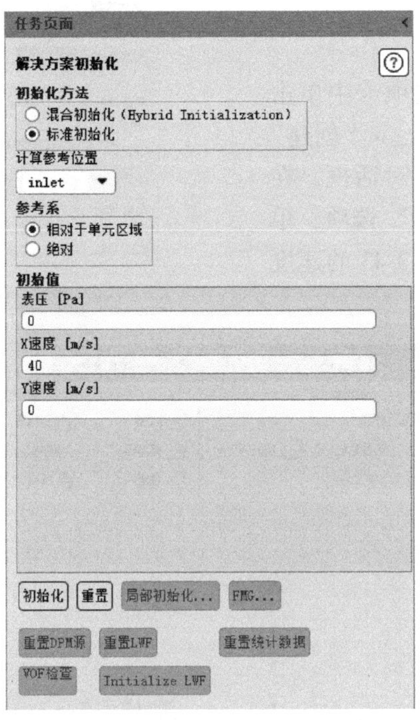

图 3-38 “解决方案初始化”面板

3.1.10 求解过程监视

在“功能区”选项卡中单击“求解”→“报告”→“残差”按钮，弹出图 3-39 所示的“残差监控器”对话框。保持默认设置不变，单击“OK”按钮确认。

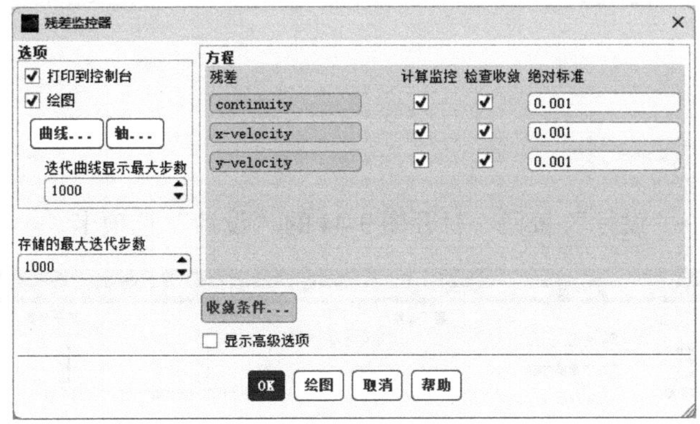

图 3-39 “残差监控器”对话框

3.1.11 计算求解

单击“功能区”选项卡中的“求解”→“运行计算”按钮，弹出图 3-40 的“运行计算”面板。在“迭代次数”数值框中输入 300，单击“开始计算”按钮开始计算。

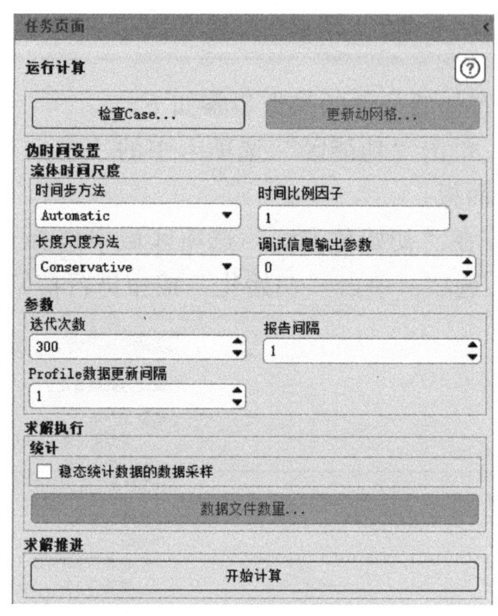

图 3-40 “运行计算”面板

3.1.12 结果后处理

在图 3-41 的“功能区”选项卡中单击“结果”→“图形”→“矢量”→“创建”按钮，弹出图 3-42 的“矢量”对话框。在“类型”下拉列表中选择“arrow”选项，单击“保存/显示”按钮，显示图 3-43 的速度矢量图。

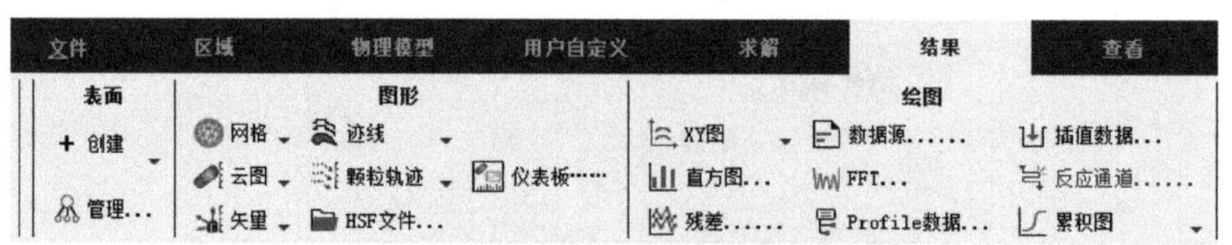

图 3-41 “功能区”选项卡

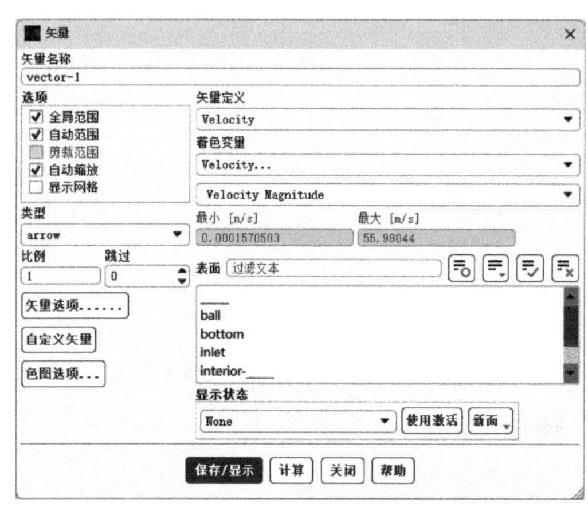

图 3-42 “矢量”对话框

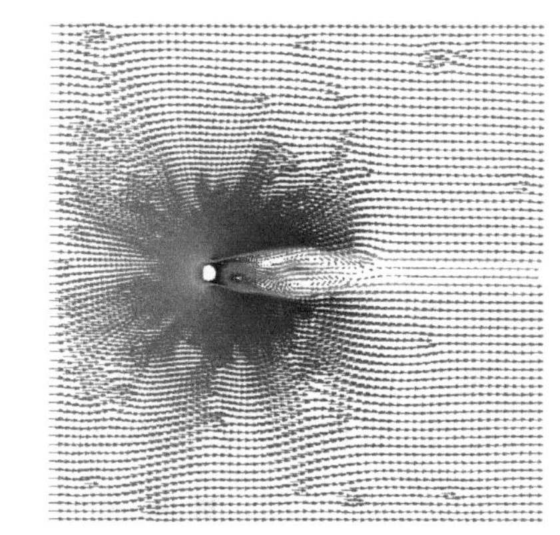

图 3-43 速度矢量图

3.1.13 设计功能模块

单击“功能区”→“设计”按钮，打开图 3-44 的“设计”选项卡。

图 3-44 “设计”选项卡

3.1.14 设置观察值

设置观察值的操作步骤如下。

1）在“功能区”选项卡中单击“设计”→“基于梯度”→“可观察量”按钮，弹出图 3-45 的“伴随求解优化目标”对话框。单击“管理”按钮，弹出图 3-46 的“管理伴随可观察量”对话框。

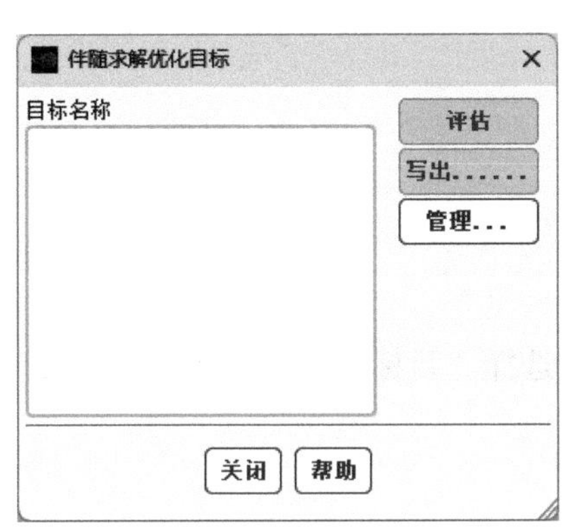

图 3-45 “伴随求解优化目标”对话框

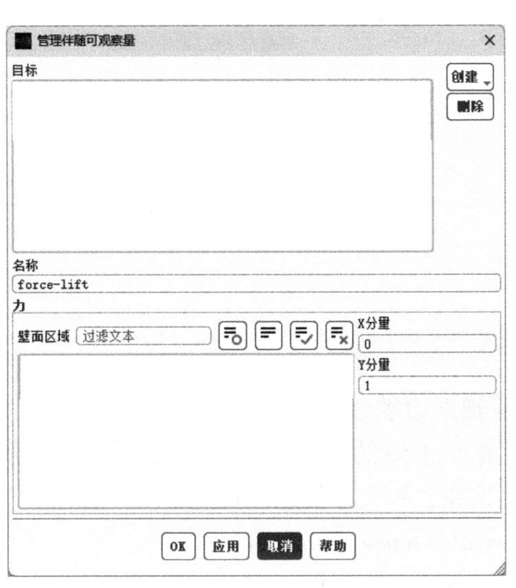

图 3-46 “管理伴随可观察量”对话框

2）单击“创建”按钮，弹出图 3-47 的对话框。在“创建”下拉列表中选择“目标类型”选项，在选择列表中选择“力”，在“名称”文本框中填入“force-drag”，单击“OK”按钮确认。

3）返回“管理伴随可观察量”对话框后，在“目标”列表框中选择“force-drag”，在“壁面区域”中选择“wall”，在“X 分量”和“Y 分量”数值框中分别填入 1 和 0，单击“应用”按钮，完成观察值 force-drag 的设置，如图 3-48 所示。

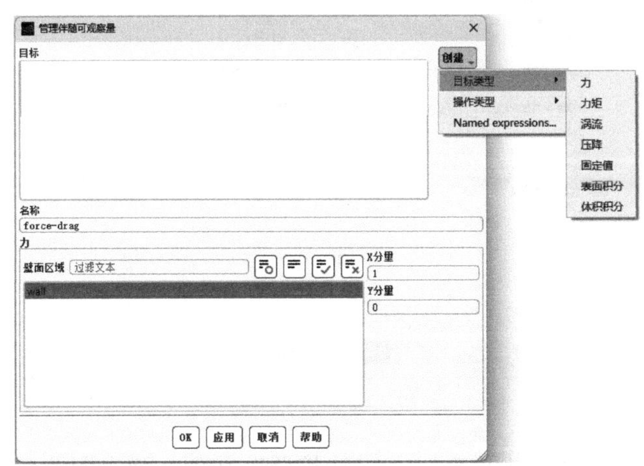

图 3-47 创建新观察值对话框

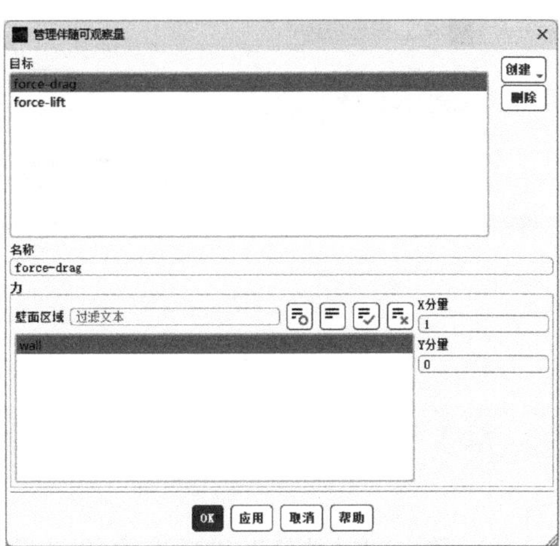

图 3-48 设置观察值 force-drag

4）重复上面的步骤 2）和 3），设置名称为“force-lift”的观察值，在“X 分量”和“Y 分量”数值框中分别填入 0 和 1，单击“应用”按钮确认，如图 3-49 所示。

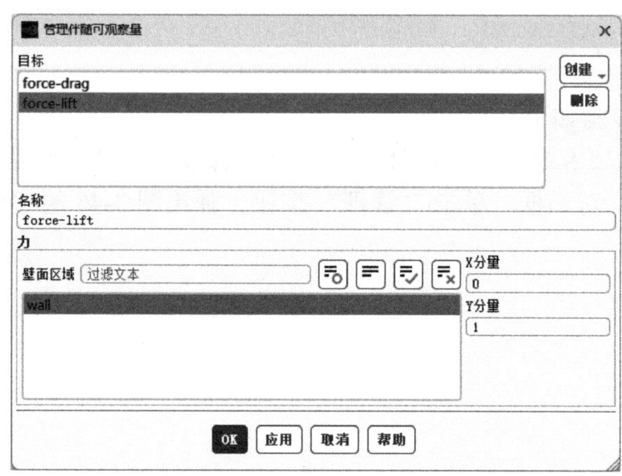

图 3-49 设置观察值“force-lift”

3.1.15 计算拖拽力敏感性

计算拖拽力敏感性的操作步骤如下。

1）在图 3-50 的“伴随求解优化目标”对话框中，选择“目标名称”为“force-drag”，单击“评估”按钮，在文本信息区将显示如下信息：

Observable name：force-drag

Observable Value [N]：1150.4504

2）单击“功能区”选项卡中的“设计”→“基于梯度”→“求解器控制”按钮，弹出图 3-51 的“伴随解决方案控制”对话框。取消选择“基于求解控制的初始化”和“自动调整控制”复选框，勾选“显示计算推进设置”复选框，单击“应用”按钮确认。

图 3-50 “伴随求解优化目标”对话框

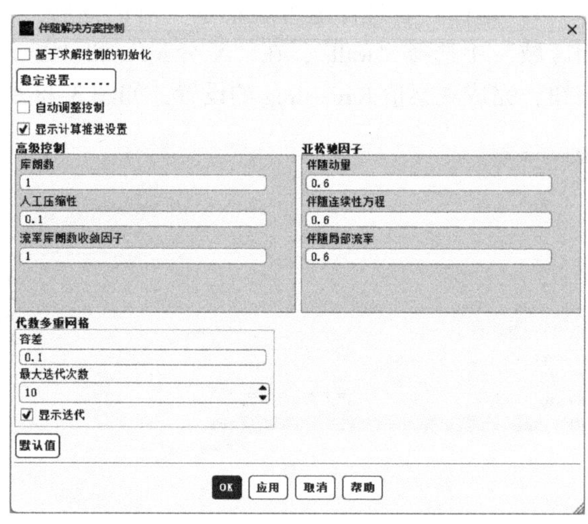

图 3-51 “伴随解决方案控制”对话框

3）单击“功能区”选项卡中的“设计”→“基于梯度”→“监控器”按钮，弹出图 3-52 的“伴随残留监控器”对话框，确保勾选“打印到控制台”和“绘图”复选框，其他保持默认值，单击“应用”按钮确认。

4）单击“功能区”选项卡中的“设计”→“基于梯度”→“监控器”按钮，弹出图 3-53

的“运行伴随求解”对话框，单击“初始化”按钮进行初始化，设置“迭代次数”为 200，单击“开始计算”按钮开始计算。

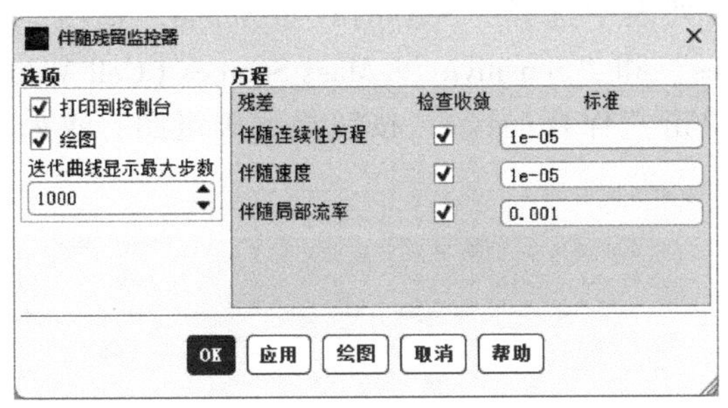

图 3-52 “伴随残留监控器”对话框

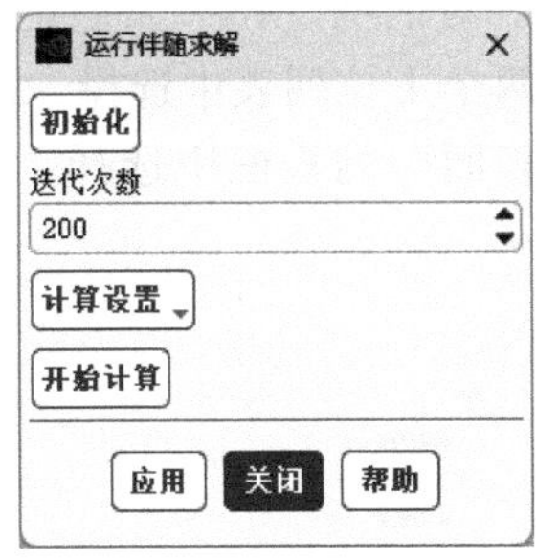

图 3-53 “运行伴随求解”对话框

5）计算完后在“运行伴随求解”对话框中单击“关闭”按钮关闭窗口。

3.1.16 拖拽力敏感度后处理

拖拽力敏感度后处理的操作步骤如下。

1. 边界条件敏感度分析

单击“功能区”选项卡中的“设计”→“基于梯度”→“报告”按钮，弹出图 3-54 的“伴随报告”对话框，在“边界选择”列表框中选择“inlet”选项，单击“报告”按钮，在文本信息区显示以下信息：

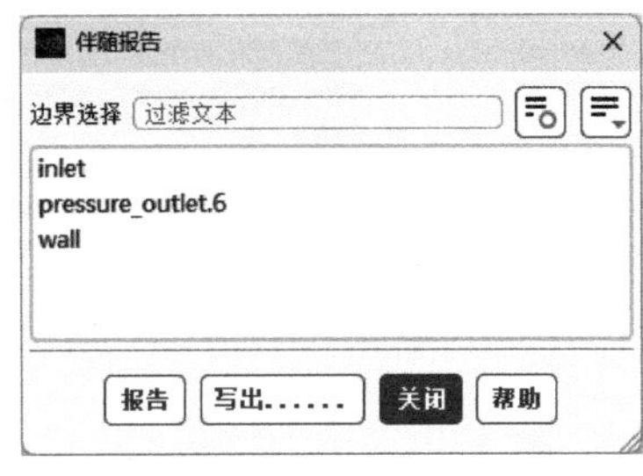

图 3-54 “伴随报告”对话框

Boundary condition sensitivity report: inlet

Observable: force-drag

Velocity Magnitude [m/s]: 40　Sensitivity ([N]/[m/s]): 48.546337

Decrease Velocity Magnitude to decrease force-drag

然后单击“关闭”按钮，关闭“伴随报告”对话框。

2. 动量源敏感度分析

单击“功能区”选项卡中的“结果”→“图形”→“云图”→“创建”按钮，弹出图 3-55 的“云图”对话框。在“着色变量”的两个下拉列表中分别选择“Sensitivities...”和“Sensitivity to Body Force X-Component (Cell Values)”选项，单击“保存/显示”按钮显示云图，效果如图 3-56 所示。

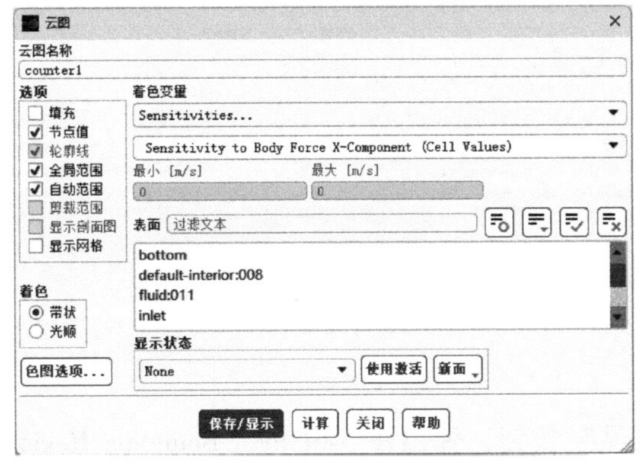

图 3-55 “云图”对话框

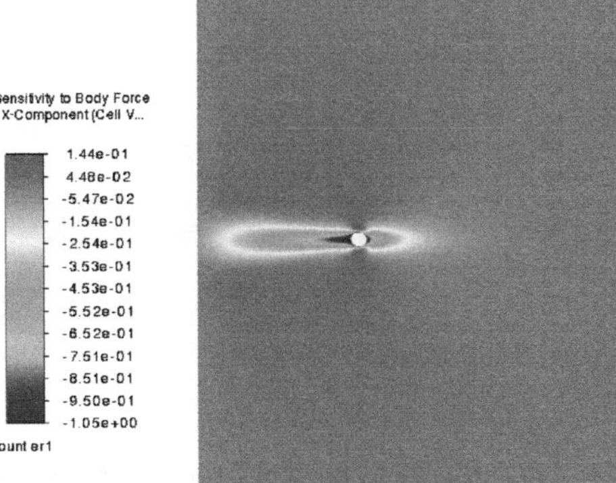

图 3-56 显示云图

3. 形状敏感度分析

单击“功能区”选项卡中的“结果”→“图形”→“矢量”→“创建”按钮，弹出图 3-57 的“矢量”对话框。在“矢量定义”下拉列表中选择“Sensitivity to Shape”选项，在“着色变量”的两个下拉列表中选择“Sensitivities”和“Sensitivity to Mass Sources (Cell Values)”选项，在“表面”列表框中选择“wall”，单击“保存/显示”按钮显示矢量图，效果如图 3-58 所示。

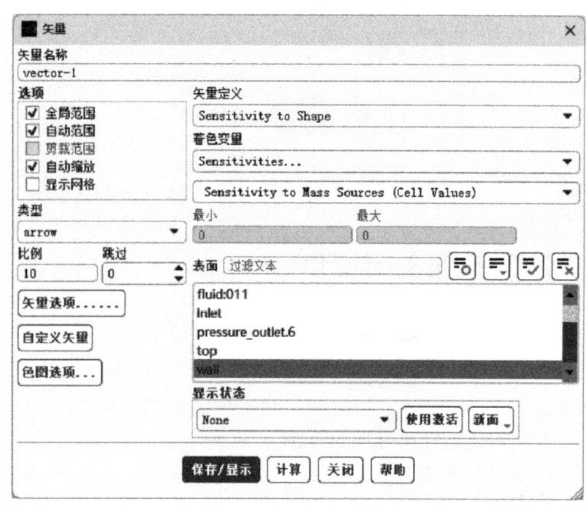

图 3-57 “矢量”对话框

图 3-58 显示矢量图

4. 导出拖拽力敏感度数据

单击“功能区”选项卡中的“设计”→“基于梯度”→“设计工具”按钮，弹出图 3-59 的“设计工具”对话框。

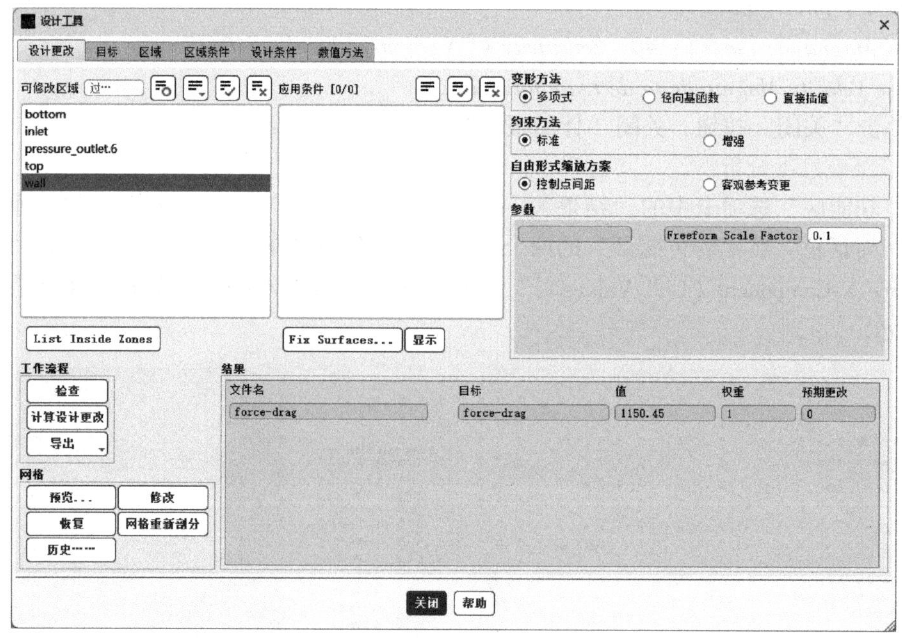

图 3-59 “设计工具”对话框

在图 3-60 的“区域”选项卡中单击“获取边界”按钮，弹出图 3-61 的“Bounding Region Definition”对话框，在“Zones to Be Bounded”列表框中选择“wall”，单击“OK”按钮确定。

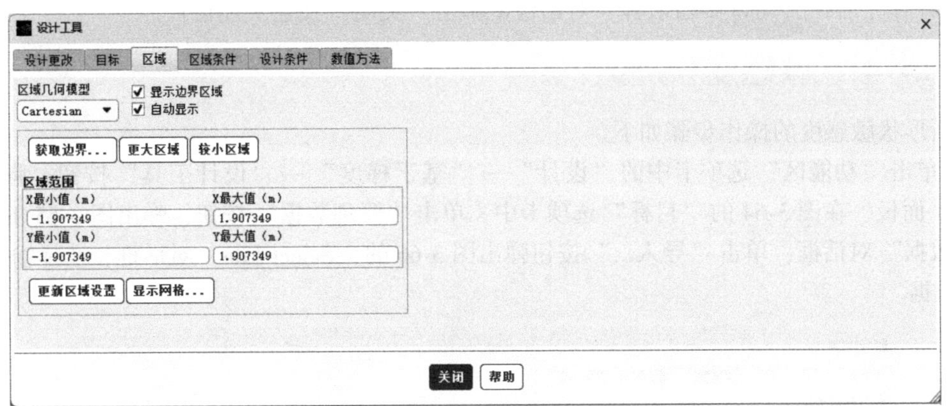

图 3-60 “区域”选项卡

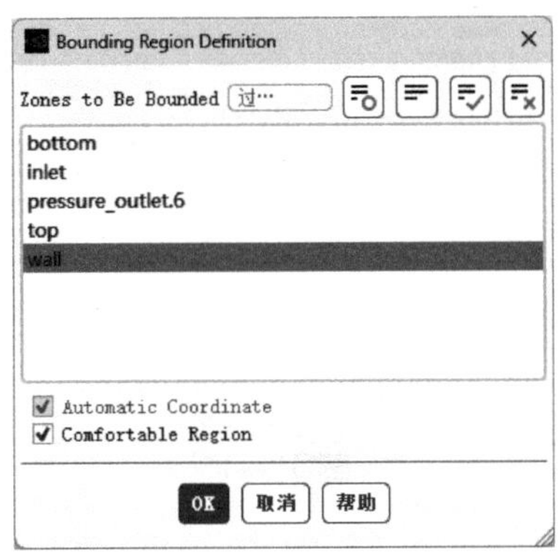

图 3-61 “Bounding Region Definition”对话框

3.1.17 计算升力敏感性

计算升力敏感性的操作步骤如下。

1）单击“功能区”选项卡中的“设计”→“基于梯度”→“可观察量”按钮，弹出图 3-62 的“伴随求解优化目标”对话框。在“目标名称”列表框中选择“force-lift”。

2）单击“功能区”选项卡中的“设计”→“基于梯度”→“计算”按钮，弹出图 3-63 的“运行伴随求解”对话框，单击“初始化”按钮进行初始化，设置“迭代次数”为 200，单击“开始计算”按钮开始计算。

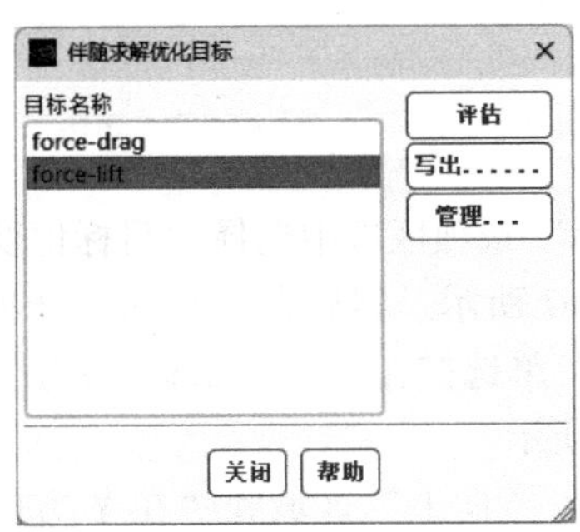

图 3-62 “伴随求解优化目标”对话框

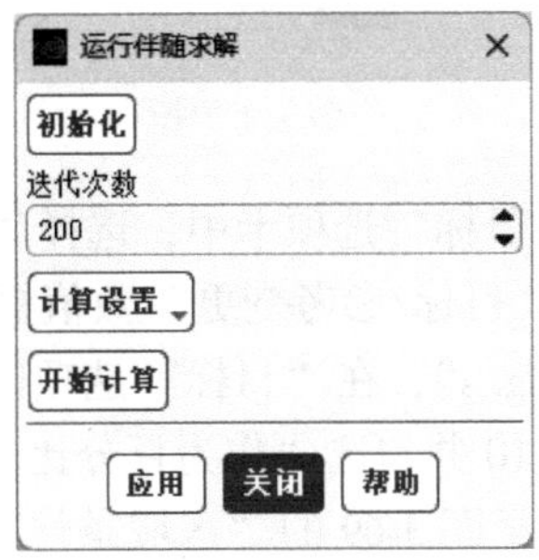

图 3-63 “运行伴随求解”对话框

3）计算完后在“运行伴随求解”对话框中单击“关闭”按钮关闭窗口。

3.1.18 形状敏感度分析

分析形状敏感度的操作步骤如下。

1）单击“功能区”选项卡中的“设计”→“基于梯度”→“设计工具”按钮，弹出“设计工具”面板。在图 3-64 的“目标”选项卡中，单击“管理数据”按钮，弹出图 3-65 的“管理敏感度数据”对话框，单击“导入...”按钮弹出图 3-66 的“Select File”对话框，选择输入 force-drag. s 数据。

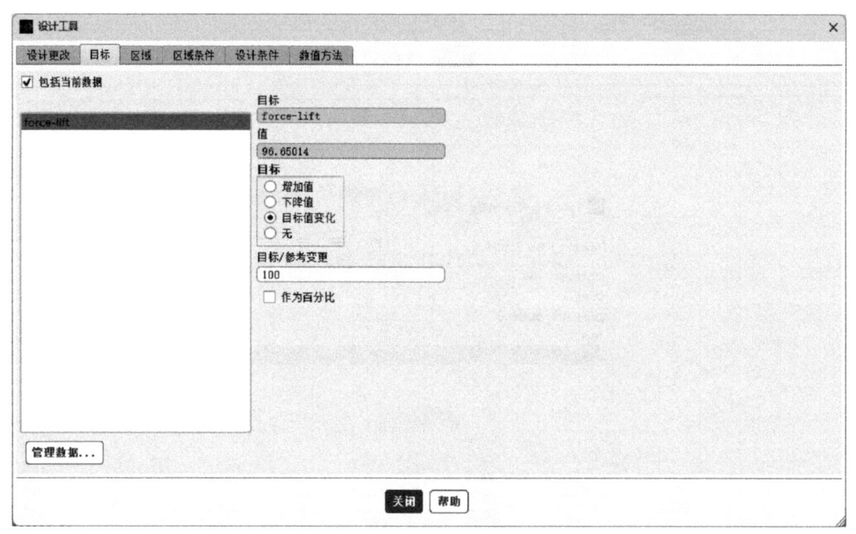

图 3-64 “目标”选项卡

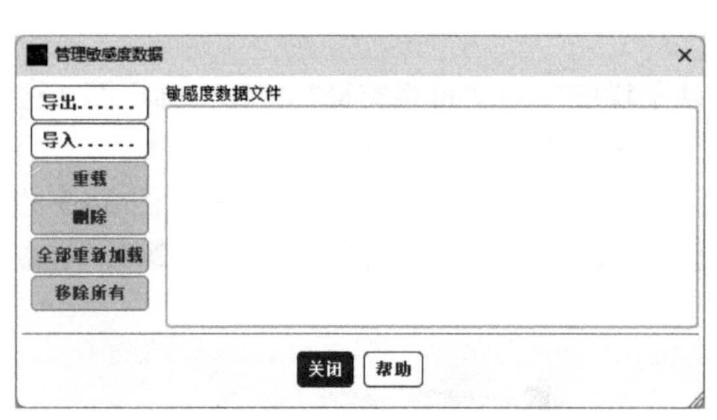

图 3-65 “管理敏感度数据”对话框

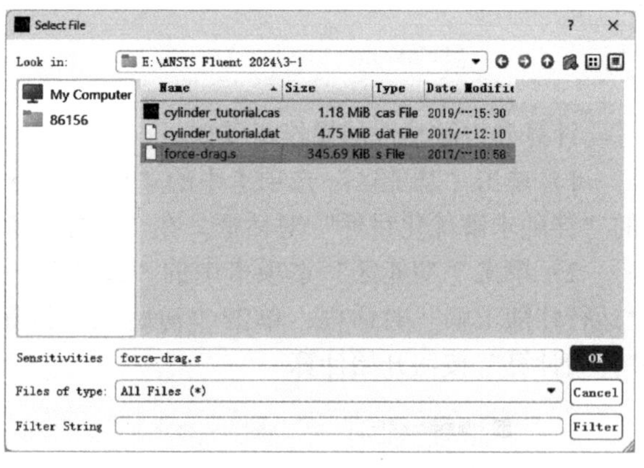

图 3-66 “Select File”对话框

2）在“目标”选项卡中，选择“force-lift”，在“目标”选项区域中选择“目标值变化”单选按钮，在“目标/参考变更”数值框中输入 100，如图 3-67 所示。然后在“目标”选项卡中选择“force_drag. s”，在“目标”选项区域中选择“增加值”单选按钮，在“目标/参考变更”数值框中输入-10 并勾选“作为百分比”复选框，如图 3-68 所示。

3）切换至图 3-69 的“区域条件”选项卡中，在“在 X 方向上”区域和“在 Y 方向上”区域的“点”数值框中分别填入 30。

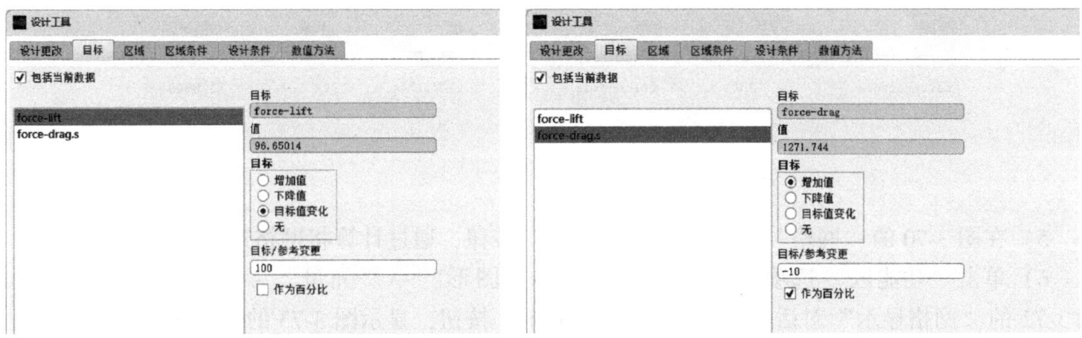

图 3-67 “目标”选项卡　　　　图 3-68 “目标”选项卡

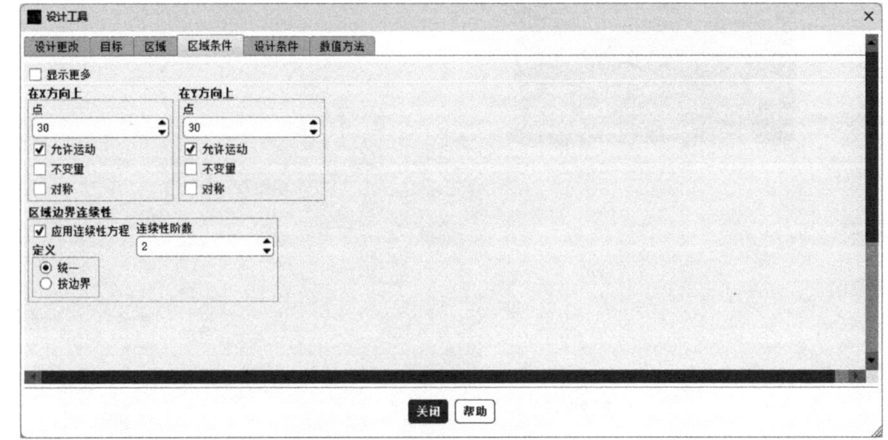

图 3-69 “区域条件”选项卡

4）切换至图 3-70 的“设计更改”选项卡，在“可修改区域”列表框中选择“wall”，单击“计算设计更改”按钮。然后结果列表更新，能反映每个观察到的预期变化，如图 3-71 所示。

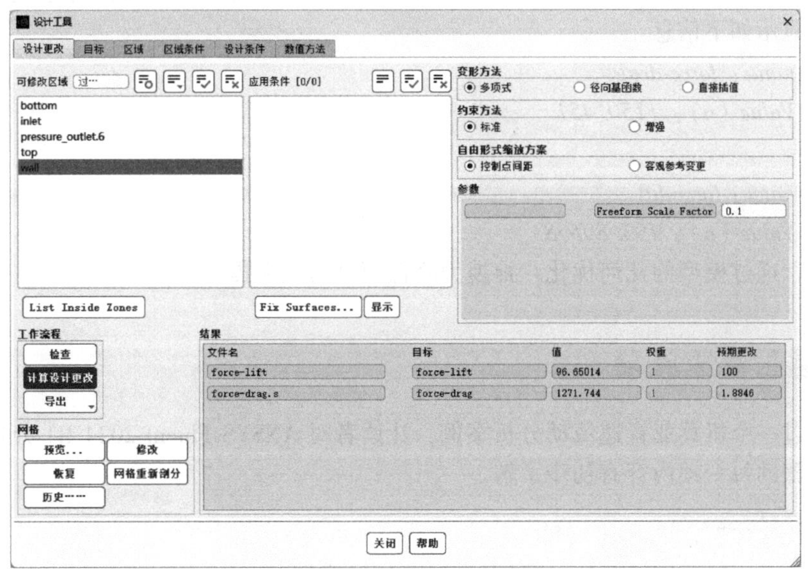

图 3-70 “设计更改”选项卡

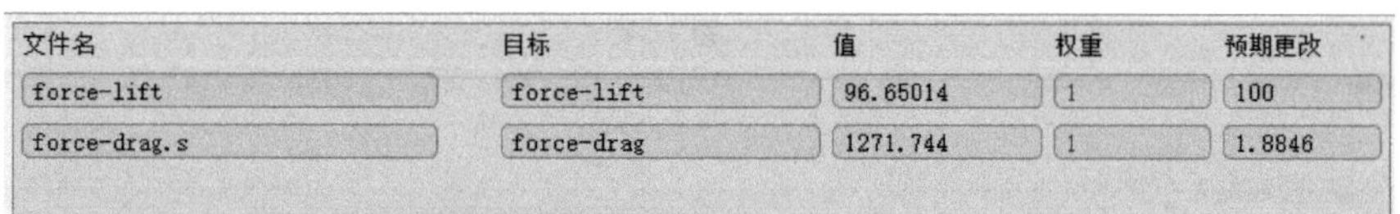

文件名	目标	值	权重	预期更改
force-lift	force-lift	96.65014	1	100
force-drag.s	force-drag	1271.744	1	1.8846

图 3-71 结果列表

5）在图 3-70 的“网格”区域中单击“修改”按钮，通过计算将网格进行重新优化。

6）单击“功能区”选项卡中的“结果”→“图形”→“矢量”→“创建”按钮，弹出图 3-72 的“网格显示”对话框，单击“保存/显示”按钮，显示图 3-73 的网格图。

图 3-72 “网格显示”对话框

图 3-73 网格图

7）单击“功能区”选项卡中的“求解”→“运行计算”按钮进行重新计算。计算收敛后，单击“功能区”选项卡中的“设计”→“基于梯度”→“可观察量”按钮对拖拽力和升力进行重新评估，并显示如下信息：

Observable name：force-drag

Observable Value（n）：1150. 451

Observable name：force-lift

Observable Value（n）：193. 89558

可以看到，通过模型的几何优化，拖拽力降低而升力大大提高。

3.2 机翼亚音速流动

下面将通过一个机翼亚音速流动分析案例，让读者对 ANSYS Fluent 2024 R1 分析处理外部流动基本操作步骤的每一项内容有初步了解。

3.2.1 案例介绍

图 3-74 为某机翼，其中来流马赫数为 0.6，请用 ANSYS Fluent 分析机翼外流场情况。

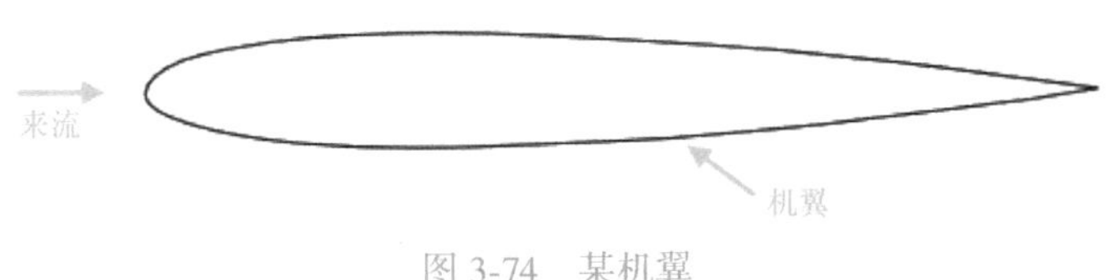

图 3-74　某机翼

3.2.2　建立分析项目

参考算例 3. 1，启动 Workbench 并建立流体分析项目，如图 3-75 所示。

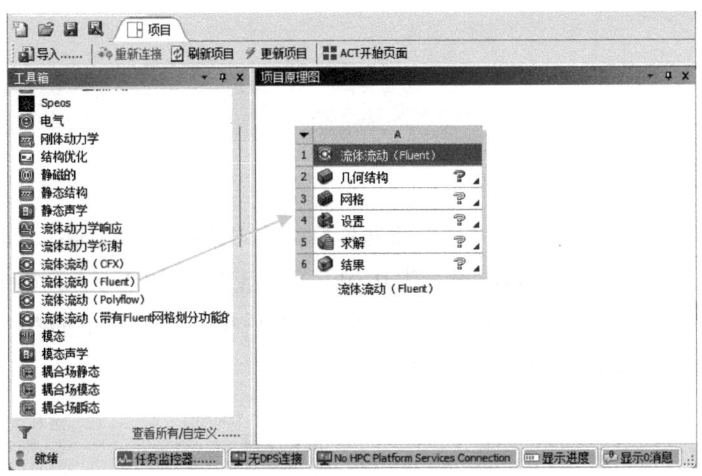

图 3-75　创建流体流动（Fluent）分析项目

3.2.3　创建几何体

创建几何体的操作步骤如下。

1）双击项目 A 中的 A2 栏“几何结构”，进入 Design Modeler 界面。

2）单击主菜单中的“概念”→“曲线”按钮，弹出图 3-76 的创建曲线面板。“定义”选择“从坐标文件”，“坐标文件”选择文件 naca4412. txt，单击工具栏中的 生成 按钮，创建曲线，如图 3-77 所示。

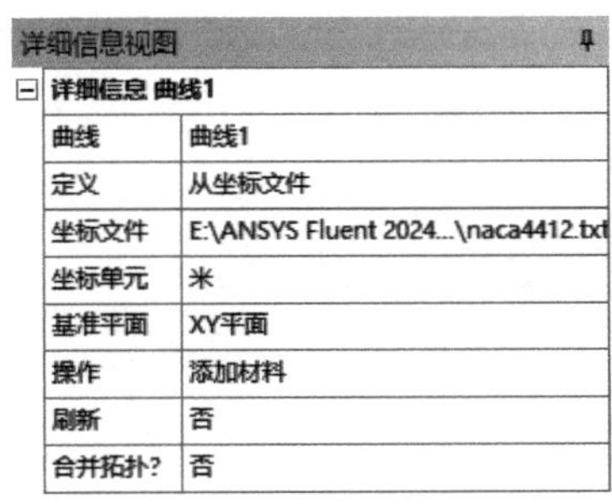

详细信息视图

详细信息 曲线1	
曲线	曲线1
定义	从坐标文件
坐标文件	E:\ANSYS Fluent 2024...\naca4412.txt
坐标单元	米
基准平面	XY平面
操作	添加材料
刷新	否
合并拓扑?	否

图 3-76　创建 3D 曲线面板

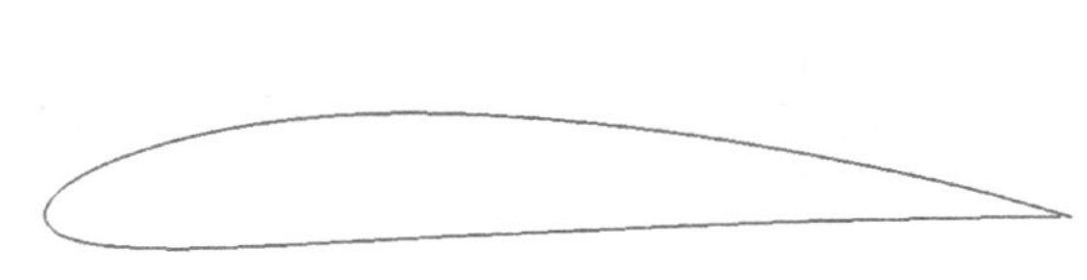

图 3-77　创建的曲线

3）单击主菜单中的“概念”→“来自点的线”按钮，弹出图 3-78 的创建直线面板。选择机翼曲线尾部将曲线封闭，单击工具栏的 生成 按钮，创建直线，如图 3-79 所示。

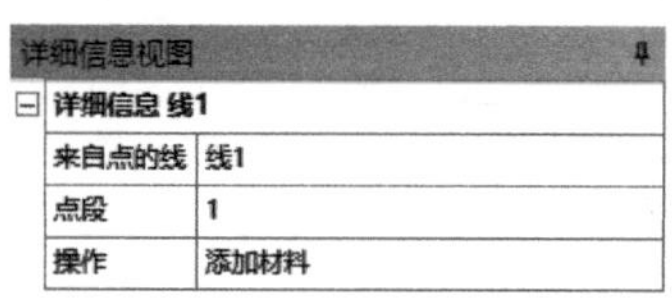

图 3-78 创建直线面板

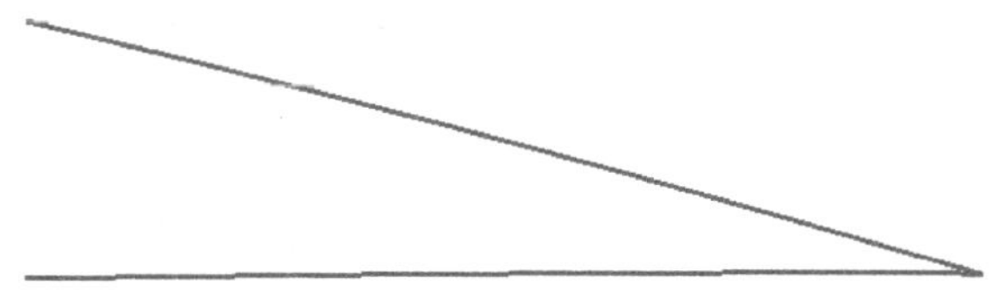

图 3-79 创建的直线

4）单击主菜单中的“概念”→“边表面”按钮，弹出图 3-80 的创建平面面板。“边”选择步骤 2）和 3）创建的曲线和直线，单击工具栏中的 生成 按钮，创建的平面如图 3-81 所示。

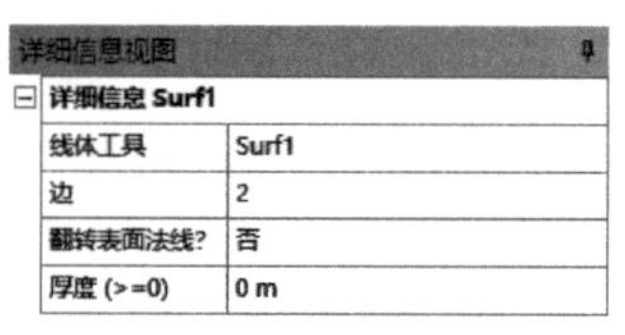

图 3-80 创建平面面板

图 3-81 创建的平面

5）单击主菜单中的“创建”→“几何体转换”→“比例”按钮，弹出图 3-82 的缩放面板。Bodies 选择步骤 4）创建的平面，FD1 设置为 0.01，单击工具栏中的 生成 按钮进行缩放。

6）在图 3-83 的模型树中单击选择“XY 平面”，然后单击工具栏中的 （草图）按钮，在“XY 平面”下生成“草图 1”，如图 3-84 所示。

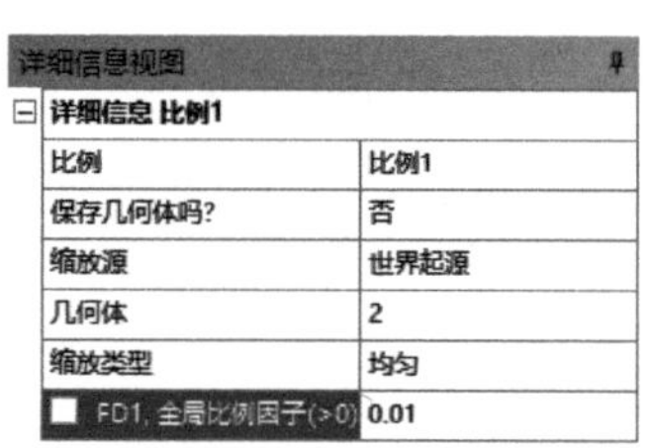

图 3-82 缩放面板

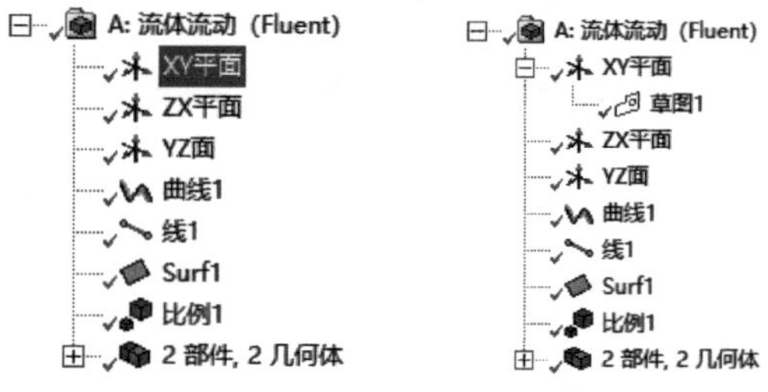

图 3-83 选择“XY 平面” 图 3-84 生成“草图 1”

7）在模型树中单击选择“草图 1”，并单击草图绘制选项卡，进入图 3-85 的绘制选项卡，单击“圆”按钮，在 XY 平面中绘制圆形，如图 3-86 所示。

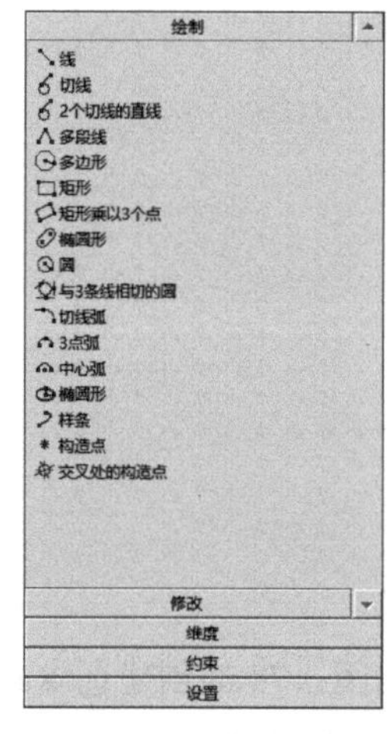

图 3-85 草图绘制选项卡

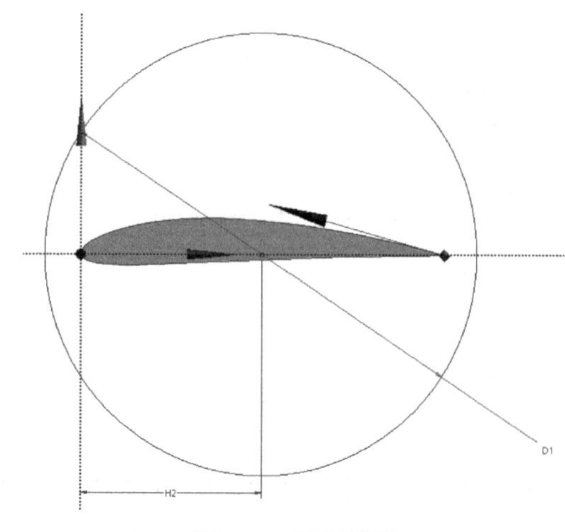

图 3-86 绘制圆形

8）在图 3-87 的模型树中单击选择“维度”中的“通用”按钮，分别选择上述步骤中绘制的线段并设定尺寸，如图 3-88 所示。

9）在模型树中单击选择“XY 平面”，单击工具栏中的 （草图）按钮，在“XY 平面”下生成“草图 2”，如图 3-89 所示。

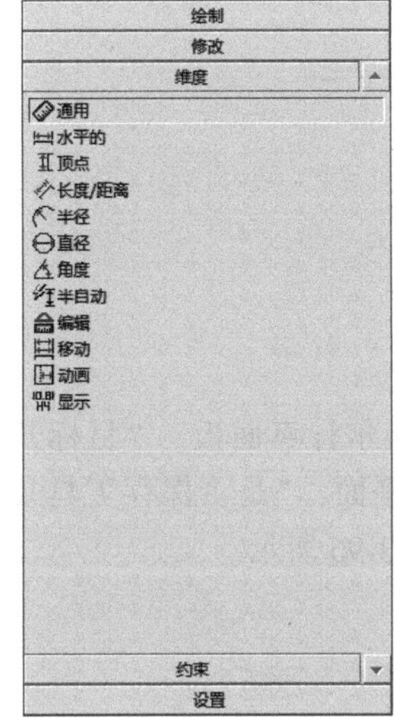

图 3-87　单击“通用”按钮

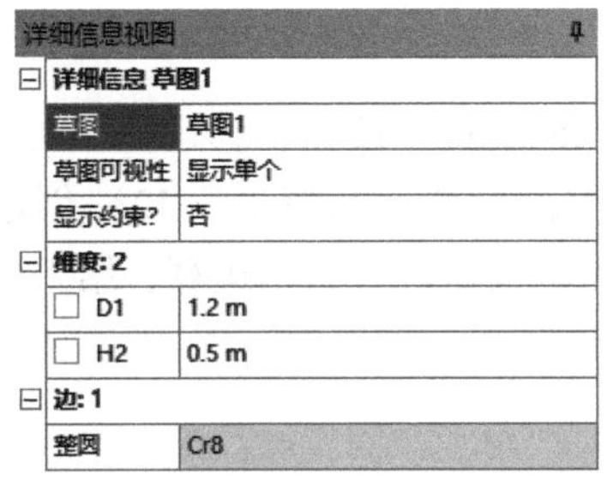

图 3-88　设定尺寸

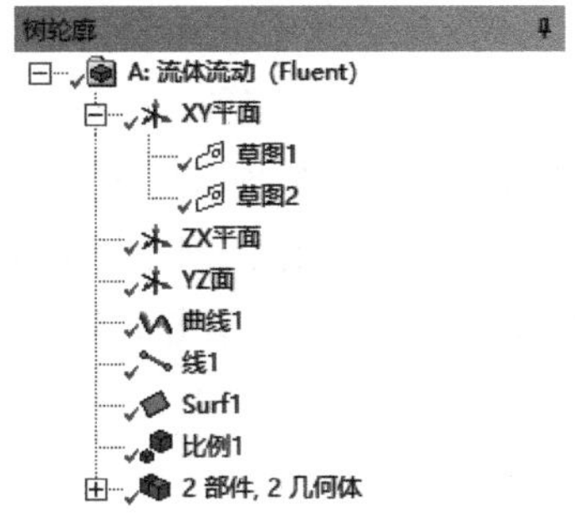

图 3-89　生成“草图 2”

10）在模型树中单击选择“草图 2”，进入“草图绘制”选项卡，分别单击“中心弧”和“线”按钮，在“XY 平面”中绘制图形，效果如图 3-90 所示。

11）在模型树中单击选择“维度”中的“通用”按钮，分别选择上述步骤中绘制的线段并设定尺寸，如图 3-91 所示。

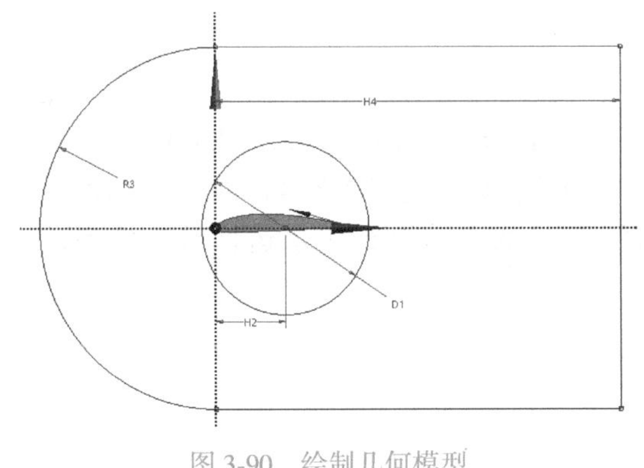

图 3-90　绘制几何模型

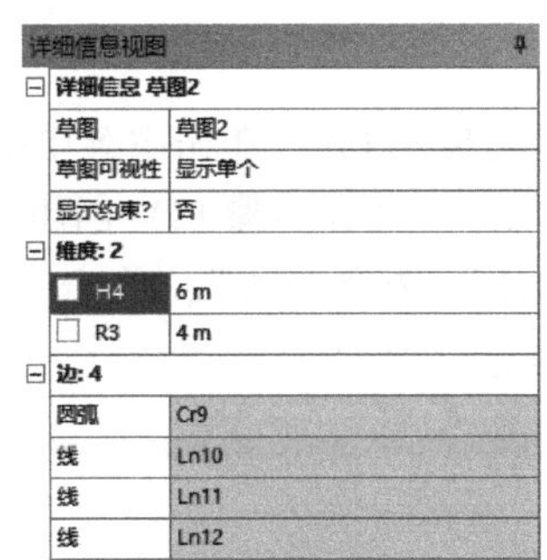

图 3-91　设定尺寸

12）单击主菜单中的“概念”→“草图表面”按钮，弹出图 3-92 的创建平面面板。“基对象”选择“1 草图”，“操作”选择“添加冻结”，单击工具栏中的 生成 按钮，创建的平面如图 3-93 所示。

13）同步骤 12)，单击主菜单中的“概念”→“草图表面”按钮，弹出创建平面面板。“基对象”选择“2 草图”，“操作”选择“添加冻结”，单击工具栏中的 生成 按钮，创建的平面如图 3-94 所示。

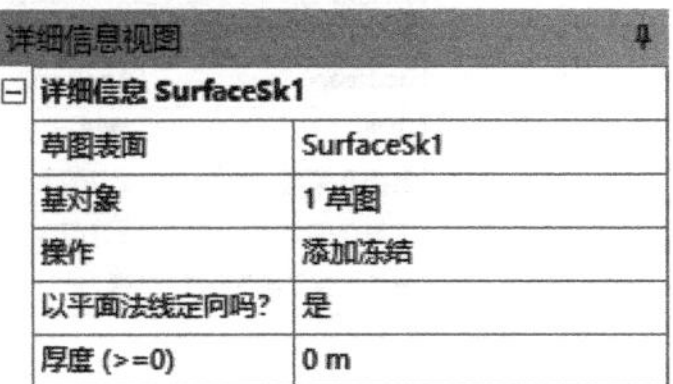

图 3-92　创建平面面板

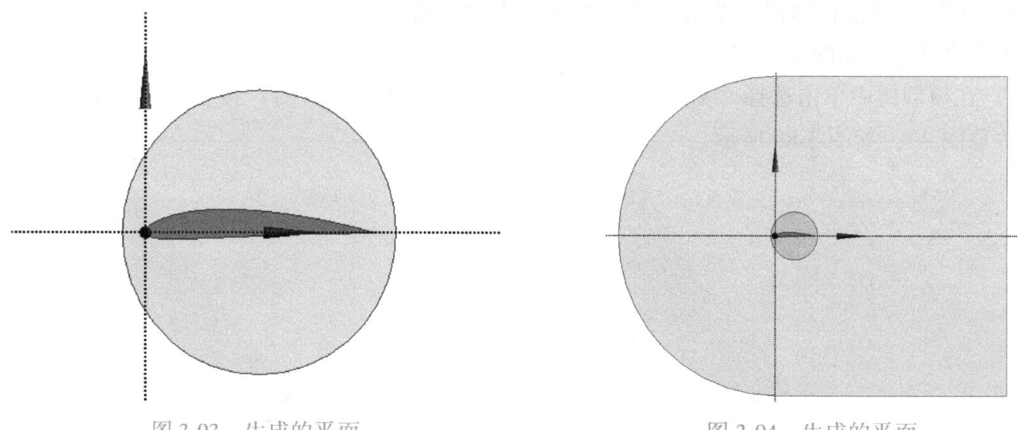

图 3-93　生成的平面　　　　图 3-94　生成的平面

14）单击主菜单中的“创建”→“Boolean”按钮，弹出图 3-95 的布尔计算面板。“目标几何体”选择步骤 13）创建的平面，“工具几何体”选择步骤 12）创建的平面，“是否保存工具几何体”选择“是”，单击工具栏中的 生成 按钮进行布尔运算，结果如图 3-96 所示。

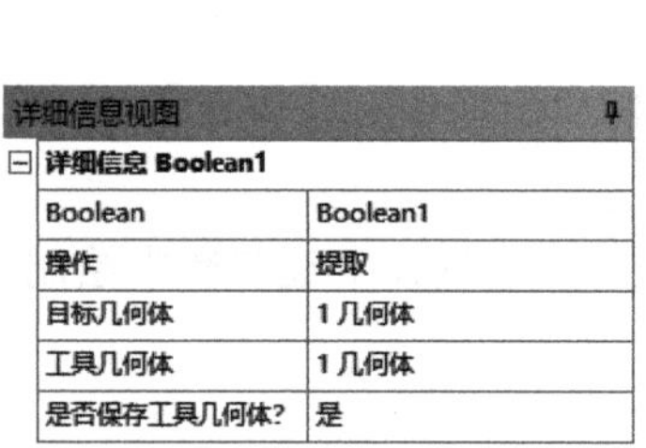

详细信息视图

详细信息 Boolean1	
Boolean	Boolean1
操作	提取
目标几何体	1 几何体
工具几何体	1 几何体
是否保存工具几何体?	是

图 3-95　布尔计算面板

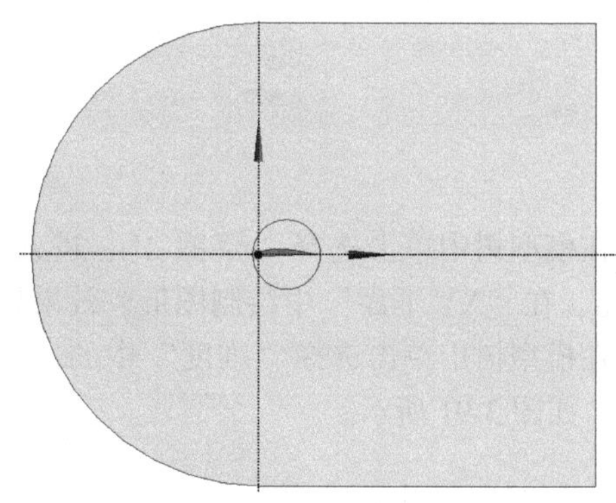

图 3-96　结果平面

15）同步骤 14)，单击主菜单中“创建”→“Boolean”按钮，弹出图 3-97 的布尔计算面板。“目标几何体”选择步骤 12）创建的平面，“工具几何体”选择步骤 4）创建的平面，“是否保存工具几何体”选择“否”，单击工具栏中的 生成 按钮，进行布尔运算后生成平面，结果如图 3-98 所示。

详细信息视图

详细信息 Boolean2	
Boolean	Boolean2
操作	提取
目标几何体	1 几何体
工具几何体	1 几何体
是否保存工具几何体?	否

图 3-97　布尔计算面板

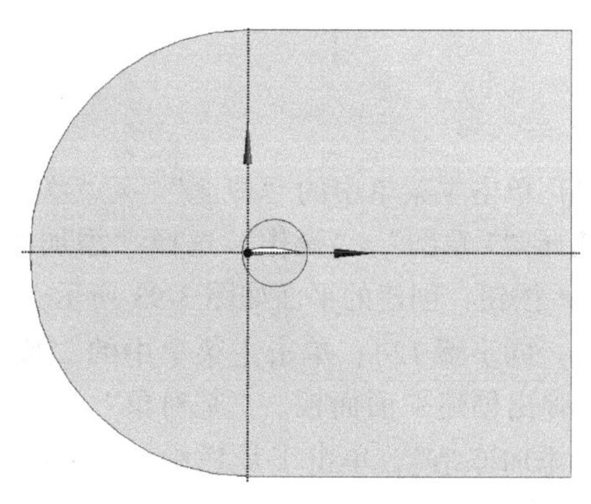

图 3-98　生成平面

16）执行主菜单“文件”→“关闭 Design Modeler”命令，退出 Design Modeler，返回 Workbench 主界面。

3.2.4 划分网格

划分网格的操作步骤如下。

1）双击 A3 栏“网格”项，进入 Meshing 界面，Meshing 界面下的模型如图 3-99 所示。然后在该界面下进行模型的网格划分。

2）右键单击选择几何外部边界，在弹出的图 3-100 的快捷菜单中选择“创建命名选择”，弹出图 3-101 的“选择名称”对话框，输入名称“farfield”，单击“OK”按钮确认。

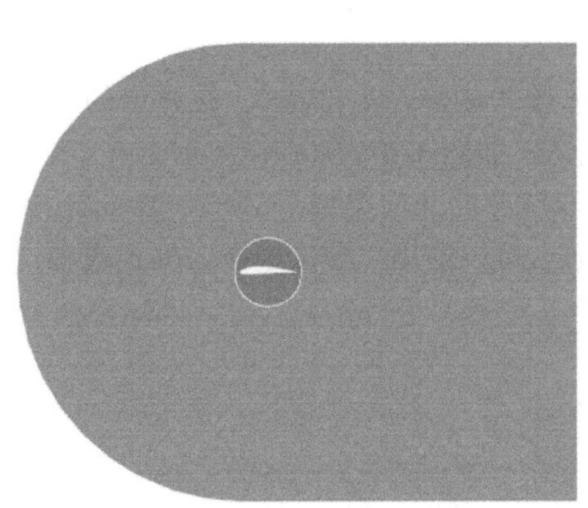

图 3-99 Meshing 界面下的模型

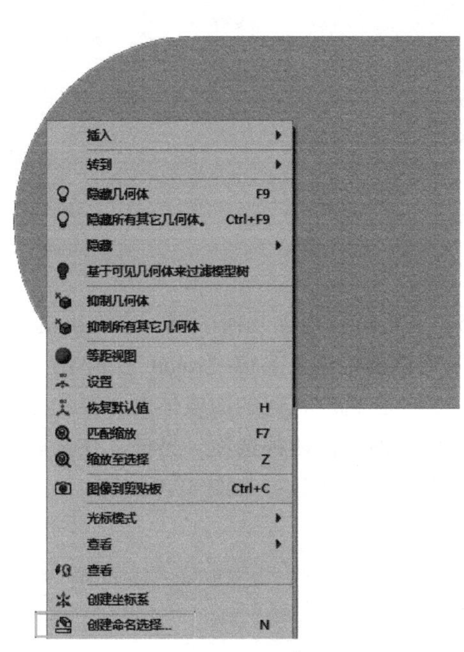

图 3-100 快捷菜单

3）同步骤 2)，创建机翼壁面，将其命名为“airfoil”，如图 3-102 所示。

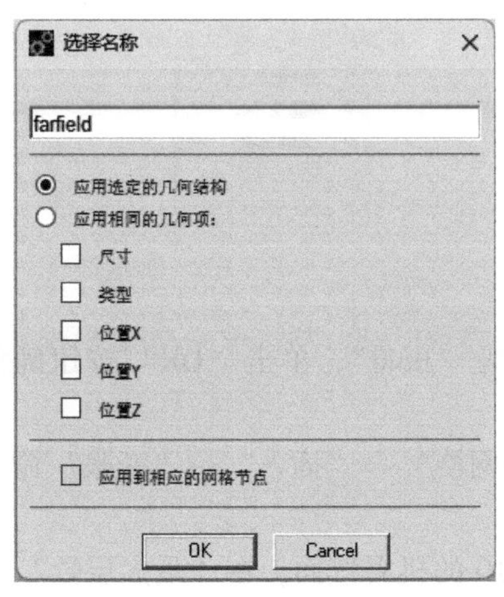

图 3-101 “选择名称”对话框

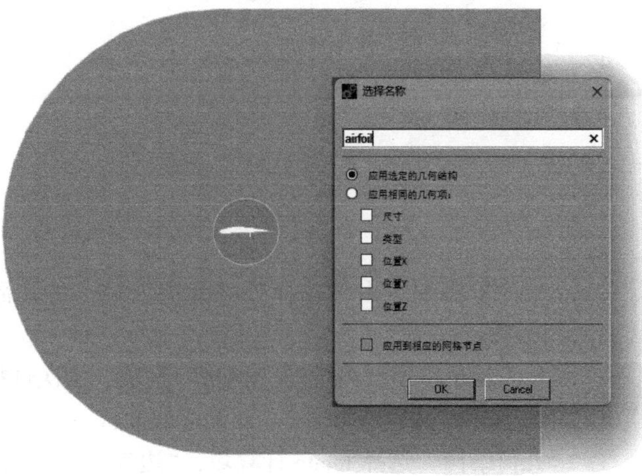

图 3-102 创建机翼壁面

4）同步骤 2），创建几何外部区域与内部区域的交界面，属于外部区域的交界面边界命名为“interface1”，属于内部区域的交界面边界命名为“interface2”，如图 3-103 和图 3-104 所示。

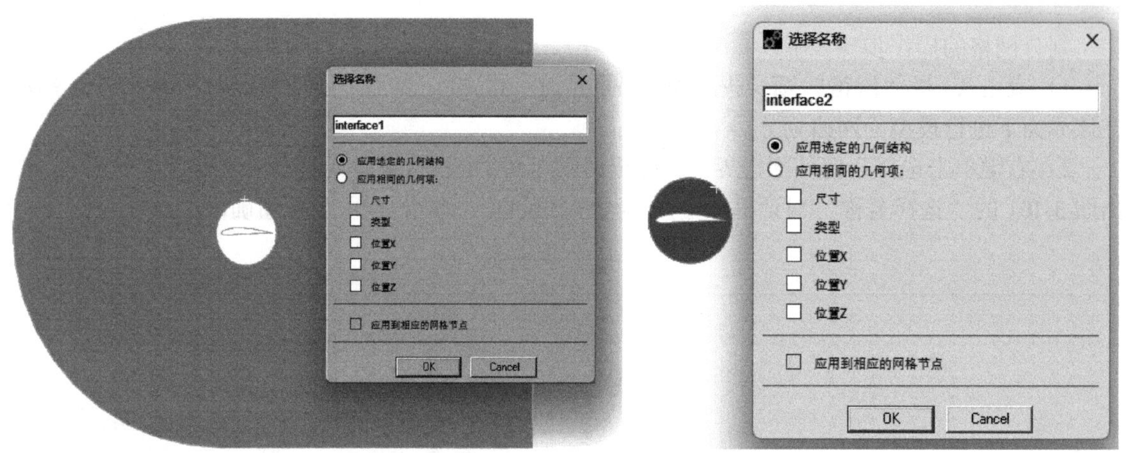

图 3-103 创建外部区域交界面　　图 3-104 创建内部区域交界面

5）右键选择内部几何区域，在弹出的快捷菜单中选择“创建命名选择”，在弹出的“选择名称”对话框中输入名称“rotate”，单击“OK”按钮确认，如图 3-105 所示。

注意：在选取几何的面或体时，要先在工具栏中选取对应的几何类型，ANSYS Meshing 提供了点、线、面、体四种选项。另外，在选取多个几何体时，可以使用“单次选择”模式或者“框选择”模式进行框选，如图 3-106 所示。

图 3-105 创建面名称

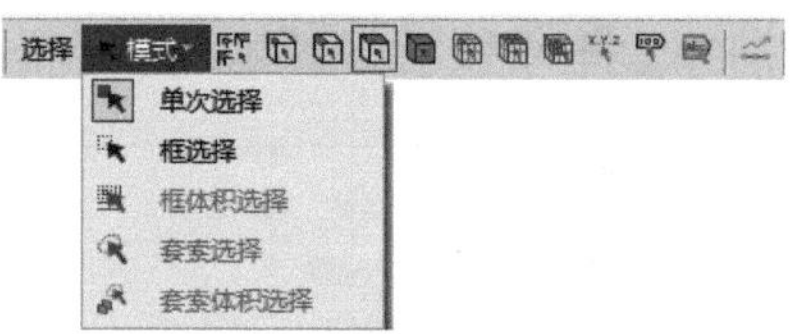

图 3-106 框选模式

6）同步骤 5），右键选择外部几何区域，将其命名为“fluid”，单击“OK”按钮确认，如图 3-107 所示。

7）右键单击模型树中的“网格”选项，依次选择“网格”→“插入”→“膨胀”命令，如图 3-108 所示。然后弹出图 3-109 的膨胀面板。

“几何结构”选择 rotate 计算域，“边界”选择图 3-110 的机翼壁面，在“最大层数”数值框中输入 5。

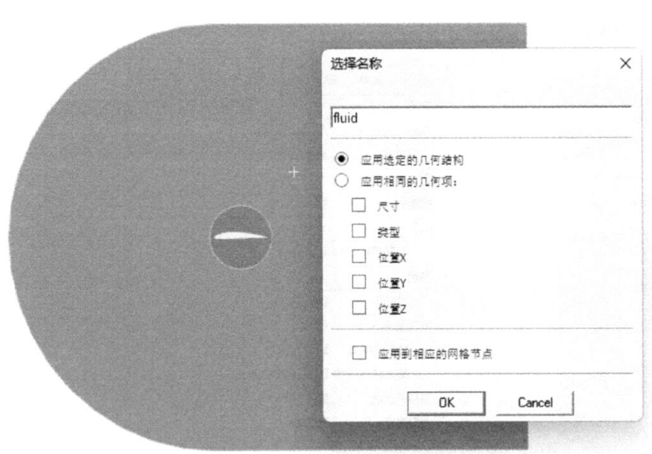

图 3-107　创建面名称

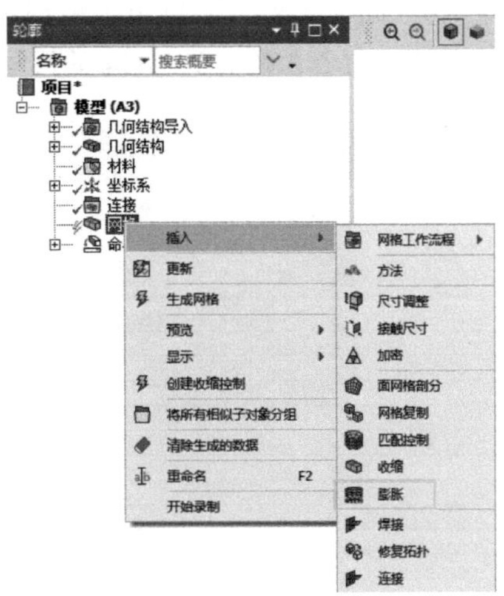

图 3-108　设置网格边界层

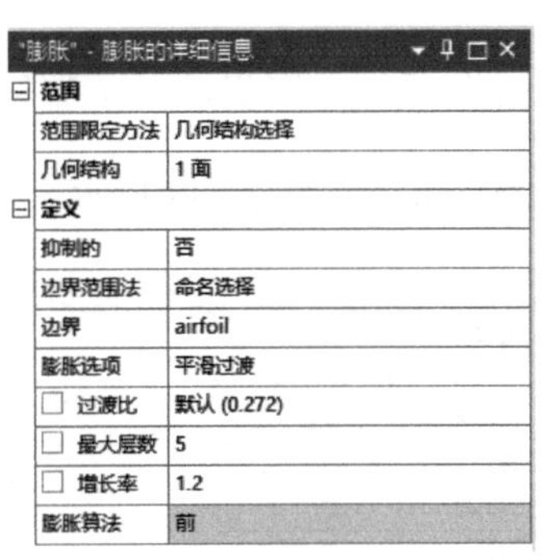

图 3-109　膨胀面板

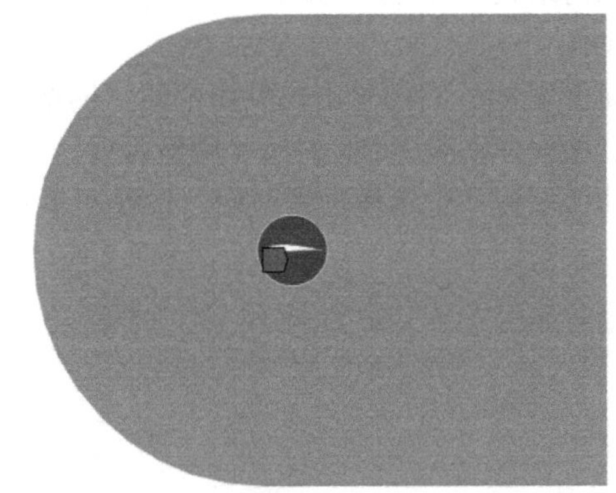

图 3-110　机翼壁面

8）右键单击模型树中的“网格”选项，依次选择“网格”→“插入”→“尺寸调整”命令，如图 3-111 所示。然后弹出图 3-112 的尺寸调整面板。

“几何结构”选择 rotate 计算域，设置“单元尺寸”为 10mm，效果如图 3-113 所示。

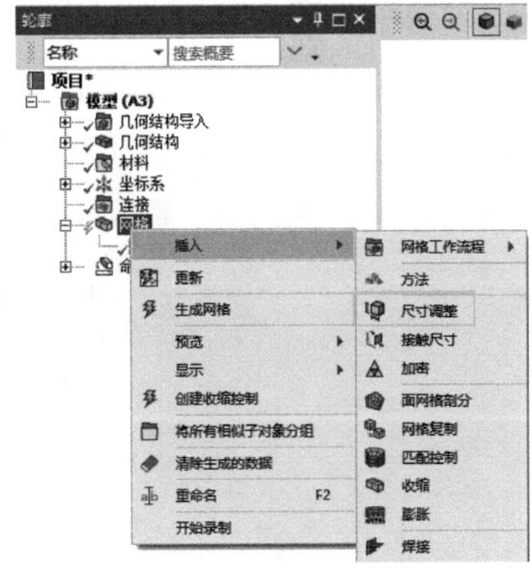

图 3-111　选择“尺寸调整”命令

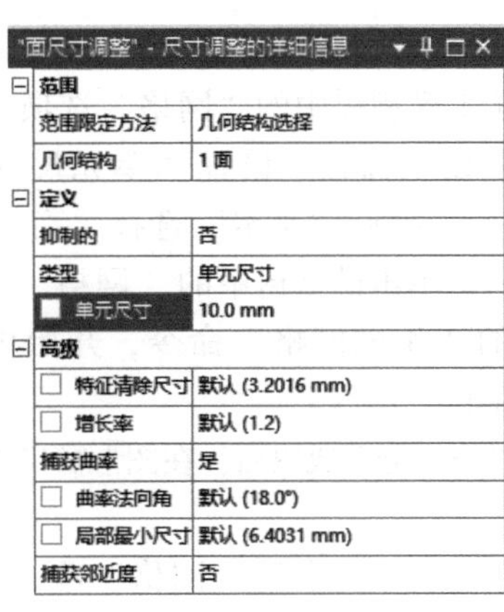

图 3-112　尺寸调整面板

9）同步骤 8），右键单击模型树中的“网格”选项，依次选择“网格”→“插入”→“尺寸调整”命令，弹出图 3-114 的尺寸调整面板。

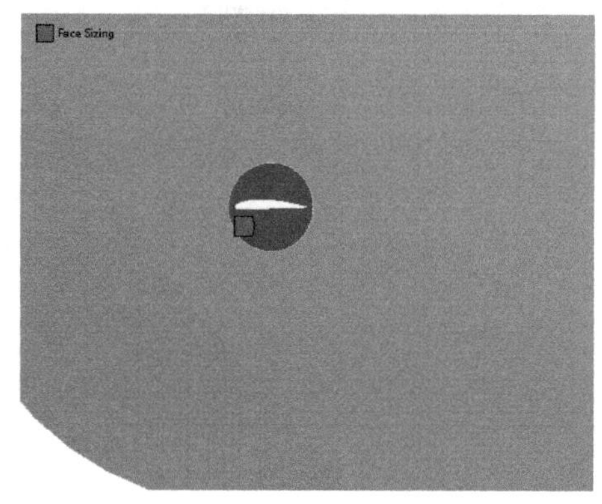

图 3-113　网格加密区域 1

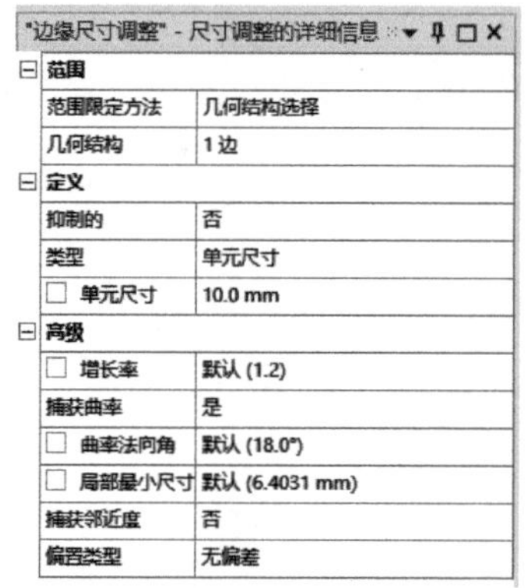

图 3-114　尺寸调整面板 1

在“几何结构”中选择属于外部计算域的交界边，设置“单元尺寸”为 10mm，效果如图 3-115 所示。

10）同步骤 8），右键单击模型树中的“网格”选项，依次选择“网格”→“插入”→“尺寸调整”选项，弹出图 3-116 的尺寸调整面板。

在“几何结构”中选择机翼壁面，设置“单元尺寸”为 5mm，如图 3-117 所示。

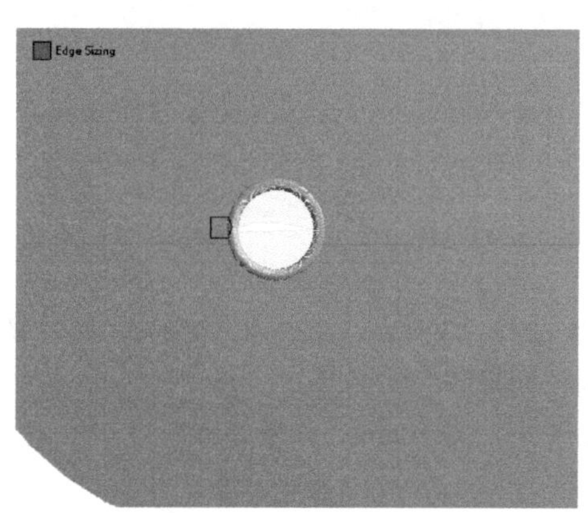

图 3-115　网格加密区域 2

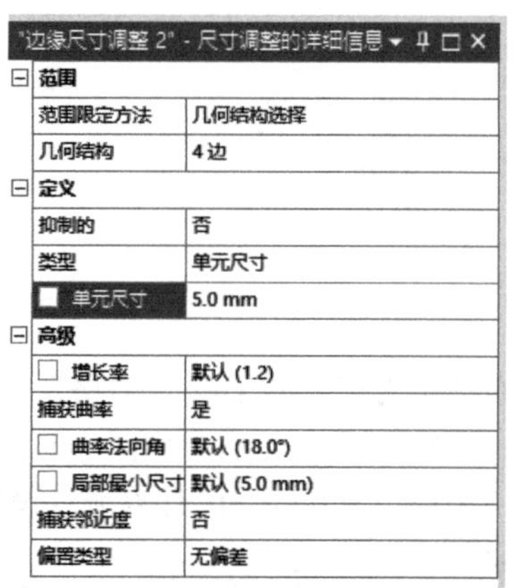

图 3-116　尺寸调整面板 2

11）单击模型树中的“网格”选项，弹出图 3-118 的“网格”设置面板。设置“单元尺寸”为 50mm，展开“质量”选项，“平滑”选择“高”。

12）右键单击模型树中的“网格”选项，选择快捷菜单中的“生成网格”命令，开始生成网格，如图 3-119 所示。

13）网格划分完成以后，在图形窗口中显示图 3-120 的网格。

14）单击模型树中的“网格”项，在图 3-121 的网格的详细信息面板中展开“质量”选项，“网格质

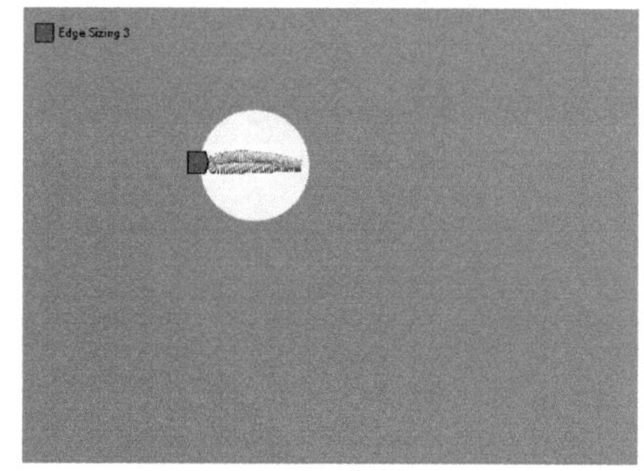

图 3-117　选择机翼壁面

量标准”选择“正交质量”。这样能够统计出最小值、最大值、平均值以及标准偏差，同时显示网格质量的直方图，如图 3-122 所示。

图 3-118　网格属性设置

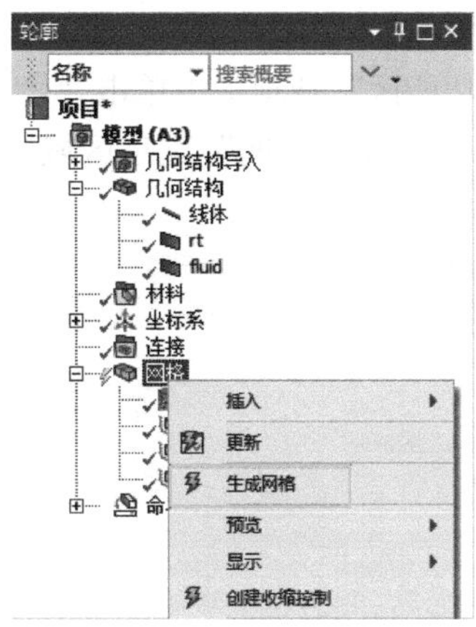

图 3-119　网格生成

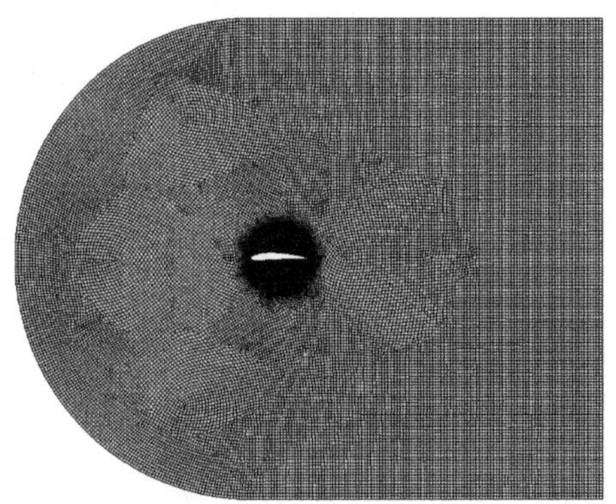

图 3-120　计算域网格

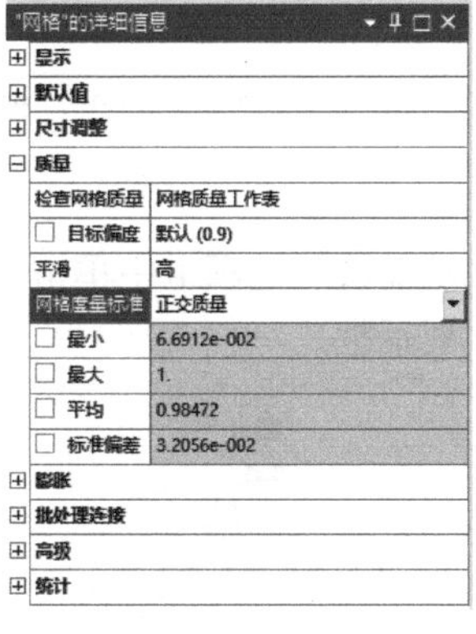

图 3-121　网格详细信息面板

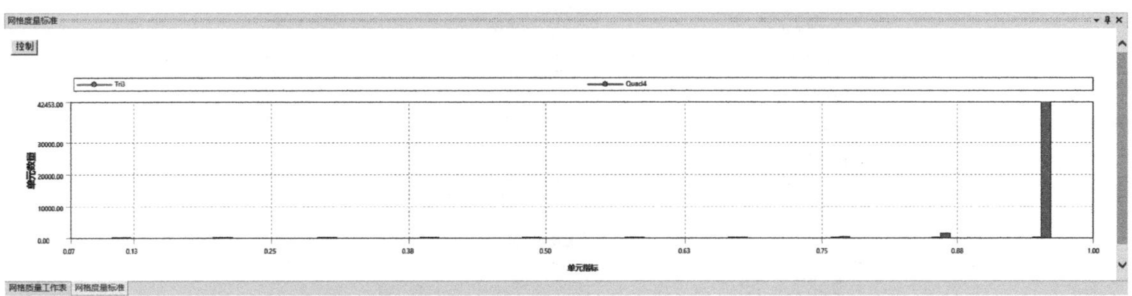

图 3-122　网格划分情况统计

15）执行主菜单的“文件”→“关闭 Meshing”命令，退出网格划分界面，返回 Workbench 主界面。

16）右键单击 Workbench 界面中的 A3“网格”项，选择快捷菜单中的“更新”命令，完成网格数据往 Fluent 分析模块中的传递。

3.2.5 定义模型

定义模型的操作步骤如下。

1）双击 A4 栏的“设置”项，打开图 3-123 的 Fluent Launcher 对话框，单击“Start”按钮进入 Fluent 界面。

2）在“功能区”选项卡中单击“物理模型”→“通用”按钮，弹出图 3-124 的“通用”面板。保持默认值，在“时间”选项区域中选择“瞬态”单选按钮。

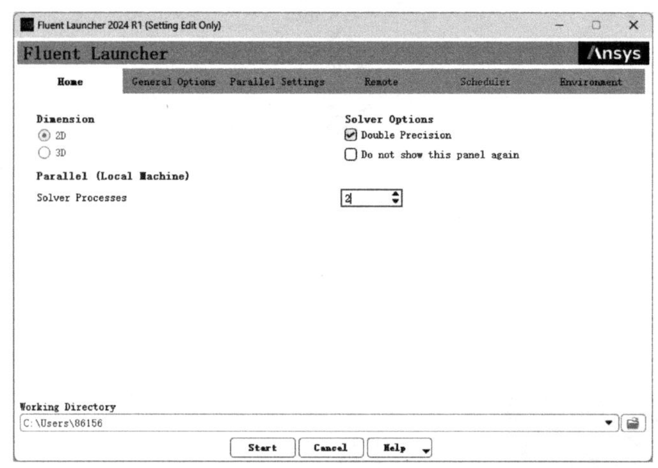

图 3-123 Fluent Launcher 对话框

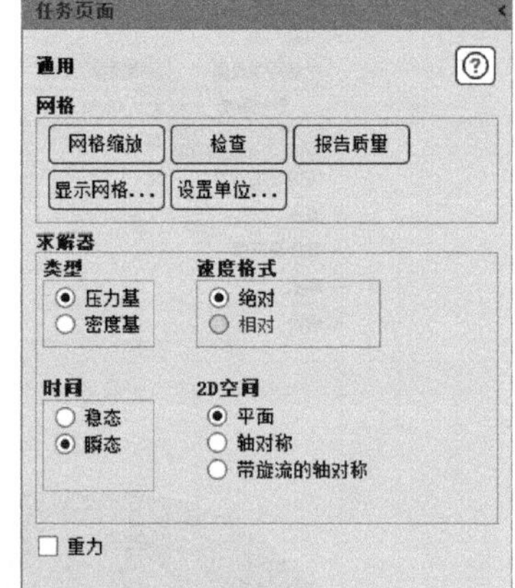

图 3-124 “通用”面板

3）在“功能区”选项卡中单击“物理模型”→“模型”→“黏性”按钮，弹出图 3-125 的“黏性模型”对话框。

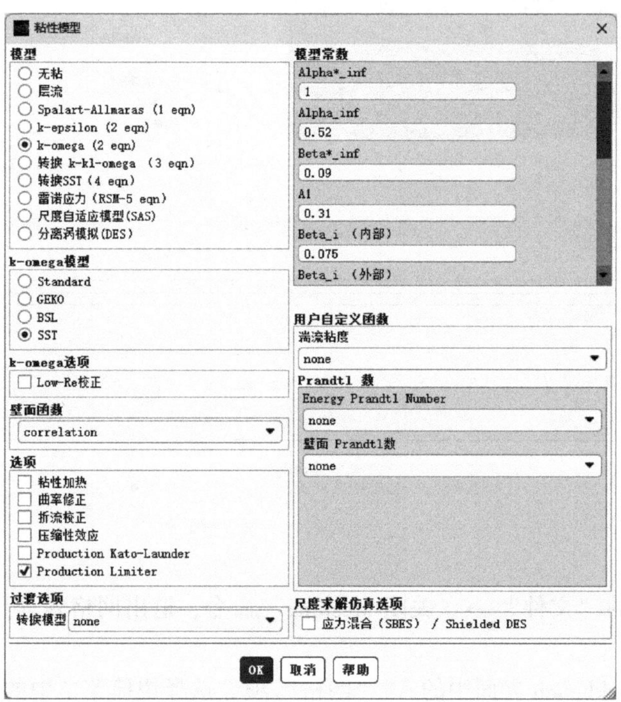

图 3-125 “黏性模型”对话框

在“模型”选项区域中选择“k-omega(2 eqn)”单选按钮，在“k-omega 模型”选项区域中选择“SST”单选按钮，在“选项”选项区域中选择“Production Limiter”复选框，单击“OK”按钮确认。

3.2.6 设置材料

设置材料的操作步骤如下。

1）单击“功能区”选项卡中的“物理模型”→“材料”→“创建/编辑”按钮，弹出图 3-126 的“创建/编辑材料”对话框。

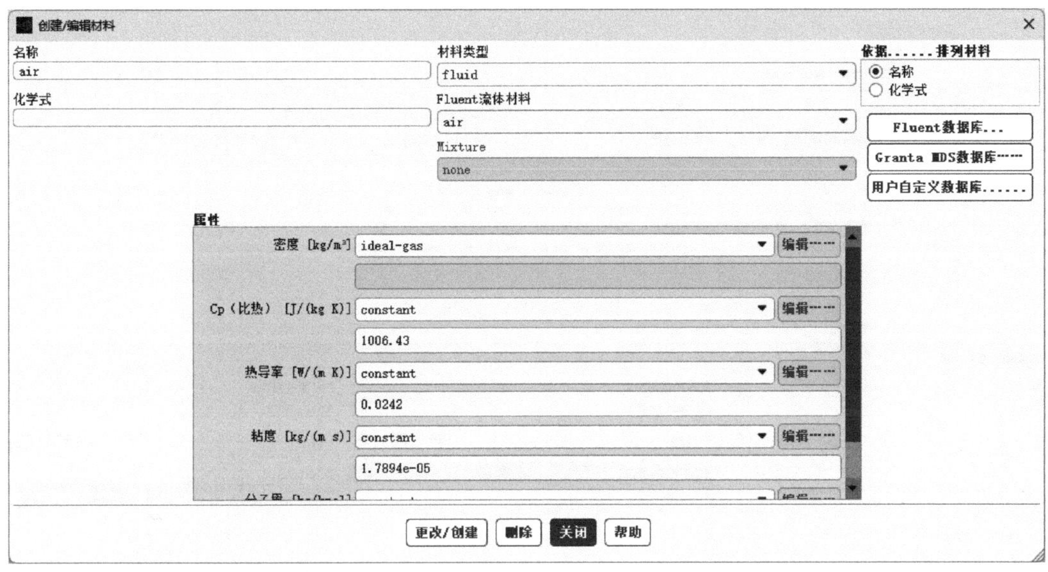

图 3-126 “创建/编辑材料”对话框

2）在“属性”区域中，“密度［kg/m^3］”设置为“idea-gas”，单击“更改/创建”按钮并关闭“创建/编辑材料”对话框。

3.2.7 设置交界面

设置交界面的操作步骤如下。

1）单击“功能区”选项卡中的“区域”→“交界面”→“网格”按钮，如图 3-127 所示。弹出图 3-128 的“网格交界面”对话框。

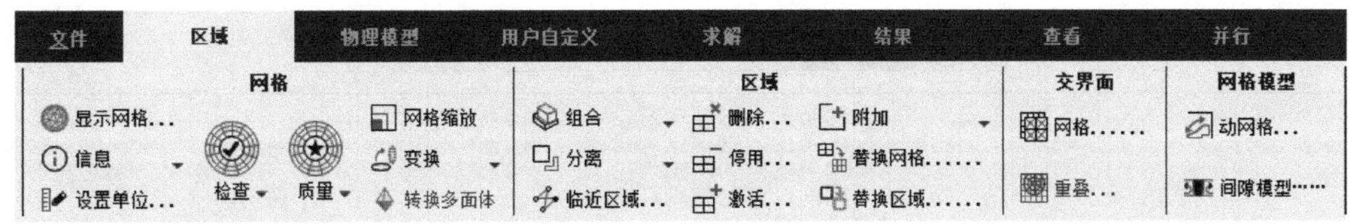

图 3-127 单击“网格”按钮

2）在交界面对话框中单击“手动”按钮，弹出图 3-129 的“创建/编辑网格交界面”对话框，在“网格界面”文本框中输入“interface”，在“交界面区域侧 1”列表框中选择“interface-1”，“交界面区域侧 2”列表框选择“interface-2”，单击“创建/编辑”按钮确认。

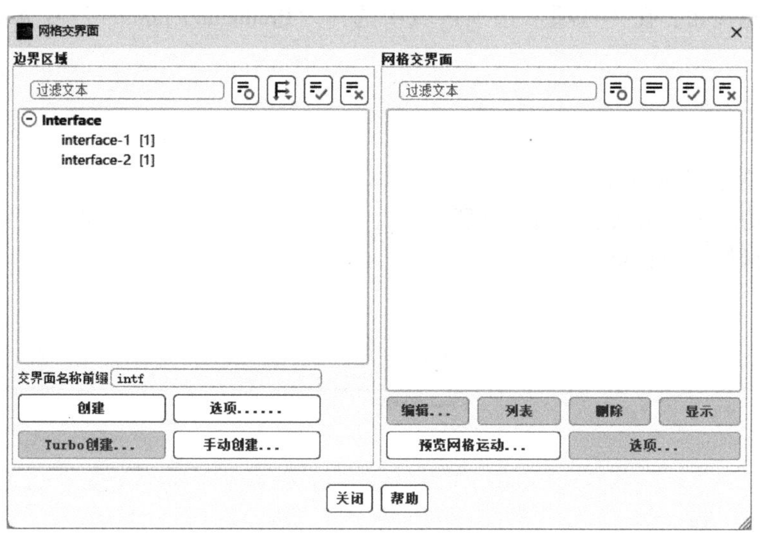

图 3-128 “网格交界面”对话框

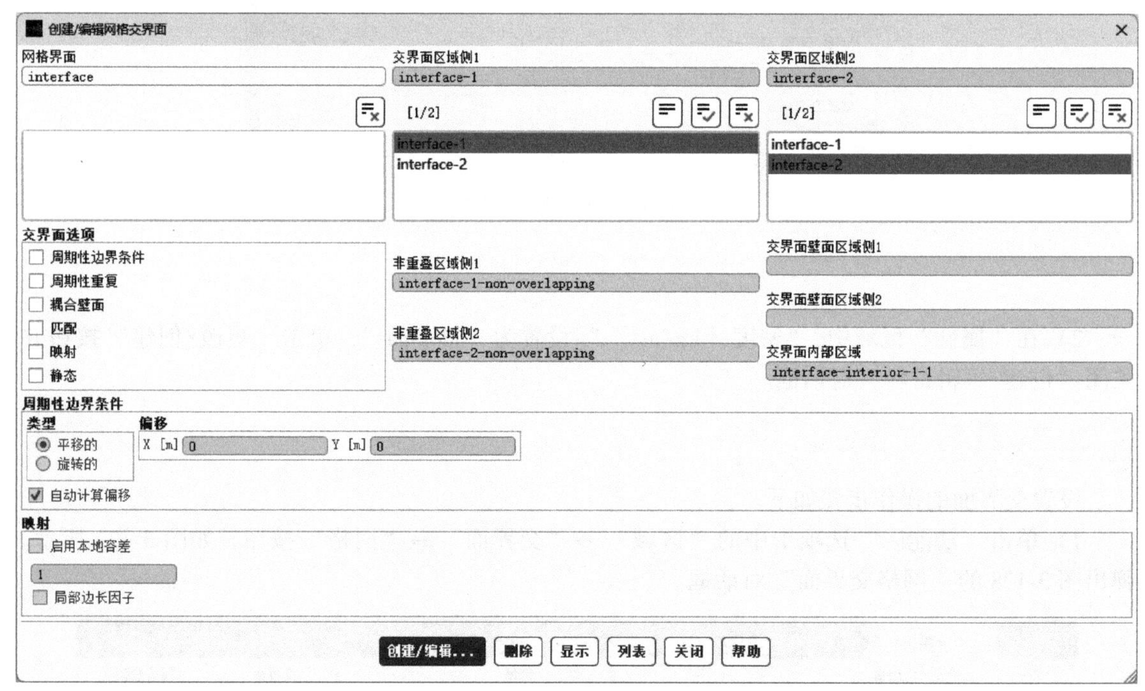

图 3-129 “创建/编辑网格交界面”对话框

3.2.8 设置操作条件

单击”功能区”选项卡中的“物理模型”→“求解器”→“工作条件”按钮，如图 3-130 所示。弹出图 3-131 的“工作条件”对话框，在“工作压力［Pa］”数值框中填入 0，单击“OK”按钮确认。

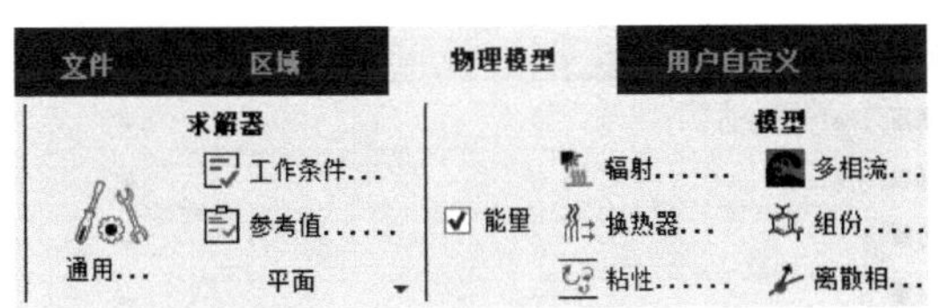

图 3-130　单击"工作条件"按钮

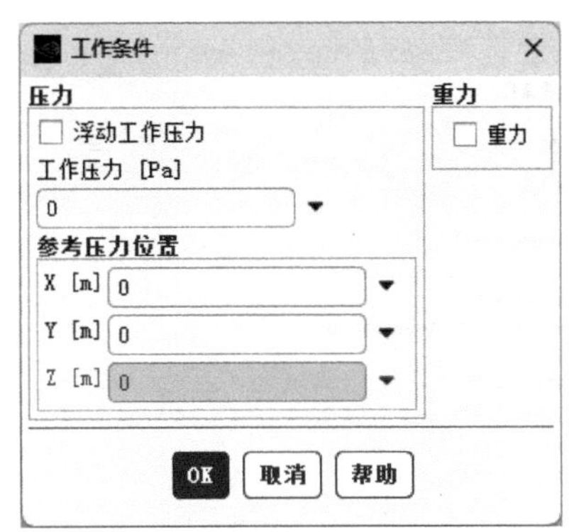

图 3-131　"工作条件"对话框

3.2.9　设置计算域

设置计算域的操作步骤如下。

1）单击"功能区"选项卡中的"物理模型"→"区域"→"单元区域"按钮，启动图 3-132 的"单元区域条件"面板。

2）在"单元区域条件"面板中，双击"rotate"，弹出图 3-133 的"流体"对话框。勾选"网格运动"复选框，在"旋转轴原点"中"X"设置为 0.5，"Y"为 0，在"速度［rad/s］"数值框中输入-0.5，单击"应用"按钮确认并关闭对话框。

图 3-132　"单元区域条件"面板

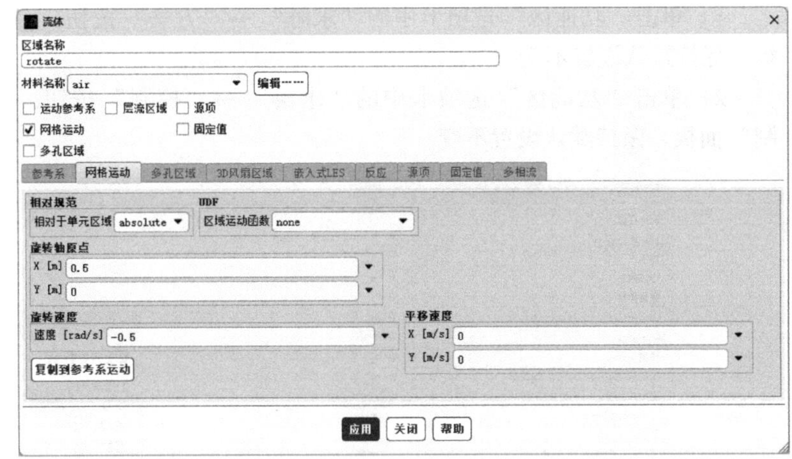

图 3-133　"流体"对话框

3.2.10　设置边界条件

设置边界条件的操作步骤如下。

1）单击"功能区"选项卡中的"物理模型"→"区域"→"边界条件"按钮，启动图 3-134 的"边界条件"面板。

2）在边界条件面板中，双击"farfield"弹出图 3-135 的"压力远场"对话框。

在该对话框中，"表压［Pa］"数值框中输入 101300，"马赫数"数值框中输入 0.6，"流方向的 X 分量"数值框中输入 1，"流动方向的 Y 分量"数值框中输入 0，单击"应用"按钮确认并退出。

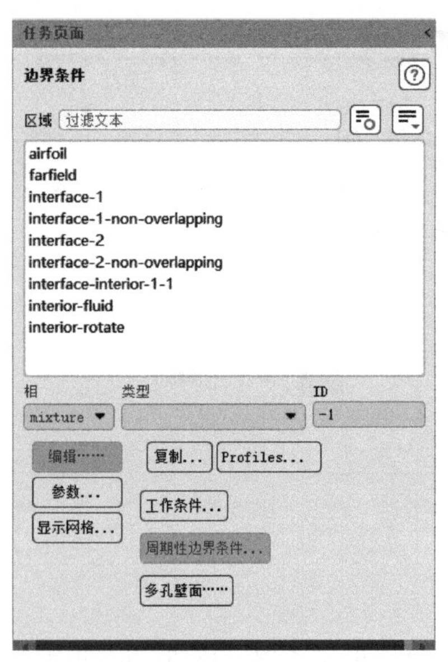

图 3-134 “边界条件”面板

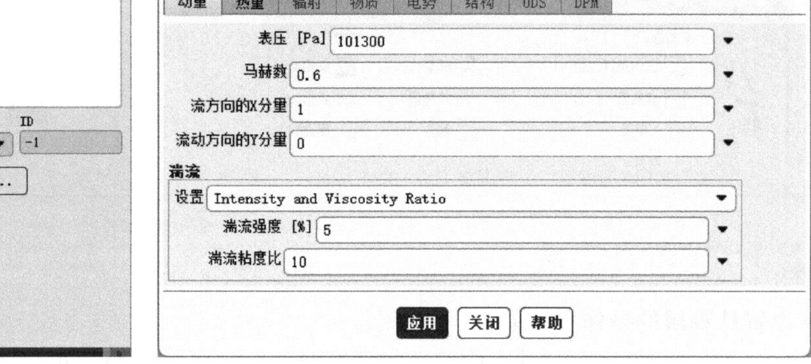

图 3-135 “压力远场”对话框

3.2.11 调整求解控制

调整求解控制参数的操作步骤如下。

1）单击“功能区”选项卡中的“求解”→“方法”按钮，弹出图 3-136 的“求解方法”面板。保持默认设置不变。

2）单击“功能区”选项卡中的“求解”→“控制”按钮，弹出图 3-137 的“解决方案控制”面板。保持默认设置不变。

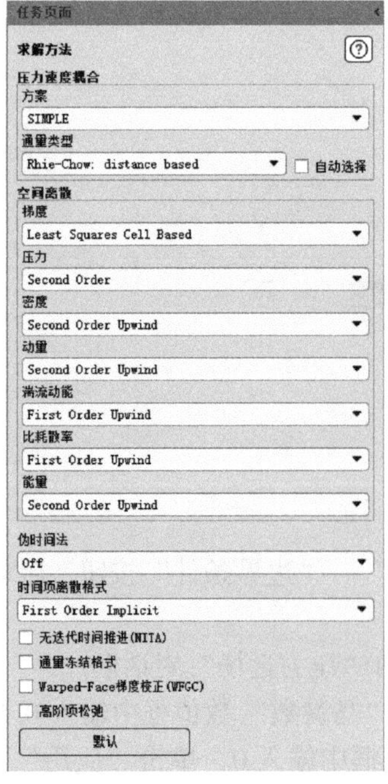

图 3-136 “求解方法”面板

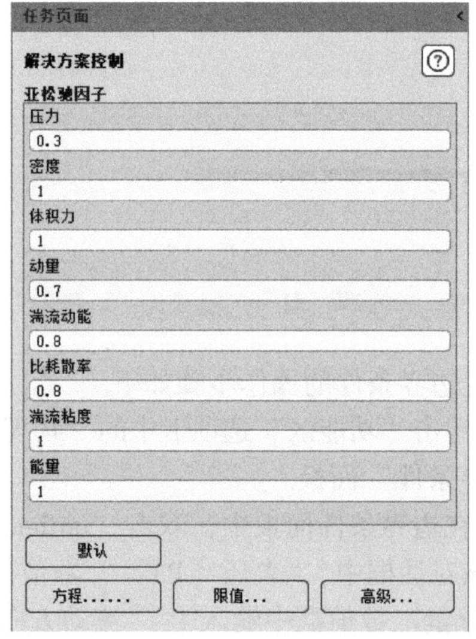

图 3-137 “解决方案控制”面板

3.2.12 设置初始条件

设置初始条件的操作步骤如下。

1）单击“功能区”选项卡中的“求解”→“初始化”按钮，弹出图 3-138 的“解决方案初始化”面板。

2）在“初始化方法”区域中选择“标准初始化”单选按钮，在“计算参考位置”的下拉列表中选择“farfield”，单击“初始化”按钮进行初始化。

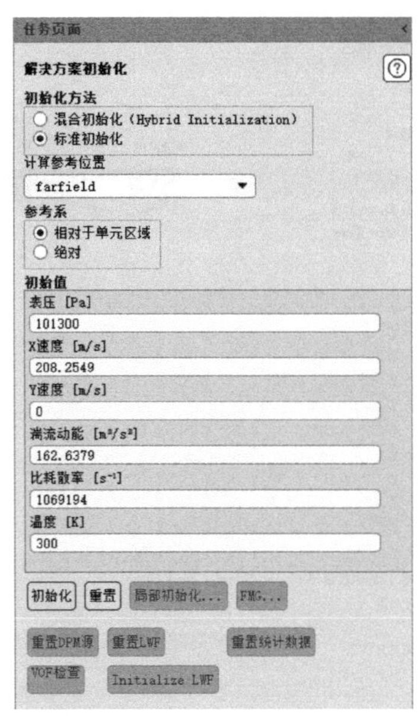

图 3-138 “解决方案初始化”面板

3.2.13 求解过程监视

单击“功能区”选项卡中的“求解”→“报告”→“残差”按钮，弹出图 3-139 的“残差监控器”对话框。保持默认设置不变，单击“OK”按钮确认。

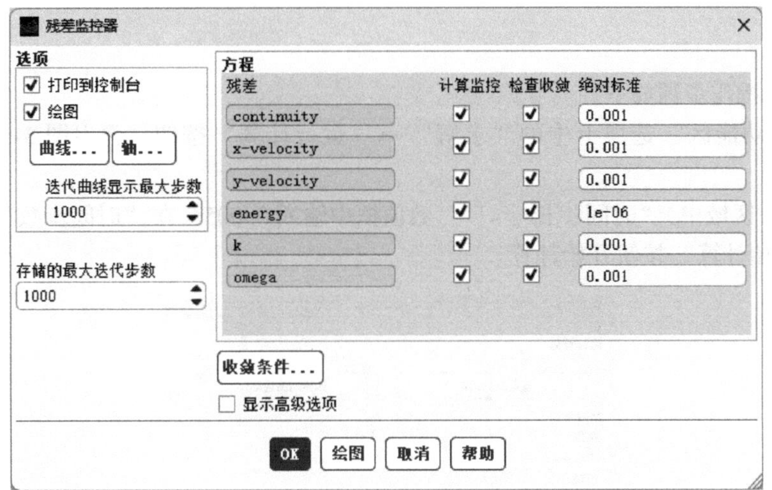

图 3-139 “残差监控器”对话框

3.2.14 数据导出

数据导出的操作步骤如下。

1）单击“功能区”选项卡中的“求解”→“活动”→“创建”→“解决方案数据导出”按钮，弹出图 3-140 的“自动导出”对话框。

2）“文件类型”选择“CDAT for CFD-Post & EnSight”，在“每...导出数据”数值框中输入 5，在“数量”列表框中选择“Static Pressure”和“Velocity Magnitude”，单击“OK”按钮确认并关闭对话框。

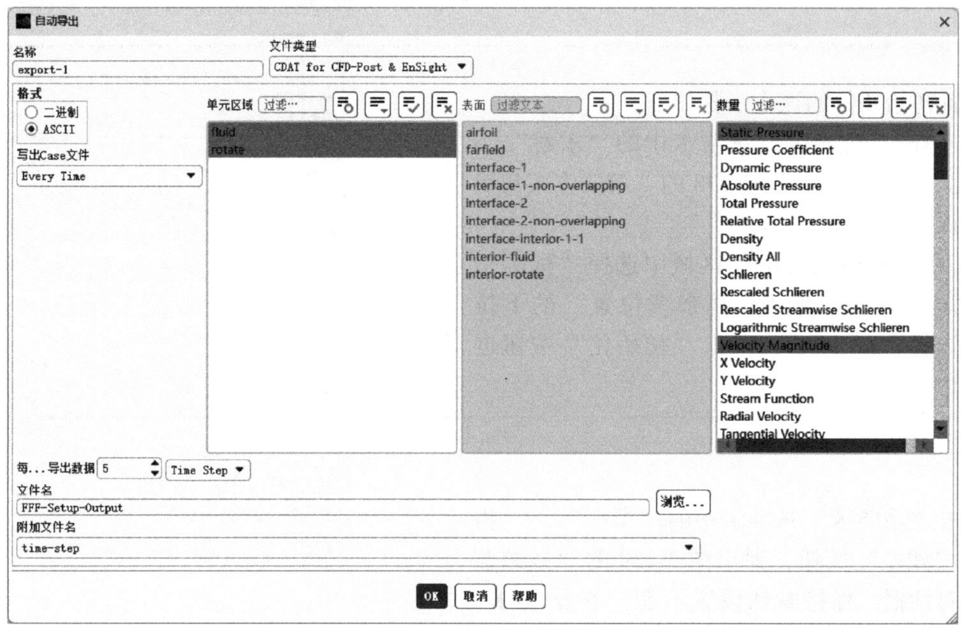

图 3-140 “自动导出”对话框

3.2.15 计算求解

计算求解的操作步骤如下。

1）单击“功能区”选项卡中的“求解”→“运行计算”按钮，弹出图 3-141 的“运行计算”面板。

在“参数”区域中，“时间步长［s］”数值框中输入 0.005，在“时间步数”数值框中输入 400，单击“开始计算”按钮开始计算。

图 3-141 “运行计算”面板

2）计算收敛完成后，单击主菜单中的“文件”→“关闭 Fluent”按钮退出 Fluent 界面。

3.2.16 结果后处理

结果后处理操作步骤如下。

1）在 Workbench 主界面工具箱中的“组件系统”→“结果”选项上按住鼠标左键并拖拽到项目管理区中，如图 3-142 所示。

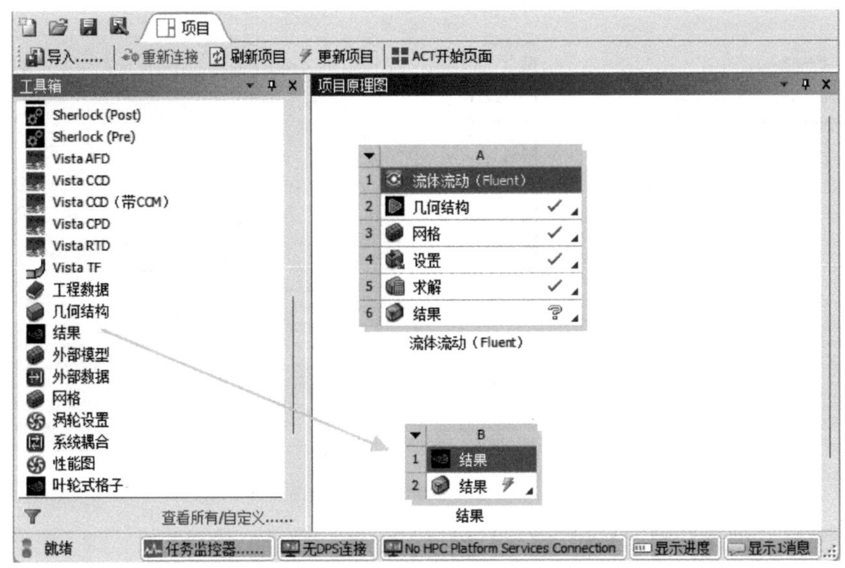

图 3-142 创建流体流动（Fluent）分析项目

2）双击 B2 栏“结果”项，进入 CFD-Post 界面。

3）单击主菜单“File”→“Load Results”按钮，弹出图 3-143 的“Load Results Files”对话框，选择不同时间点的计算结果文件。

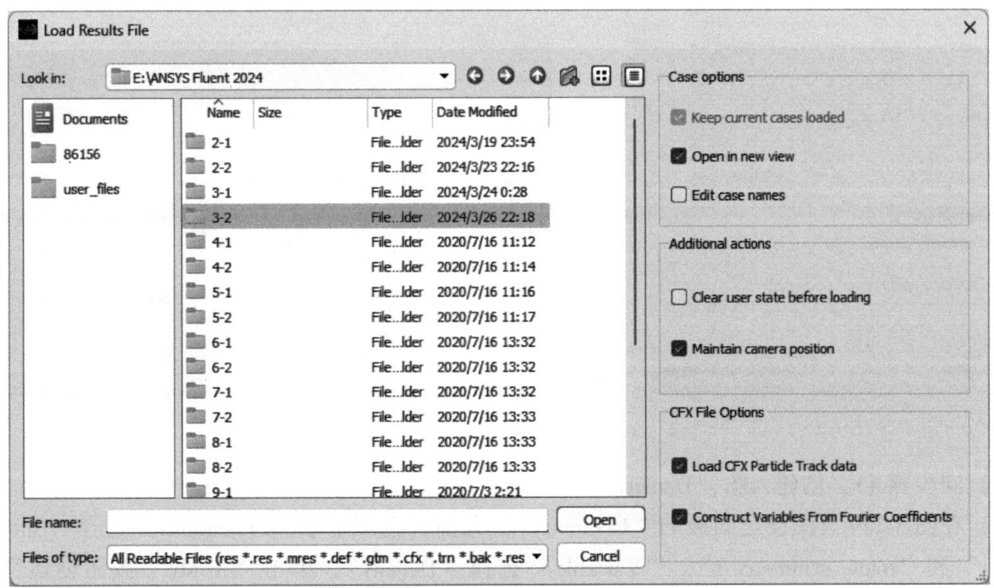

图 3-143 “Load Results Files”对话框

4）单击工具栏中的（云图）按钮，弹出图 3-144 的“Insert Contour”（创建云图）对话框。输入云图名称为“press”，单击“OK”按钮进入图 3-145 的云图设定面板。

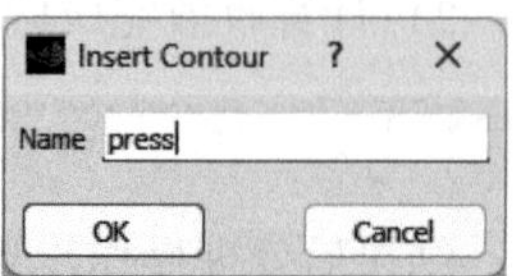

图 3-144　创建云图对话框

5）在“Geometry”（几何）选项卡中，“Locations”选择“fluid symmetry 1”和“rotate symmetry 1”，“Variable”选择“Pressure”，单击“Apply”按钮创建压力云图，效果如图 3-146 所示。

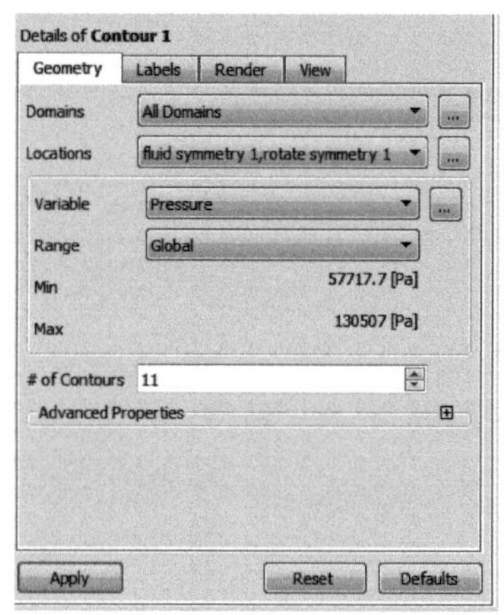

图 3-145　云图设定面板

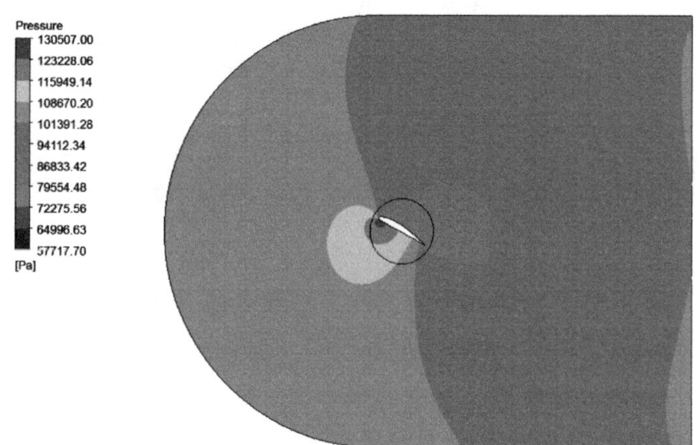

图 3-146　压力云图

6）同步骤 4），创建云图“Vec”。

7）在图 3-147 云图设定面板的“Geometry”（几何）选项卡中，“Locations”选择“fluid symmetry 1”和“rotate symmetry 1”，“Variable”选择“Velocity”，单击“Apply”按钮创建速度云图，效果如图 3-148 所示。

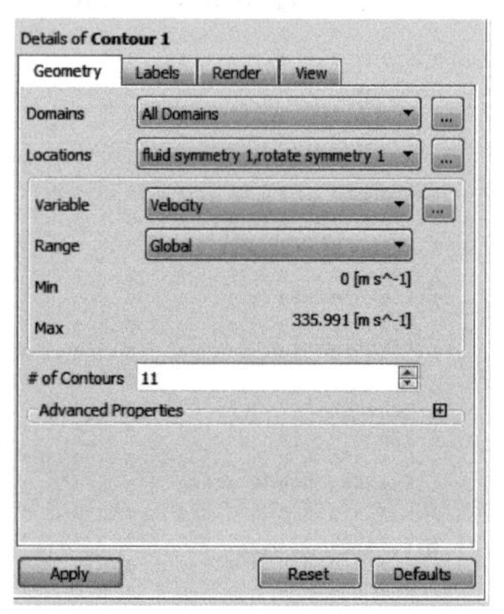

图 3-147　云图设定面板

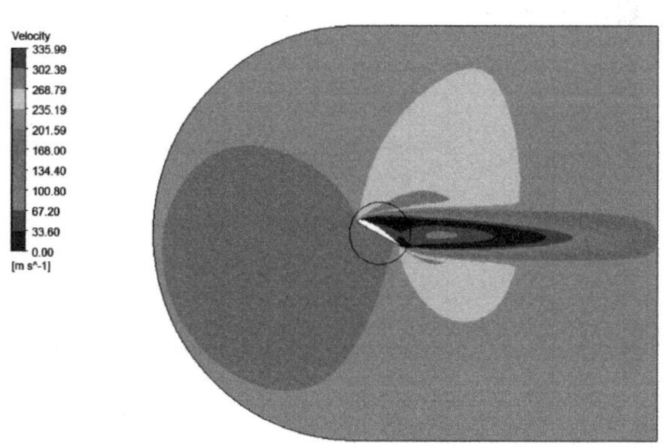

图 3-148　速度云图

8）同步骤 4），创建云图“Density”。

9）在图 3-149 云图设定面板的“Geometry”（几何）选项卡中，“Locations”选择“fluid symmetry 1”和“rotate symmetry 1”，“Variable”选择“Density”，单击“Apply”按钮创建密度云图，效果如图 3-150 所示。

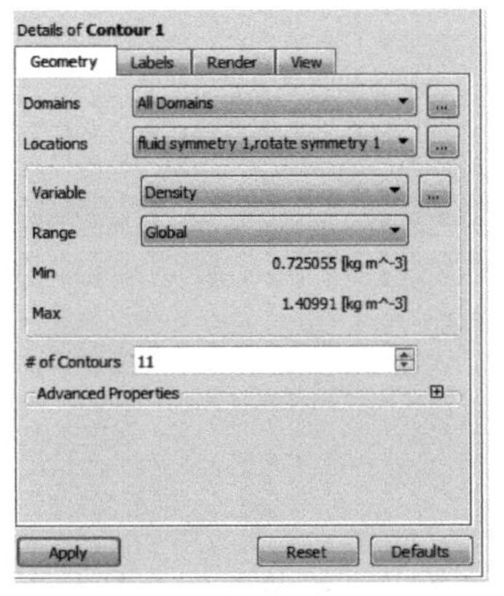

图 3-149　云图设定面板

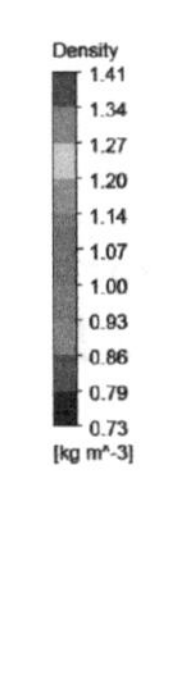

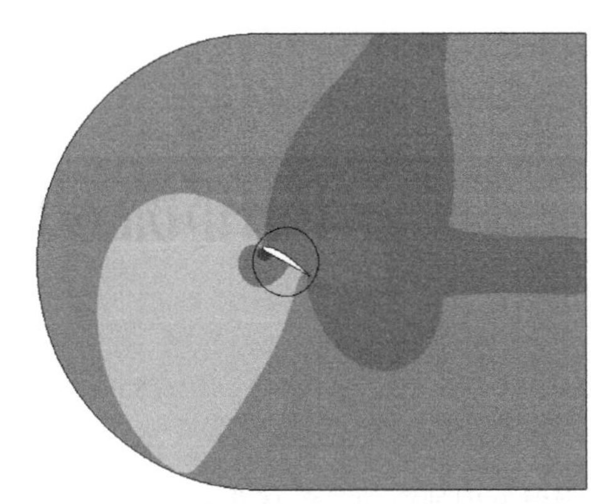

图 3-150　密度云图

10）单击工具栏中的（矢量图）按钮，弹出 Insert Vector（创建矢量图）对话框。输入矢量图名称为“Vector 1”，设置“Factor”为 10，单击“OK”按钮进入图 3-151 的矢量图设定面板。

11）在“Geometry”（几何）选项卡中，“Locations”选择“fluid symmetry 1”和“rotate symmetry 1”，单击“Apply”按钮创建速度矢量图，效果如图 3-152 所示。

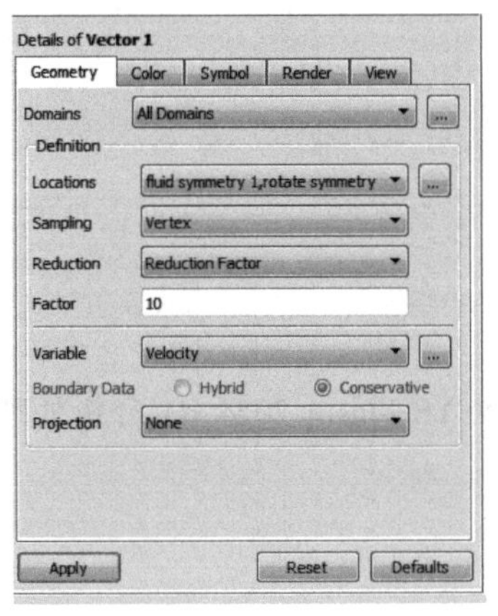

图 3-151　矢量图设定面板

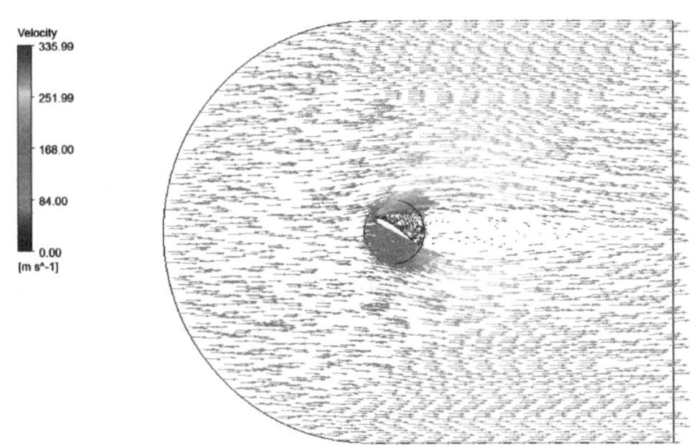

图 3-152　速度矢量图

3.2.17　保存与退出

保存与退出的操作步骤如下。

1）执行主菜单“File”→“Close CFD-Post”命令，退出 CFD-Post 模块，返回 Workbench 主界面。此时主界面项目管理区中显示的分析项目均已完成。

2）在 Workbench 主界面中单击常用工具栏中的保存按钮，保存包含有分析结果的文件。

3）执行主菜单的“文件”→“退出”命令，退出 ANSYS Workbench 主界面。

3.3　本章小结

本章通过圆柱扰流和机翼亚音速流动两个实例介绍了 Fluent 处理瞬态流动的工作流程。

通过本章内容的学习，读者可以掌握 Fluent 中瞬态计算的设定、瞬态初始值的设定、瞬态时间步长的设定、瞬态求解控制的设定和瞬态的输出控制。

第 4 章

内部流动分析

物理模型内部流动是经常遇到的流场分析问题，如管道内部流动、机械设备内容流场等。一般在网格划分时，需要在壁面处进行边界层设置以减小壁面对内部流场计算精度的影响。本章将通过物理模型内部流动的分析实例介绍 Fluent 前处理、求解和后处理的基本操作，以便读者熟悉 Fluent 的设定原理和求解方法。

学习目标：

1）掌握网格模型的导入操作。

2）掌握域的生成操作。

3）掌握边界条件的设定。

4）掌握湍流模型的设定。

5）掌握后处理的基本操作。

4.1 挤出机螺杆内流场流动

下面将通过挤出机螺杆内流场流动的分析案例，让读者对 ANSYS Fluent 2024 R1 分析处理内部流动基本操作步骤的每一项内容有初步了解。

4.1.1 案例介绍

图 4-1 为某三维几何模型，其中入口流速为 100ft/min，请用 ANSYS Fluent 求解出压力与速度的分布云图。

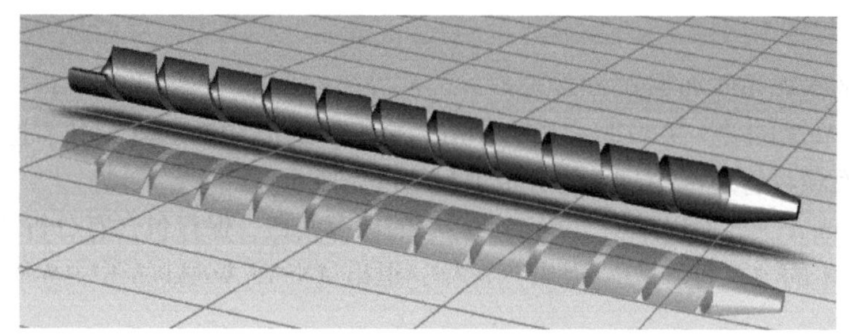

图 4-1 某三维几何模型

4.1.2 建立分析项目

参考算例 3.1，启动 Workbench 并建立流体分析项目，如图 4-2 所示。

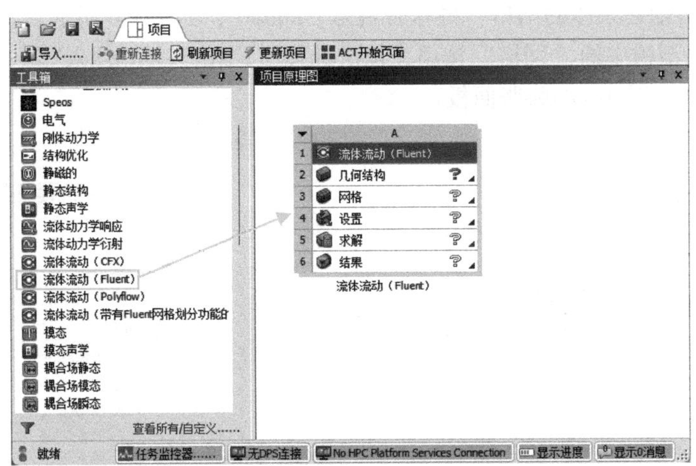

图 4-2　创建流体流动（Fluent）分析项目

4.1.3　导入几何体

导入几何体的操作步骤如下。

1）在 A2 栏的“几何结构”上单击鼠标右键，在弹出的快捷菜单中选择“导入几何模型”→“浏览”命令，此时会弹出“打开”对话框。

2）在“打开”对话框中选择文件路径，导入 extrusion. stp 几何体文件，此时 A2 栏“几何结构”后的 ? 变为 ✓，表示实体模型已经存在。

4.1.4　划分网格

划分网格的操作步骤如下。

1）双击 A3 栏“网格”项进入 Meshing 界面，Meshing 界面下的模型如图 4-3 所示。在该界面下进行模型的网格划分。

2）右键选择泵体的入口，在弹出的图 4-4 的快捷菜单中选择“创建命名选择”命令，在弹出的图 4-5 的“选择名称”对话框中输入名称“inlet”，单击“OK”按钮确认。

图 4-3　Meshing 界面下的模型

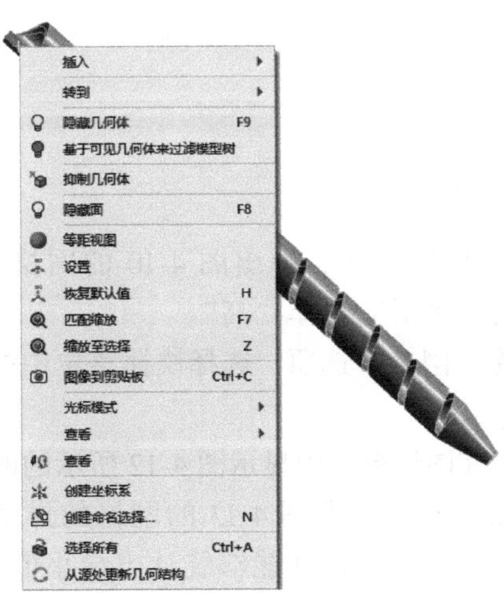

图 4-4　快捷菜单

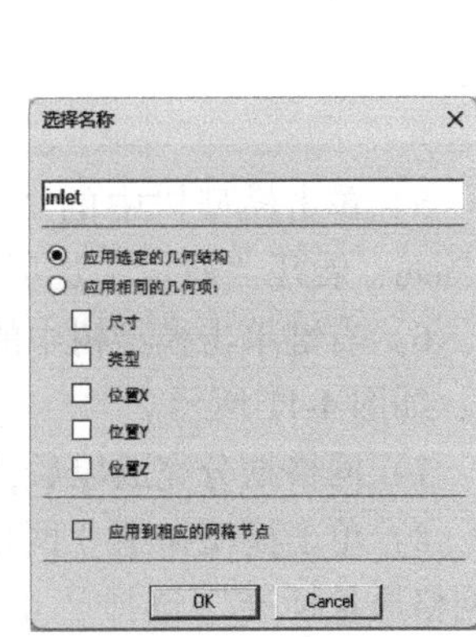

图 4-5　“选择名称”对话框

3）同步骤 2)，创建泵体的出口，将其命名为“outlet”，如图 4-6 所示。

4）右键单击模型树中的“网格”选项，依次选择“网格”→“插入”→“膨胀”命令，如图 4-7 所示。然后弹出图 4-8 的膨胀面板。

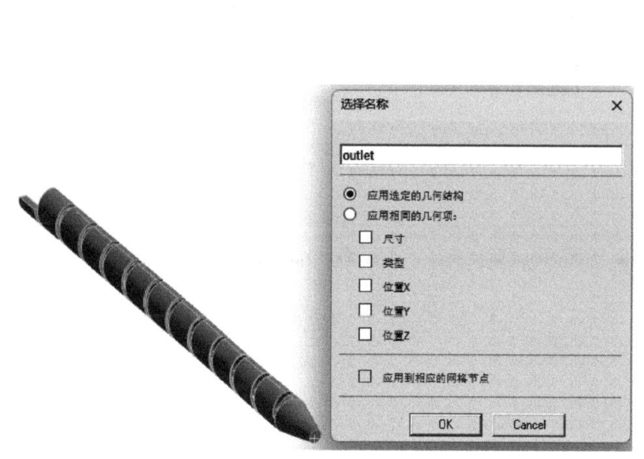

图 4-6 创建面名称

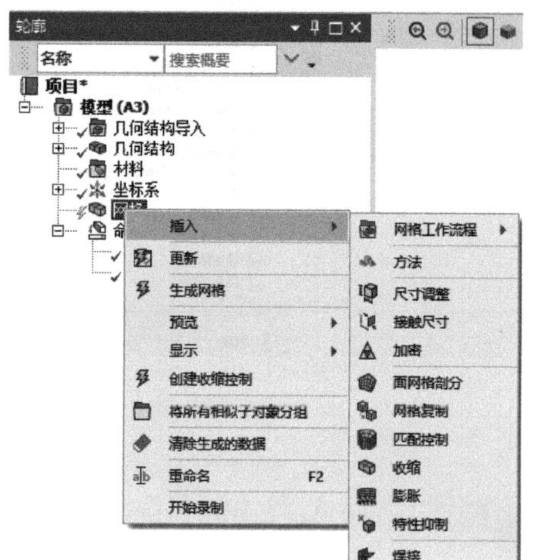

图 4-7 选择“膨胀”命令

在该面板中，“几何结构”选择整个模型计算域，“边界”选择图 4-9 的壁面，在“最大层数”数值框中输入 5。

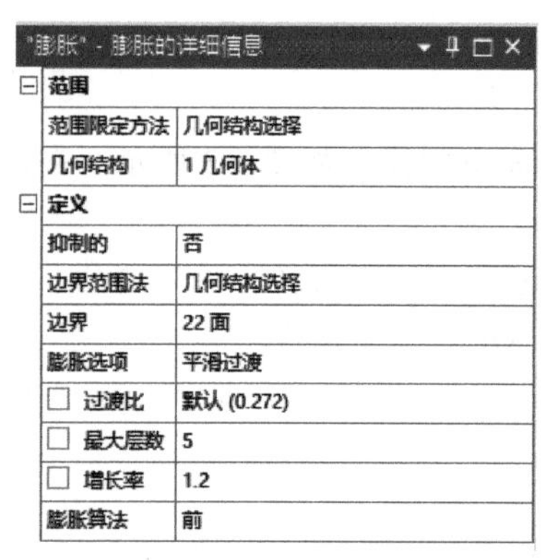

图 4-8 膨胀面板

图 4-9 壁面

5）单击模型树中的“网格”选项，弹出图 4-10 的网格设置面板。设置“单元尺寸”为 0.5mm，展开“质量”选项，“平滑”选择“高”。

6）右键单击模型树中的“网格”选项，选择快捷菜单中的“生成网格”命令，开始生成网格，如图 4-11 所示。

7）网格划分完成以后，在图形窗口中显示图 4-12 所示的网格。

8）单击模型树中“网格”选项，在图 4-13 的网格的详细信息面板中展开“质量”选项，“网格质量标准”选择“正交质量”。这样能够统计出最小值、最大值、平均值以及标准偏差，同时显示网格质量的直方图，如图 4-14 所示。

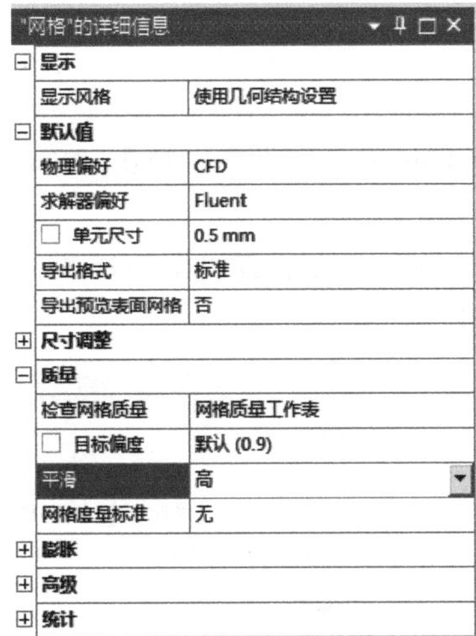

图 4-10　网格属性设置

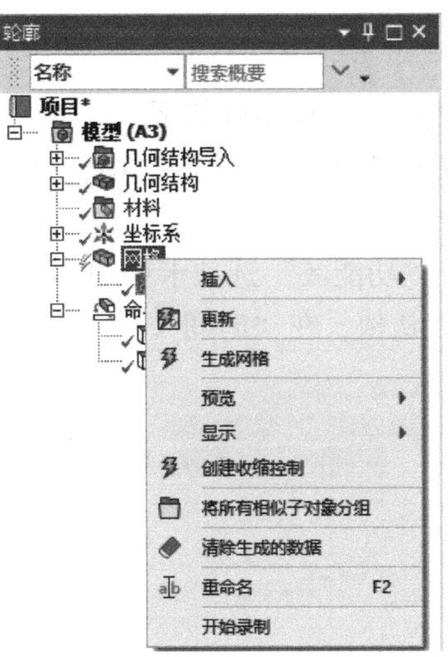

图 4-11　网格生成

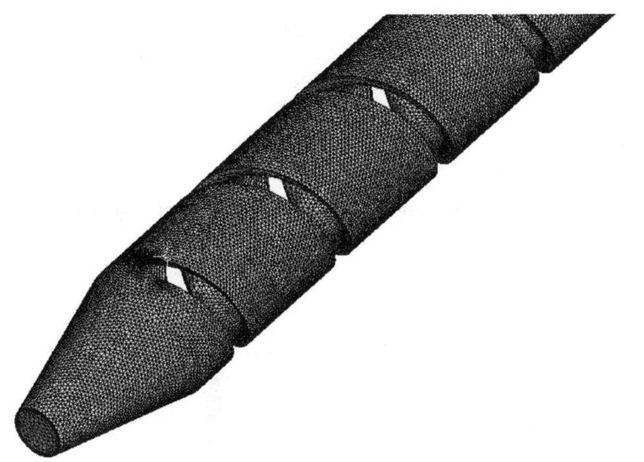

图 4-12　计算域网格

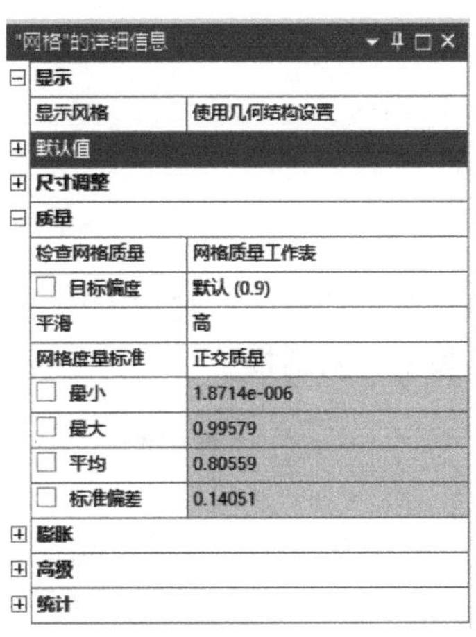

图 4-13　网格的详细信息面板

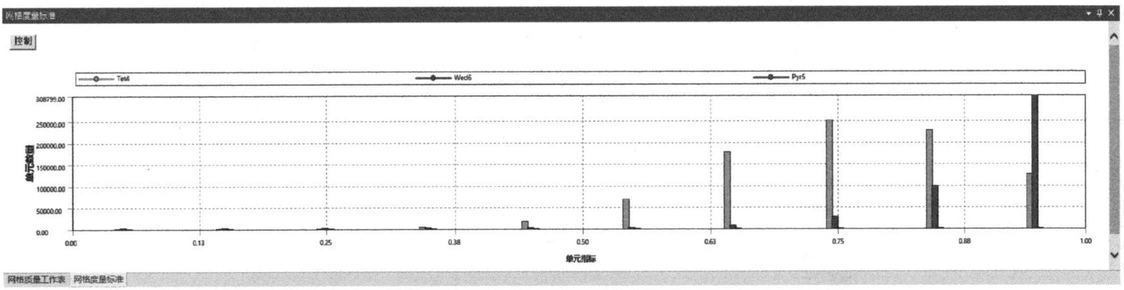

图 4-14　网格划分情况统计

9）执行主菜单的“文件”→“关闭 Meshing”命令，退出网格划分界面，返回 Workbench 主界面。

10）右键单击 Workbench 界面中的 A3“网格”项，选择快捷菜单中的“更新”命令，完成网格数据往 Fluent 分析模块中的传递。

4.1.5 定义模型

定义模型的操作步骤如下。

1）双击 A4 栏的“设置”项，打开图 4-15 的 Fluent Launcher 对话框，单击“Start”按钮进入 Fluent 界面。

2）在“功能区”选项卡中单击“物理模型”→“通用”按钮，弹出图 4-16 的“通用”面板。保持默认值，在“时间”选项区域中选择“瞬态”单选按钮。

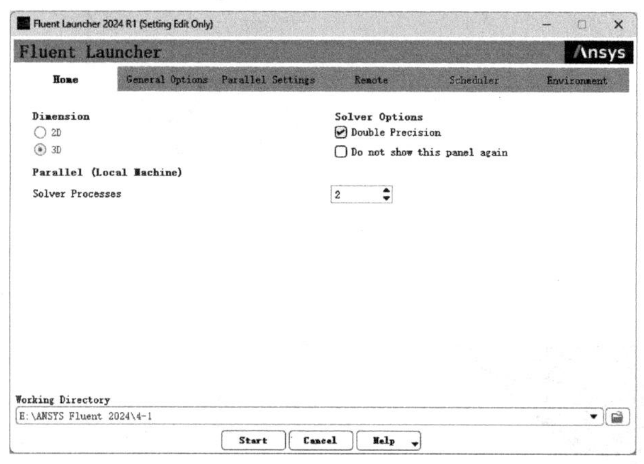

图 4-15 Fluent Launcher 对话框

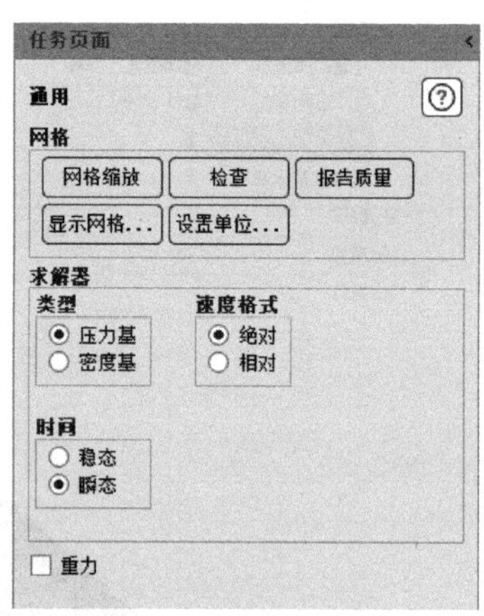

图 4-16 “通用”面板

3）在“功能区”选项卡中单击“物理模型”→“模型”→“黏性”按钮，弹出图 4-17 的“黏性模型”对话框。

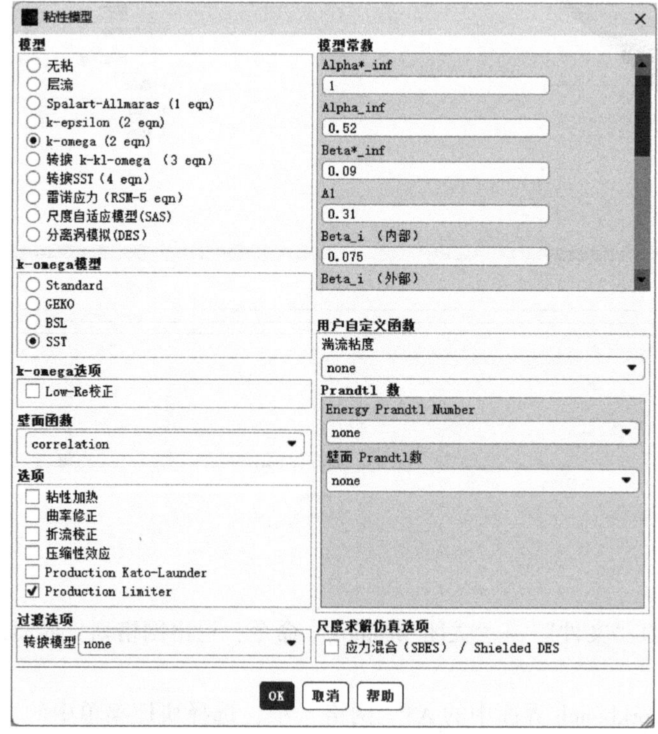

图 4-17 “黏性模型”对话框

在“模型”选项区域中选择“k-omega（2 eqn）”单选按钮，在“k-omega 模型”选项区域中选择“SST”单选按钮，在“选项”选项区域中选择“Production Limiter”复选框，单击“OK”按钮确认。

4.1.6 设置单位

单击“功能区”选项卡中的“区域”→“网格”→“设置单位”按钮，如图 4-18 所示。弹出图 4-19 的“设置单位”对话框，在“数量”列表框中选择“velocity”，在“单位”列表框中选择“ft/min”，单击“关闭”按钮关闭“设置单位”对话框。

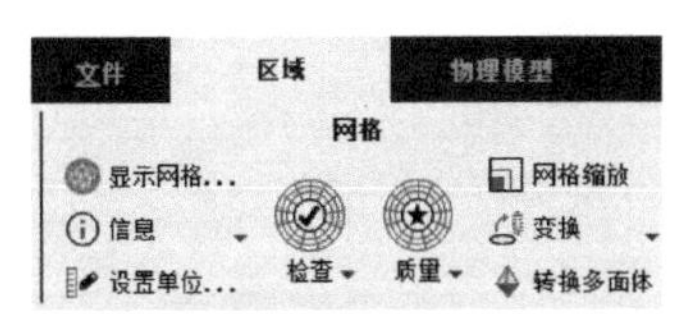

图 4-18 单击“设置单位...”按钮

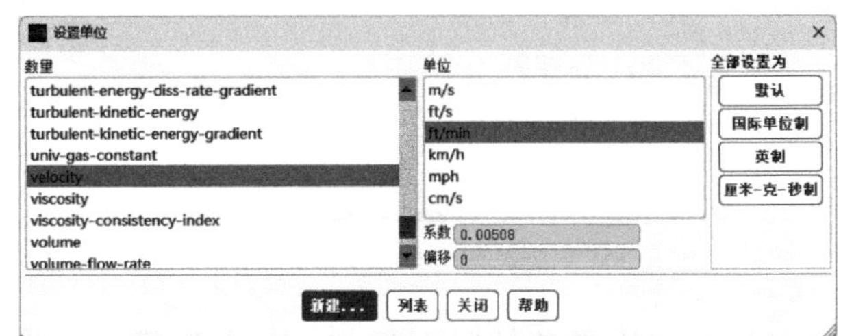

图 4-19 “设置单位”对话框

4.1.7 设置材料

设置材料的操作步骤如下。

1）单击“功能区”选项卡中的“物理模型”→“材料”→“创建/编辑”按钮，弹出图 4-20 的“创建/编辑材料”对话框。

2）输入“名称”为“plastic”，在“属性”区域中，“密度 [kg/m^3] ”设置为 950，“黏度 [kg/(ms)]”设置为 4630，单击“更改/创建”按钮弹出图 4-21 的“Question”对话框，单击“Yes”按钮替换原来材料，并关闭“创建/编辑材料”对话框。

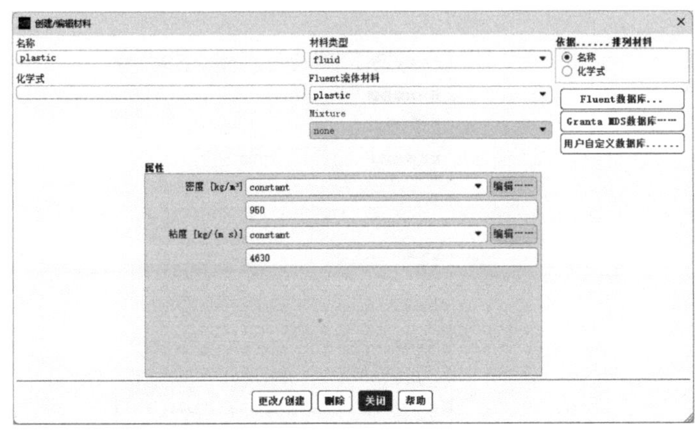

图 4-20 “创建/编辑材料”对话框

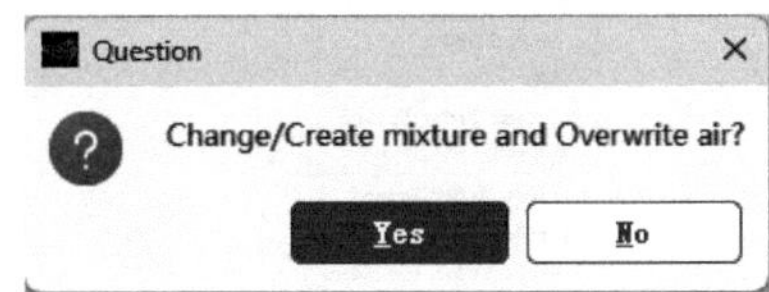

图 4-21 “Question”对话框

4.1.8 设置边界条件

设置边界条件的操作步骤如下。

1）单击“功能区”选项卡中的“物理模型”→“区域”→“边界条件”按钮，启动图 4-22 的“边界条件”面板。

2）在“边界条件”面板中，双击“inlet”弹出图 4-23 的“速度入口”对话框。在“速度大小［ft/min］”数值框输入 100，单击“应用”按钮确认并退出。

图 4-22 “边界条件”面板

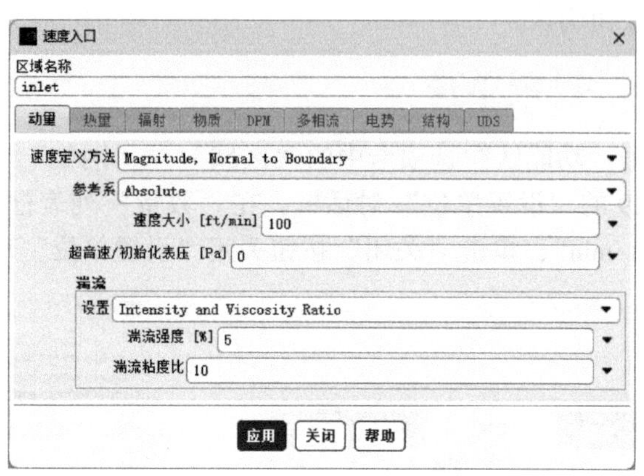

图 4-23 “速度入口”对话框

3）在“边界条件”面板中，单击选择“outlet”，设置“类型”为“outflow”，弹出图 4-24 的“出流边界”对话框。保持默认值，单击“应用”按钮确认并退出。

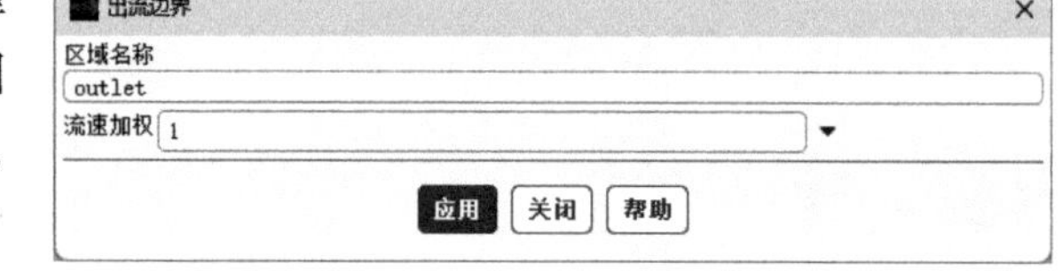

图 4-24 “出流边界”对话框

4.1.9 调整求解控制

调整求解控制参数的操作步骤如下。

1）单击“功能区”选项卡中的“求解”→“方法”按钮，弹出图 4-25 的“求解方法”面板。在“方案”中选择“Coupled”。

2）单击“功能区”选项卡中的“求解”→“控制”按钮，弹出图 4-26 的“解决方案控制”面板。保持默认设置不变。

图 4-25 “求解方法”面板

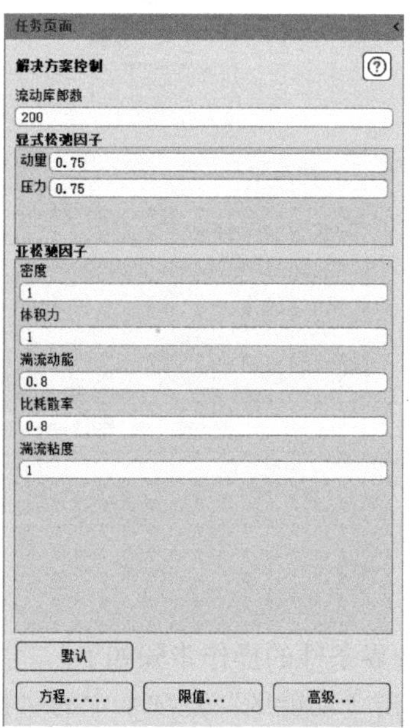

图 4-26 “解决方案控制”面板

4.1.10 设置初始条件

设置初始条件的操作步骤如下。

1）单击“功能区”选项卡中的“求解”→“初始化”按钮，弹出图 4-27 的“解决方案初始化”面板。

2）在“初始化方法”选项区域中选择“混合初始化（Hybrid Initialization）”单选按钮，单击“初始化”按钮进行初始化。

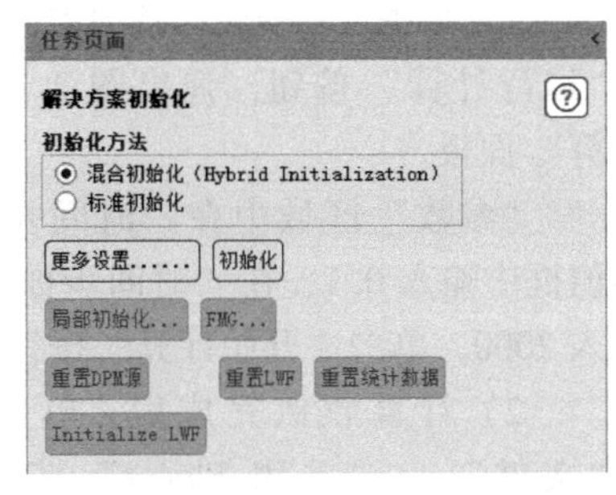

图 4-27 “解决方案初始化”面板

4.1.11 求解过程监视

单击“功能区”选项卡中的“求解”→“报告”→“残差”按钮，弹出图 4-28 的“残差监控器”对话框。保持默认设置不变，单击“OK”按钮确认。

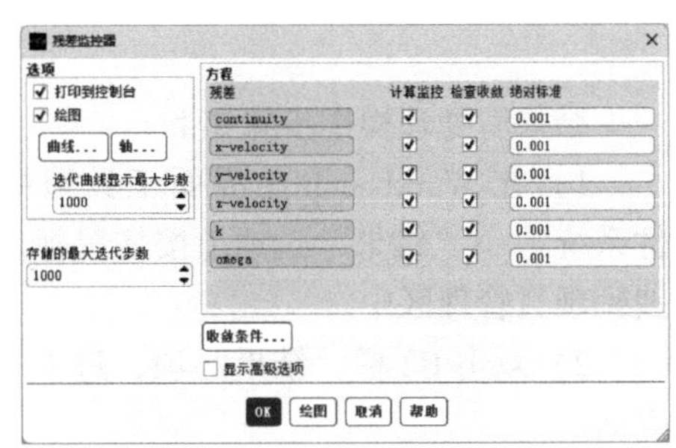

图 4-28 “残差监控器”对话框

4.1.12 数据导出

数据导出的操作步骤如下。

1）单击“功能区”选项卡中的“求解”→“活动”→“创建”→“解决方案数据导出”按钮，弹出图 4-29 的“自动导出”对话框。

2）“文件类型”选择“CDAT for CFD-Post & EnSight”，在“每...导出数据”数值框中输入 10，在“数量”列表框中选择“Static Pressure”和“Velocity Magnitude”，单击“OK”按钮确认并关闭对话框。

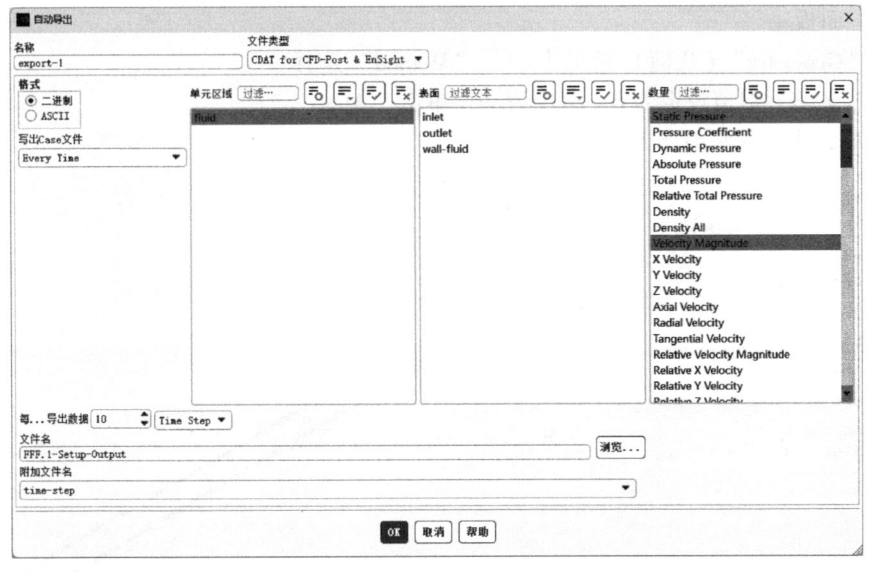

图 4-29 “自动导出”对话框

4.1.13 计算求解

计算求解的操作步骤如下。

1）单击“功能区”选项卡中的“求解”→“运行计算”按钮，弹出图 4-30 的“运行计算”面板。

“参数”区域中在“时间步长［s］”数值框中输入 0.1，在“时间步数”数值框中输入 2000，单击“开始计算”按钮开始计算。

2）计算收敛完成后，单击主菜单中的“文件”→“关闭 Fluent”按钮退出 Fluent 界面。

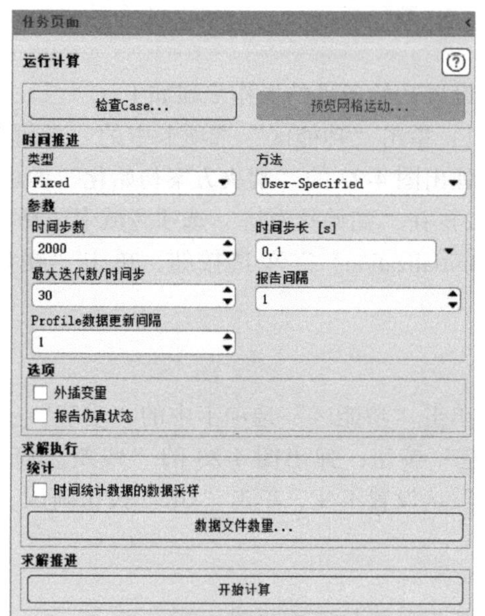

图 4-30 “运行计算”面板

4.1.14 结果后处理

结果后处理操作步骤如下。

1）在 Workbench 主界面工具箱中的“组件系统”→“结果”选项上按住鼠标左键并拖拽到项目管理区中。

2）双击 B2 栏“结果”项，进入 CFD-Post 界面。

3）单击主菜单“File”→“Load Results”按钮，弹出 Load Results Files 对话框，选择不同时间点的计算结果文件。

4）单击工具栏中的 Location→ Plane（平面）按钮，弹出图 4-31 的“Insert Plane”（创建平面）对话框，保持平面名称为“Plane 1”，单击“OK”按钮进入图 4-32 的 Plane（平面设定）面板。

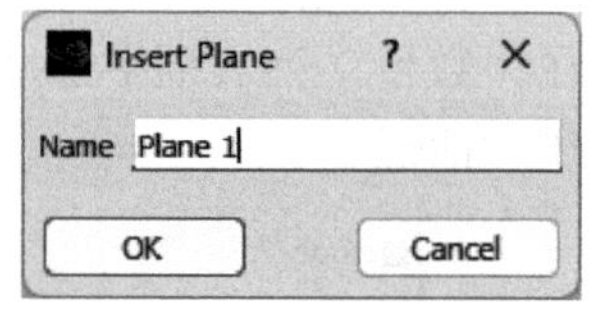

图 4-31 创建平面对话框

5）在“Geometry”（几何）选项卡中，“Method”选择“XY Plane”，Z 坐标取值设定为 0，单位为 m，单击“Apply”按钮创建平面，生成的平面如图 4-33 所示。

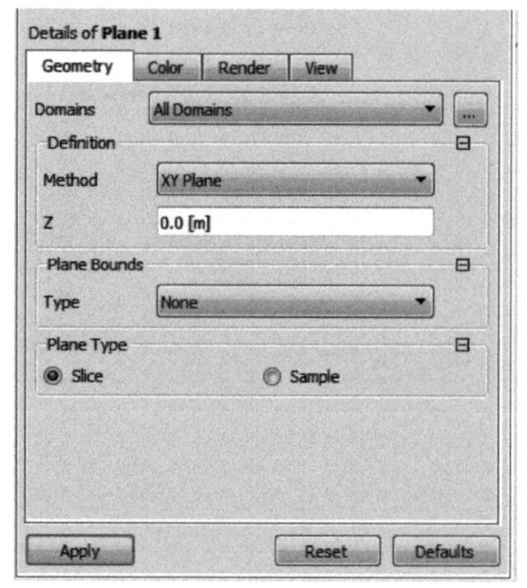

图 4-32 平面设定面板

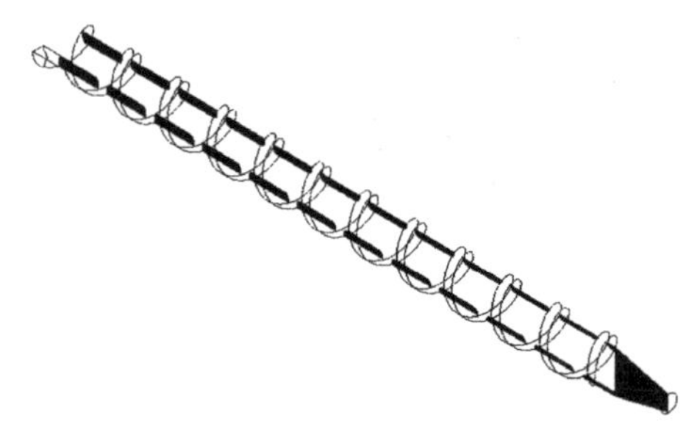

图 4-33 XY 方向平面

6）单击工具栏中的（云图）按钮，弹出 Insert Contour（创建云图）对话框，输入云图名称为“Press”，单击“OK”按钮进入图 4-34 的云图设定面板。

7）在“Geometry”（几何）选项卡中，“Locations”选择“Plane 1”，“Variable”选择“Pressure”，单击“Apply”按钮创建压力云图，效果如图 4-35 所示。

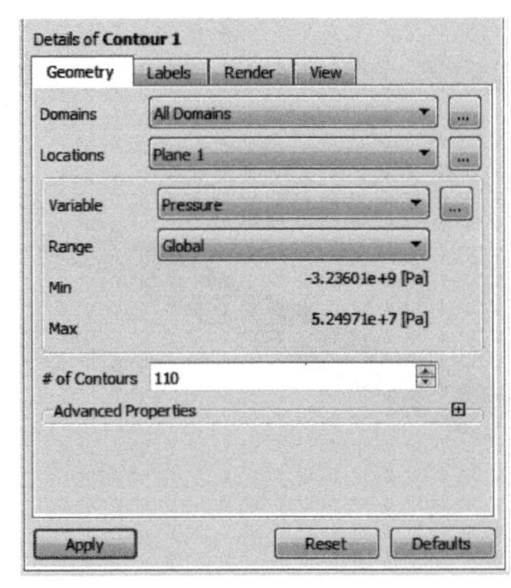

图 4-34　云图设定面板

图 4-35　压力云图

8）同步骤 6），创建云图“Vec”。

9）在图 4-36 云图设定面板的“Geometry”（几何）选项卡中，“Locations”选择“Plane 1”，“Variable”选择“Velocity”，单击“Apply”按钮创建速度云图，效果如图 4-37 所示。

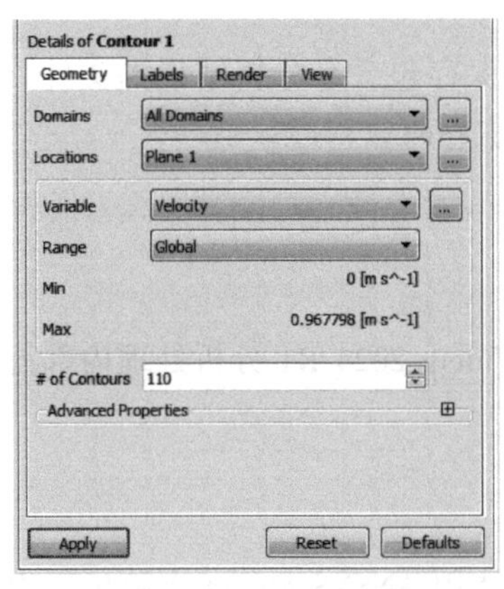

图 4-36　云图设定面板

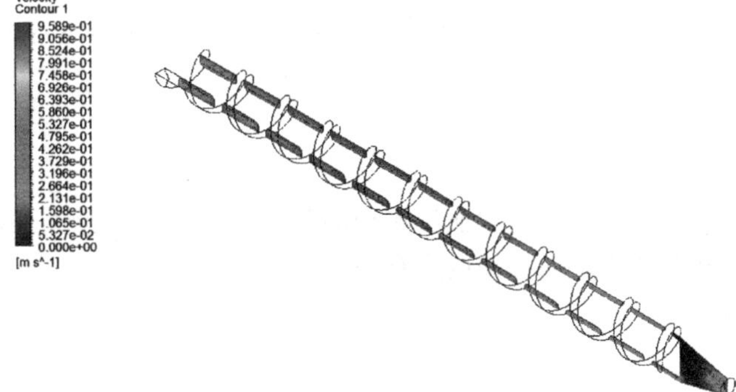

图 4-37　速度云图

10）单击工具栏中的（流线）按钮，弹出 Insert Streamline（创建流线）对话框。输入流线图名称为“Streamline 1”，单击“OK”按钮进入图 4-38 的流线设定面板。

11）在“Geometry”（几何）选项卡中，“Type”选择“3D Streamline”，“Start From”选择“inlet”，在“Symbol”选项卡中，勾选“Show Symbols”复选框，“Symbols Size”设置为 0.5，取消勾选“Show Streams”复选框，如图 4-39 所示。单击“Apply”按钮创建流线图，效果如图 4-40 所示。

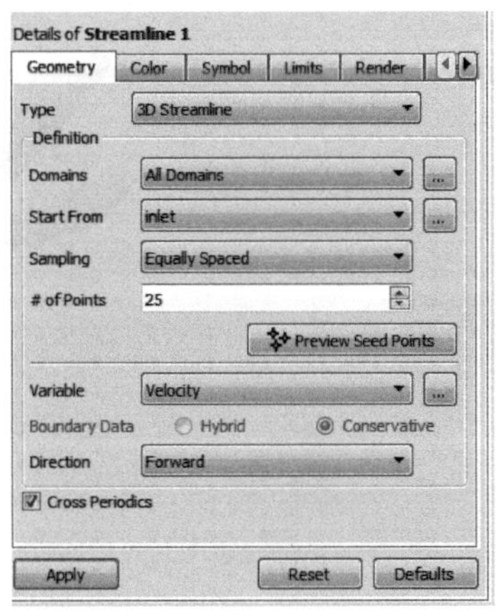

图 4-38　流线设定面板

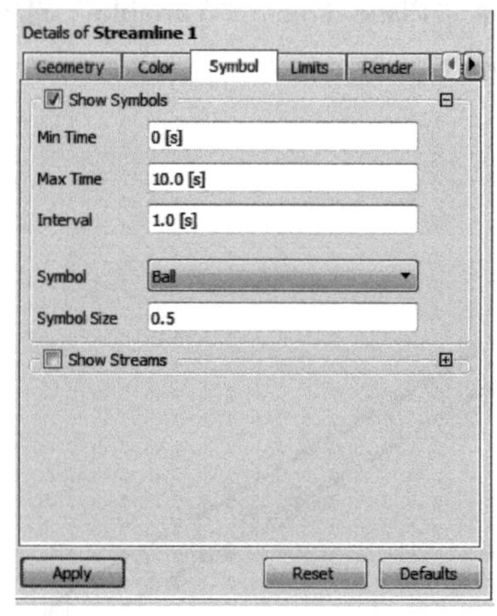

图 4-39　流线设定面板

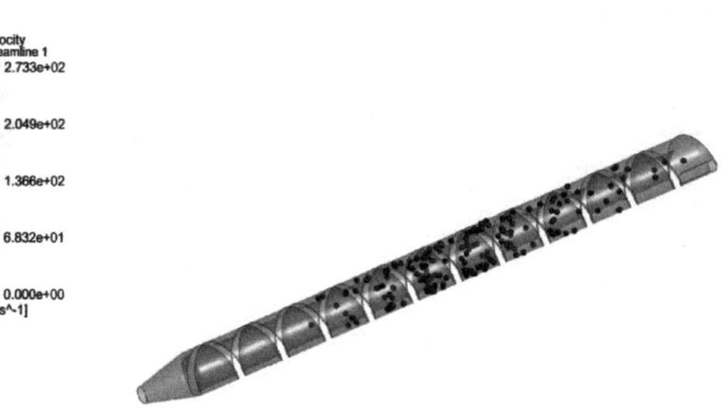

图 4-40　流线图

4.1.15　保存与退出

保存与退出的操作步骤如下。

1）执行主菜单“File”→“Close CFD-Post”命令，退出 CFD-Post 模块，返回 Workbench 主界面。此时主界面中的项目管理区中显示的分析项目均已完成。

2）在 Workbench 主界面中单击常用工具栏中的保存按钮，保存包含有分析结果的文件。执行主菜单的“文件”→“退出”命令，退出 ANSYS Workbench 主界面。

4.2　血管内血液流动

下面将通过血管内血液流动的分析案例，让读者对 ANSYS Fluent 2024 R1 分析处理内部流动基本操作步骤的每一项内容有初步了解。

4.2.1　案例介绍

图 4-41 为某三维血管几何模型，其中入口流速为 0.3m/s，请用 ANSYS Fluent 求解出压力与速度的分布云图。

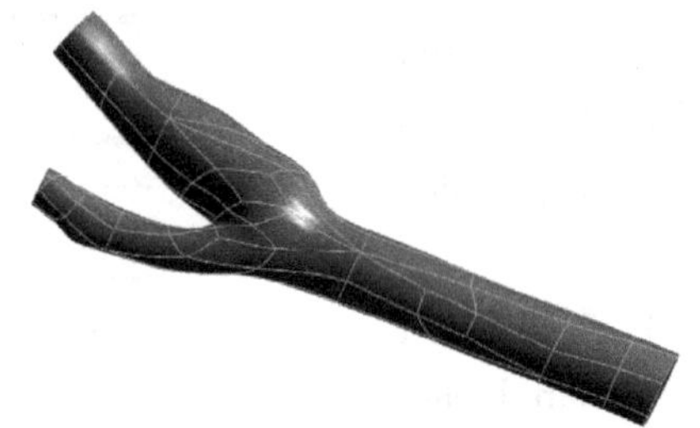

图 4-41　某三维血管几何模型

4.2.2　建立分析项目

参考算例 3.1，启动 Workbench 并建立流体分析项目，如图 4-42 所示。

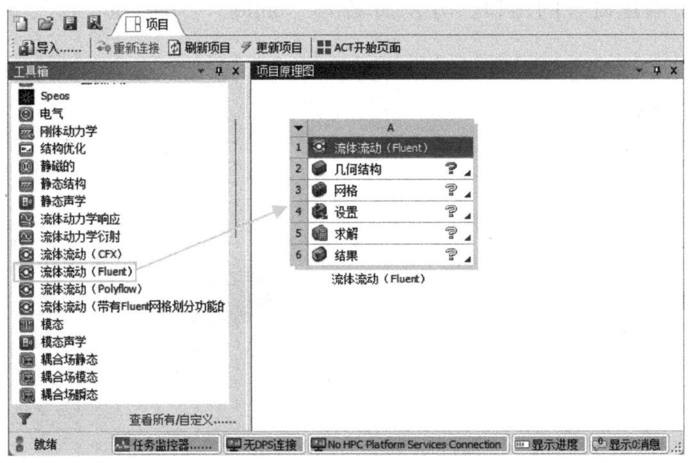

图 4-42　创建流体流动（Fluent）分析项目

4.2.3　导入几何体

导入几何体的操作步骤如下。

1）在 A2 栏的“几何结构”上单击鼠标右键，在弹出的快捷菜单中选择“导入几何模型”→“浏览”命令，此时会弹出“打开”对话框。

2）在“打开”对话框中选择文件路径，导入 blood. igs 几何体文件，此时 A2 栏“几何结构”后的 ? 变为 ✓，表示实体模型已经存在。

4.2.4　划分网格

划分网格的操作步骤如下。

1）双击 A3 栏“网格”项进入 Meshing 界面，Meshing 界面下的模型如图 4-43 所示。在该界面下进行模型的网格划分。

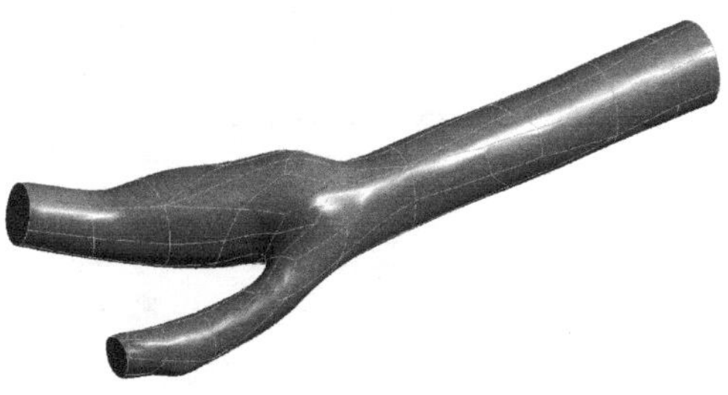

图 4-43　Meshing 界面下的模型

2）右键单击选择血管的入口，在弹出的图 4-44 的快捷菜单中选择“创建命名选择”命令，弹出图 4-45 的“选择名称”对话框，输入名称“inlet”，单击“OK”按钮确认。

图 4-44　快捷菜单

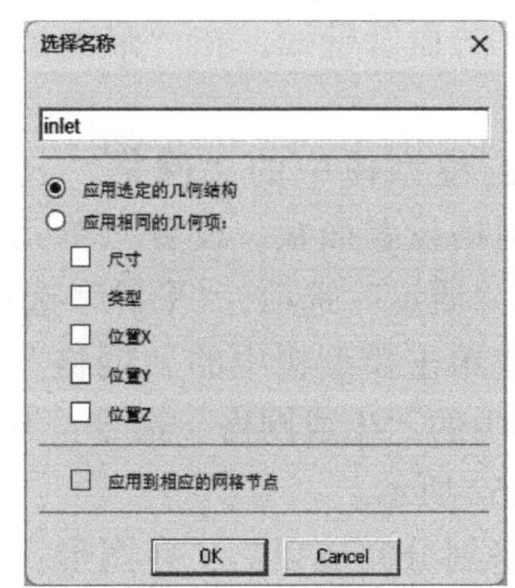

图 4-45　“选择名称”对话框

3）同步骤 2），创建血管的出口，分别命名为“outlet1”和“outlet2”，如图 4-46 和图 4-47 所示。

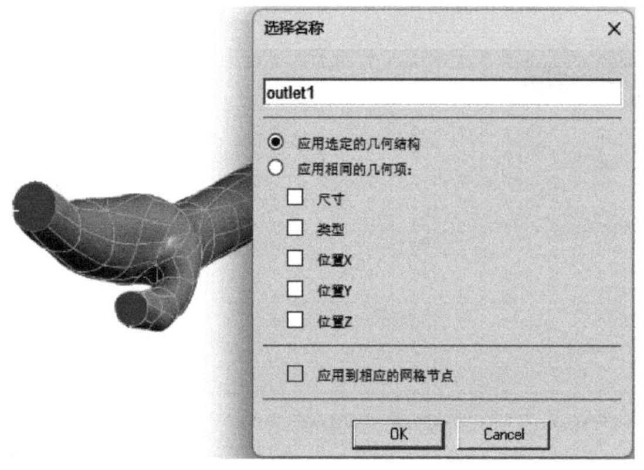

图 4-46 创建血管出口 1

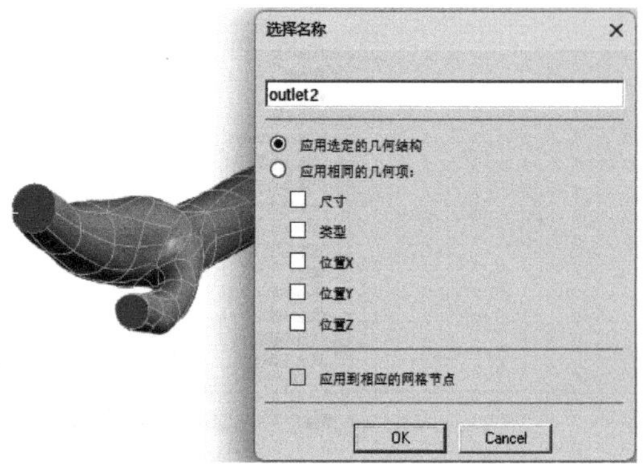

图 4-47 创建血管出口 2

4）右键单击模型树中的“网格”选项，依次选择“网格”→“插入”→“膨胀”命令，如图 4-48 所示。然后弹出图 4-49 的膨胀面板。

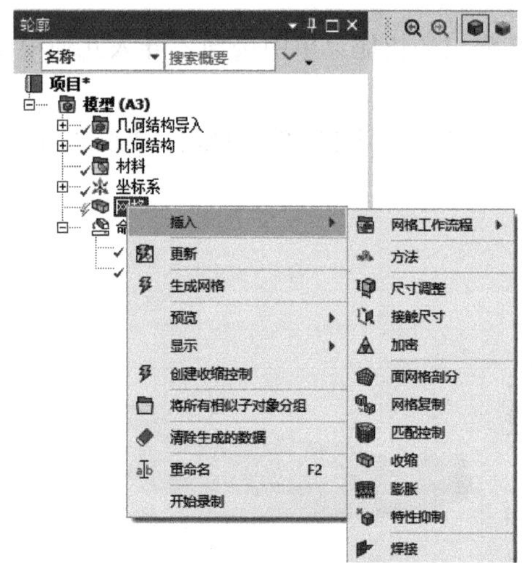

图 4-48 选择“膨胀”命令

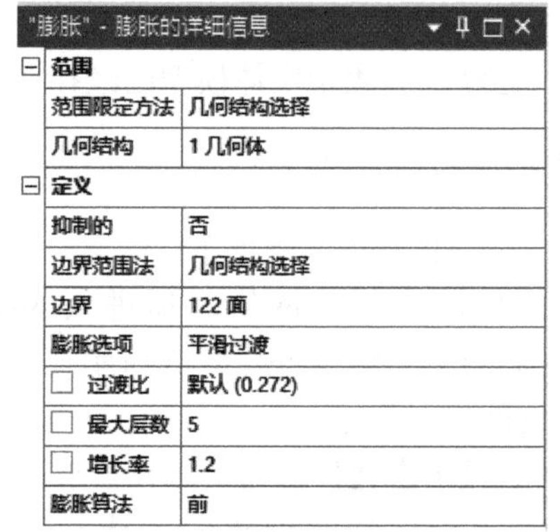

"膨胀" - 膨胀的详细信息

范围	
范围限定方法	几何结构选择
几何结构	1 几何体
定义	
抑制的	否
边界范围法	几何结构选择
边界	122 面
膨胀选项	平滑过渡
过渡比	默认 (0.272)
最大层数	5
增长率	1.2
膨胀算法	前

图 4-49 膨胀面板

“几何结构”选择整个模型计算域，“边界”选择图 4-50 的血管壁面，在“最大层数”数值框中输入 5。

5）单击模型树中的“网格”选项，弹出图 4-51 的网格设置面板。设置“单元尺寸”为 2mm，展开“质量”选项，“平滑”选择“高”。

6）右键单击模型树中的“网格”选项，选择快捷菜单中的“生成网格”命令，开始生成网格，如图 4-52 所示。

7）网格划分完成以后，在图形窗口中显示图 4-53 所示的网格。

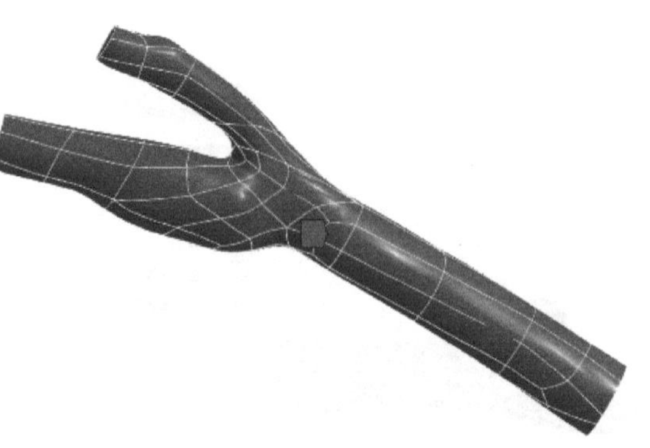

图 4-50 血管壁面

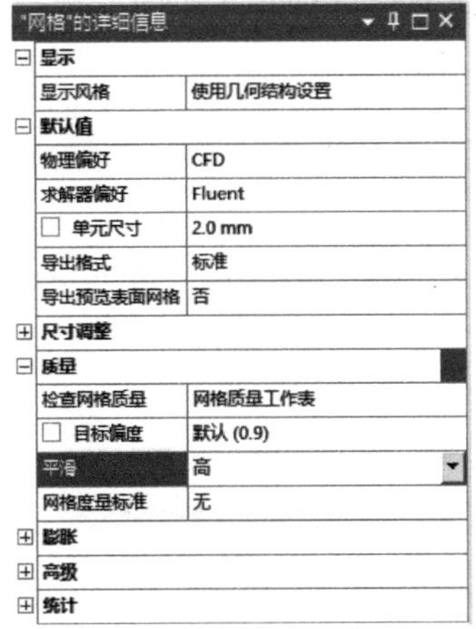

图 4-51 网格属性设置

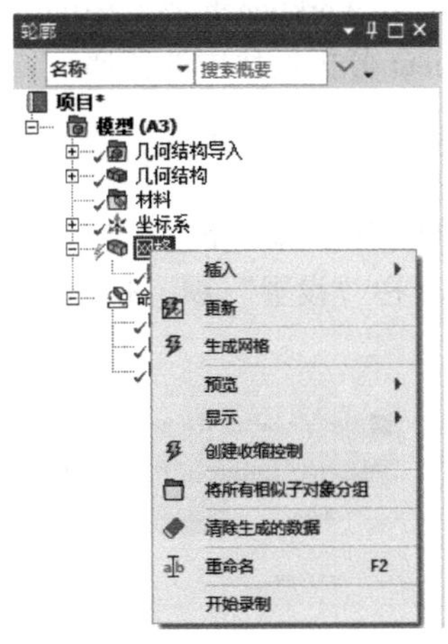

图 4-52 网格生成

8）单击模型树中的“网格”选项，在图 4-54 的网格的详细信息面板中展开“质量”选项，“网格质量标准”选择“正交质量”。这样能够统计出最小值、最大值、平均值以及标准偏差，同时显示网格质量的直方图，如图 4-55 所示。

图 4-53 计算域网格

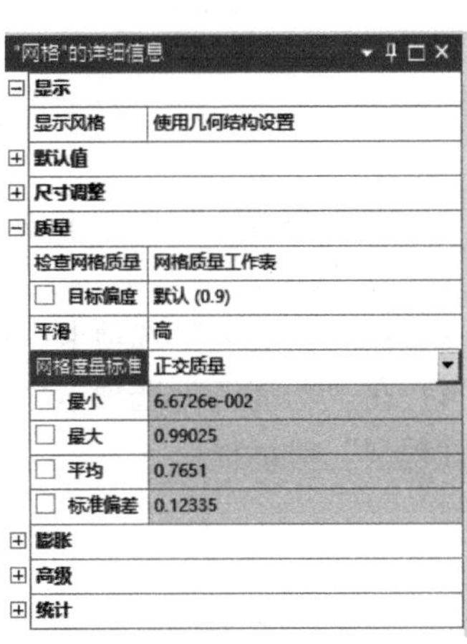

图 4-54 网格详细信息面板

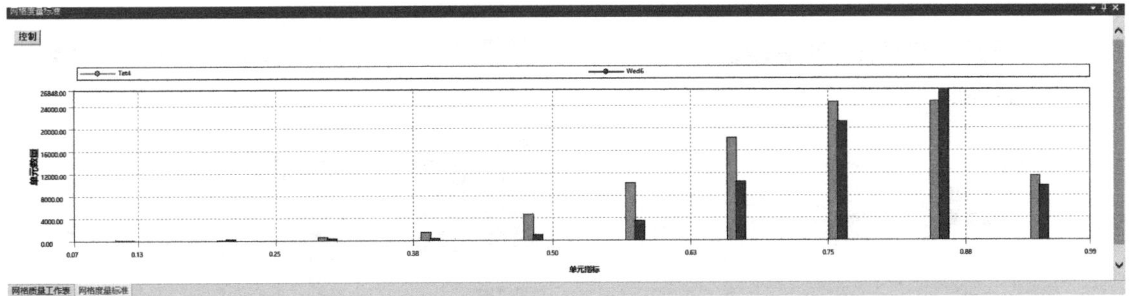

图 4-55 网格划分情况统计

9）执行主菜单的“文件”→“关闭 Meshing”命令，退出网格划分界面，返回 Workbench 主界面。

10）右键单击 Workbench 界面中的 A3“网格”项，选择快捷菜单中的“更新”命令，完成网格数据往 Fluent 分析模块中的传递。

4.2.5 定义模型

定义模型的操作步骤如下。

1）双击 A4 栏“设置”项，打开图 4-56 的 Fluent Launcher 对话框，单击“Start”按钮进入 Fluent 界面。

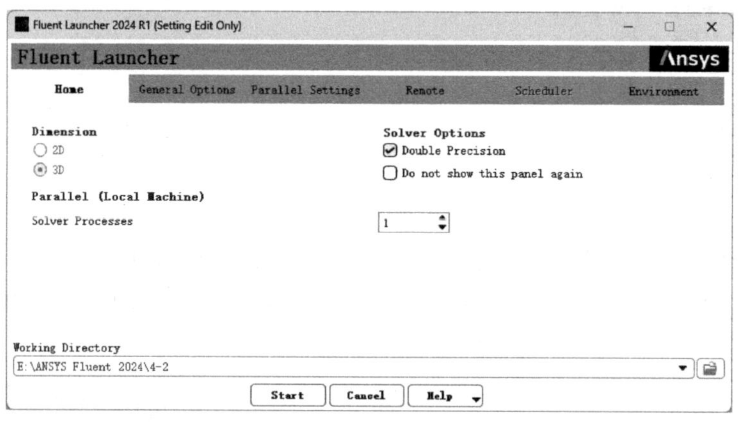

图 4-56 Fluent Launcher 对话框

2）在“功能区”选项卡中单击“物理模型”→“通用”按钮，弹出图 4-57 的“通用”面板，保持默认值。

3）在“功能区”选项卡中单击“物理模型”→“模型”→“能量”按钮。

4）在“功能区”选项卡中单击“物理模型”→“模型”→“黏性”按钮，弹出图 4-58 的“黏性模型”对话框。

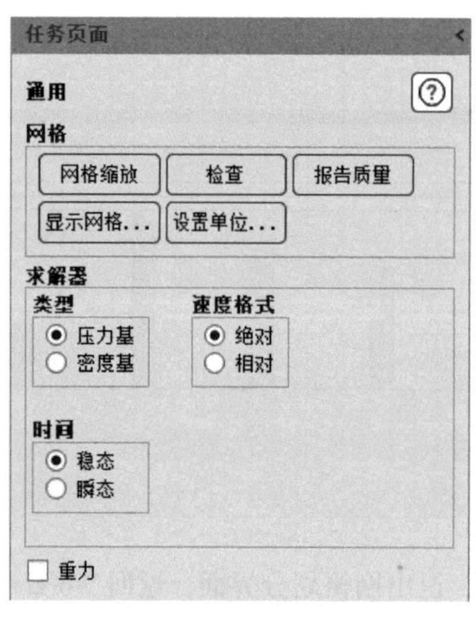

图 4-57 “通用”面板

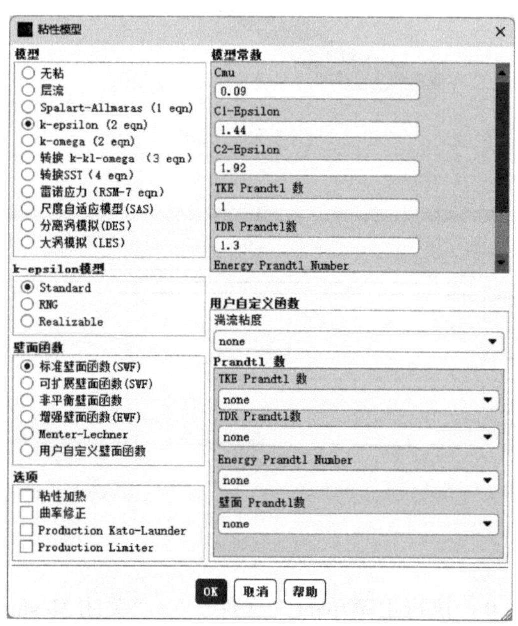

图 4-58 “黏性模型”对话框

在“模型”选项区域中选择“k-epsilon（2 eqn）”单选按钮，在“k-epsilon 模型”选项区域中选择“Standard”单选按钮，单击“OK”按钮确认。

4.2.6 设置材料

设置材料的操作步骤如下。

1）单击“功能区”选项卡中的“物理模型”→“材料”→“创建/编辑”按钮，弹出图 4-59 的“创建/编辑材料”对话框。

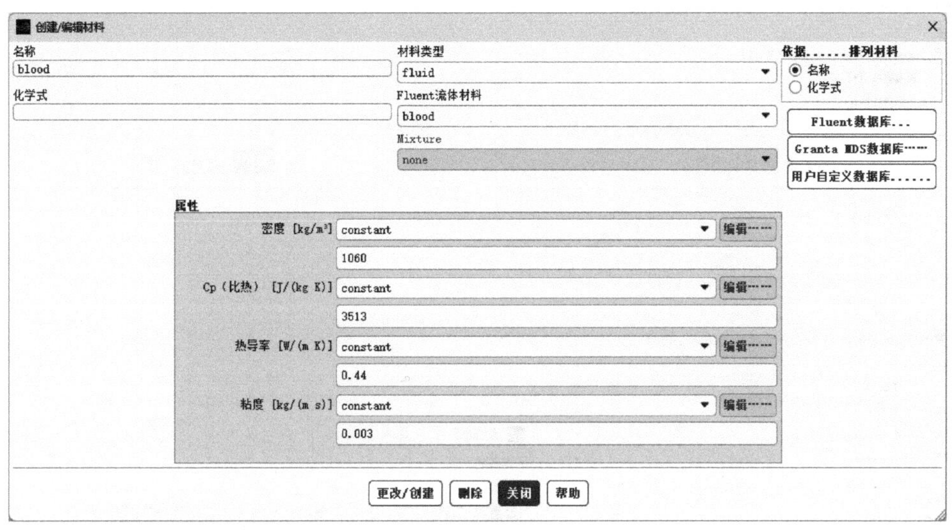

图 4-59 “创建/编辑材料”对话框

2）将“名称”设置为“blood”，“属性”区域中的“Cp（比热）[J/(kg K)]”设置为 3513，“热导率 [W/(m K)]”设置为 0.44，“黏度 [kg/(ms)]”设置为 0.003，单击“更改/创建”按钮弹出图 4-60 的“Question”对话框，单击“Yes”按钮替换原来的材料，并关闭“创建/编辑材料”对话框。

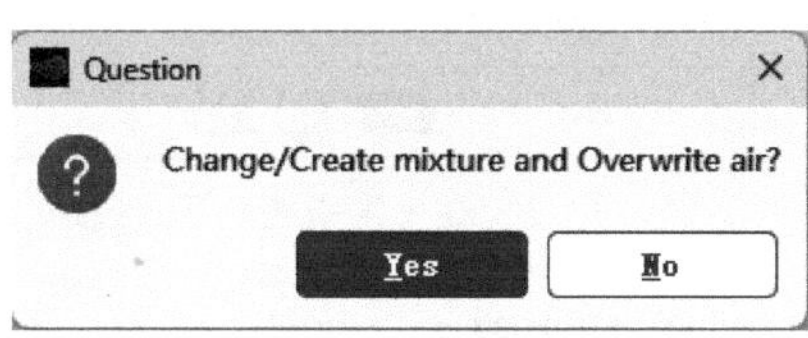

图 4-60 “Question”对话框

4.2.7 设置边界条件

设置边界条件的操作步骤如下。

1）单击“功能区”选项卡中的“物理模型”→“区域”→“边界条件”按钮，启动图 4-61 的“边界条件”面板。

2）在“边界条件”面板中，双击“inlet”弹出图 4-62 的“速度入口”对话框。在“速度大小 [m/s]”数值框中输入 0.3。

在“热量”选项卡中，“温度 [K]”设置为 310，如图 4-63 所示。单击“应用”按钮确认并退出。

3）在“边界条件”面板中，双击“outlet-1”弹出图 4-64 的“压力出口”对话框。

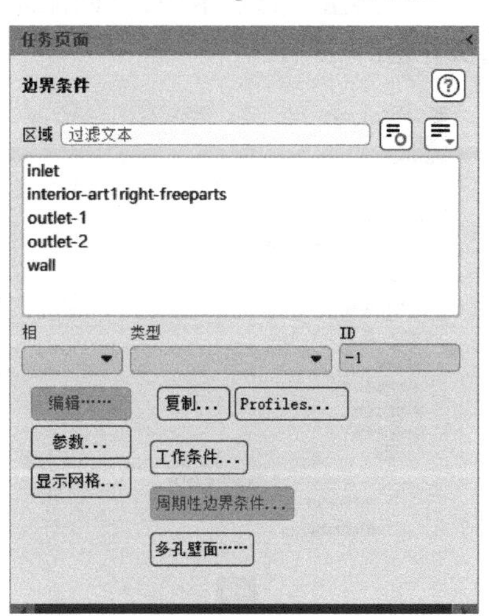

图 4-61 “边界条件”面板

在“热量”选项卡中，“回流总温［K］”设置为 300，如图 4-65 所示。单击“应用”按钮确认并退出。

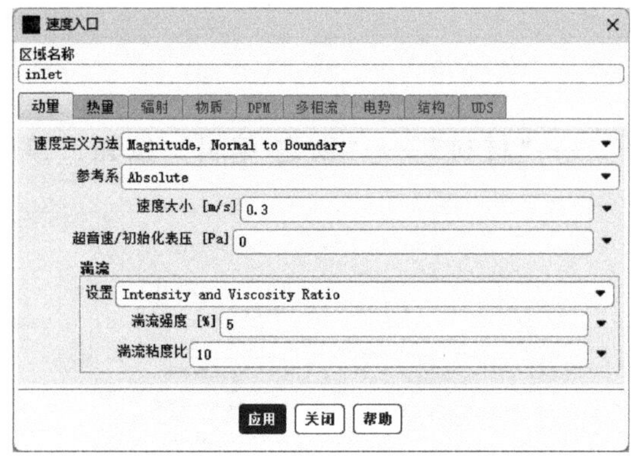

图 4-62 “速度入口”对话框

图 4-63 设置温度

图 4-64 “压力出口”对话框

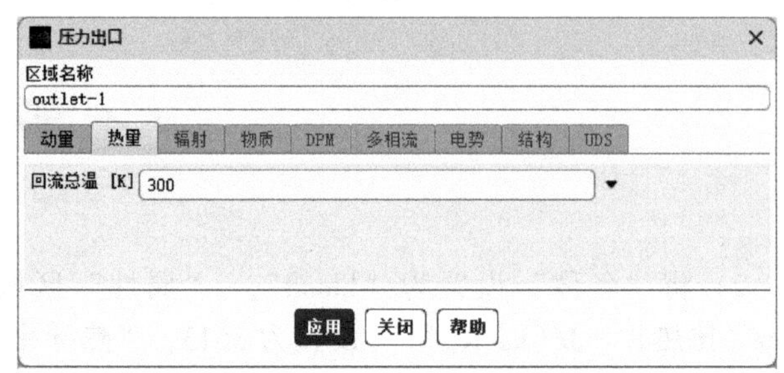

图 4-65 设置回流总温

4）同步骤 3)，双击“outlet-2”弹出图 4-66 的“压力出口”对话框。

在“热量”选项卡中，“回流总温［K］”设置为 300，如图 4-67 所示。单击“应用”按钮确认并退出。

图 4-66 “压力出口”对话框

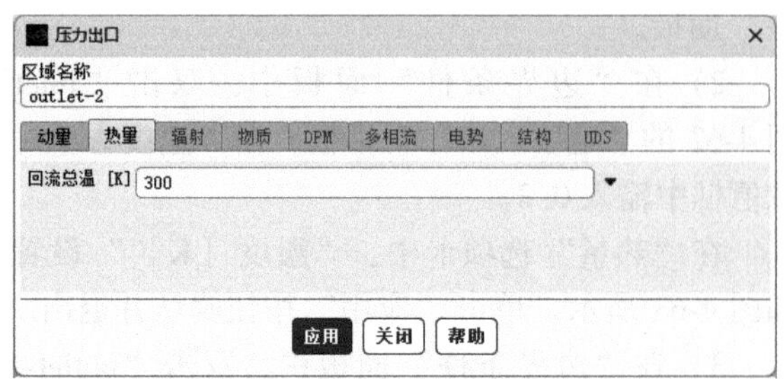

图 4-67 设置回流总温

4.2.8 调整求解控制

调整求解控制参数的操作步骤如下。

1）单击“功能区”选项卡中的“求解”→“方法”按钮，弹出图 4-68 的“求解方法”面板。“方案”选择“Coupled”。

2）单击“功能区”选项卡中的“求解”→“控制”按钮，弹出图 4-69 的“解决方案控制”面板。保持默认设置不变。

图 4-68 “求解方法”面板

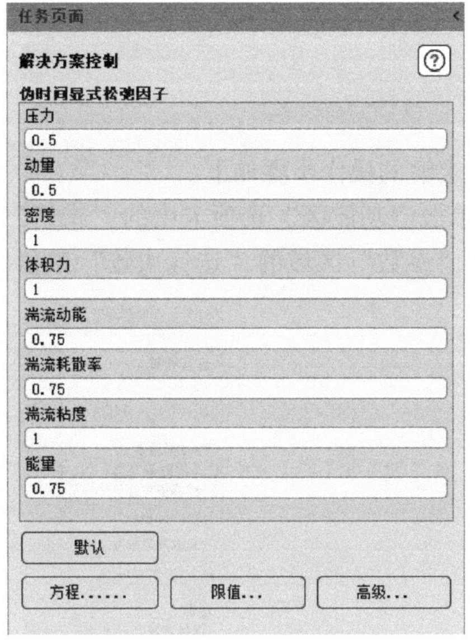

图 4-69 “解决方案控制”面板

4.2.9 设置初始条件

设置初始条件的操作步骤如下。

1）单击“功能区”选项卡中的“求解”→“初始化”按钮，弹出图 4-70 的“解决方案初始化”面板。

2）在“初始化方法”选项区域中选择“混合初始化（Hybrid Initialization）”单选按钮，单击“初始化”按钮进行初始化。

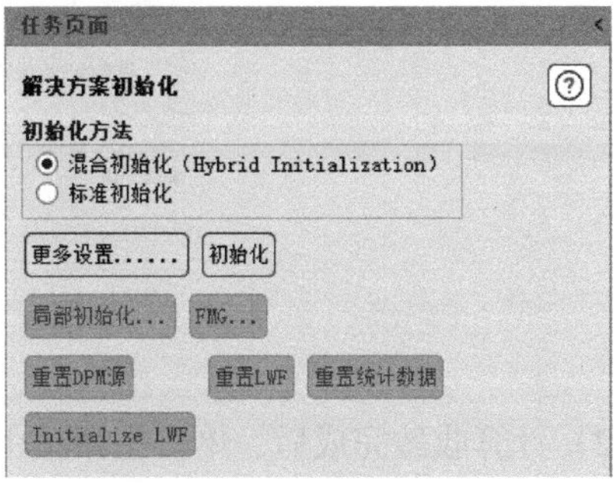

图 4-70 “解决方案初始化”面板

4.2.10 求解过程监视

单击“功能区”选项卡中的“求解”→“报告”→“残差”按钮，弹出图 4-71 的“残差监控器”对话框。保持默认设置不变，单击“OK”按钮确认。

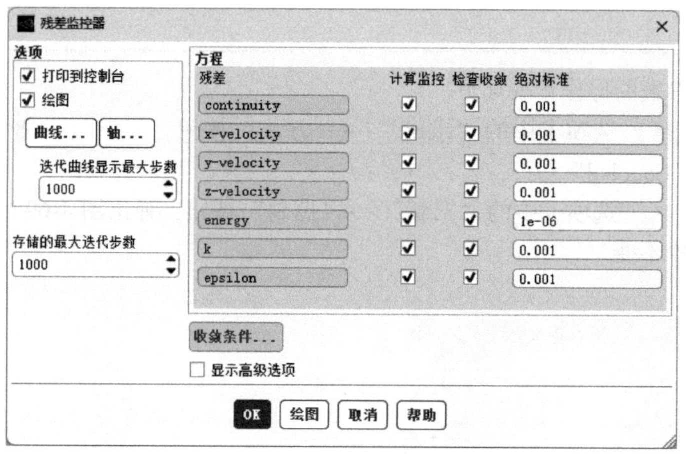

图 4-71 “残差监控器”对话框

4.2.11 计算求解

计算求解的操作步骤如下。

1）单击“功能区”选项卡中的“求解”→“运行计算”按钮，弹出图 4-72 的“运行计算”面板。在“参数”区域的“迭代次数”数值框中输入 200，单击“开始计算”按钮开始计算。

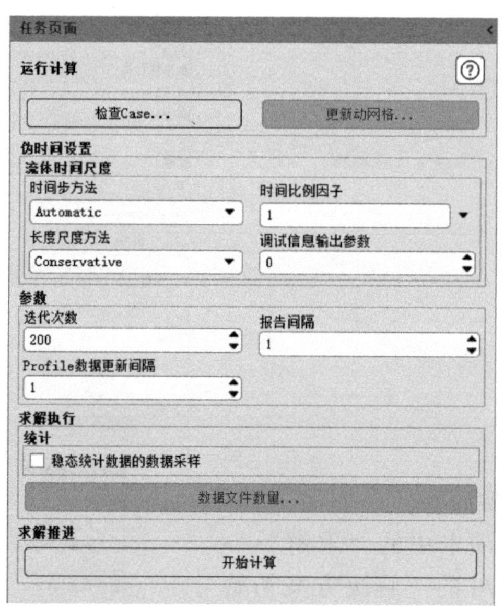

图 4-72 “运行计算”面板

2）计算收敛完成后，单击主菜单中的“文件”→“关闭 Fluent”按钮退出 Fluent 界面。

4.2.12 结果后处理

结果后处理操作步骤如下。

1）在 Workbench 主界面，双击 A6 栏“结果”项，进入 CFD-Post 界面。

2）单击工具栏中的 Location→ Plane（平面）按钮，弹出图 4-73 的“Insert Plane”（创建

平面）对话框，保持平面名称为“Plane 1”，单击“OK”按钮进入图 4-74 的 Plane（平面设定）面板。

3）在“Geometry”（几何）选项卡中，“Method”选择“ZX Plane”，Y 坐标取值设定为 0，单位为 m，单击“Apply”按钮创建平面，生成的平面如图 4-75 所示。

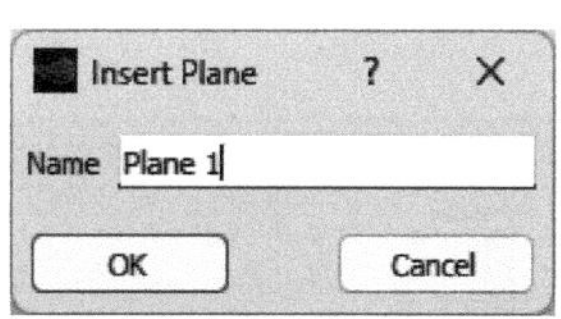

图 4-73　创建平面对话框

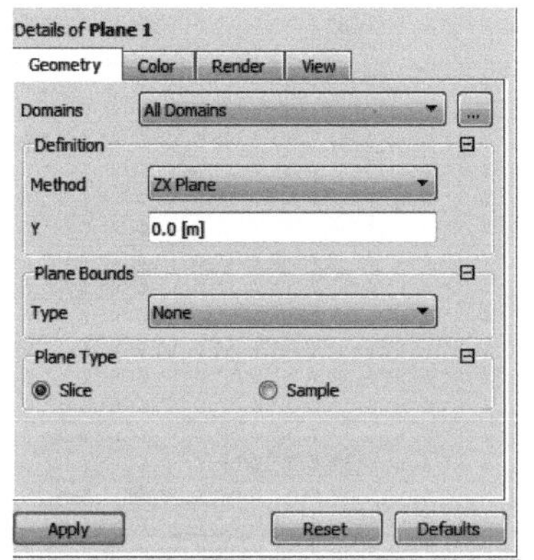

图 4-74　平面设定面板

图 4-75　ZX 方向平面

4）在模型树中勾选“Wall”，双击“Wall”弹出图 4-76 的 Wall 设置面板，“Mode”选择“Variable”，“Variable”选择“Pressure”。

在“Render”选项卡中，“Transparency”设置为 0.7，如图 4-77 所示。然后显示图 4-78 的血管壁面压力云图。

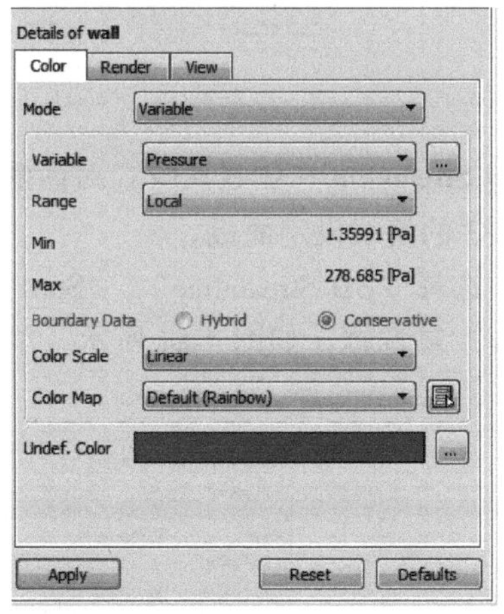

图 4-76　壁面设定面板

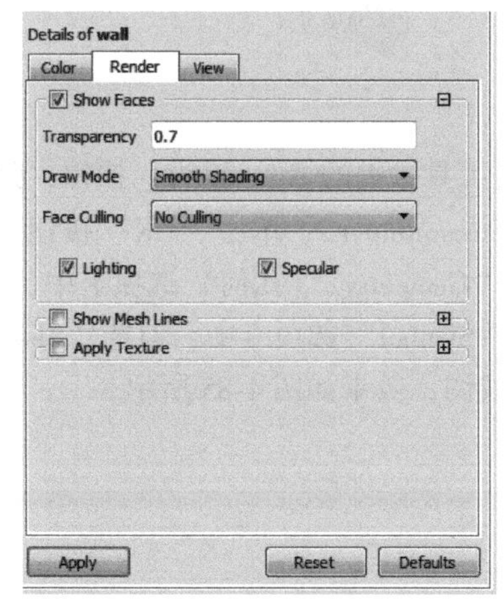

图 4-77　“Render”选项卡

5）单击工具栏中的（云图）按钮，弹出 Insert Contour（创建云图）对话框。输入云图名称为“Press”，单击“OK”按钮进入图 4-79 的云图设定面板。

6）在“Geometry”（几何）选项卡中，“Locations”选择“Plane 1”，“Variable”选择“Pressure”，单击“Apply”按钮创建压力云图，效果如图 4-80 所示。

7）同步骤 4），创建云图“Vec”。

8）在图 4-81 云图设定面板的“Geometry”（几何）选项卡中，“Locations”选择“Plane 1”，“Variable”选择“Velocity”，单击“Apply”按钮创建速度云图，效果如图 4-82 所示。

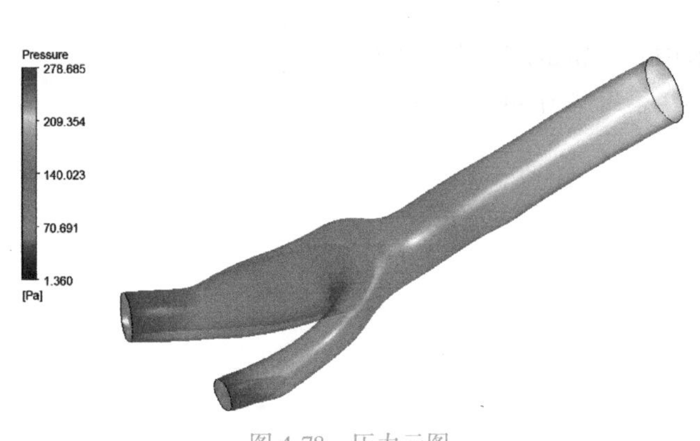

图 4-78 压力云图

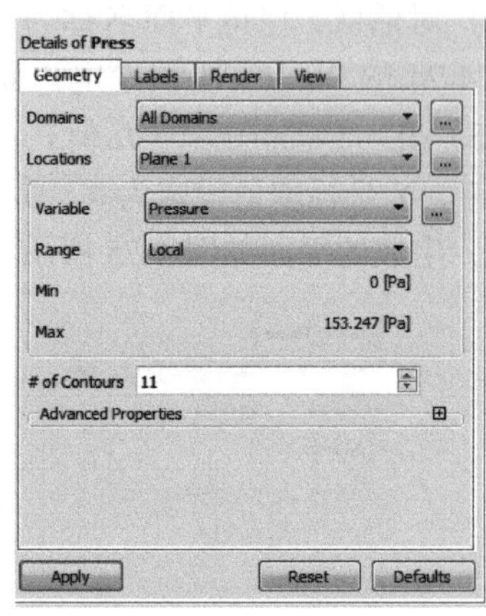

图 4-79 云图设定面板

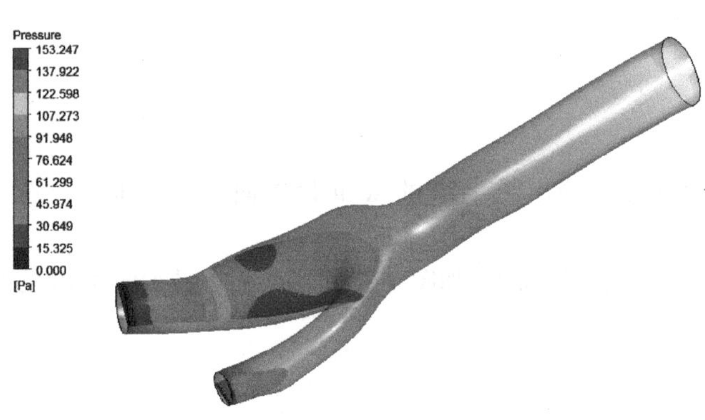

图 4-80 压力云图

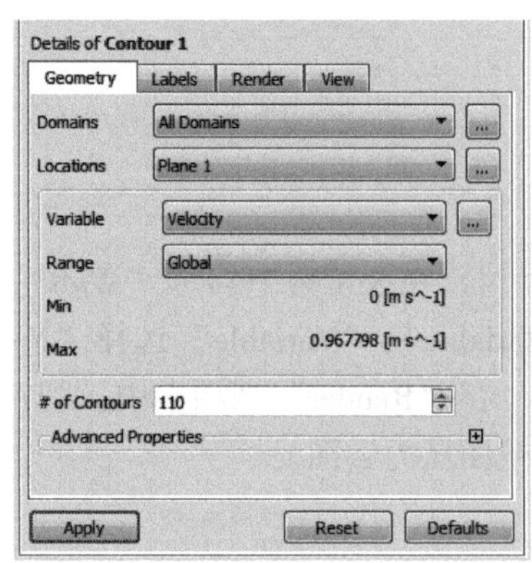

图 4-81 云图设定面板

9）单击工具栏中的 （流线）按钮，弹出 Insert Streamline（创建流线）对话框。输入流线图名称为“Streamline 1”，单击“OK”按钮进入图 4-83 的流线设定面板。

10）在“Geometry”（几何）选项卡中，“Type”选择“3D Streamline”，“Start From”选择“inlet”，在“Symbol”选项卡中，勾选“Show Streams”复选框，如图 4-84 所示。单击“Apply”按钮创建流线图，效果如图 4-85 所示。

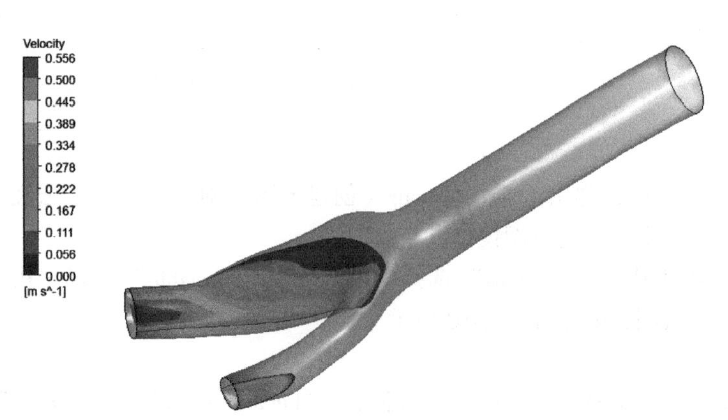

图 4-82 速度云图

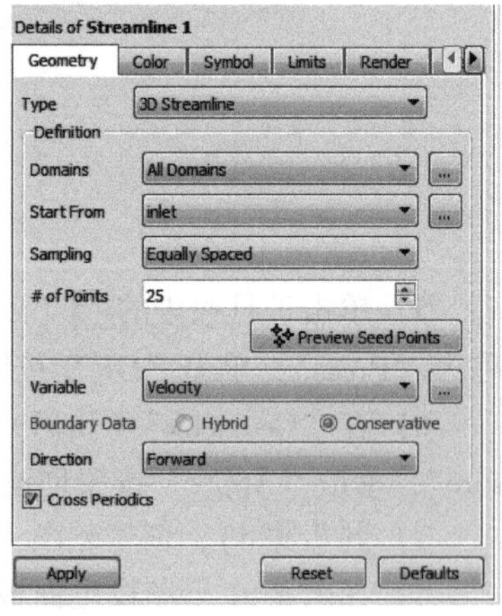

图 4-83 流线设定面板

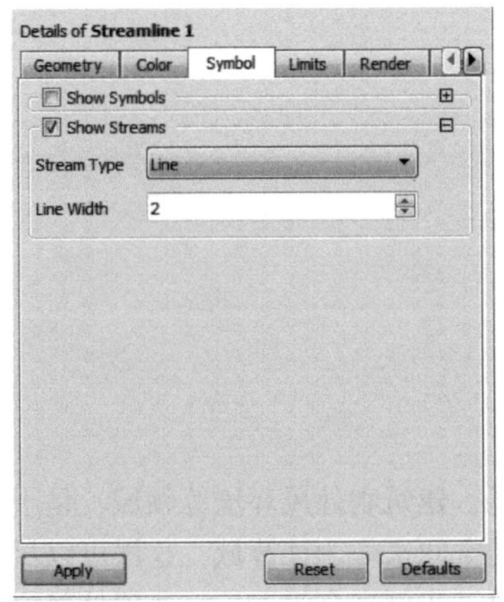

图 4-84　流线设定面板

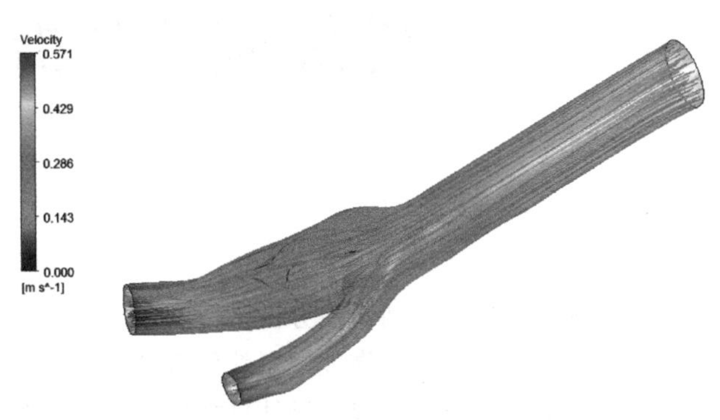

图 4-85　流线图

4.2.13　保存与退出

保存与退出的操作步骤如下。

1）执行主菜单的“File”→“Close CFD-Post”命令，退出 CFD-Post 模块，返回 Workbench 主界面。此时主界面项目管理区中显示的分析项目均已完成。

2）在 Workbench 主界面中单击常用工具栏中的保存按钮，保存包含有分析结果的文件。执行主菜单的“文件”→“退出”命令，退出 ANSYS Workbench 主界面。

4.3　本章小结

本章通过挤出机螺杆内流场流动和血管内血液流动两个实例介绍了 Fluent 处理内部流动的工作流程。

通过本章内容的学习，读者可以掌握 Fluent 模拟的基本操作和实现便捷模拟的方法，并且通过按步骤完成实例，可以基本了解 Fluent 前处理和后处理的基本操作，对 Fluent 模拟有初步的认识。

第5章 外部流动分析

进行物理模型外部流动模拟分析，特别在计算汽车外流场，建筑物外风环境等领域，是十分常见的。一般在计算前，在物理模型外部需设定一个足够大的空间来作为计算域，这样可以尽量减小边界条件对物理模型周边流场计算结果的影响。本章将通过实例来介绍 Fluent 处理外部流动模拟的工作步骤。

学习目标：

1）掌握网格模型的导入操作。

2）掌握边界条件的设定。

3）掌握湍流模型的设定。

4）掌握后处理的基本操作。

5.1 航天飞机外流场模拟

下面将通过航天飞机外流场分析案例，让读者对使用 ANSYS Fluent 2024 R1 分析处理外部流动基本操作步骤的每一项内容有初步了解。

5.1.1 案例介绍

图 5-1 为某航天飞机几何模型，其中来流马赫数为 0.8，请用 ANSYS Fluent 求解出压力与速度的分布云图。

图 5-1 某航天飞机几何模型

5.1.2 建立分析项目

参考算例 2.1，启动 Workbench 并建立流体分析项目，如图 5-2 所示。

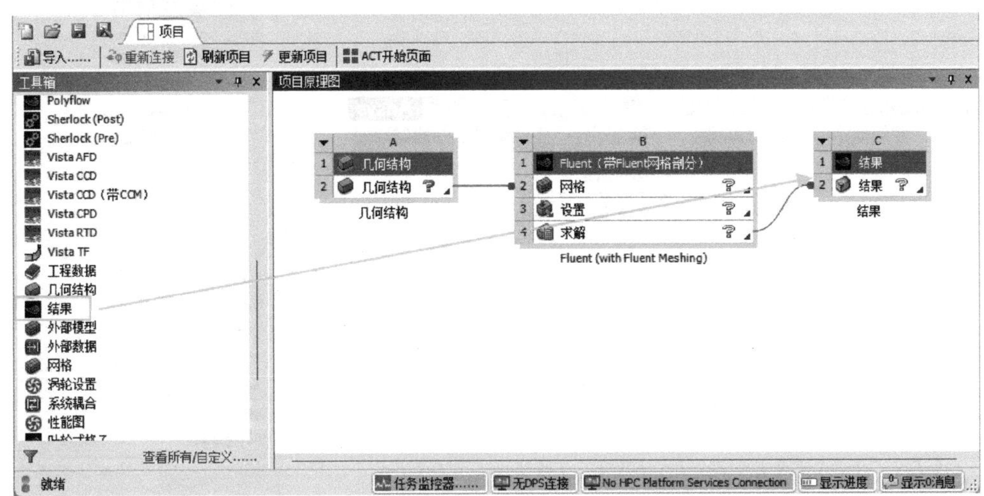

图 5-2 创建流体流动（Fluent）分析项目

5.1.3 导入几何体

导入几何体的操作步骤如下。

1）在 A2 栏的“几何结构”上单击鼠标右键，在弹出的快捷菜单中选择“导入几何模型”→“浏览”命令，此时会弹出“打开”对话框。

2）在“打开”对话框中选择文件路径，导入 shuttle 几何体文件，此时 A2 栏“几何结构”后的 ? 变为 ✓，表示实体模型已经存在。

3）双击项目 A 中的 A2 栏“几何结构”，进入 Design Modeler 界面，图形窗口中显示的几何模型如图 5-3 所示。

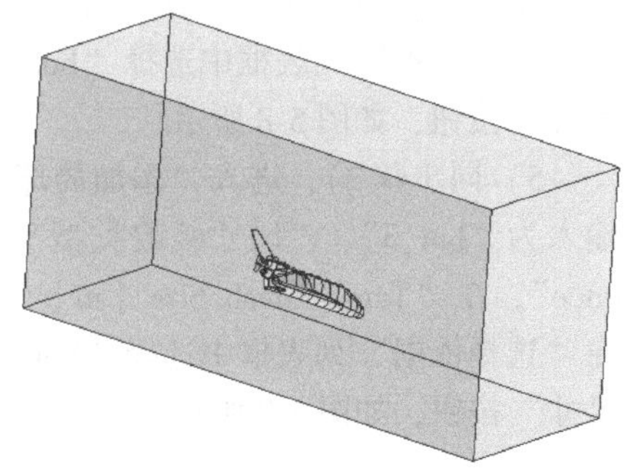

图 5-3 Design Modeler 界面中显示的模型

4）执行主菜单的“文件”→“关闭 Design Modeler”命令，退出 Design Modeler，返回 Workbench 主界面。

5.1.4 划分网格

划分网格的操作步骤如下。

1）双击项目 B 中的 B2 栏“网格”项，进入图 5-4 的 Fluent Launcher 界面，单击“Start”按钮进入网格划分界面。

2）进入 Fluent Meshing 工作界面，在流程树中，单击选择“导入几何模型”，弹出图 5-5 的“导入几何模型”面板，单击“更新”按钮导入几何模型，如图 5-6 所示。

3）进入“添加局部尺寸”面板，“名称”输入为“boi_1”，“尺寸函数类型”选择“Body Of Influence”，在“Target Mesh Size [m]”数值框中填入 0.5，在“选择依据”列表框中选择“boi_1”，单击“添加局部尺寸”按钮，如图 5-7 所示。

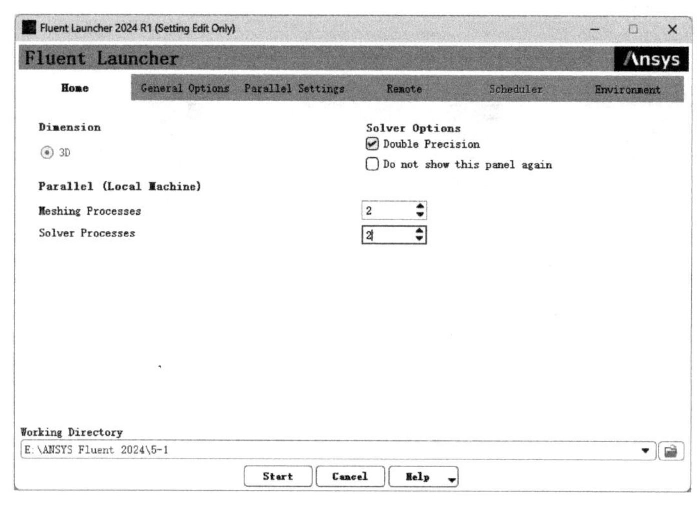

图 5-4 Fluent Launcher 界面

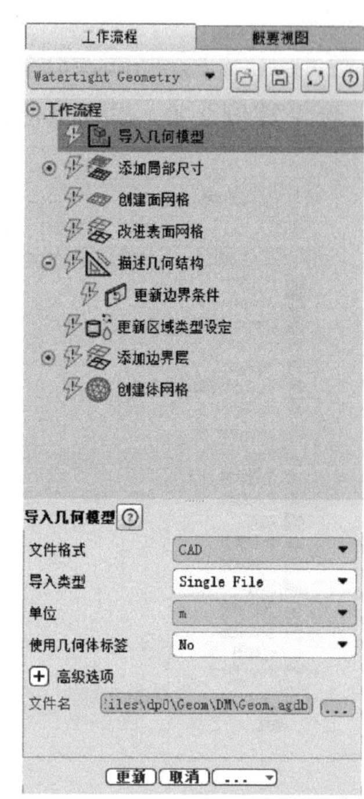

图 5-5 “导入几何模型”面板

4）同步骤 3），进入“添加局部尺寸”面板，“名称”输入为“boi_2”，“尺寸函数类型”选择“Body Of Influence”，在“Target Mesh Size［m］”数值框中填入 0.2，在“选择依据”列表框中选择“boi_2”，单击“添加局部尺寸”按钮，如图 5-8 所示。

5）同步骤 3），进入“添加局部尺寸”面板，“名称”输入为“boi_3”，“尺寸函数类型”选择“Body Of Influence”，在“Target Mesh Size［m］”数值框中填入 0.2，在“选择依据”列表框中选择“boi_3”，单击“添加局部尺寸”按钮，如图 5-9 所示。

图 5-6 几何模型

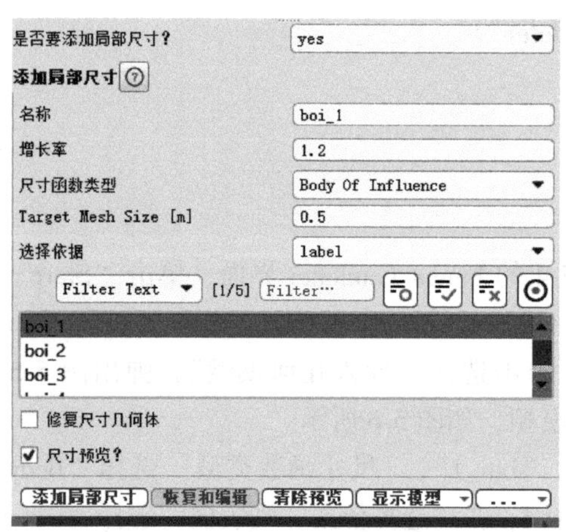

图 5-7 “添加局部尺寸”面板（1）

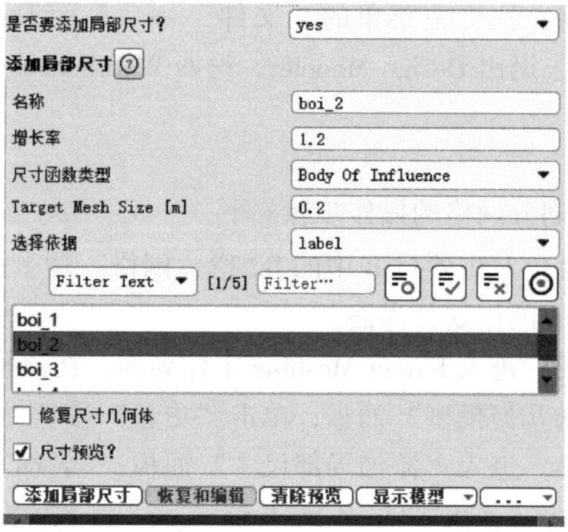

图 5-8 “添加局部尺寸”面板（2）

6）同步骤 3），进入“添加局部尺寸”面板，“名称”输入为“boi_4”，“尺寸函数类型”选择“Body Of Influence”，在“Target Mesh Size［m］”数值框中填入 0.2，在“选择依据”列表框中选择“boi_4”，单击“添加局部尺寸”按钮，如图 5-10 所示。

图 5-9 “添加局部尺寸”面板（3）

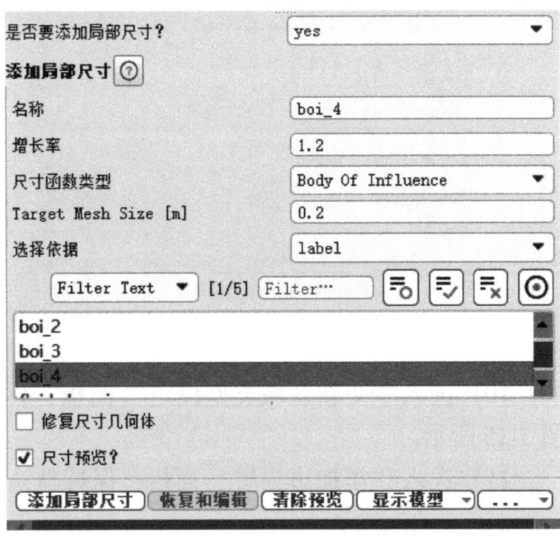

图 5-10 “添加局部尺寸”面板（4）

7）进入图 5-11 的“创建面网格”面板，在“Minimum Size［m］”数值框中填入 0.15，在“Maximum Size［m］”数值框中填入 3，在“曲率法向角［度］”数值框中填入 5，单击“生成面网格”按钮生成表面网格，如图 5-12 所示。

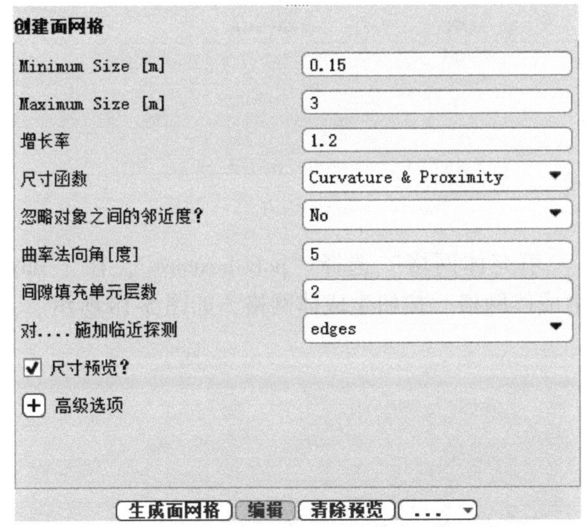

图 5-11 “创建面网格”面板

图 5-12 表面网格

8）进入“描述几何结构”面板，在“几何结构类型”选项区域中选择“几何模型仅由没有空隙的流体区域组成”单选按钮，单击“描述几何结构”按钮，如图 5-13 所示。

9）进入“更新边界条件”面板，将“far_field”的 Boundary Type 选择为“pressure-far-field”，将“symm”的 Boundary Type 选择为“symmetry”，单击“更新边界条件”按钮，如图 5-14 所示。

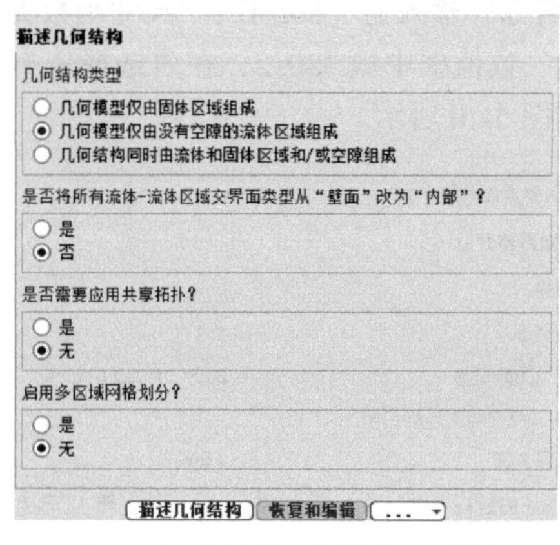

图 5-13 “描述几何结构”面板

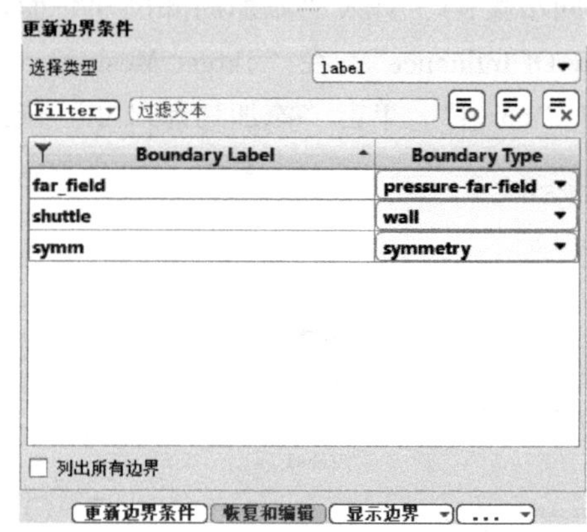

图 5-14 “更新边界条件”面板

10）进入“更新区域类型设定”面板，保持默认值，单击“更新区域类型设定”按钮，如图 5-15 所示。

11）进入“添加边界层”面板，保持默认值，单击“添加边界层”按钮，如图 5-16 所示。

图 5-15 “更新区域类型设定”面板

图 5-16 “添加边界层”面板

12）进入图 5-17 的“创建体网格”面板，“填充体网格”选择“poly-hexcore”，在“Max Cell Length［m］”数值框中填入 2.4，单击“生成体网格”按钮生成体网格，如图 5-18 所示。

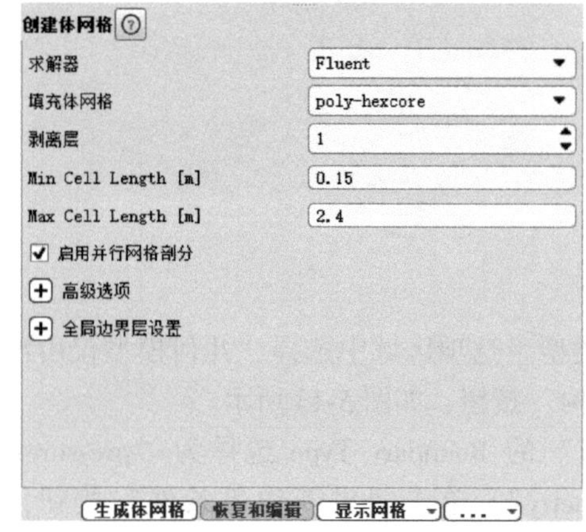

图 5-17 “创建体网格”面板

图 5-18 体网格

13）单击工具栏的“求解”→“切换到求解模式”按钮进入 Fluent 求解界面。

5.1.5 定义模型

定义模型的操作步骤如下。

1）在“功能区”选项卡中单击“物理模型”→“通用”按钮，弹出图 5-19 的“通用”面板，在“求解器”区域中，“类型”选择“压力基”单选按钮，“时间”选择“稳态”单选按钮，进行稳态计算。

2）在“功能区”选项卡中单击“物理模型”→“模型”→“黏性”按钮，弹出图 5-20 的“黏性模型”对话框。

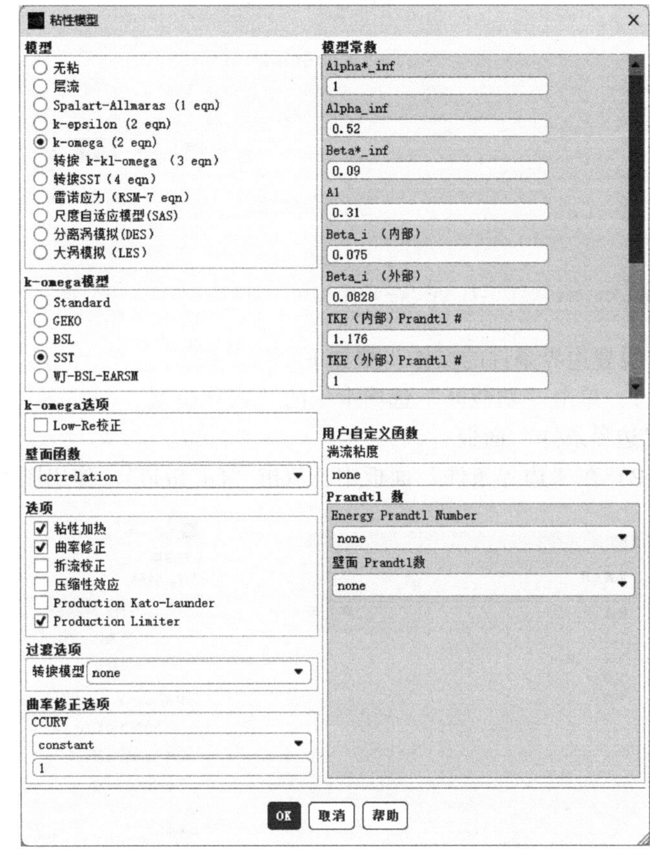

图 5-19 “通用”面板

图 5-20 “黏性模型”对话框

在“模型”选项区域中选择“k-omega（2 eqn）”单选按钮，在“k-omega 模型”选项区域中选择“SST”单选按钮，在“选项”区域中勾选“黏性加热”“曲率修正”及“Production Limiter”复选框，单击“OK”按钮确认。

5.1.6 设置材料

设置材料的操作步骤如下。

1）单击“功能区”选项卡中的“物理模型”→“材料”→“创建/编辑”按钮，弹出图 5-21 的“创建/编辑材料”对话框。

2）在“属性”区域中，“密度 [kg/m^3]”选择“ideal-gas”，单击“更改/创建”按钮，更改并关闭“创建/编辑材料”对话框。

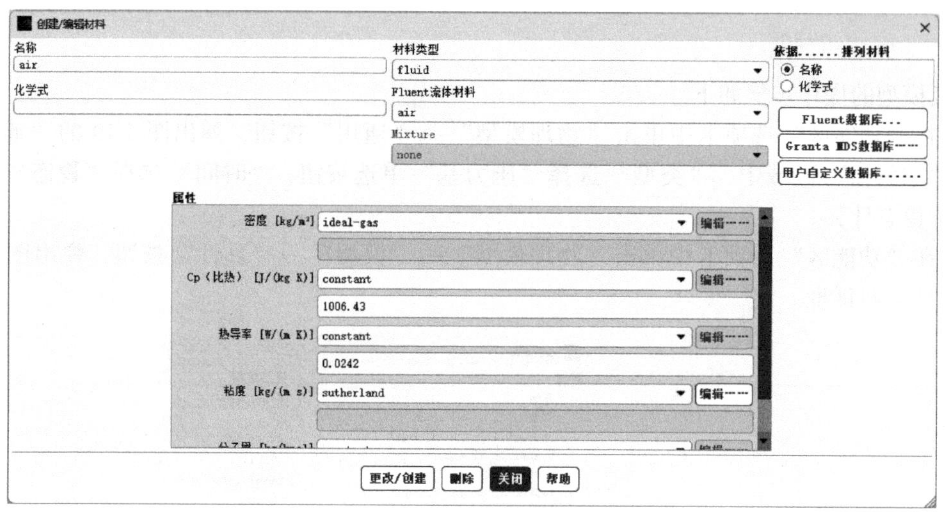

图 5-21 “创建/编辑材料”对话框

5.1.7 设置边界条件

设置边界条件的操作步骤如下。

1）单击“功能区”选项卡中的“物理模型”→“区域”→“边界条件”按钮，启动图 5-22 的“边界条件”面板。

2）在“边界条件”面板中，双击“far_field”，弹出图 5-23 的“压力远场”对话框。

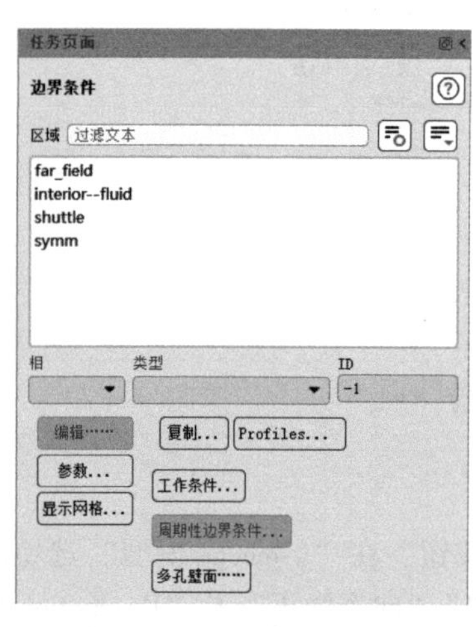

图 5-22 “边界条件”面板

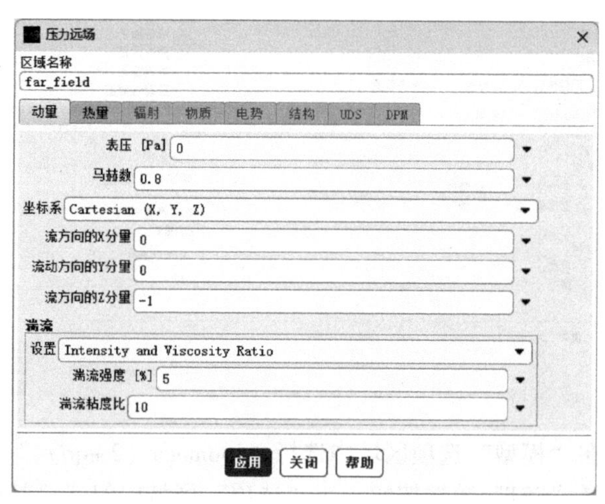

图 5-23 “压力远场”对话框

在“动量”选项卡中，“马赫数”数值框中填入 0.8，“流方向的 X 分量”数值框中输入 0，“流动方向的 Y 分量”数值框中输入 0，“流方向的 Z 分量”数值框中输入-1，单击“应用”按钮确认退出。

5.1.8 调整求解控制

调整求解控制参数的操作步骤如下。

1）单击“功能区”选项卡中的“求解”→“方法”按钮，弹出图 5-24 的“求解方法”面板。“方案”选择“Coupled”，勾选“Warped-Face 梯度修正（WFGC）”和“高阶项松弛”复选框。

2）单击“功能区”选项卡中的“求解”→“控制”按钮，弹出图 5-25 的“解决方案控制”面板。保持默认设置不变。

图 5-24 “求解方法”面板

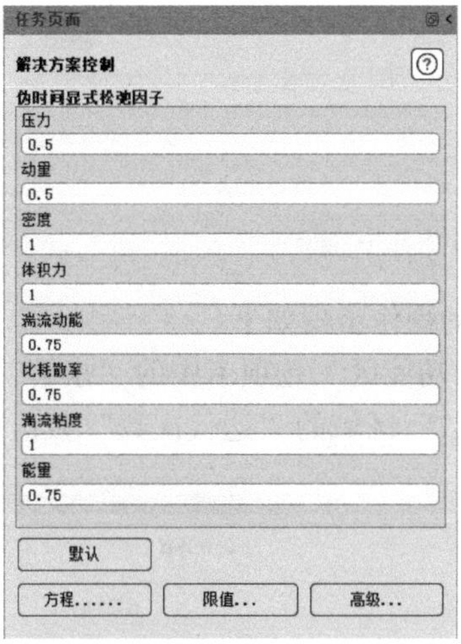

图 5-25 “解决方案控制”面板

5.1.9 设置初始条件

设置初始条件的操作步骤如下。

1）单击“功能区”选项卡中的“求解”→“初始化”按钮，弹出图 5-26 的“解决方案初始化”面板。

2）在“初始化方法”选项区域中选择“标准初始化”单选按钮，“计算参考位置”选择“far_field”，单击“初始化”按钮进行初始化。

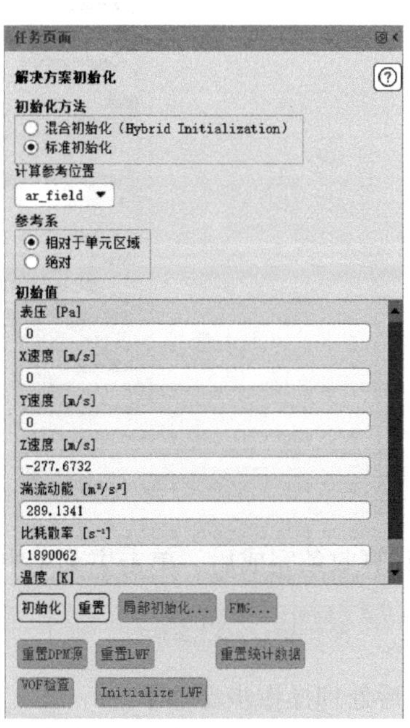

图 5-26 “解决方案初始化”面板

5.1.10 求解过程监视

单击“功能区”选项卡中的“求解”→“报告”→“残差”按钮，弹出图 5-27 的“残差监控器”对话框。保持默认设置不变，单击“OK”按钮确认。

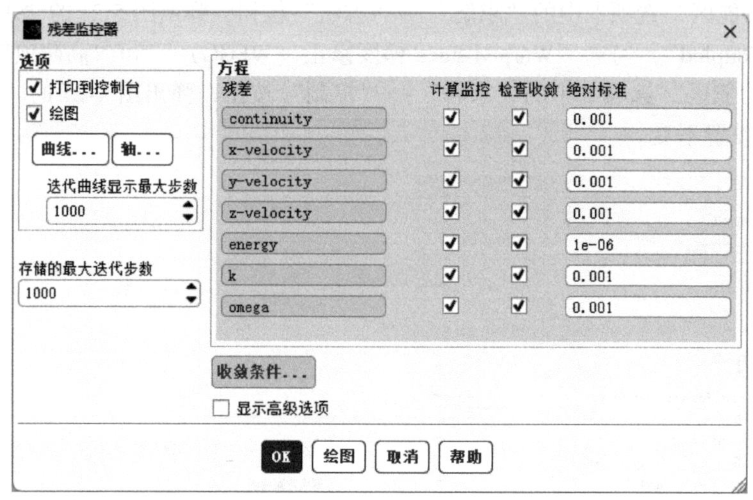

图 5-27 “残差监控器”对话框

5.1.11 计算求解

计算求解的操作步骤如下。

1）单击“功能区”选项卡中的“求解”→“运行计算”按钮，弹出图 5-28 的“运行计算”面板。在“参数”区域的“迭代次数”数值框中输入 1000，单击“开始计算”按钮开始计算。

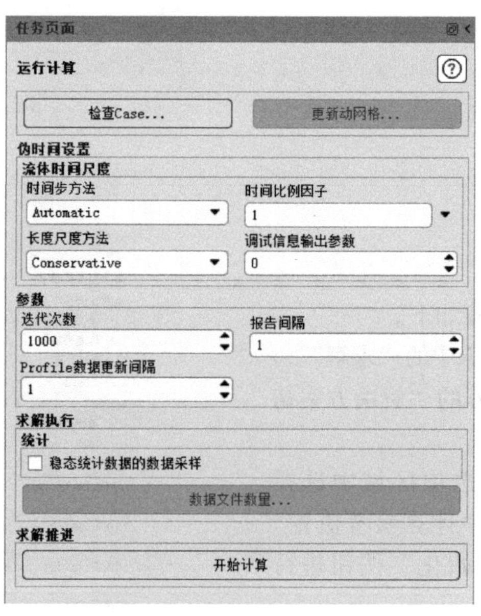

图 5-28 “运行计算”面板

2）计算收敛完成后，单击主菜单中的“文件”→“关闭 Fluent”按钮退出 Fluent 界面。

5.1.12 结果后处理

结果后处理操作步骤如下。

1）双击 C2 栏“结果”项，进入 CFD-Post 界面。

2）双击模型树中的“Default Transform”，如图5-29所示。然后弹出图5-30的Default Transform面板。勾选“Apply Reflection”复选框，“Method”选择“YZ Plane”，在“X”文本框中输入“0.0［m］”，单击“Apply”按钮。

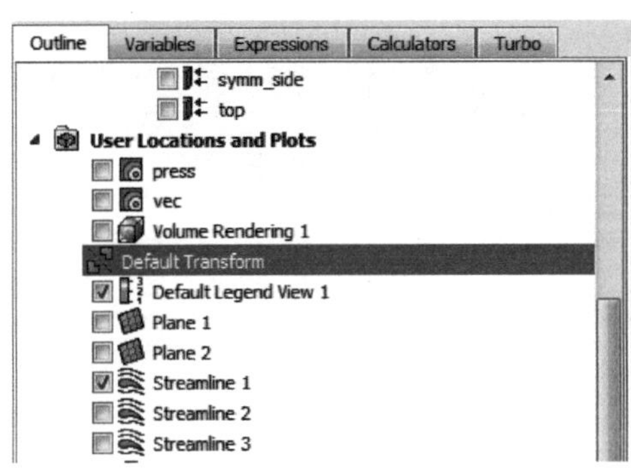

图5-29　设置Default Transform

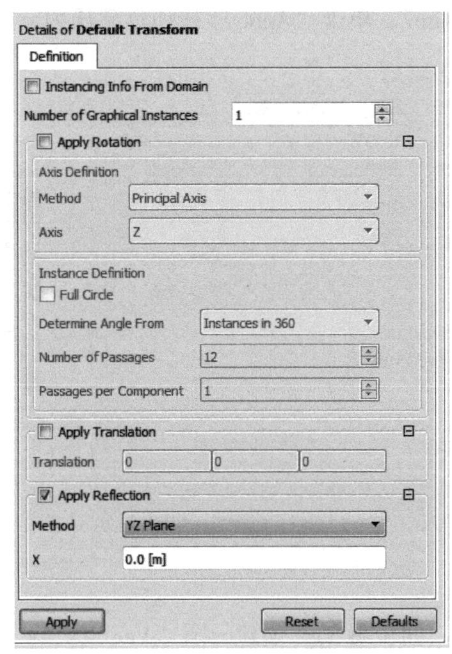

图5-30　Default Transform面板

3）单击工具栏中的Location→Plane（平面）按钮，弹出图5-31的“Insert Plane”（创建平面）对话框，保持平面名称为“Plane 1”，单击“OK”按钮进入图5-32的Plane（平面设定）面板。

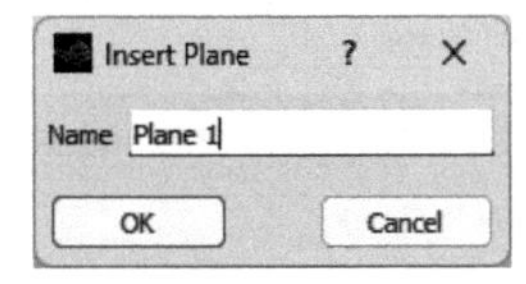

图5-31　“创建平面”对话框

4）在“Geometry”（几何）选项卡中，“Method”选择“ZX Plane”，Y坐标取值设定为-1.8，单位为m，单击“Apply”按钮创建平面，生成的平面如图5-33所示。

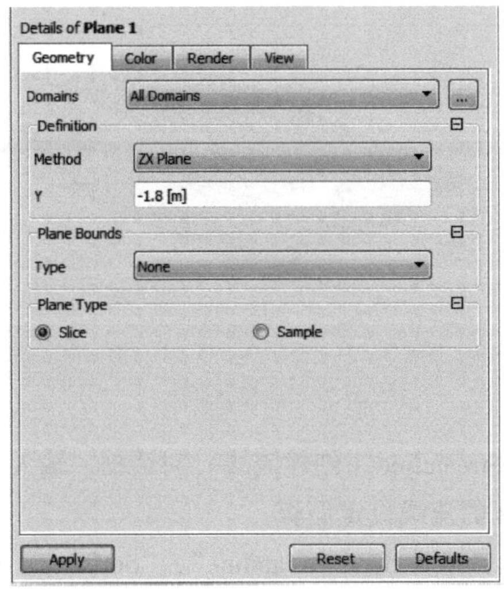

图5-32　平面设定面板

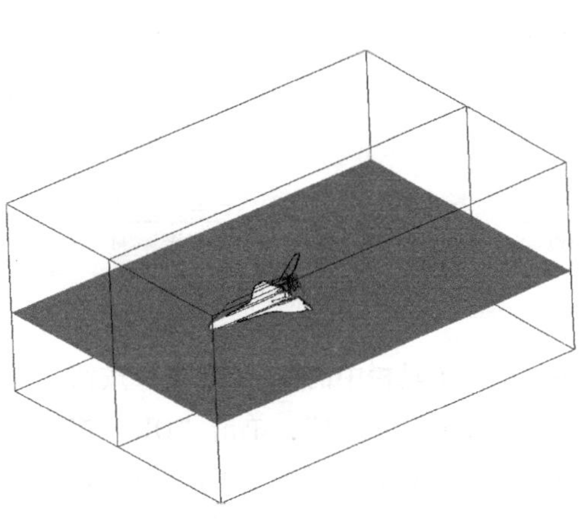

图5-33　ZX方向平面

5）单击工具栏中的（云图）按钮，弹出 Insert Contour（创建云图）对话框。输入云图名称为“Press”，单击“OK”按钮进入图 5-34 的云图设定面板。

6）在“Geometry”（几何）选项卡中，“Locations”选择“Plane 1”，“Variable”选择“Pressure”，单击“Apply”按钮创建压力云图，效果如图 5-35 所示。

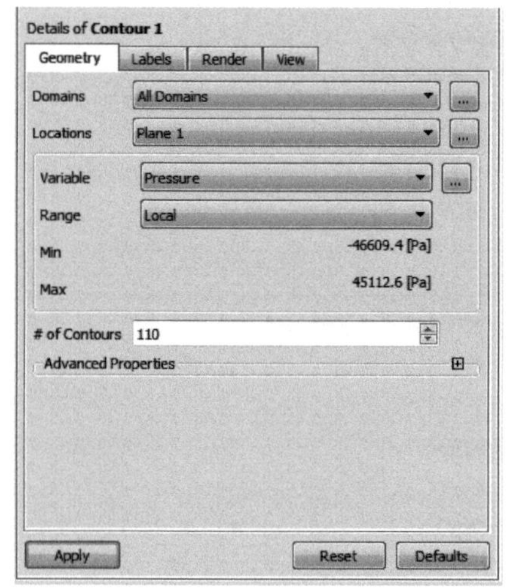

图 5-34 云图设定面板

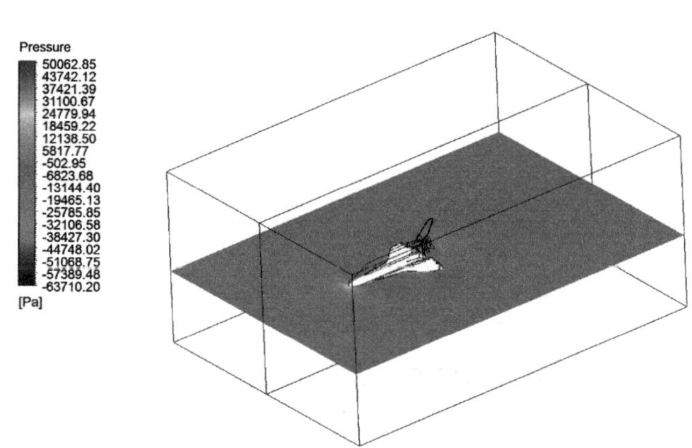

图 5-35 压力云图

7）同步骤 5），创建云图“Vec”。

8）在图 5-36 云图设定面板的“Geometry”（几何）选项卡中，“Locations”选择“Plane 1”，“Variable”选择“Velocity”，单击“Apply”按钮创建速度云图，效果如图 5-37 所示。

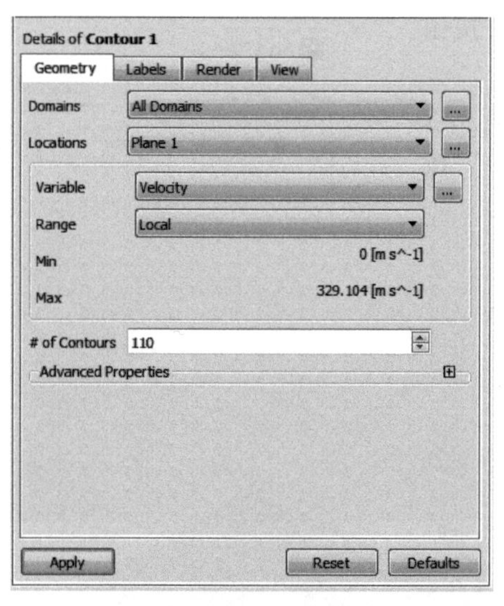

图 5-36 云图设定面板

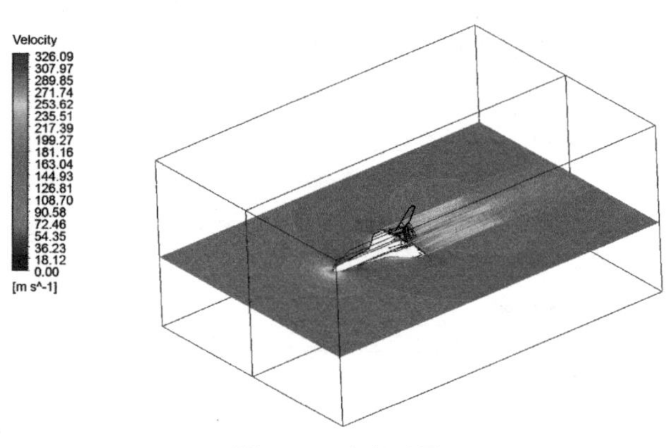

图 5-37 速度云图

9）单击工具栏中的（流线）按钮，弹出 Insert Streamline（创建流线）对话框。输入流线图名称为“Streamline 1”，单击“OK”按钮进入图 5-38 的流线设定面板。

10）在“Geometry”（几何）选项卡中，“Type”选择“Surface Streamline”，“Surfaces”选择“symm”，单击“Apply”按钮创建流线图，效果如图 5-39 所示。

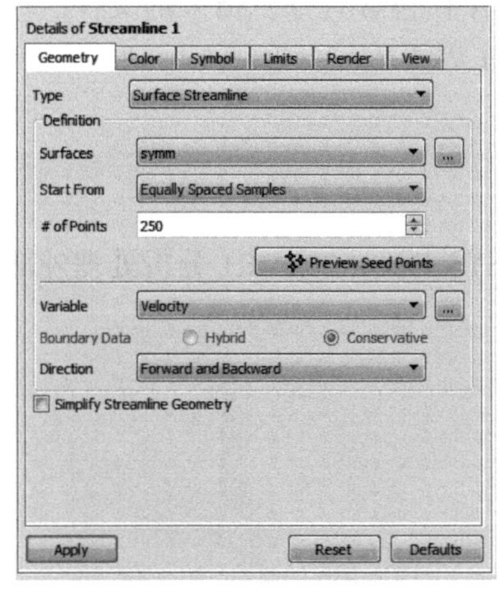

图 5-38　流线设定面板

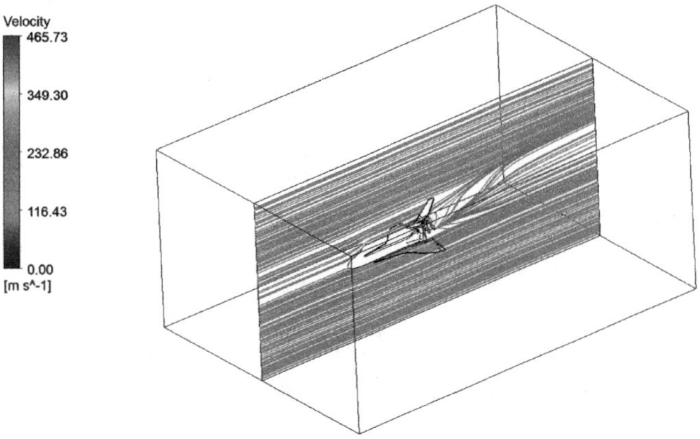

图 5-39　流线图

11）单击工具栏中的 Location→ Vortex Core Region （涡核区域）按钮，弹出 Insert Vortex Core Region（创建涡核区域）对话框，保持平面名称为“Vortex Core Region 1”，单击“OK”按钮进入图 5-40 的 Vortex Core Region（涡核区域）设定面板。

12）在“Geometry”（几何）选项卡中，“Method”选择“Swirling Strength”，“Level”设定为 0.001。

在图 5-41 的“Color”选项卡中，“Variable”选择为“Velocity”，单击“Apply”按钮创建涡核区域，如图 5-42 所示。

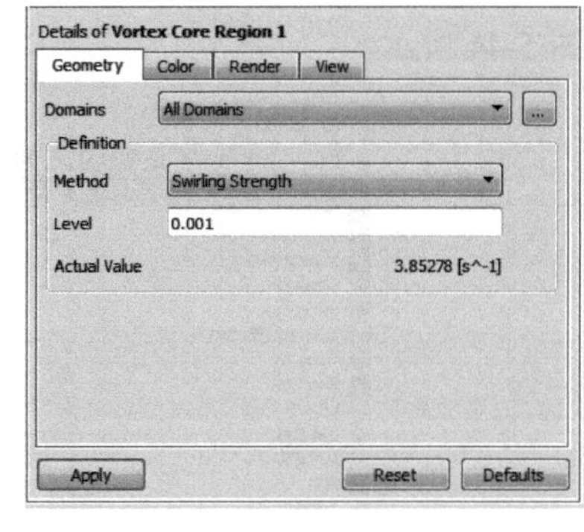

图 5-40　涡核区域设定面板

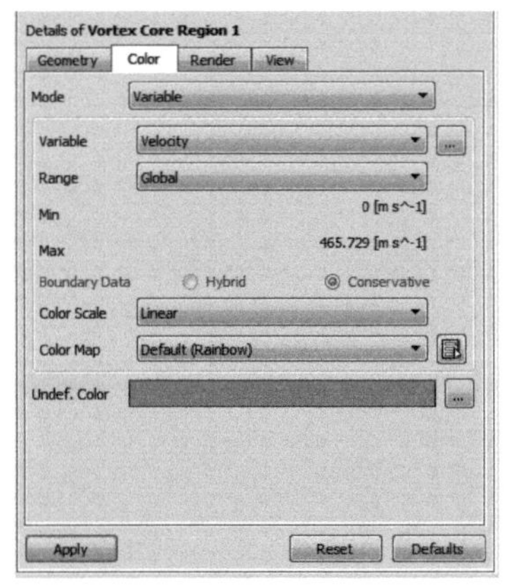

图 5-41　“Color”选项卡

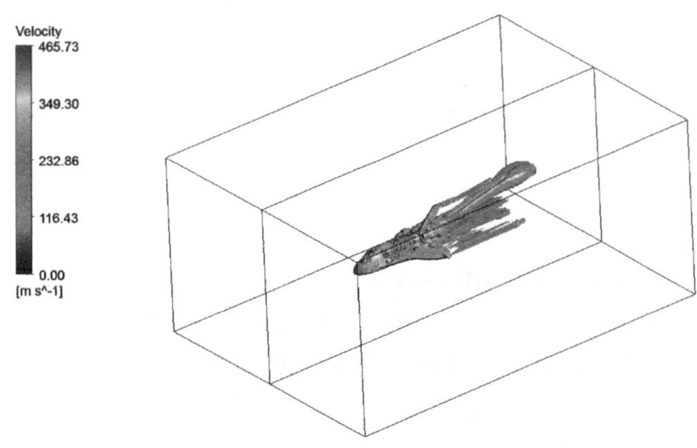

图 5-42　涡核区域

5.1.13　保存与退出

保存与退出的操作步骤如下。

1）执行主菜单的“File”→“Close CFD-Post”命令，退出 CFD-Post 模块，返回 Workbench 主界面。此时主界面中的项目管理区中显示的分析项目均已完成。

2）在 Workbench 主界面中单击常用工具栏中的保存按钮，保存包含有分析结果的文件。执行主菜单的“文件”→“退出”命令，退出 ANSYS Workbench 主界面。

5.2 埃菲尔铁塔风场模拟

下面将通过埃菲尔铁塔外流场分析案例，让读者对使用 ANSYS Fluent 2024 R1 分析处理外部流动基本操作步骤的每一项内容有初步了解。

5.2.1 案例介绍

图 5-43 为埃菲尔铁塔几何模型，其中来流风速为 10m/s，请用 ANSYS Fluent 求解出压力与速度的分布云图。

图 5-43 埃菲尔铁塔几何模型

5.2.2 建立分析项目

参考算例 2.1，启动 Workbench 并建立流体分析项目，如图 5-44 所示。

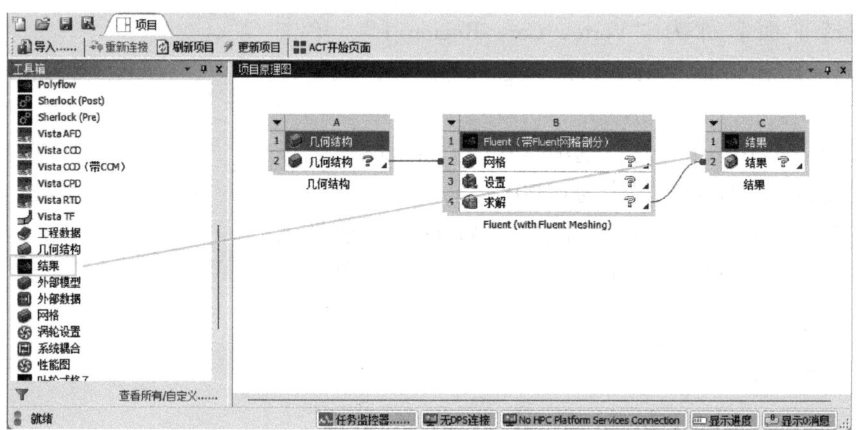

图 5-44 创建流体流动（Fluent）分析项目

5.2.3 导入几何体

导入几何体的操作步骤如下。

1）在 A2 栏的“几何结构”上单击鼠标右键，在弹出的快捷菜单中选择“导入几何模型”→“浏览”命令，此时会弹出“打开”对话框。

2）在“打开”对话框中选择文件路径，导入 eiffel 几何体文件，此时 A2 栏“几何结构”后的 ? 变为 ✓，表示实体模型已经存在。

3）双击项目 A 中的 A2 栏“几何结构”，进入 Design Modeler 界面，图形窗口中显示的几何模型如图 5-45 所示。

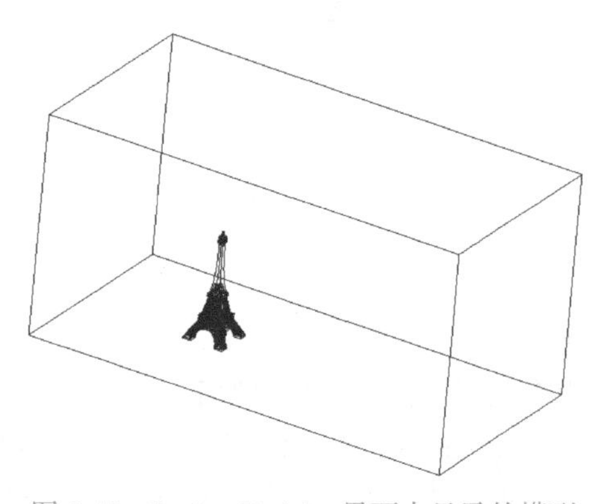

图 5-45 Design Modeler 界面中显示的模型

4）执行主菜单的“文件”→“关闭 Design

Modeler”命令，退出 Design Modeler，返回 Workbench 主界面。

5.2.4 划分网格

划分网格的操作步骤如下。

1）双击项目 B 中的 B2 栏“网格”项，进入图 5-46 的 Fluent Launcher 界面，单击“Start”按钮进入网格划分界面。

2）进入 Fluent Meshing 工作界面，在流程树中，单击选择“导入几何模型”选项，弹出图 5-47 的“导入几何模型”面板，单击“更新”按钮导入几何模型，如图 5-48 所示。

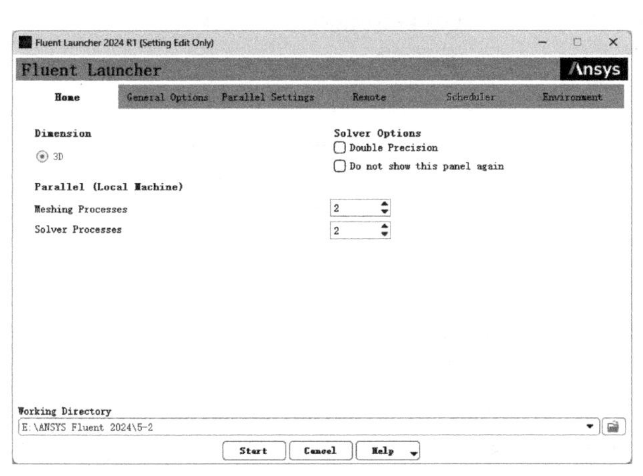

图 5-46 Fluent Launcher 界面

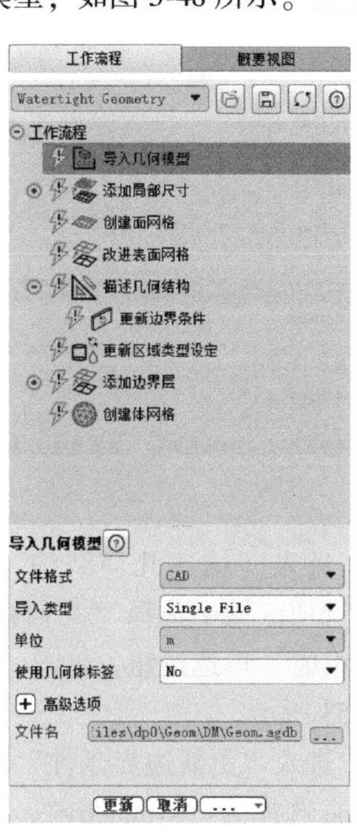

图 5-47 “导入几何模型”面板

3）进入“添加局部尺寸”面板，在“名称”文本框中输入“boi_1”，设置“尺寸函数类型”为“Body Of Influence”，在“Target Mesh Size [m]”数值框中输入 0.002，在“选择依据”列表框中选择 doi_box，然后单击“添加局部尺寸”按钮，如图 5-49 所示。

图 5-48 导入几何模型

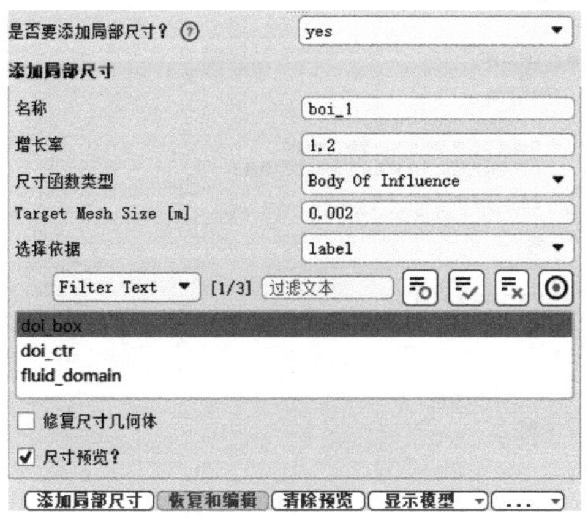

图 5-49 “添加局部尺寸”面板

4）同步骤 3），进入“添加局部尺寸”面板，在“名称”文本框中输入“boi_2”，“尺寸函数类型”选择“Body Of Influence”，在“Target Mesh Size［m］”数值框中填入 0.005，在“选择依据”列表框中选择 doi_ctr，单击“添加局部尺寸”按钮，如图 5-50 所示。

5）进入图 5-51 的“生成面网格”面板，在“Minimum Size［m］”数值框中填入 0.001，在“Maximum Size［m］”数值框中填入 0.025，在“曲率法向角［度］”数值框中填入 5，单击“生成面网格”按钮生成面网格，如图 5-52 所示。

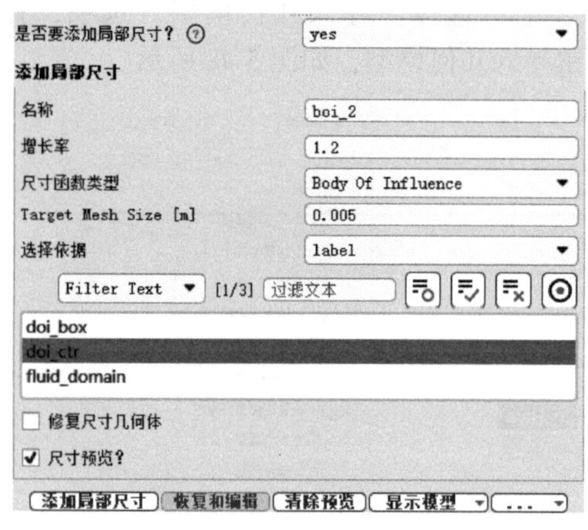

图 5-50 “添加局部尺寸”面板

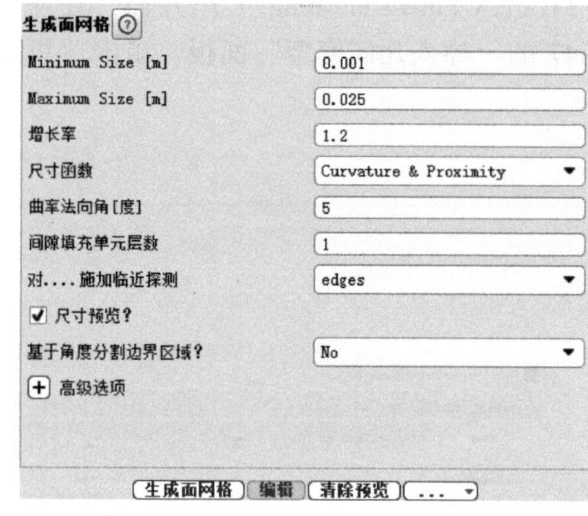

图 5-51 “生成面网格”面板

6）进入“描述几何结构”面板，在“几何结构类型”选项区域中选择“几何模型仅由没有空隙的流体区域组成”单选按钮，单击“描述几何结构”按钮，如图 5-53 所示。

7）进入“更新边界条件”面板，“symm”的 Boundary Type 选择为“symmetry”，单击“更新边界条件”按钮，如图 5-54 所示。

8）进入“更新区域类型设定”面板，保持默认值，单击“更新区域类型设定”按钮，如图 5-55 所示。

9）进入“添加边界层”面板，保持默认值，单击“添加边界层”按钮，如图 5-56 所示。

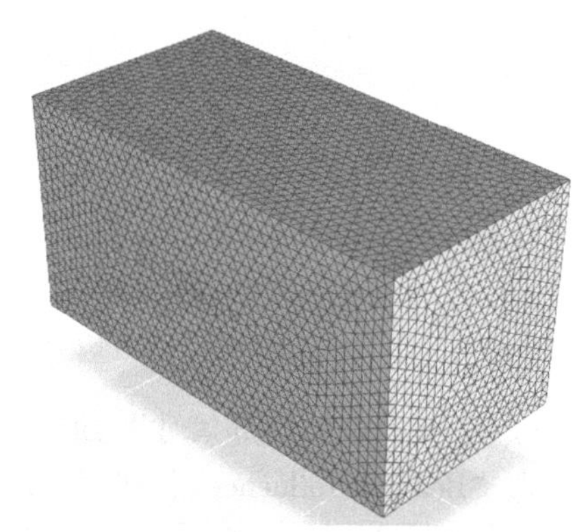
图 5-52 面网格

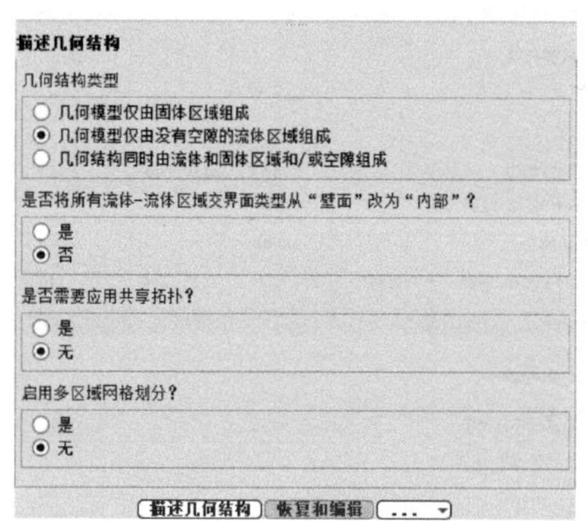

图 5-53 “描述几何结构”面板

更新边界条件

选择类型 label

Boundary Label	Boundary Type
ground	wall
inlet	velocity-inlet
outlet	pressure-outlet
symm	symmetry
top	wall
tower	wall

图 5-54 “更新边界条件”面板

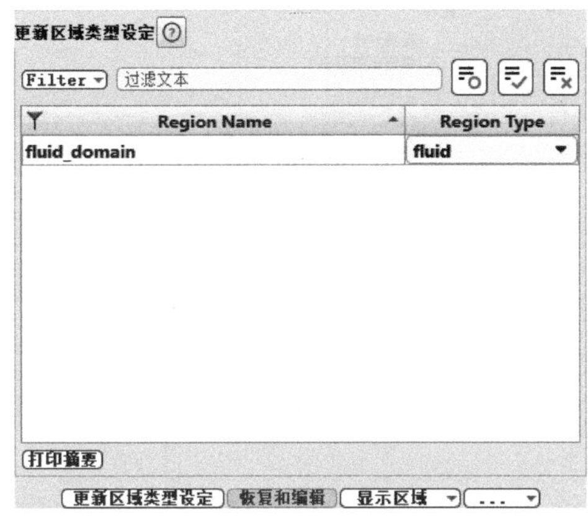

图 5-55 “更新区域类型设定”面板

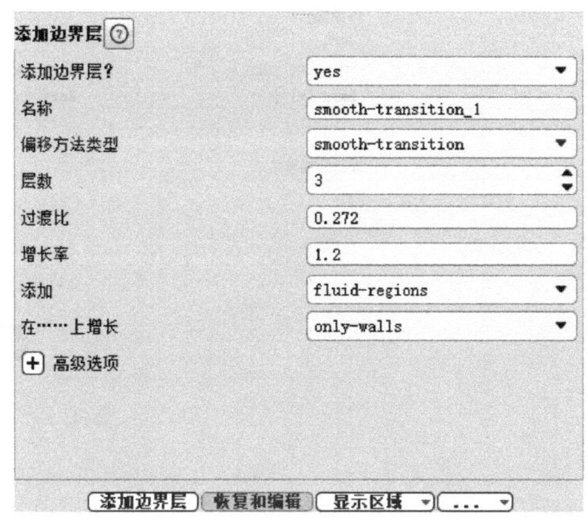

图 5-56 “添加边界层”面板

10）进入图 5-57 的“生成体网格”面板，“填充体网格”选择“poly-hexcore”，“Max Cell Length [m]”数值框中填入 0.016，单击“生成体网格”按钮生成体网格，如图 5-58 所示。

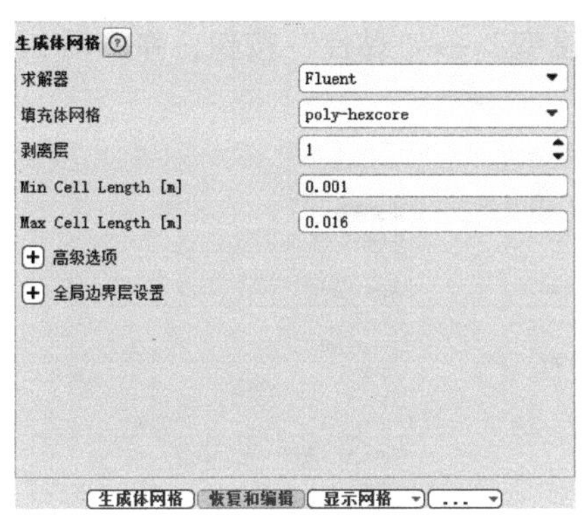

图 5-57 创建体网格面板

图 5-58 体网格

11）单击工具栏的“求解”→“切换到求解模式”按钮进入 Fluent 求解界面。

5.2.5 缩放模型

在“功能区”选项卡中单击“区域”→“网格”→“网格缩放”按钮，如图 5-59 所示。弹出图 5-60 的“缩放网格”对话框。在“比例因子”中，将 X、Y 和 Z 方向均放大 1000 倍，单击“比例”按钮进行模型放大，单击“关闭”按钮关闭对话框。

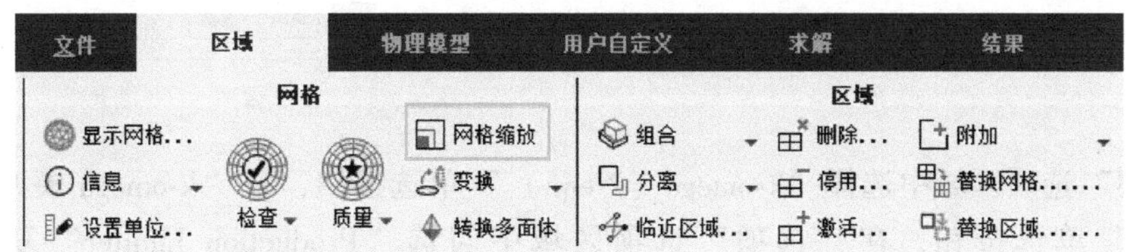

图 5-59 设置网格缩放按钮

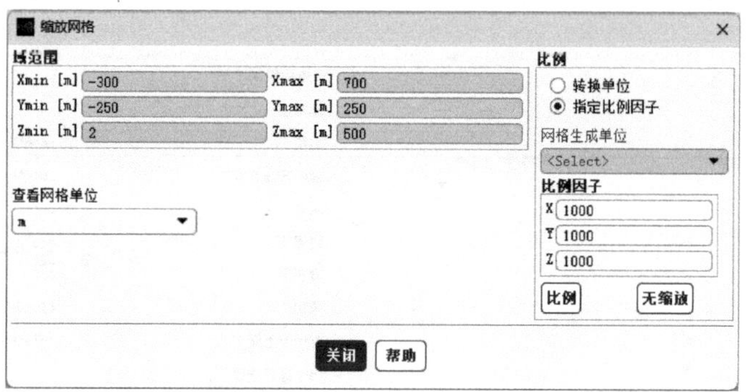

图 5-60 “缩放网格”对话框

5.2.6 定义模型

定义模型的操作步骤如下。

1）在“功能区”选项卡中单击“物理模型”→“通用”按钮，弹出图 5-61 的“通用”面板，在“求解器”的“类型”选项区域中，选择“压力基”单选按钮，在“时间”选项区域中选择“稳态”单选按钮，进行稳态计算。

2）在“功能区”选项卡中单击“物理模型”→“模型”→“黏性”按钮，弹出图 5-62 的“黏性模型”对话框。

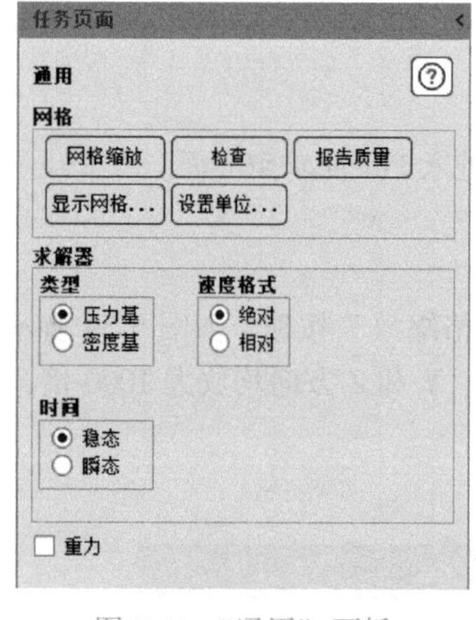

图 5-61 “通用”面板

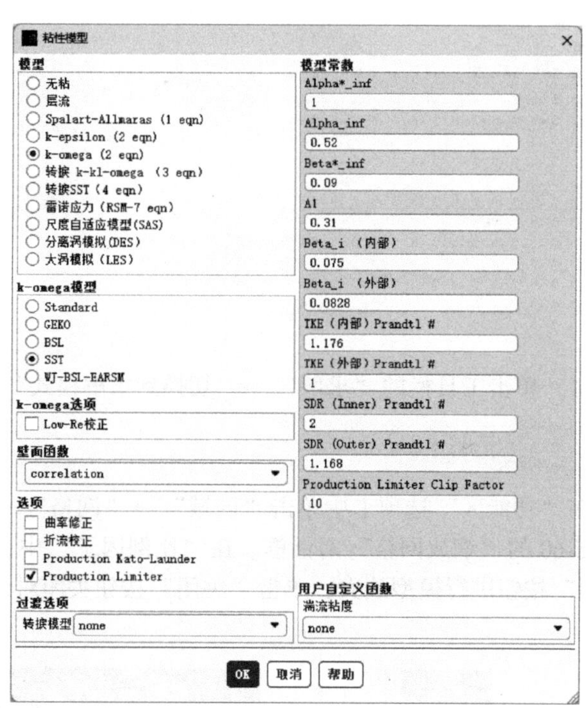

图 5-62 “黏性模型”对话框

在“模型”选项区域中选择“k-omega（2 eqn）”单选按钮，在“k-omega 模型”选项区域中选择“SST”单选按钮，在“选项”选项区域中勾选“Production Limiter”复选框，单击“OK”按钮确认。

5.2.7 设置边界条件

设置边界条件的操作步骤如下。

1）首先导入 UDF 文件。在室外风环境模拟中，来流按风廓线分布，即不同高度的来流速度呈以下指数分布：

$$u=U_{10}(z/10)^{\alpha}$$

上式中，U_{10}为距离地面 10m 高的来流速度，α 为地面粗糙系数，这里取 $\alpha=0.3$。

按照上述公式，编写 UDF 文件如下：

```
#include "udf.h"
#define U10 10.0
/* profile for velocity */
DEFINE_PROFILE (velocity, t, i)
{
    real y, x [ND_ND];    /* variable declarations */
    face_t f;
    begin_f_loop (f, t)
      {
       F_CENTROID (x, f, t);
       y = x [1];
       F_PROFILE (f, t, i)  = U10*pow (y/10.0, 0.3);
     }
    end_f_loop (f, t)
}
```

在 Fluent 软件中，单击图 5-63“功能区”选项卡中的“用户自定义”→“用户自定义”→“函数”→“解释”按钮，启动图 5-64 的“解释 UDF”对话框。

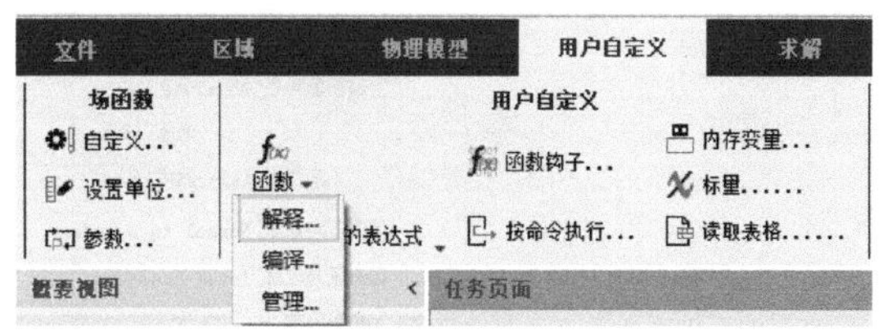

图 5-63 设置解释按钮

单击“浏览”按钮弹出图 5-65 的“Select File”（导入文件）对话框，选择“vec. c”文件，单击“OK”按钮完成 UDF 文件导入。

在“解释 UDF”对话框单击“解释”按钮进行 UDF 文件解释，单击“关闭”按钮关闭对话框。

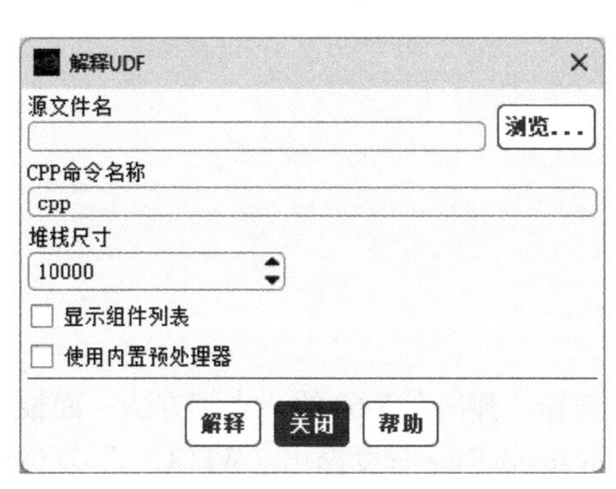

图 5-64 “解释 UDF”对话框

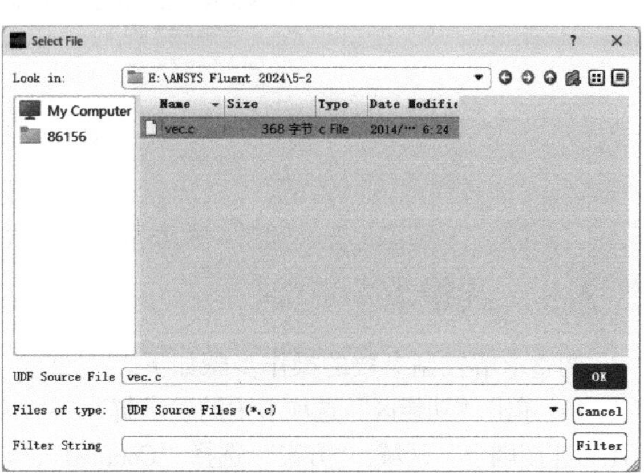

图 5-65 导入文件对话框

2）单击“功能区”选项卡中的“物理模型”→“区域”→“边界条件”按钮，启动图 5-66 的“边界条件”面板。

3）在“边界条件”面板中，双击“inlet”，弹出图 5-67 的“速度入口”对话框。“速度大小”选择“udf velocity”，单击“应用”按钮确认并退出。

图 5-66 “边界条件”面板

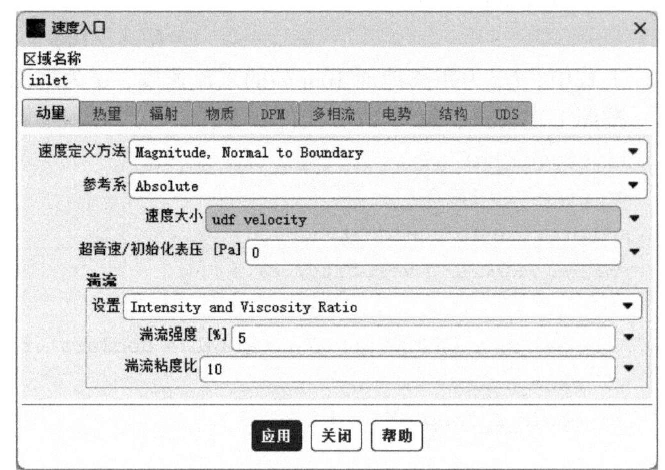

图 5-67 “速度入口”对话框

4）在“边界条件”面板中，双击“outlet”弹出图 5-68 的“压力出口”对话框。保持默认值，单击“应用”按钮确认并退出。

图 5-68 “压力出口”对话框

5.2.8 调整求解控制

调整求解控制参数的操作步骤如下。

1）单击“功能区”选项卡中的“求解”→“方法”按钮，弹出图 5-69 的“求解方法”面板。在“压力速度耦合”区域，“方案”选择“Coupled”，勾选“Warped-Face 梯度修正（WFGC）”复选框。

2）单击“功能区”选项卡中的“求解”→“控制”按钮，弹出图 5-70 的“解决方案控制”

面板。保持默认设置不变。

图 5-69 “求解方法”面板

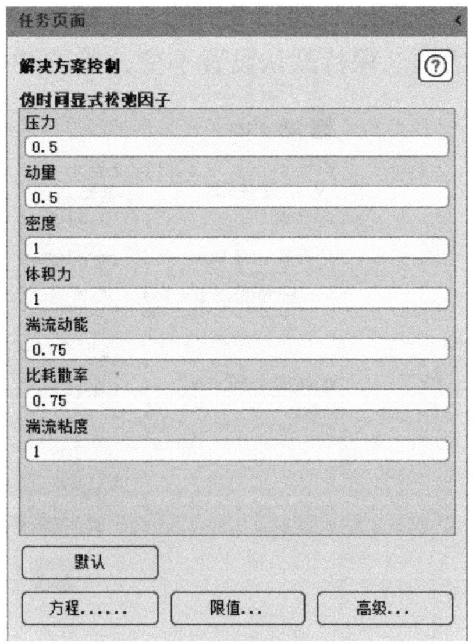

图 5-70 “解决方案控制”面板

5.2.9 设置初始条件

设置初始条件的操作步骤如下。

1）单击“功能区”选项卡中的“求解”→“初始化”按钮，弹出图 5-71 的“解决方案初始化”面板。

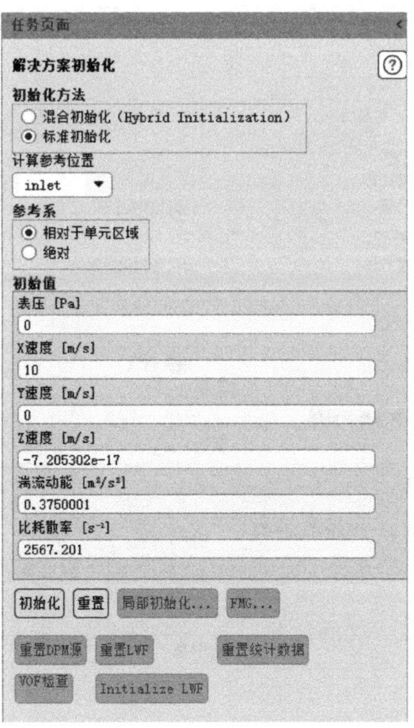

图 5-71 “解决方案初始化”面板

2）在“初始化方法”选项区域中选择“标准初始化”单选按钮，“计算参考位置”选择“inlet”，单击“初始化”按钮进行初始化。

5.2.10 求解过程监视

单击“功能区”选项卡中的“求解”→“报告”→“残差”按钮，弹出图5-72的“残差监控器”对话框。保持默认设置不变，单击“OK”按钮确认。

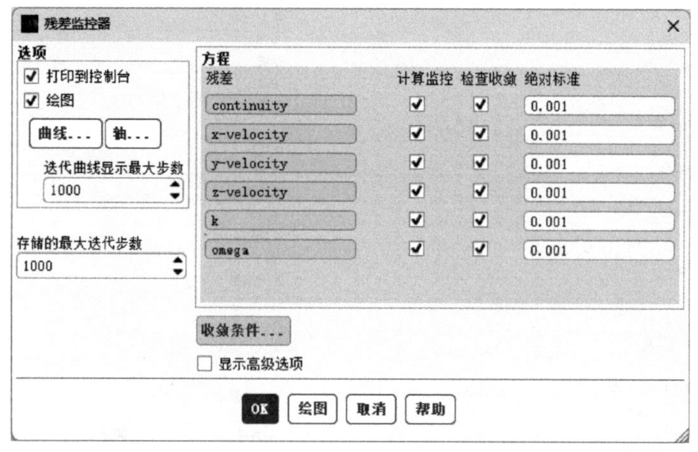

图5-72 “残差监控器”对话框

5.2.11 计算求解

计算求解的操作步骤如下。

1）单击“功能区”选项卡中的“求解”→“运行计算”按钮，弹出图5-73的“运行计算”面板。在“参数”区域的“迭代次数”数值框中输入1000，单击“开始计算”按钮开始计算。

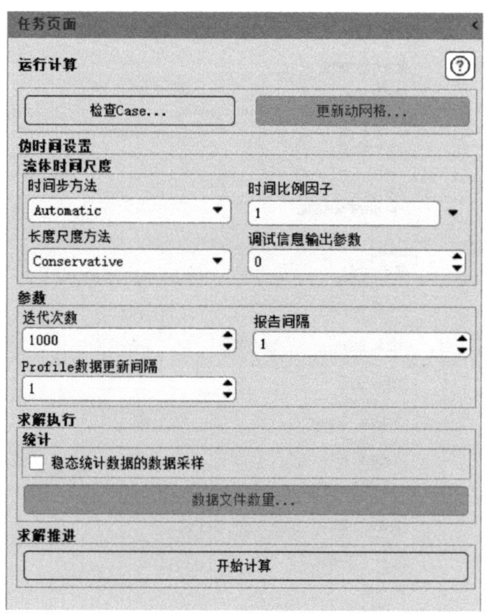

图5-73 “运行计算”面板

2）计算收敛完成后，单击主菜单中的“文件”→“关闭 Fluent”按钮退出 Fluent 界面。

5.2.12 结果后处理

结果后处理操作步骤如下。

1）双击 C2 栏“结果”项，进入 CFD-Post 界面。

2）单击工具栏中的 Location→ Plane（平面）按钮，弹出图 5-74 的“Insert Plane”（创建平面）对话框，保持平面名称为“Plane 1”，单击“OK”按钮进入图 5-75 的 Plane（平面设定）面板。

3）在“Geometry”（几何）选项卡中，“Method”选择“ZX Plane”，Y 坐标取值设定为 0，单位为 m，单击“Apply”按钮创建平面，生成的平面如图 5-76 所示。

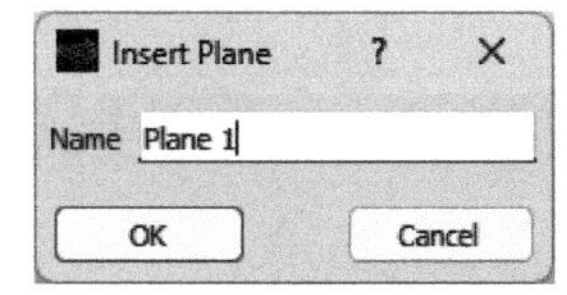

图 5-74 指定平面名称对话框

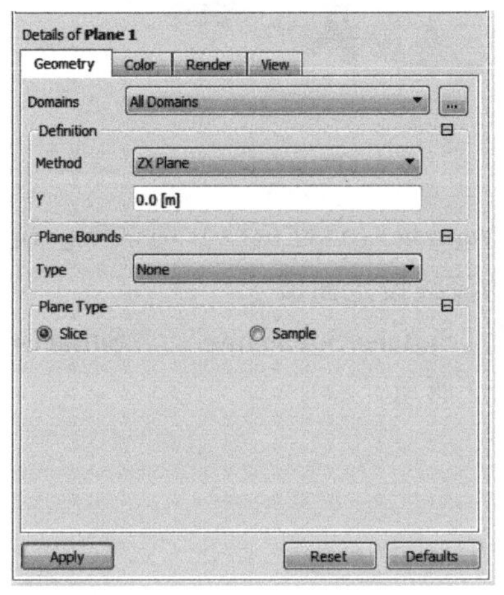

图 5-75 平面设定面板

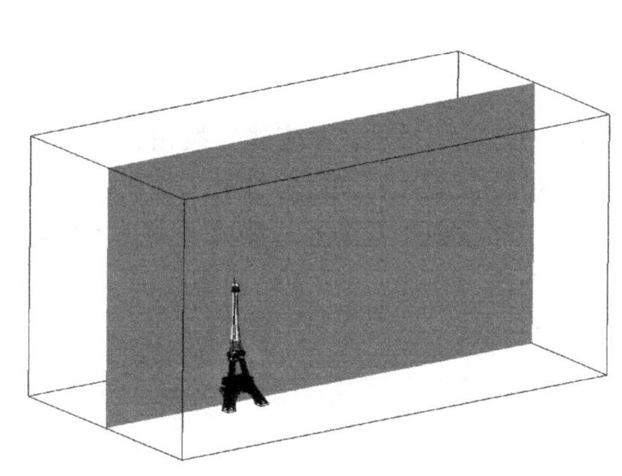

图 5-76 ZX 方向平面

4）单击工具栏中的 （云图）按钮，弹出 Insert Contour（创建云图）对话框。输入云图名称为“Press”，单击“OK”按钮进入图 5-77 的云图设定面板。

5）在“Geometry”（几何）选项卡中，“Locations”选择“Plane 1”，“Variable”选择“Pressure”，单击“Apply”按钮创建压力云图，效果如图 5-78 所示。

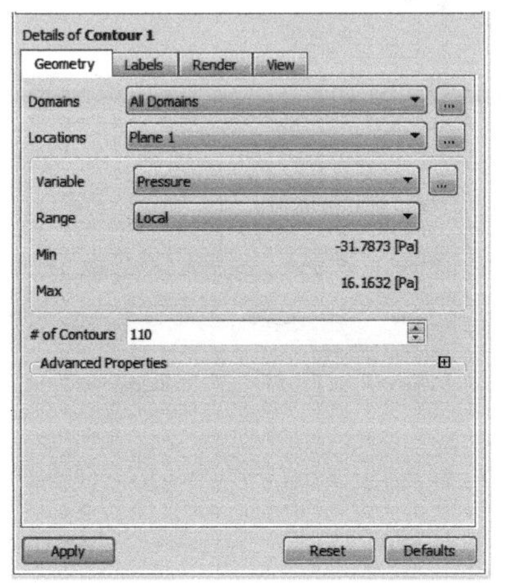

图 5-77 云图设定面板

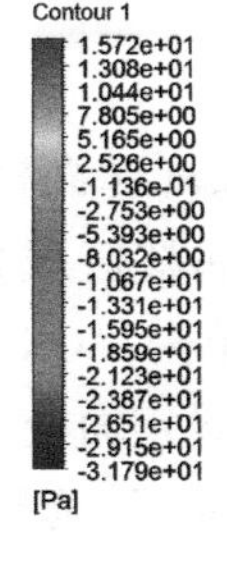

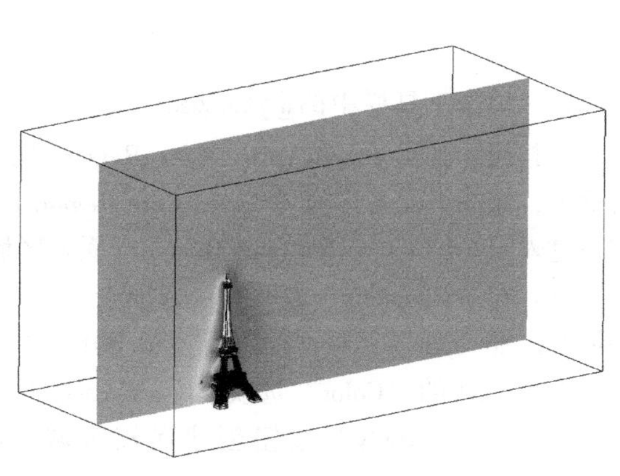

图 5-78 压力云图

6）同步骤 4），创建云图“Vec”。

7）在图 5-79 云图设定面板的“Geometry”（几何）选项卡中，“Locations”选择“Plane 1”，“Variable”选择“Velocity”，单击“Apply”按钮创建速度云图，效果如图 5-80 所示。

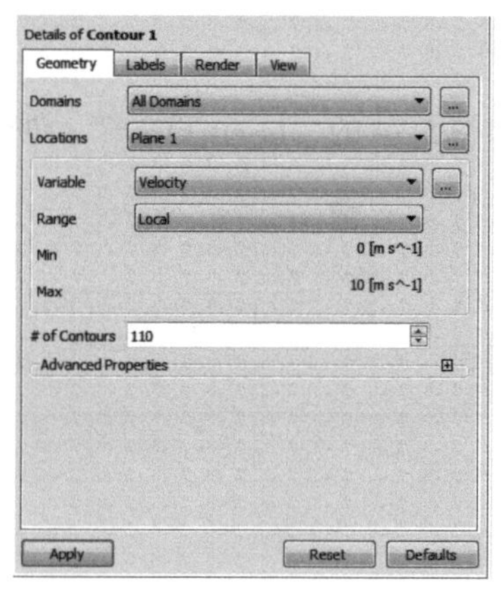

图 5-79　云图设定面板

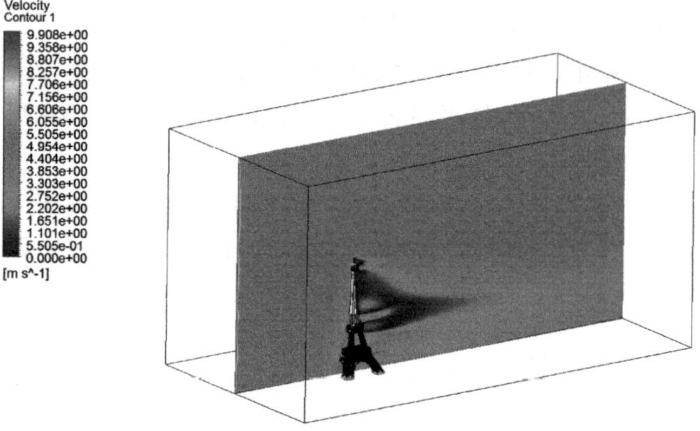

图 5-80　速度云图

8）单击工具栏中的（流线）按钮，弹出 Insert Streamline（创建流线）对话框。输入流线图名称为“Streamline 1”，单击“OK”按钮进入图 5-81 的流线设定面板。

9）在“Geometry”（几何）选项卡中，“Type”选择“Surface Streamline”，“Surfaces”选择“Plane 1”，单击“Apply”按钮创建流线图，效果如图 5-82 所示。

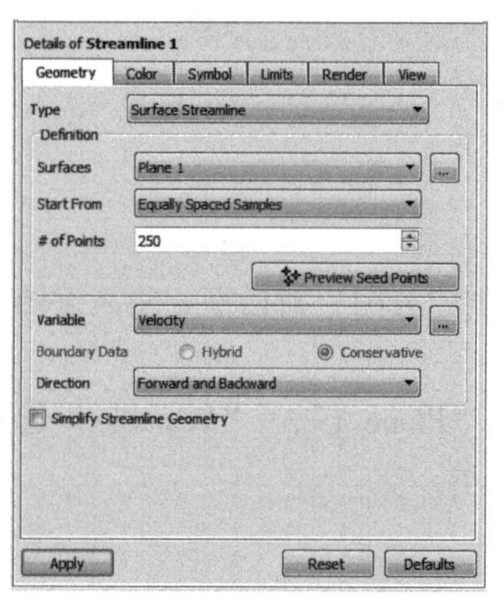

图 5-81　流线设定面板

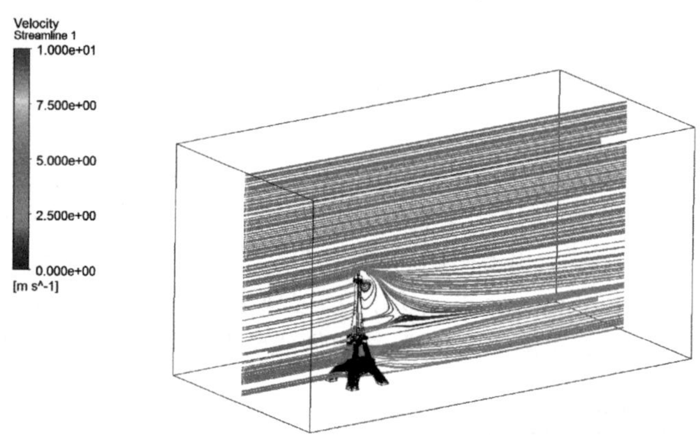

图 5-82　流线图

10）单击工具栏中的 Location→ Vortex Core Region（涡核区域）按钮，弹出 Insert Vortex Core Region（创建涡核区域）对话框，保持平面名称为“Vortex Core Region 1”，单击“OK”按钮进入图 5-83 的 Vortex Core Region（涡核区域）设定面板。

11）在“Geometry”（几何）选项卡中，“Method”选择“Swirling Strength”，“Level”设定为 0.001。

在图 5-84 的“Color”选项卡中，“Variable”选择为“Velocity”，单击“Apply”按钮创建涡核区域，效果如图 5-85 所示。

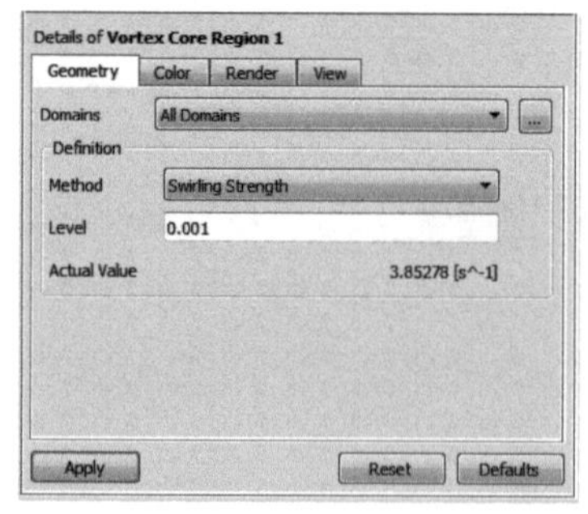

图 5-83　涡核区域设定面板

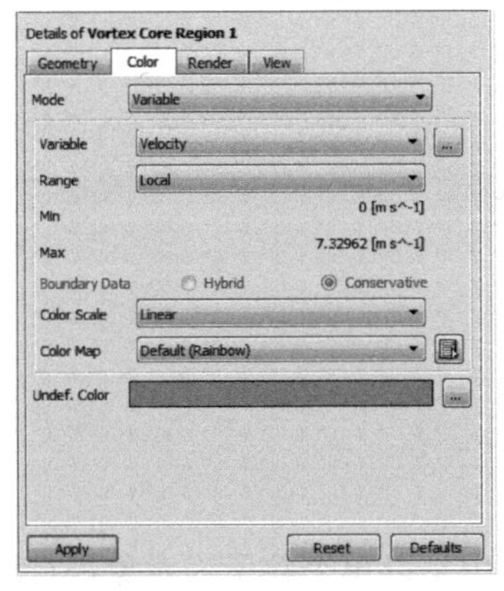

图 5-84 “Color”选项卡

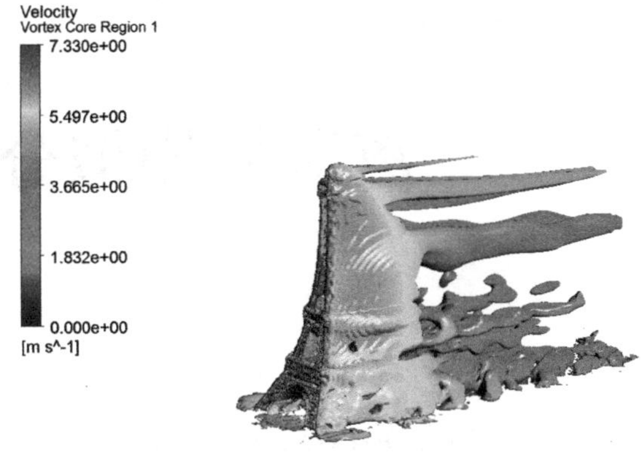

图 5-85 涡核区域

5.2.13 保存与退出

保存与退出的操作步骤如下。

1）执行主菜单的“File”→“Close CFD-Post”命令，退出 CFD-Post 模块，返回 Workbench 主界面。此时主界面的项目管理区中显示的分析项目均已完成。

2）在 Workbench 主界面中单击常用工具栏中的保存按钮，保存包含有分析结果的文件。执行主菜单的“文件”→“退出”命令，退出 ANSYS Workbench 主界面。

5.3 本章小结

本章通过航天飞机外流场模拟和埃菲尔铁塔风场模拟两个实例介绍了 Fluent 处理外部流动的工作流程。

通过本章内容的学习，读者可以掌握 Fluent 处理外部流动的基本思路，即先生成一个相对模型来形成一个较大的封闭空间，然后在封闭空间内生成模型形状的空腔，在空间内添加流体，与模型前进的速度相反，就可以模拟出流体在模型外表面的绕流情况。

第6章 离散相模拟分析

弥散相计算是在拉格朗日观点下进行的，即在计算过程中是以单个粒子为对象进行计算的，而不是欧拉观点下的连续相计算那样，以空间点为对象。在油气混合汽的计算中，作为连续相的空气，其计算结果是以空间点上的压强、温度、密度等变量分布为表现形式的，而作为弥散相的油滴，却是以某个油滴的受力、速度、轨迹作为表现形式的。本章将通过实例来介绍 Fluent 处理离散相问题的工作步骤。

学习目标：

1）掌握分析类型设置。

2）掌握边界条件的设定。

3）掌握离散相的设定。

4）掌握后处理的设定。

6.1 管道内固体颗粒流动

下面将通过管道内固体颗粒流动的分析案例，让读者对 ANSYS Fluent 2024 R1 分析处理离散相问题基本操作步骤的每一项内容有初步了解。

6.1.1 案例介绍

图 6-1 中的固体颗粒流入流速为 1m/s，请用 ANSYS Fluent 分析模拟管道内粒子流动情况。

图 6-1 案例模型

6.1.2 建立分析项目

参考算例 3.1，启动 Workbench 并建立流体分析项目，如图 6-2 所示。

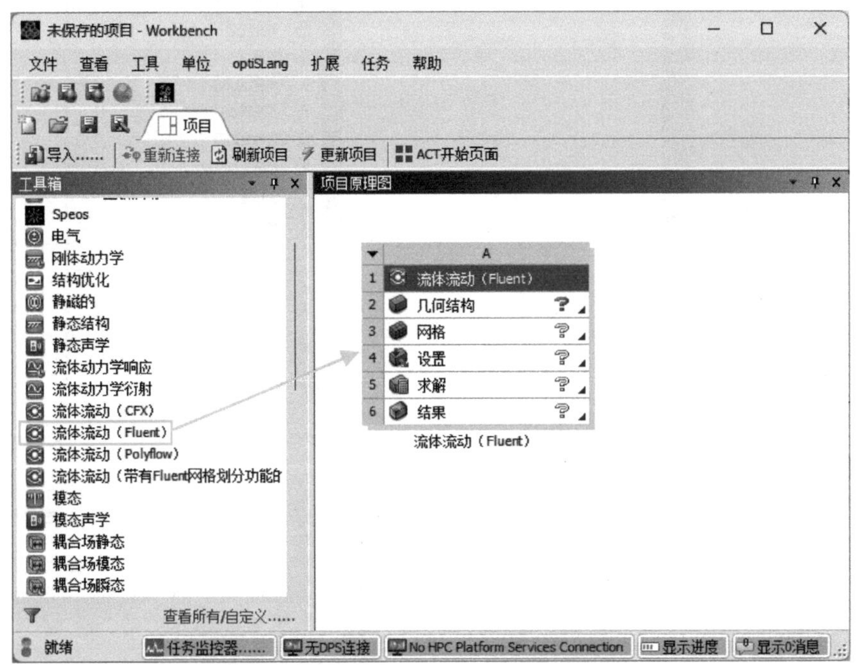

图 6-2 创建流体流动（Fluent）分析项目

6.1.3 导入几何体

导入几何体的操作步骤如下。

1）在 A2 栏的“几何结构”上单击鼠标右键，在弹出的快捷菜单中选择“导入几何模型”→“浏览”命令，此时会弹出“打开”对话框。

2）在“打开”对话框中选择文件路径，导入 riser. stp 几何体文件，此时 A2 栏“几何结构”后的 ? 变为 ✓，表示实体模型已经存在。

6.1.4 划分网格

划分网格的操作步骤如下。

1）双击 A3 栏“网格”项，进入 Meshing 界面，Meshing 界面下的模型如图 6-3 所示。在该界面下进行模型的网格划分。

2）右键选择管道入口，在弹出的图 6-4 的快捷菜单中选择“创建命名选择”命令，弹出图 6-5 的“选择名称”对话框，输入名称“inlet”，单击“OK”按钮确认。

3）同步骤 2），创建管道的出口，命名为“outlet”，如图 6-6 所示。

4）单击模型树中的“网格”选项，弹出图 6-7 的网格设置面板。在“单元尺寸”文本框中设置单元尺寸为 10mm，展开“质量”选项，“平滑”选择“高”。

5）右键单击模型树中的“网格”选项，选择快捷菜单中的“生成网格”命令，开始生成网格，如图 6-8 所示。

图 6-3 Meshing 界面下的模型

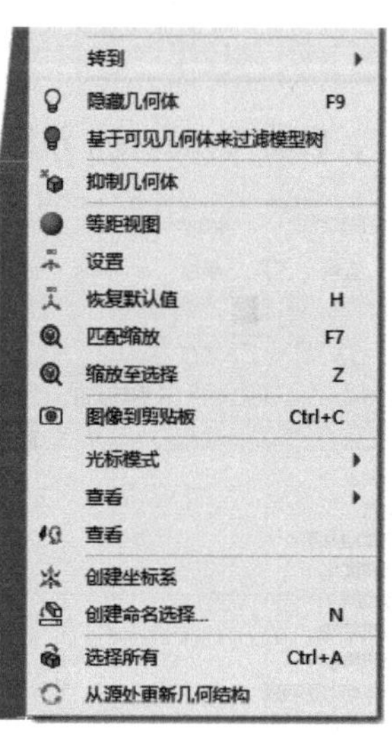

图 6-4 快捷菜单

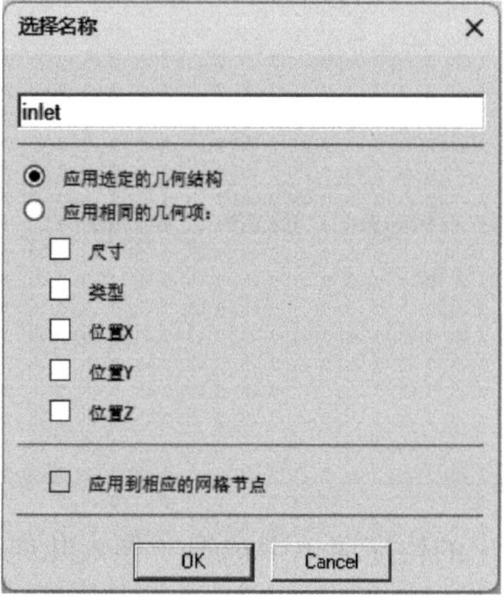

图 6-5 “选择名称”对话框

图 6-6 创建管道出口

图 6-7 网格属性设置

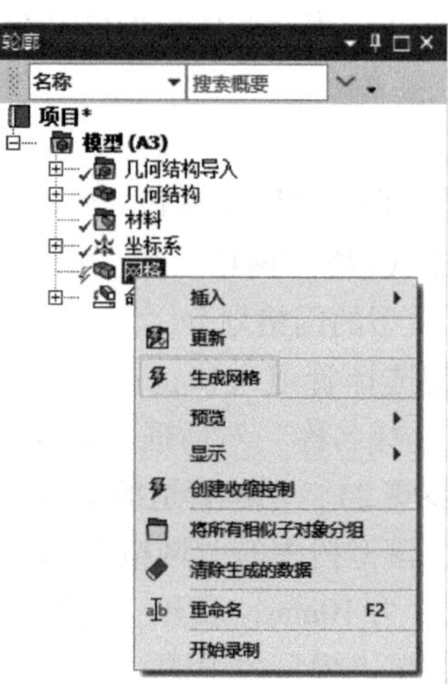

图 6-8 网格生成

6）网格划分完成以后，在图形窗口中显示图 6-9 的网格。

7）单击模型树中的“网格”项，在图 6-10 的网格的详细信息面板中展开“质量”选项，“网格质量标准”选择“正交质量”选项。这样能够统计出最小值、最大值、平均值以及标准偏差，同时显示网格质量的直方图，如图 6-11 所示。

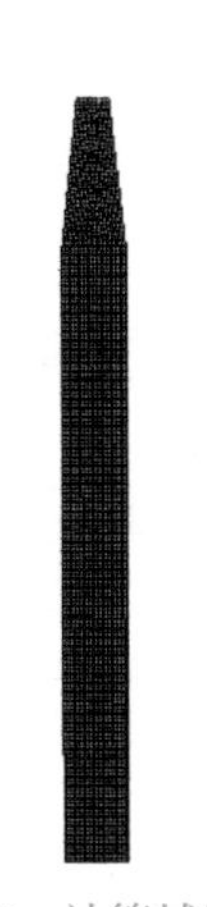

图 6-9　计算域网格

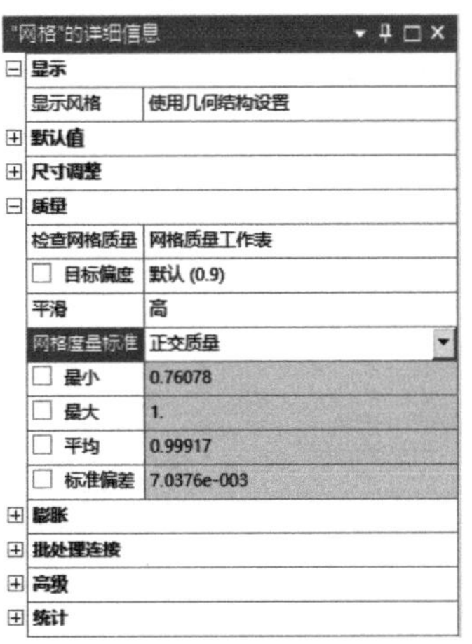

图 6-10　网格的详细信息面板

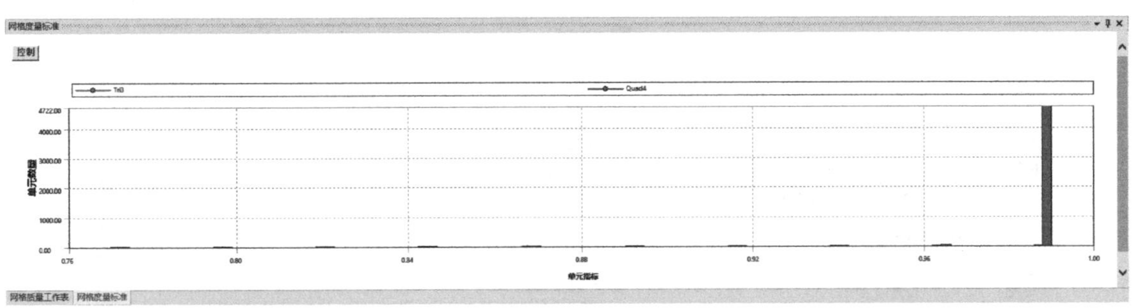

图 6-11　网格划分情况统计

8）执行主菜单的“文件”→“关闭 Meshing”命令，退出网格划分界面，返回 Workbench 主界面。

9）右键单击 Workbench 界面中的 A3“网格”项，选择快捷菜单中的“更新”命令，完成网格数据往 Fluent 分析模块中的传递。

6.1.5　定义模型

定义模型的操作步骤如下。

1）双击 A4 栏“设置”项，打开图 6-12 的 Fluent Launcher 对话框，单击“Start”按钮进入 Fluent 界面。

2）在“功能区”选项卡中单击“物理模型”→“通用”按钮，弹出图 6-13 的“通用”面板，在“时间”选项区域中选择“瞬态”单选按钮，勾选“重力”复选框，在“重力加速度”区域的“Y［m/s^2］”数值框中填入-9.81。

3）在“功能区”选项卡中单击“物理模型”→“模型”→“黏性”按钮，弹出图 6-14 的“黏性模型”对话框。

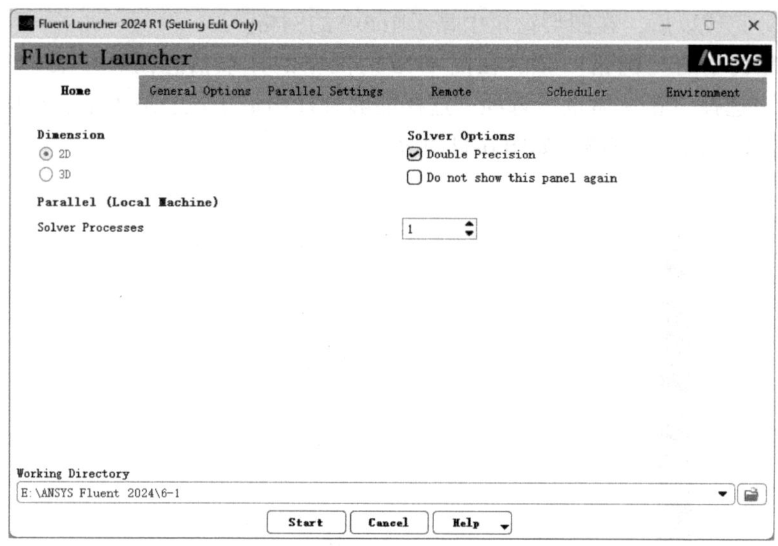

图 6-12 Fluent Launcher 对话框

在“模型”选项区域中选择“k-epsilon（2 eqn）”单选按钮，在“k-epsilon 模型”选项区域中选择“Standard”单选按钮，单击“OK”按钮确认。

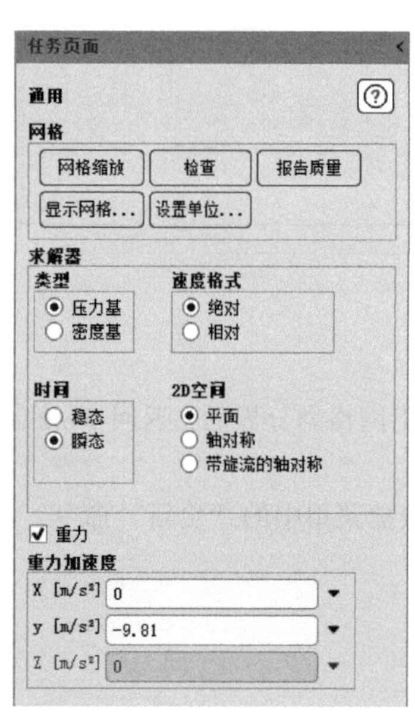

图 6-13 “通用”面板

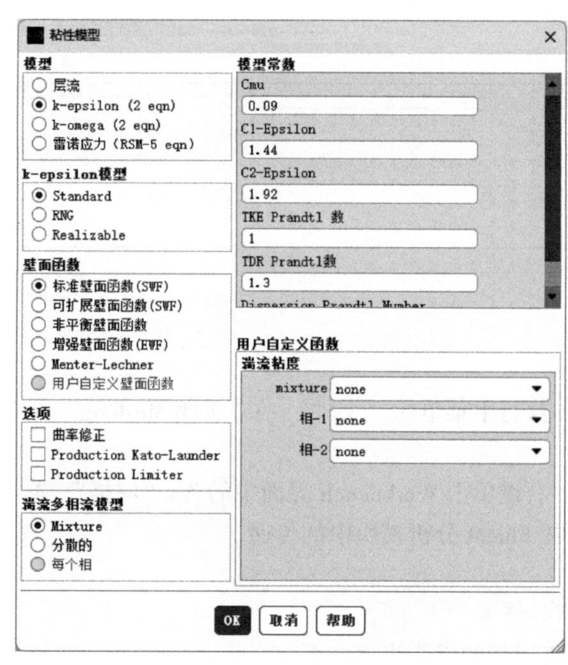

图 6-14 “黏性模型”对话框

6.1.6 设置 DPM 模型

本小节将对 DPM 模型的设置进行介绍，具体步骤如下。

1）在“功能区”选项卡中单击“物理模型”→“模型”→“离散相”按钮，如图 6-15 所示。然后弹出图 6-16 的“离散相模型”对话框，在“交互”区域的“DPM 迭代间隔”数值框中输入 100。

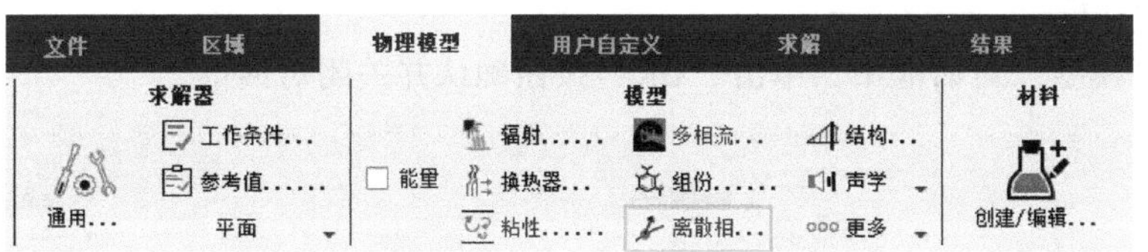

图 6-15　单击“离散相”按钮

切换至图 6-17 的“数值方法”选项卡中，取消选择“精度控制”复选框，“跟踪方案选择”区域的“跟踪方案”选择“implicit”。

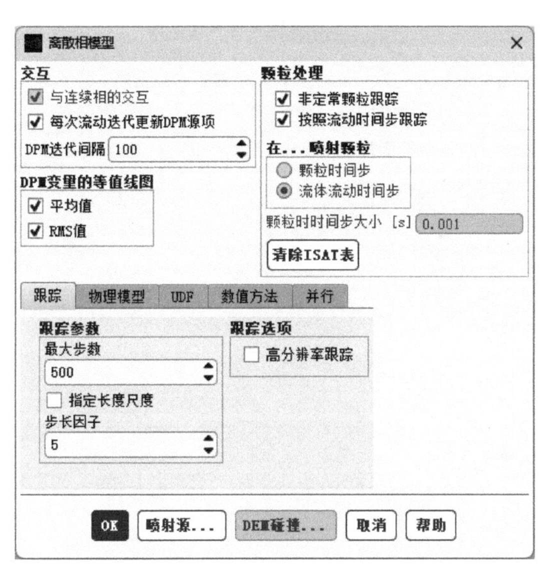

图 6-16　“离散相模型”对话框

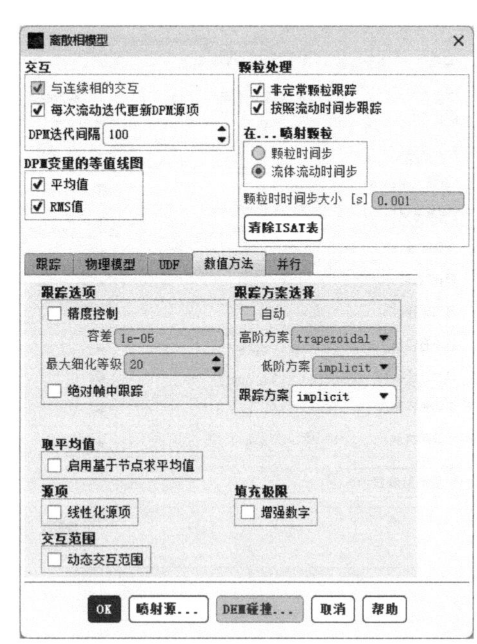

图 6-17　“数值方法”选项卡

2）在“离散相模型”对话框中，单击“喷射源”按钮，弹出图 6-18 的“喷射源”对话框，单击“创建”按钮弹出图 6-19 的“设置喷射源属性”对话框。

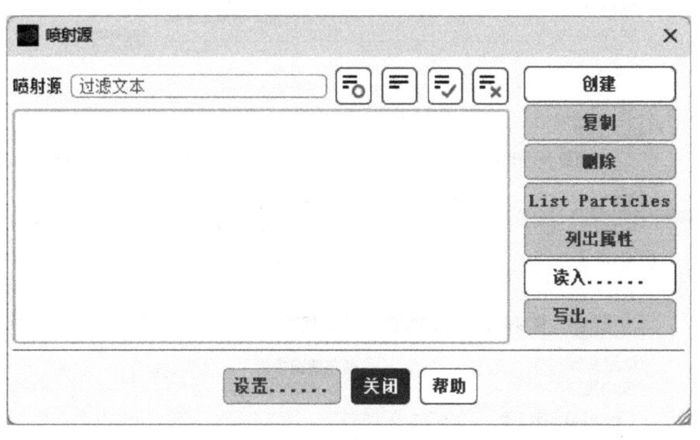

图 6-18　“喷射源”对话框

“喷射源类型”选择“group”，“流的数量”数值框中填入 20，“直径分布”选择“rosin-rammler”，“X-位置［m］”的“第一个点”和“最后的点”数值框中均填入 0.1，“Y-位置［m］”的“第一个点”和“最后的点”数值框中均填入 0.375，“X 速度分量［m/s］”的“第一个点”和“最后的点”数值框中均填入 1，“停止时间［s］”数值框中填入 1000，“总流量［kg/s］”数值框中填入 0.4，“最小直径［m］”数值框中填入 9e-5，“最大直径［m］”数值框中填入 0.00016，“平均直径［m］”数值框中填入 0.00013，“分散系数”数值框中填入 9.6。

在图 6-20 的“物理模型”选项卡中，“曳力准则”选择“Syamlal-OBrien”，单击“OK”按钮确认并关闭对话框。

在“离散相模型”对话框中，单击“OK”按钮确认并关闭对话框。

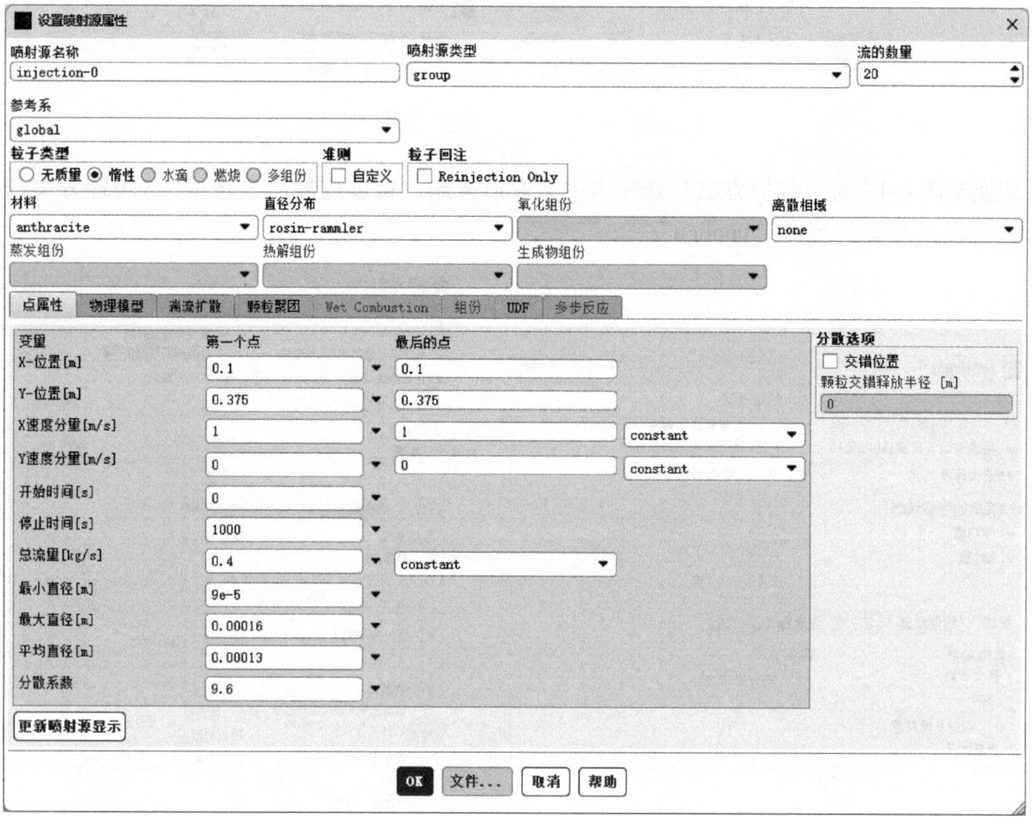

图 6-19 “设置喷射源属性”对话框

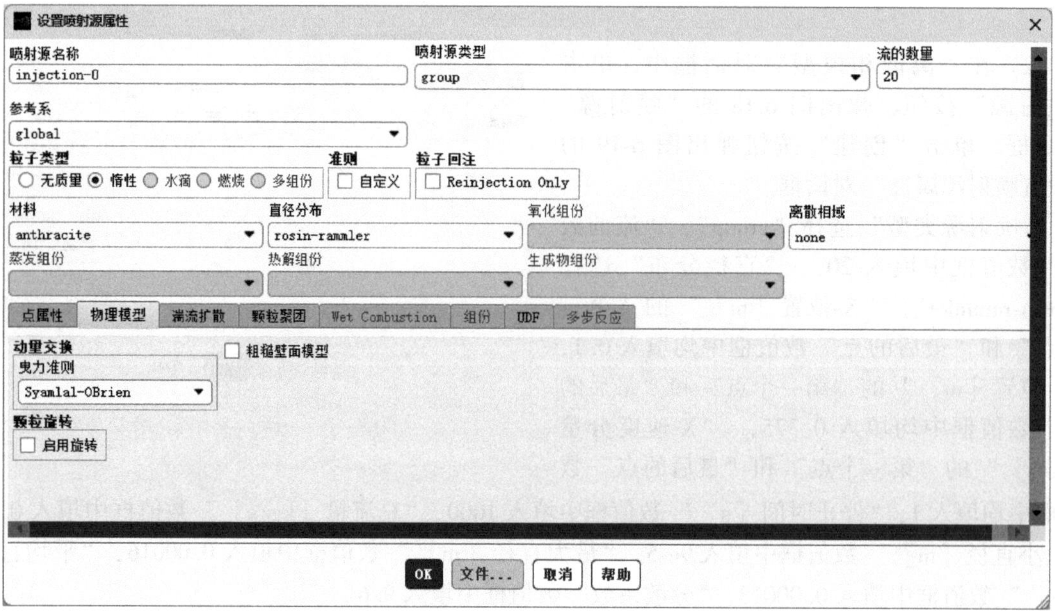

图 6-20 “物理模型”选项卡

6.1.7 设置多相流模型

本小节将对多相流模型的设置进行介绍，具体步骤如下。

1）在“功能区”选项卡中单击“物理模型”→“模型”→“多相流”按钮，弹出图 6-21 的“多相流模型”对话框。

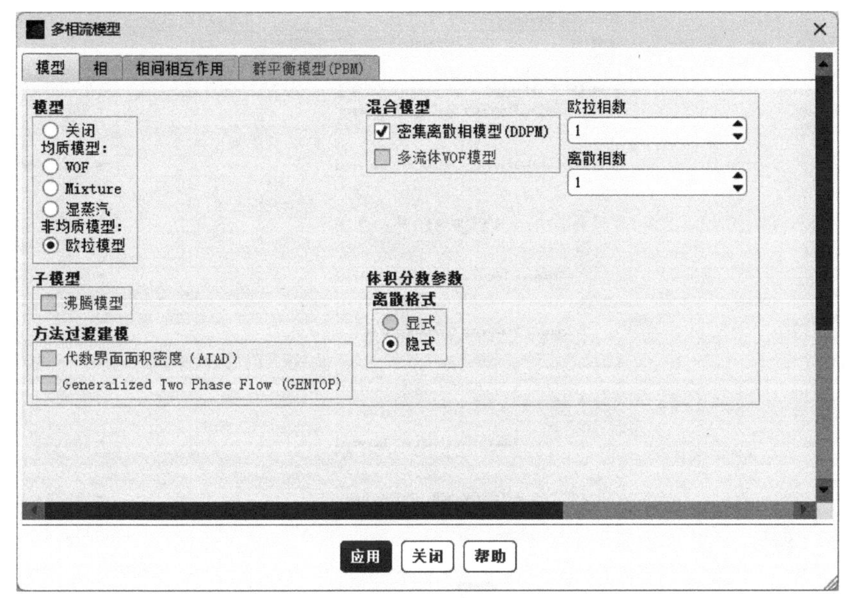

图 6-21 “多相流模型”对话框

在“模型”选项区域中选择“欧拉模型”单选按钮，设置“欧拉相数”为 1，在“混合模型”选项区域中勾选“密集离散相模型（DDPM）”复选框，设置“离散相数”为 1，单击“应用”按钮确认。

2）在“相”选项卡中，显示图 6-22 的 Primary Phase（主项）设置，输入“名称”为“phase-1”，“相材料”选择为“air”。

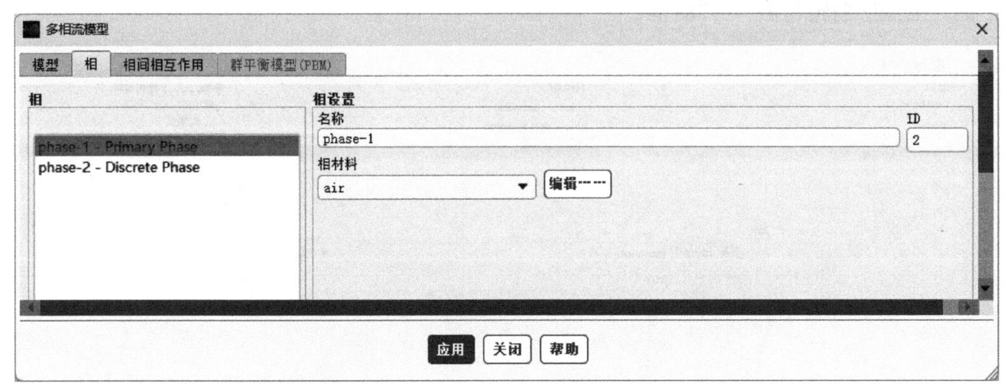

图 6-22 “相”选项卡

在“相”列表框中单击选择 phase-2，在 Phase Setup 中显示图 6-23 的 Secondary Phase（次项）设置，勾选“Granular”复选框，“Granular Viscosity [kg/(ms)]”选择“gidaspow”，“Granular Bulk Viscosity [kg/(ms)]”选择“lun-et-al”，单击“应用”按钮确认。

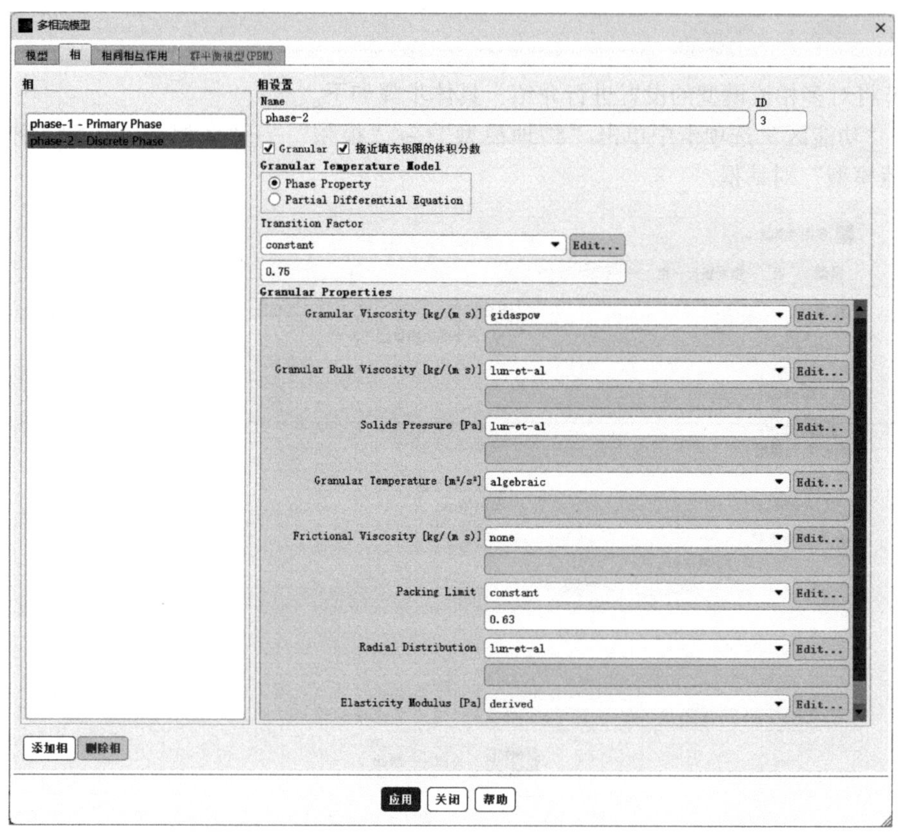

图 6-23 “相”选项卡

6.1.8 设置材料

设置材料的操作步骤如下。

1）单击“功能区”选项卡中的“物理模型”→“材料”→“创建/编辑”按钮，弹出图 6-24 的“创建/编辑材料”对话框。

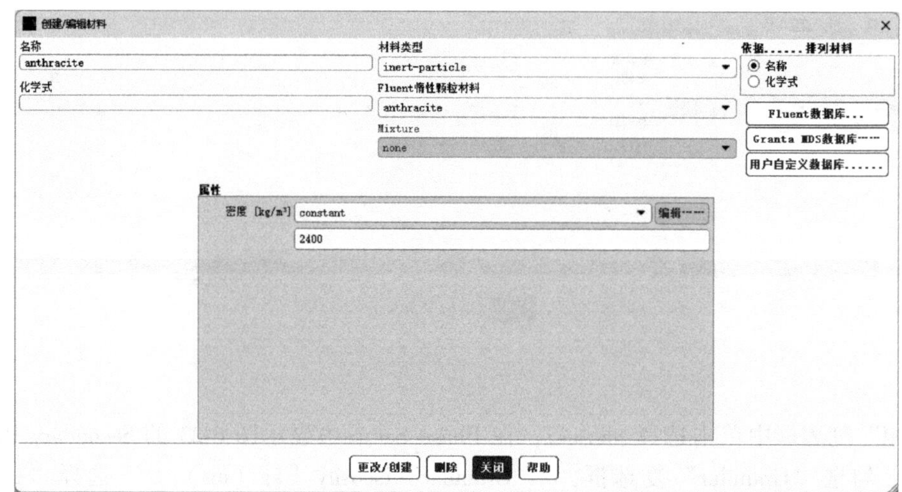

图 6-24 “创建/编辑材料”对话框

2）“材料类型”选择“inert-particle”，“Fluent 惰性颗粒材料”选择“anthracite”，在“属性”区域“密度［kg/m^3］”数值框中填入 2400，单击“更改/创建”按钮，更改并关闭“创建/编辑材料”对话框。

6.1.9 设置边界条件

设置边界条件的操作步骤如下。

1）单击“功能区”选项卡中的“物理模型”→“区域”→“边界条件”按钮，启动图 6-25 的“边界条件”面板。

2）在“边界条件”面板中，单击选择“inlet”，“相”选择“phase-1”，弹出图 6-26 的“速度入口”对话框。“速度大小［m/s］”数值框中输入 1.1，单击“应用”按钮确认并退出。

图 6-25 “边界条件”面板

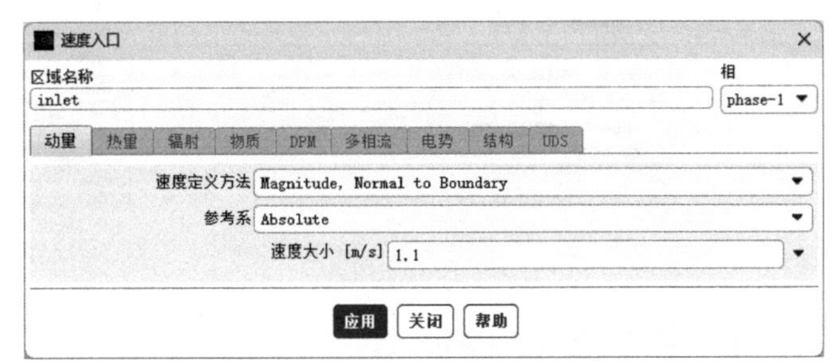

图 6-26 “速度入口”对话框

3）在“边界条件”面板中，双击“outlet”，弹出图 6-27 的“压力出口”对话框。保持默认值，单击“应用”按钮确认并退出。

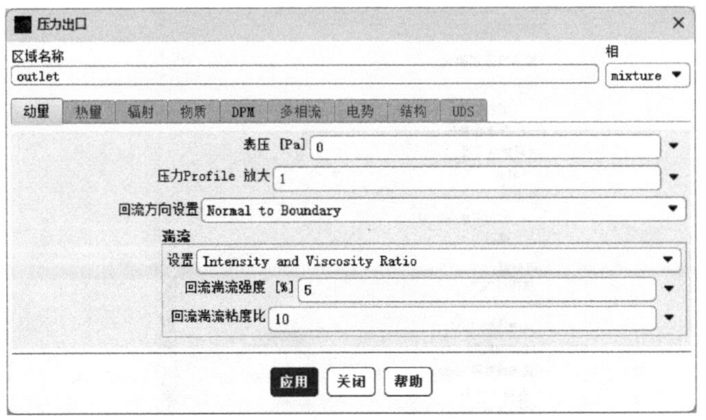

图 6-27 “压力出口”对话框

6.1.10 调整求解控制

调整求解控制参数的操作步骤如下。

1）单击“功能区”选项卡中的“求解”→“方法”按钮，弹出图 6-28 的“求解方法”面板。“方案”选择“Phase Coupled SIMPLE”。

2）单击“功能区”选项卡中的“求解”→“控制”按钮，弹出图 6-29 的“解决方案控制”面板。在“亚松弛因子”区域的“压力”文本框中填入 0.7，“动量”文本框中填入 0.3。

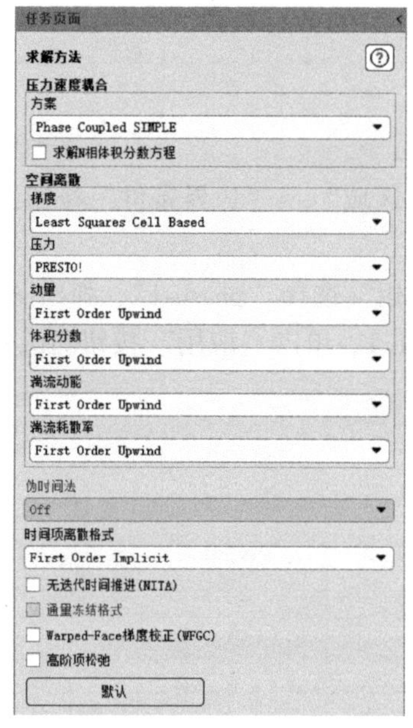

图 6-28 “求解方法”面板

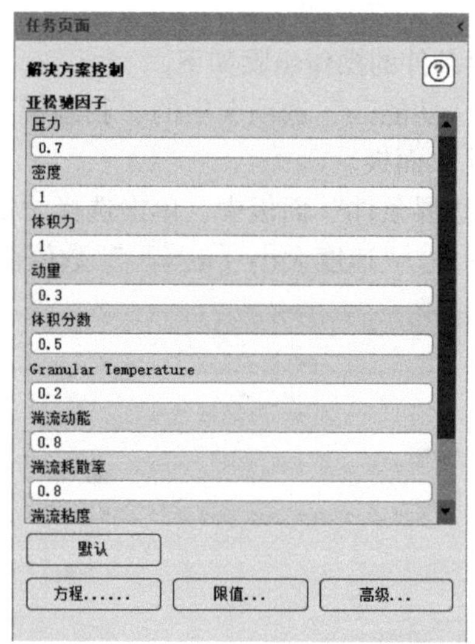

图 6-29 “解决方案控制”面板

6.1.11 设置初始条件

设置初始条件的操作步骤如下。

1）单击“功能区”选项卡中的“求解”→“初始化”按钮，弹出图 6-30 的“解决方案初始化”面板。

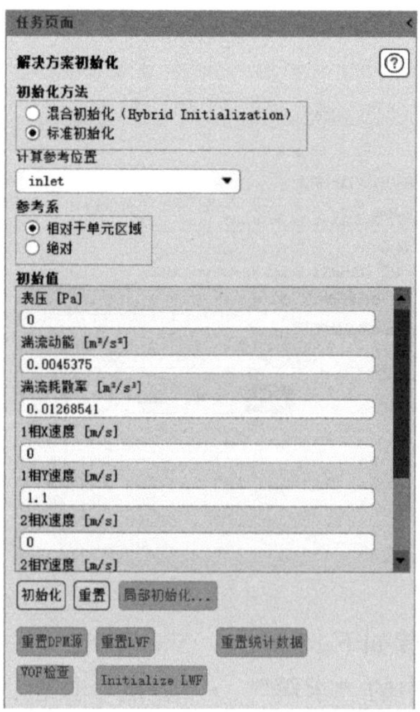

图 6-30 “解决方案初始化”面板

2）在“初始化方法”选项区域中选择“标准初始化”单选按钮，“计算参考位置”选择“inlet”，单击“初始化”按钮进行初始化。

6.1.12 求解过程监视

单击“功能区”选项卡中的“求解”→“报告”→“残差”按钮，弹出图 6-31 的“残差监控器”对话框。保持默认设置不变，单击“OK”按钮确认。

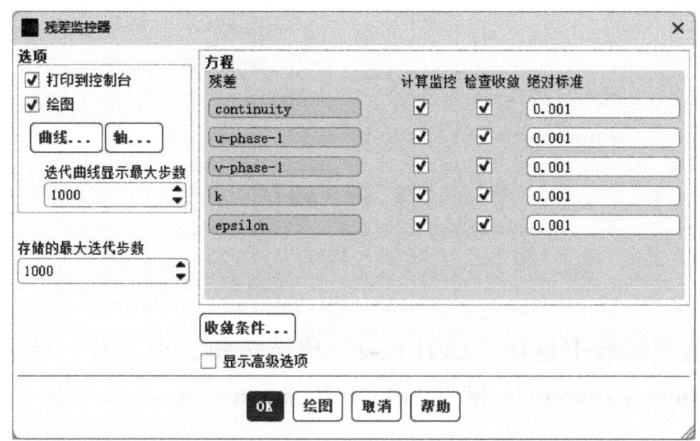

图 6-31 “残差监控器”对话框

6.1.13 数据导出

数据导出的操作步骤如下。

1）单击“功能区”选项卡中的“求解”→“活动”→“创建”→“解决方案数据导出”按钮，弹出图 6-32 的“自动导出”对话框。

在“文件类型”中选择“CDAT for CFD-Post & EnSight”，在“每...导出数据”数值框中输入 5，在“数量”列表框中选择所有变量，单击“OK”按钮确认并关闭对话框。

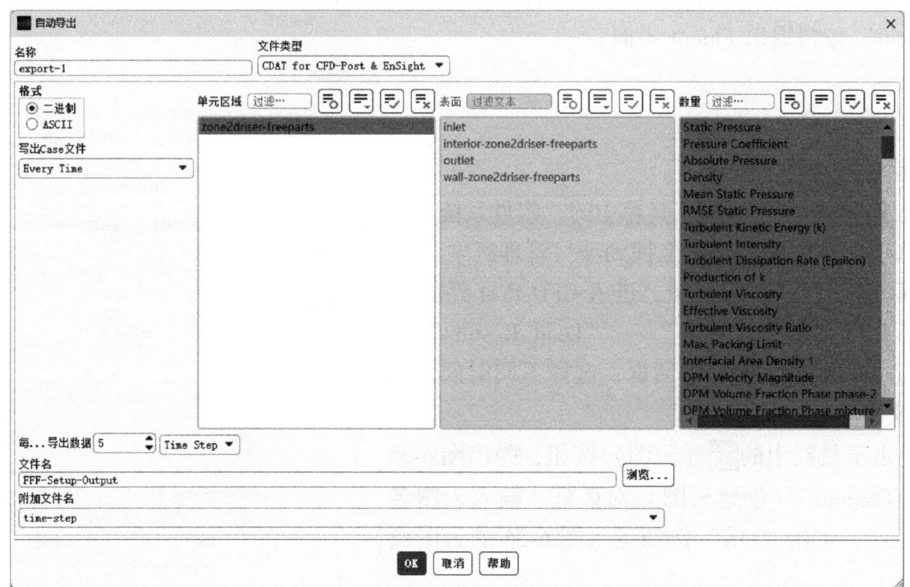

图 6-32 “自动导出”对话框

2）单击“功能区”选项卡中的“求解”→“活动”→“创建”→“颗粒历史数据导出”按钮，弹出图 6-33 的“自动颗粒历史数据导出”对话框。

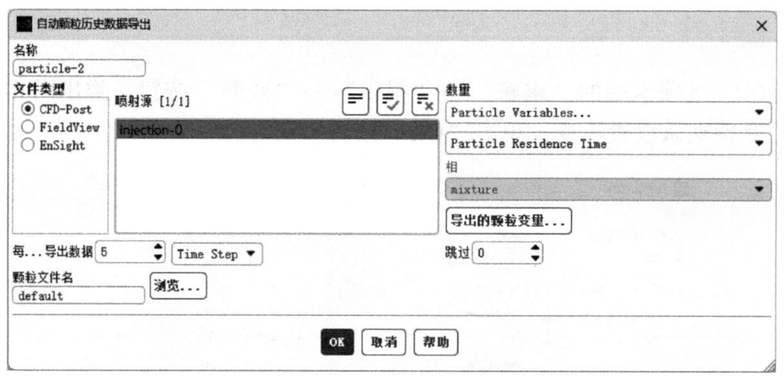

图 6-33 “自动颗粒历史数据导出”对话框

在“文件类型”选项区域中选择“CFD-Post”单选按钮，在“每...导出数据”数值框中输入 5，“数量”选择“Particle Variables”和“Particle Residence Time”，单击“OK”按钮确认并关闭对话框。

6.1.14 计算求解

计算求解的操作步骤如下。

1）单击“功能区”选项卡中的“求解”→“运行计算”按钮，弹出图 6-34 的“运行计算”面板。

在“时间步长［s］”数值框中输入 0.001，在“时间步数”数值框中输入 30000，单击“开始计算”按钮计算。

2）计算收敛完成后，单击主菜单中的“文件”→“关闭 Fluent”按钮退出 Fluent 界面。

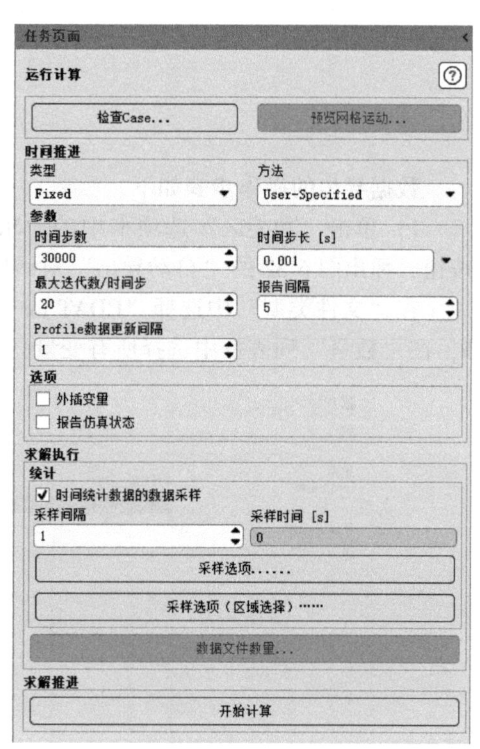

图 6-34 “运行计算”面板

6.1.15 结果后处理

结果后处理操作步骤如下。

1）在 Workbench 主界面工具箱中的“组件系统”→“结果”选项上按住鼠标左键拖拽到项目管理区中。

2）双击 B2 栏“结果”项，进入 CFD-Post 界面。

3）单击主菜单的“File”→“Load Results”按钮，弹出 Load Results Files 对话框，选择不同时间点的计算结果文件。

4）单击工具栏中的（云图）按钮，弹出图 6-35 的“Insert Contour”（创建云图）对话框。输入云图名称为“Press”，单击“OK”按钮进入图 6-36 的云图设定面板。

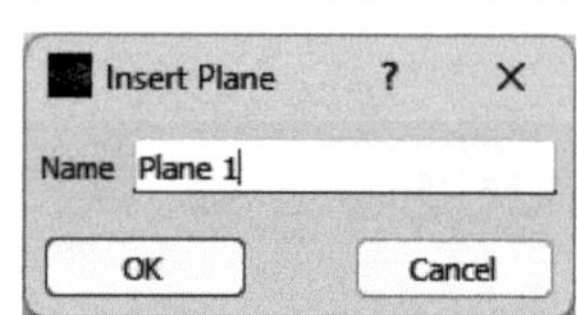

图 6-35 创建云图对话框

5）在“Geometry”（几何）选项卡中，“Locations”选择“symmetry 1”，“Variable”选择“Pressure”，单击“Apply”按钮创建压力云图，效果如图 6-37 所示。

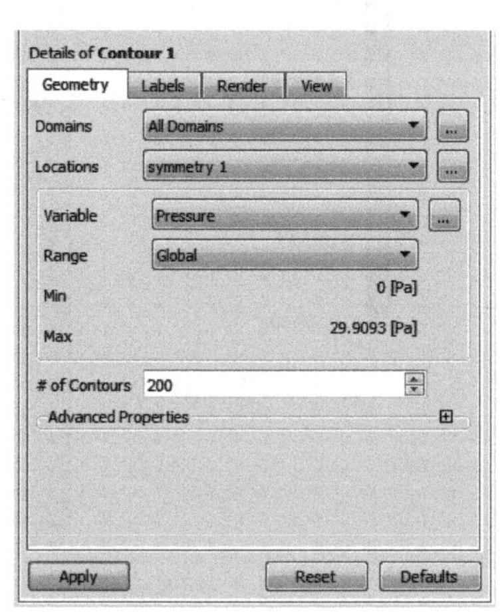

图 6-36　云图设定面板

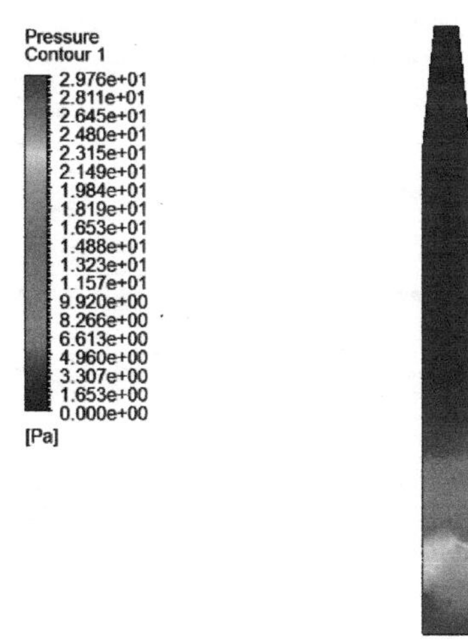

图 6-37　压力云图

6）同步骤 4），创建云图“Vec”。

7）在图 6-38 云图设定面板的“Geometry”（几何）选项卡中，“Locations”选择“symmetry 1”，“Variable”选择“Phase 1. Velocity”，单击“Apply”按钮创建速度云图，效果如图 6-39 所示。

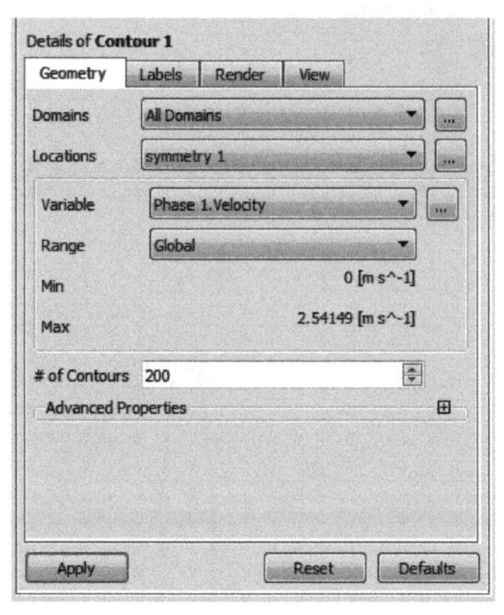

图 6-38　云图设定面板

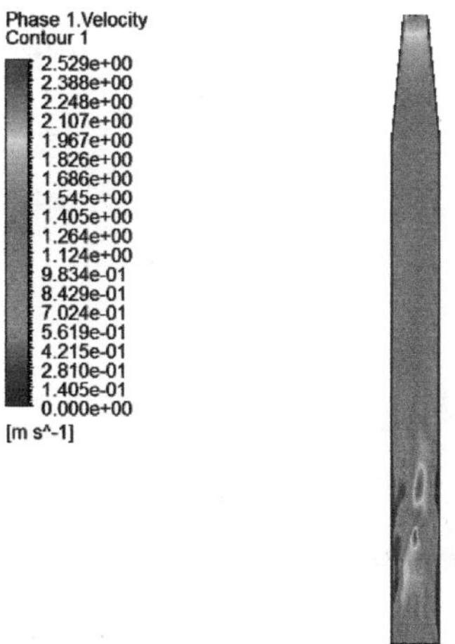

图 6-39　速度云图

8）单击工具栏中的（矢量图）按钮，弹出 Insert Vector（创建矢量图）对话框。输入云图名称为“Vector 1”，单击“OK”按钮进入图 6-40 的矢量图设定面板。

9）在“Geometry”（几何）选项卡中，“Locations”选择“symmetry 1”，单击“Apply”按钮创建速度矢量图，效果如图 6-41 所示。

10）单击主菜单的“File”→“Import”→“Import FLUENT Particle Track File”按钮导入粒子轨迹文件，如图 6-42 所示。弹出图 6-43 的 Import FLUENT Particle Track 对话框，选择粒子计算结果文件，单击“OK”按钮，显示图 6-44 的粒子轨迹图。

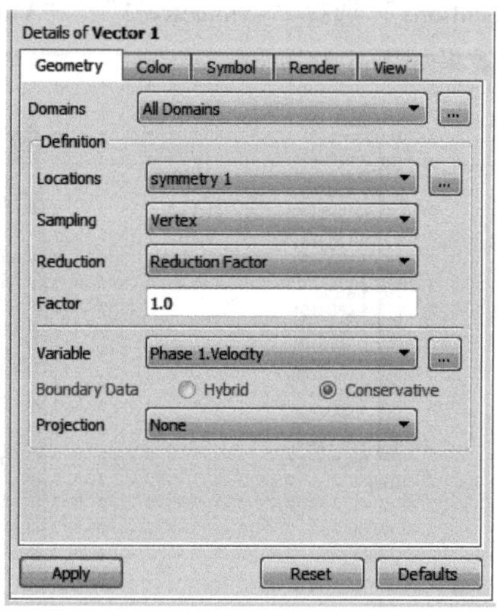

图 6-40　矢量图设定面板

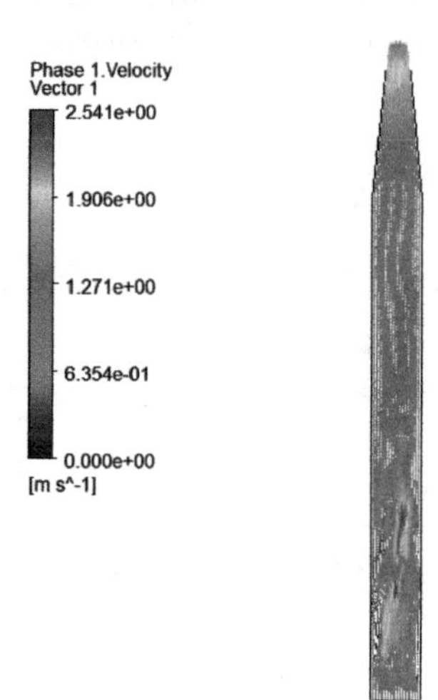

图 6-41　速度矢量图

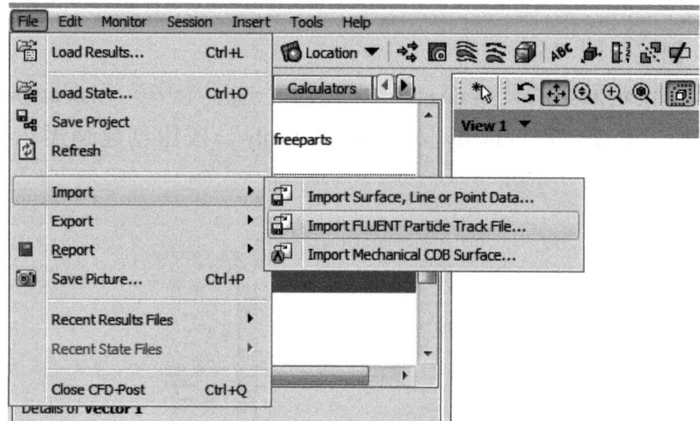

图 6-42　导入粒子轨迹文件

图 6-43　导入文件对话框

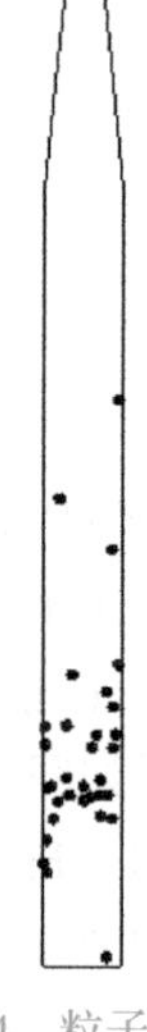

图 6-44　粒子轨迹图

6.1.16 保存与退出

保存与退出的操作步骤如下。

1）执行主菜单的“File”→“Close CFD-Post”命令，退出 CFD-Post 模块，返回 Workbench 主界面。此时主界面项目管理区中显示的分析项目均已完成。

2）在 Workbench 主界面中单击常用工具栏中的保存按钮，保存包含有分析结果的文件。执行主菜单的“文件”→“退出”命令，退出 ANSYS Workbench 主界面。

6.2 旋流分离器内颗粒流动

下面将通过旋流分离器内颗粒流动的分析案例，让读者对 ANSYS FLUENT 2024 R1 分析处理离散相问题基本操作步骤的每一项内容有初步了解。

6.2.1 案例介绍

请用 ANSYS FLUENT 分析模拟旋流分离器内粒子流动情况，如图 6-45 所示。

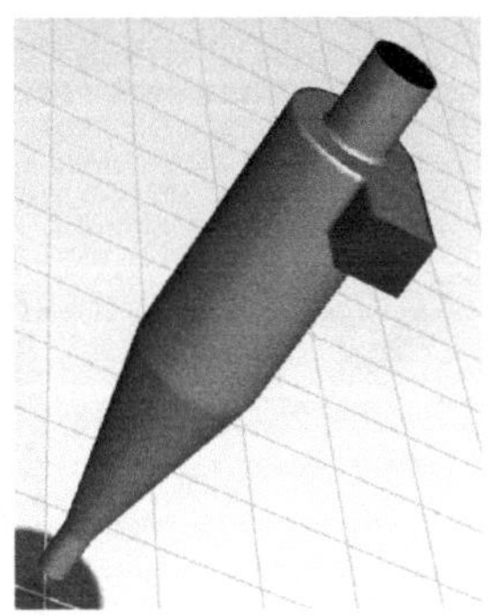

图 6-45 案例模型

6.2.2 建立分析项目

参考算例 3.1，启动 Workbench 并建立流体分析项目，如图 6-46 所示。

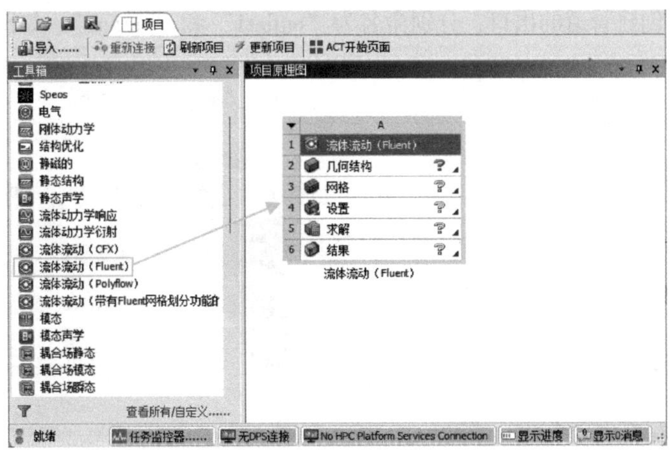

图 6-46 创建流体流动（Fluent）分析项目

6.2.3 导入几何体

导入几何体的操作步骤如下。

1）在 A2 栏的“几何结构”上单击鼠标右键，在弹出的快捷菜单中选择“导入几何模型”→“浏览”命令，此时会弹出“打开”对话框。

2）在“打开”对话框中选择文件路径，导入 Cyclone. stp 几何体文件，此时 A2 栏“几何结构”后的 ? 变为 ✓，表示实体模型已经存在。

6.2.4 划分网格

划分网格的操作步骤如下。

1）双击 A3 栏“网格”项，进入 Meshing 界面，Meshing 界面下的模型如图 6-47 所示。在该界面下进行模型的网格划分。

2）右键选择管道入口，在弹出的图 6-48 的快捷菜单中选择“创建命名选择”命令，弹出图 6-49 的“选择名称”对话框，输入名称“inlet”，单击“OK”按钮确认。

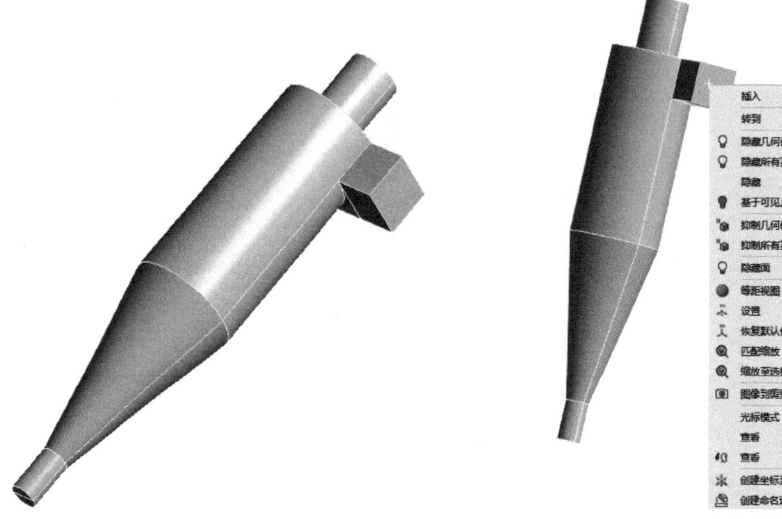

图 6-47 Meshing 界面下的模型　　图 6-48 快捷菜单

3）同步骤 2），创建管道的出口，分别命名为“outlet1”和“outlet2”，如图 6-50 和图 6-51 所示。

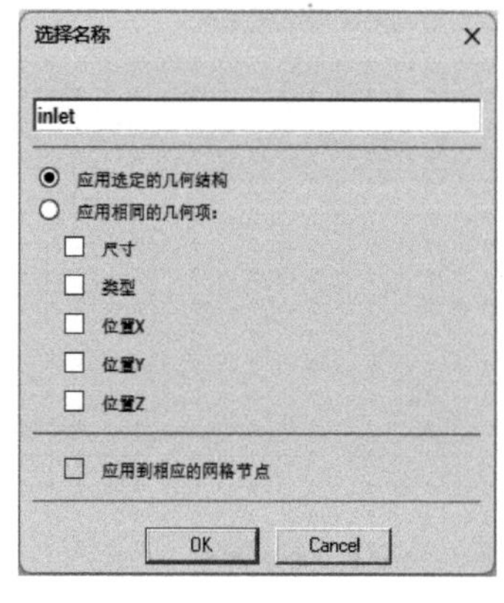

图 6-49 “选择名称”对话框

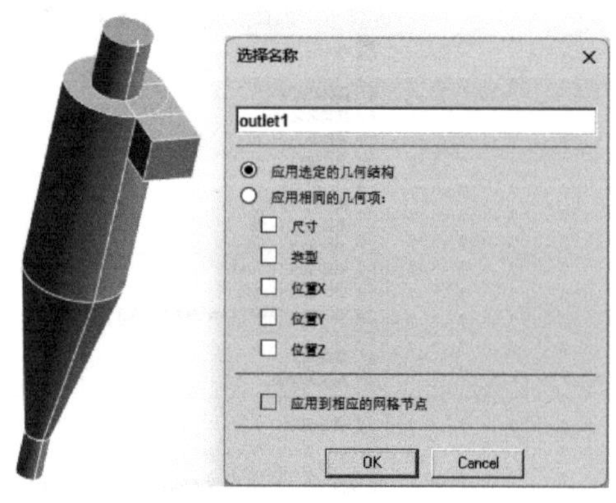

图 6-50 创建面 outlet1

4）右键单击模型树中的“网格”选项，依次选择“网格”→“插入”→“膨胀”选项，如图 6-52 所示。然后弹出图 6-53 的膨胀面板。

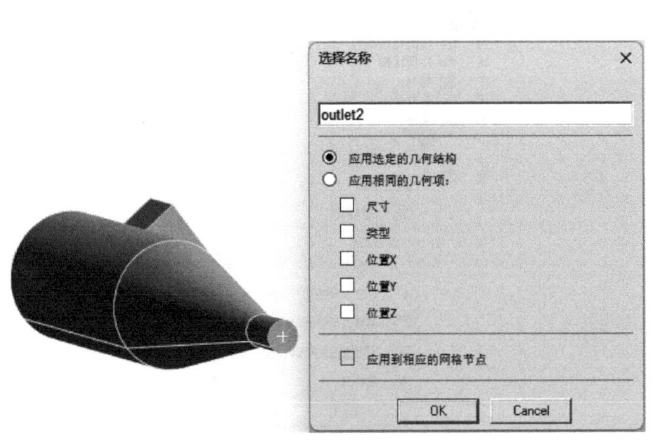

图 6-51　创建面 outlet2

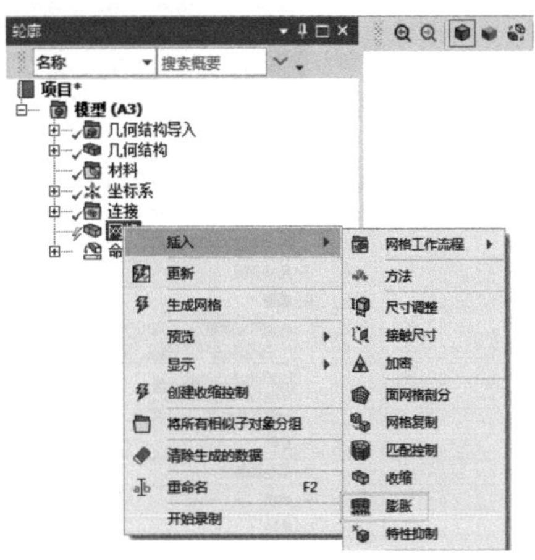

图 6-52　设置网格边界层

选择“几何结构”为整个模型计算域，“边界”选择图 6-54 的壁面，在“最大层数”数值框中输入 5。

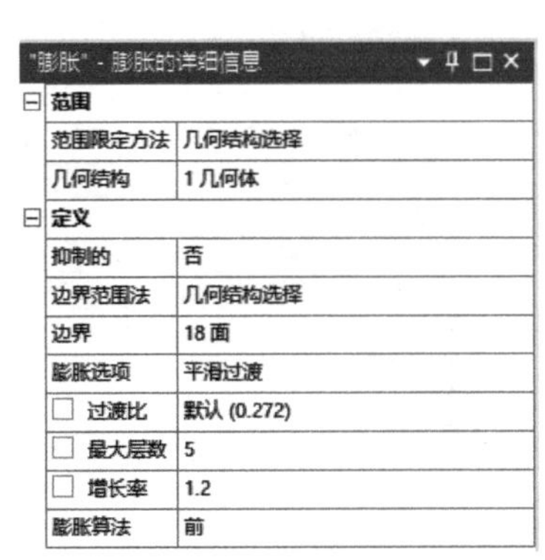
"膨胀" - 膨胀的详细信息

范围	
范围限定方法	几何结构选择
几何结构	1 几何体
定义	
抑制的	否
边界范围法	几何结构选择
边界	18 面
膨胀选项	平滑过渡
过渡比	默认 (0.272)
最大层数	5
增长率	1.2
膨胀算法	前

图 6-53　膨胀面板

图 6-54　壁面

5）单击模型树中的“网格”选项，弹出图 6-55 的网格设置面板。在“单元尺寸”中设置网格尺寸为 20mm，展开“质量”选项，“平滑”选择“高”。

6）右键单击模型树中的“网格”选项，选择快捷菜单中的“生成网格”命令，开始生成网格，如图 6-56 所示。

7）网格划分完成以后，在图形窗口中显示图 6-57 所示的网格。

8）单击模型树中的“网格”选项，在图 6-58 的网格的详细信息面板中展开“质量”选项，“网格质量标准”选择“正交质量”。这样能够统计出最小值、最大值、平均值以及标准偏差，同时显示网格质量的直方图，如图 6-59 所示。

9）执行主菜单的“文件”→“关闭 Meshing”命令，退出网格划分界面，返回 Workbench 主界面。

10）右键单击 Workbench 界面中 A3“网格”项，选择快捷菜单中的“更新”命令，完成网格数据往 Fluent 分析模块中的传递。

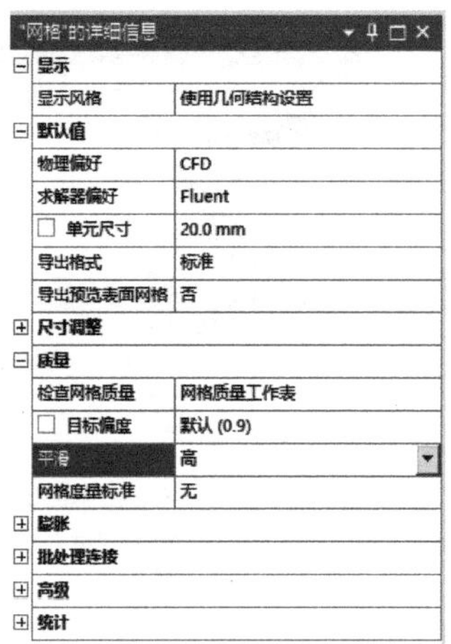

图 6-55 网格属性设置

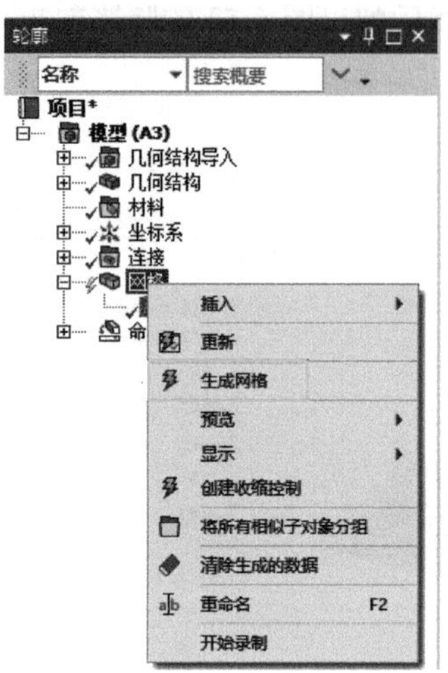

图 6-56 网格生成

图 6-57 计算域网格

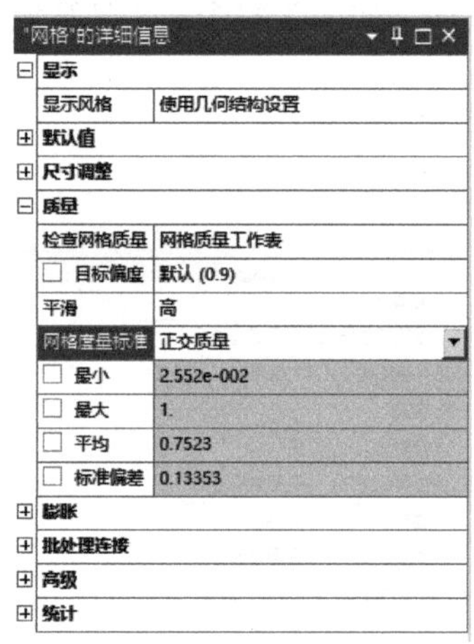

图 6-58 网格详细信息面板

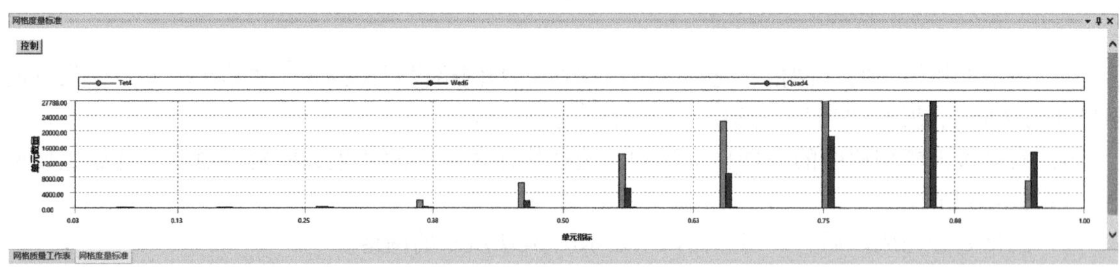

图 6-59 网格划分情况统计

6.2.5 定义模型

定义模型的操作步骤如下。

1）双击 A4 栏“设置”项，打开图 6-60 的 Fluent Launcher 对话框，单击“Start”按钮进入

Fluent 界面。

2）在“功能区”选项卡中单击“物理模型”→“通用”按钮，弹出图 6-61 的“通用”面板，在“时间”选项区域选择“稳态”单选按钮，勾选“重力”复选框，在重力加速度区域的“Z［m/s³］”数值框中填入-9.81。

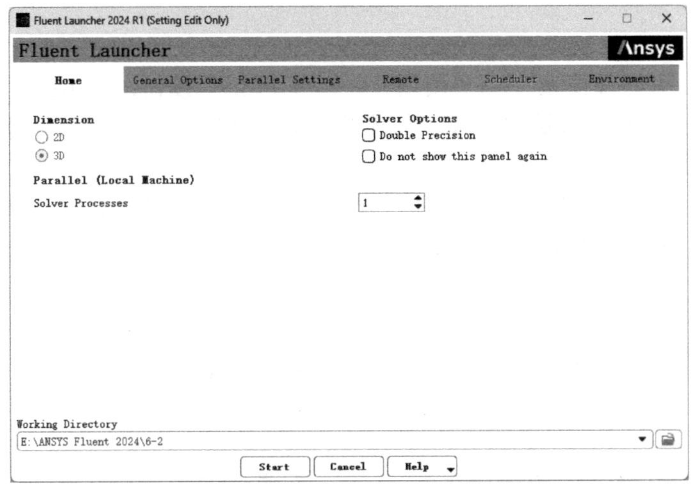

图 6-60 Fluent Launcher 对话框

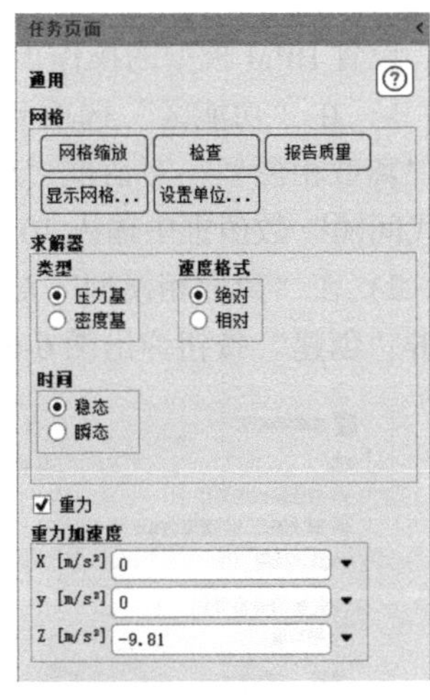

图 6-61 “通用”面板

3）在“功能区”选项卡中单击“物理模型”→“模型”→“黏性”按钮，弹出图 6-62 的“黏性模型”对话框。

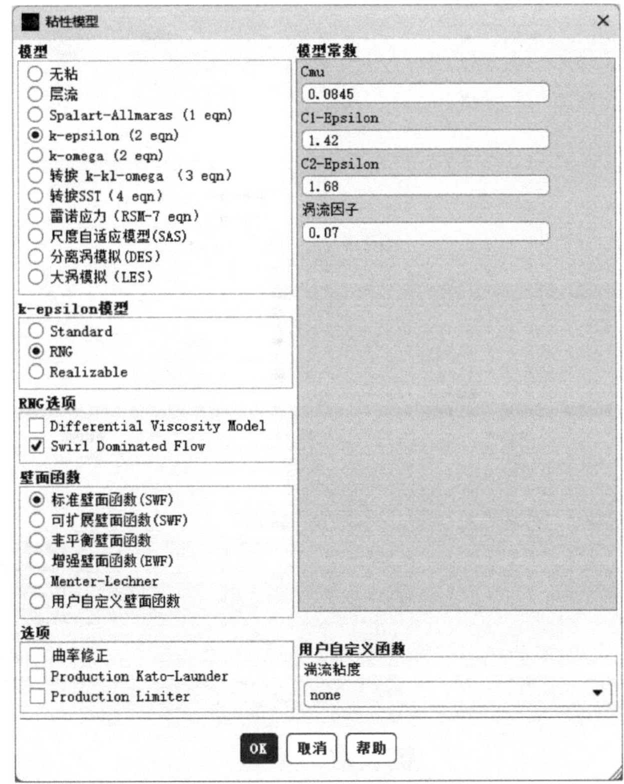

图 6-62 “黏性模型”对话框

在“模型”选项区域中选择“k-cpsilon（2 eqn）”单选按钮，在“k-cpsilon 模型”选项区域中选择“RNG”单选按钮，在“RNG 选项”选项区域中勾选“Swirl Dominated Flow”复选框，单击“OK”按钮确认。

6.2.6 设置 DPM 模型

设置 DPM 模型的操作步骤如下。

1）在“功能区”选项卡中单击“物理模型”→“模型”→“离散相”按钮，弹出图 6-63 的“离散相模型”对话框。在“交互”选项区域中勾选“与连续相的交互”复选框，在“DPM 迭代间隔”数值框中输入 10。

2）在“离散相模型”对话框中，单击“喷射源”按钮，弹出图 6-64 的“喷射源”对话框，单击“创建”按钮弹出图 6-65 的“设置喷射源属性”对话框。

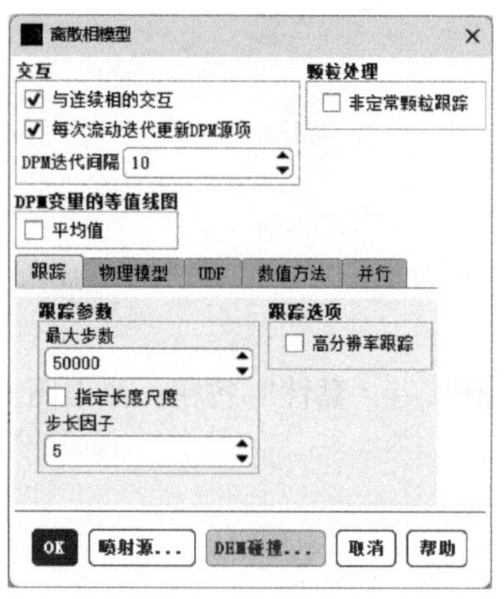

图 6-63 “离散相模型”对话框

图 6-64 “喷射源”对话框

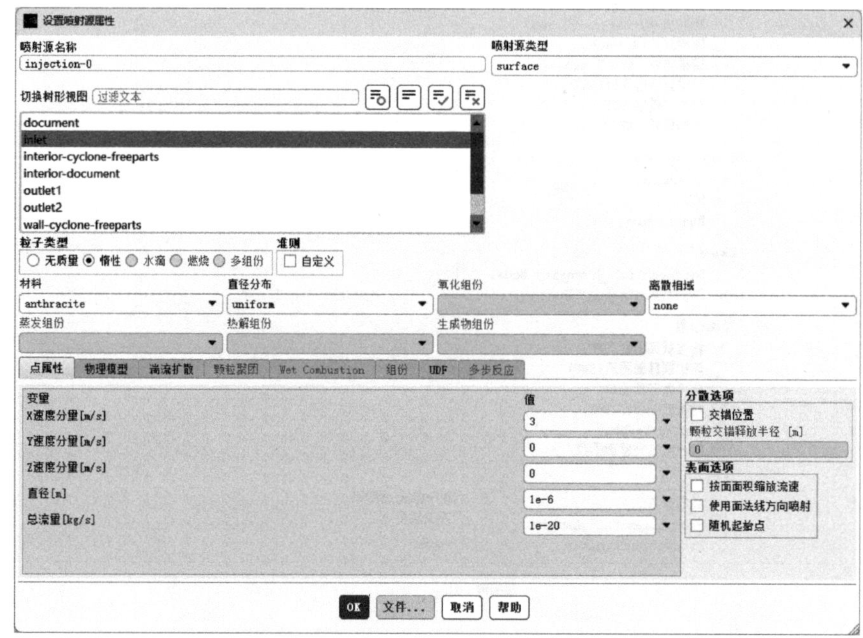

图 6-65 “设置喷射源属性”对话框

“喷射源类型”选择“surface”，在“切换树形视图”列表框中选择“inlet”，在“点属性”选项卡中，“X 速度分量［m/s］”的数值框中填入 3，“直径［m］”的数值框中填入“1e-6”，“总流量［kg/s］”数值框中填入“1e-20”，单击“OK”按钮确认并关闭对话框。

6.2.7 设置边界条件

设置边界条件的操作步骤如下。

1）单击“功能区”选项卡中的“物理模型”→“区域”→“边界条件”按钮，启动图 6-66 的“边界条件”面板。

2）在“边界条件”面板中，双击列表框中的“inlet”，弹出图 6-67 的“速度入口”对话框。在“速度大小［m/s］”数值框中输入 3。

切换至“DPM”选项卡，“离散相边界类型”选择“reflect”，单击“应用”按钮确认并退出，如图 6-68 所示。

3）在“边界条件”面板中，分别双击“outlet1”和“outlet2”，弹出图 6-69 和图 6-70 的“压力出口”对话框。保持默认值，单击“应用”按钮确认并退出。

图 6-66 “边界条件”面板

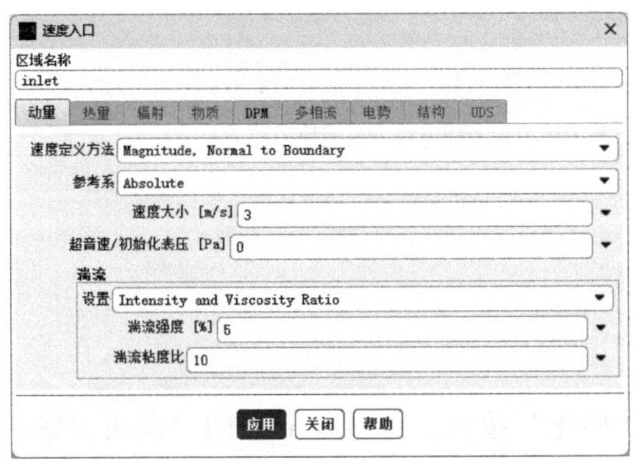

图 6-67 “速度入口”对话框

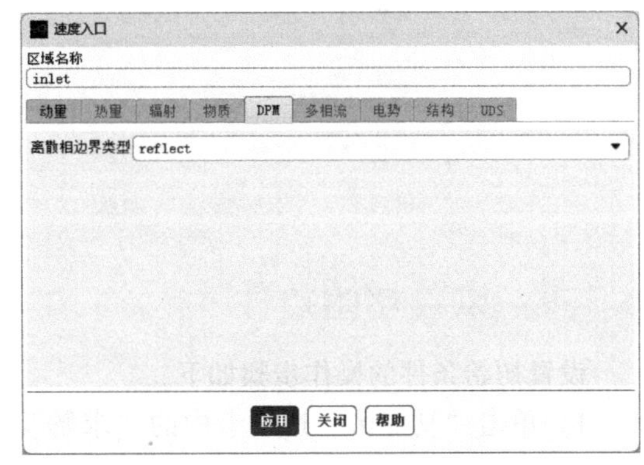

图 6-68 “DPM”选项卡

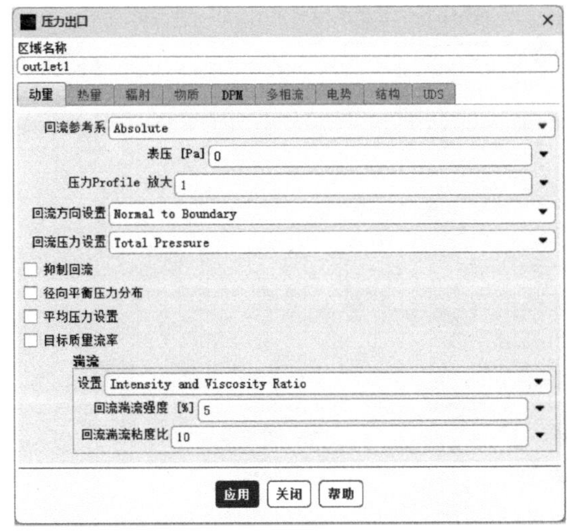

图 6-69 “压力出口”对话框

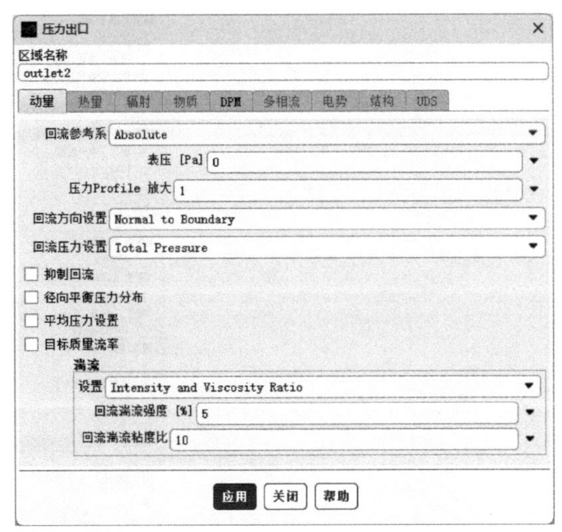

图 6-70 “压力出口”对话框

6.2.8 调整求解控制

调整求解控制参数的操作步骤如下。

1）单击“功能区”选项卡中的“求解”→“方法”按钮，弹出图 6-71 的“求解方法”面板。保持默认设置不变。

2）单击“功能区”选项卡中的“求解”→“控制”按钮，弹出图 6-72 的“解决方案控制”面板。保持默认设置不变。

图 6-71 “求解方法”面板

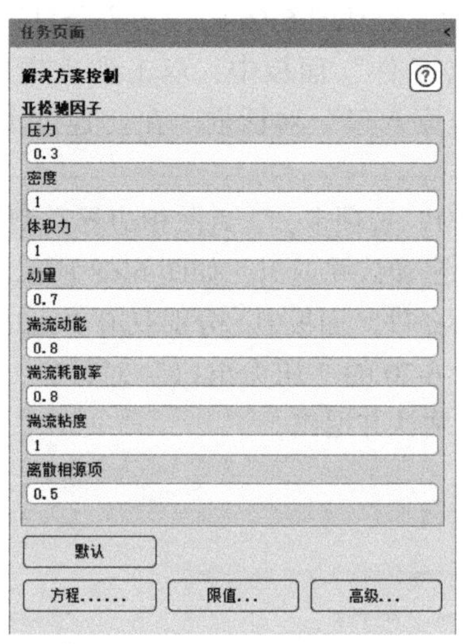

图 6-72 “解决方案控制”面板

6.2.9 设置初始条件

设置初始条件的操作步骤如下。

1）单击“功能区”选项卡中的“求解”→“初始化”按钮，弹出图 6-73 的“解决方案初始化”面板。

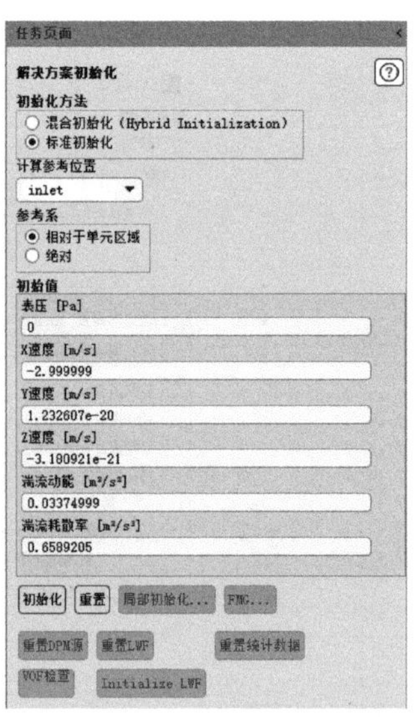

图 6-73 “解决方案初始化”面板

2）在“初始化方法”选项区域中选择“标准初始化”单选按钮，“计算参考位置”选择“inlet”，单击“初始化”按钮进行初始化。

6.2.10 求解过程监视

单击“功能区”选项卡中的“求解”→“报告”→“残差”按钮，弹出图 6-74 的“残差监控器”对话框。保持默认设置不变，单击“OK”按钮确认。

图 6-74 “残差监控器”对话框

6.2.11 计算求解

计算求解的操作步骤如下。

1）单击“功能区”选项卡中的“求解”→“运行计算”按钮，弹出图 6-75 的“运行计算”面板。在“参数”区域的“迭代次数”数值框中输入 2000，单击“开始计算”开始计算。

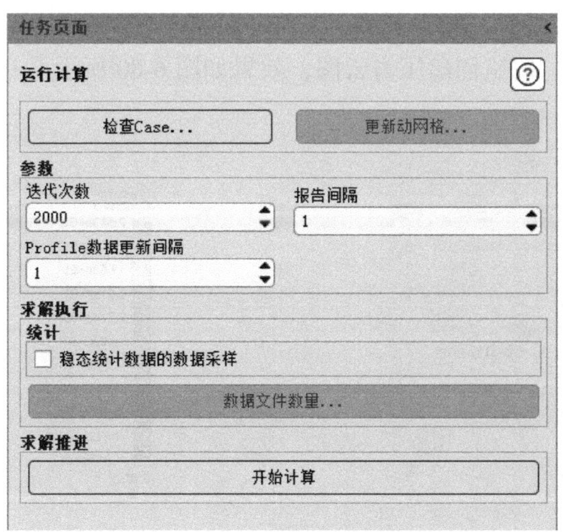

图 6-75 “运行计算”面板

2）计算收敛完成后，单击主菜单中的“文件”→“关闭 Fluent”按钮退出 Fluent 界面。

6.2.12 结果后处理

结果后处理操作步骤如下。

1）在 Workbench 主界面，双击 A6 栏“结果”项，进入 CFD-Post 界面。

2）单击工具栏中的 Location→ Plane（平面）按钮，弹出图 6-76 的“Insert Plane”（创建平面）对话框，保持平面名称为“Plane 1”，单击“OK”按钮进入图 6-77 的 Plane（平面设定）面板。

3）在“Geometry”（几何）选项卡中，“Method”选择“ZX Plane”，Y 坐标取值设定为 0.1，单位为 m，单击“Apply”按钮创建平面，生成的平面如图 6-78 所示。

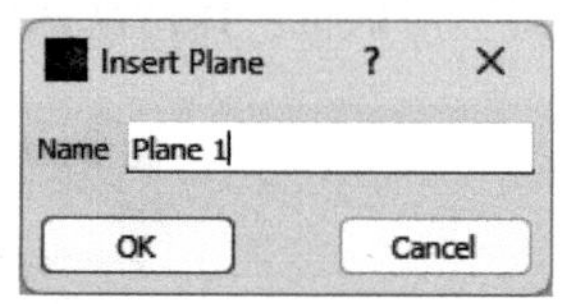

图 6-76 创建平面对话框

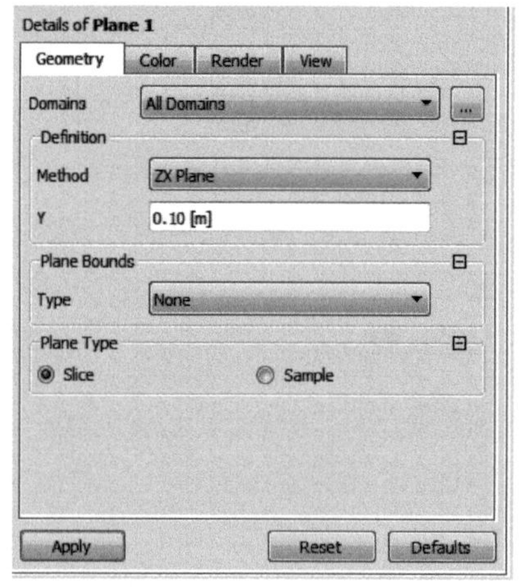

图 6-77 平面设定面板

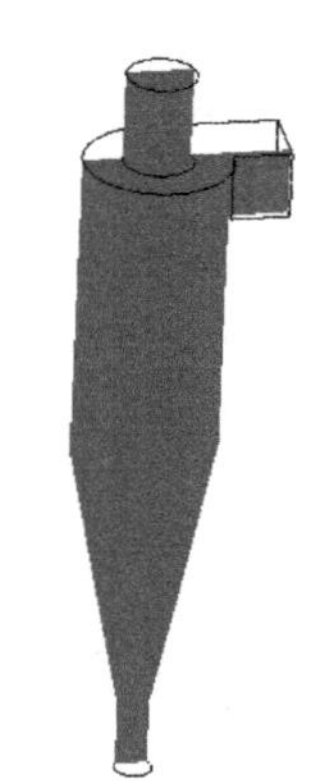

图 6-78 ZX 方向平面

4）单击工具栏中的（云图）按钮，弹出 Insert Contour（创建云图）对话框。输入云图名称为“Press”，单击“OK”按钮进入图 6-79 的云图设定面板。

5）在“Geometry”（几何）选项卡中，“Locations”选择“Plane 1”，“Variable”选择“Pressure”，单击“Apply”按钮创建压力云图，效果如图 6-80 所示。

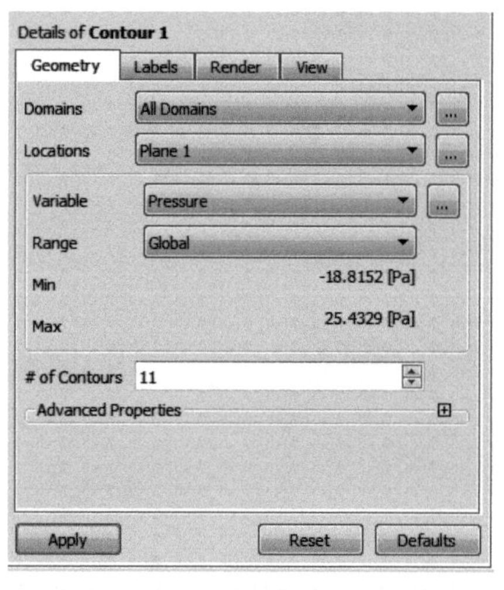

图 6-79 云图设定面板

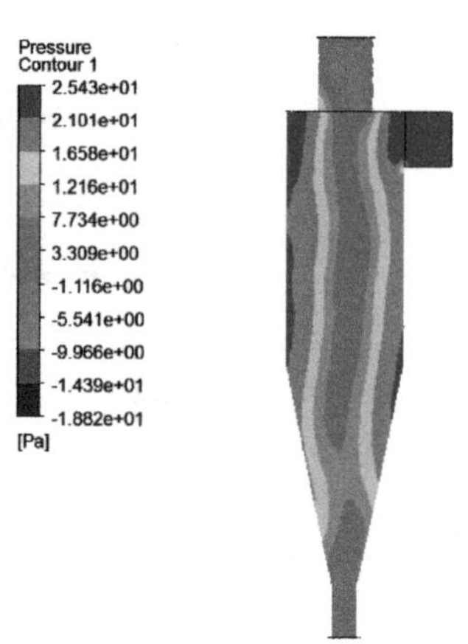

图 6-80 压力云图

6）同步骤 4)，创建云图“Vec”。

7）在图 6-81 云图设定面板的“Geometry”（几何）选项卡中，“Locations”选择“Plane 1”，“Variable”选择“Velocity”，单击“Apply”按钮创建速度云图，效果如图 6-82 所示。

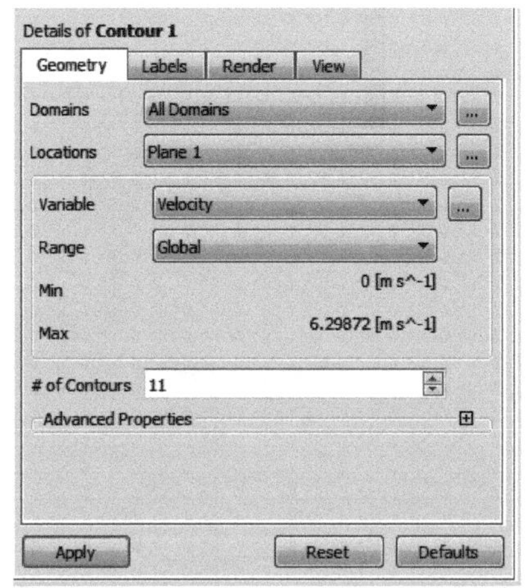

图 6-81　云图设定面板

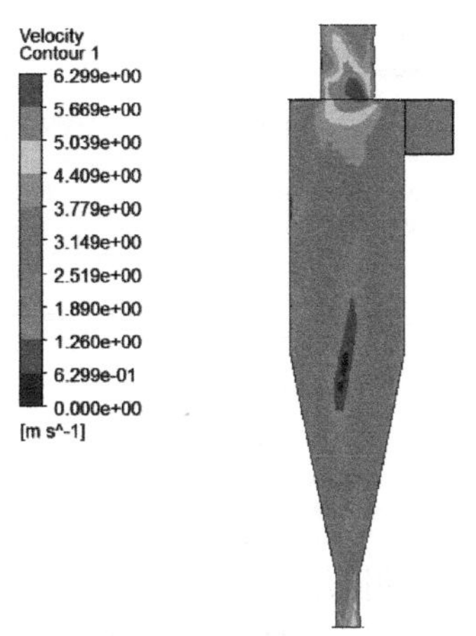

图 6-82　速度云图

8）同步骤 4)，创建云图“Concentration”。

9）在图 6-83 云图设定面板的“Geometry”（几何）选项卡中，“Locations”选择“Plane 1”，“Variable”选择“Particle Mass Concentration”，单击“Apply”按钮创建颗粒浓度云图，效果如图 6-84 所示。

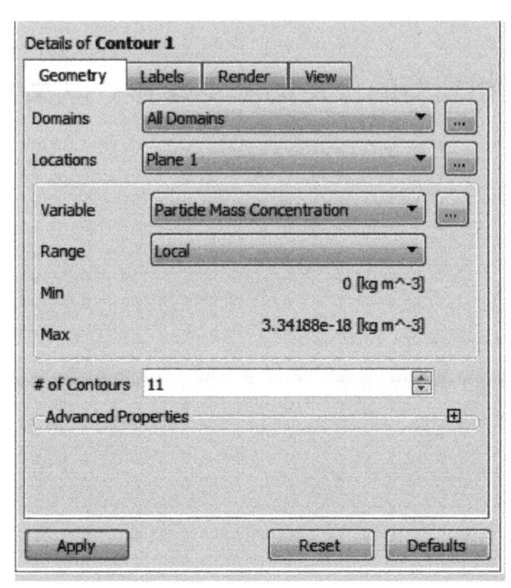

图 6-83　云图设定面板

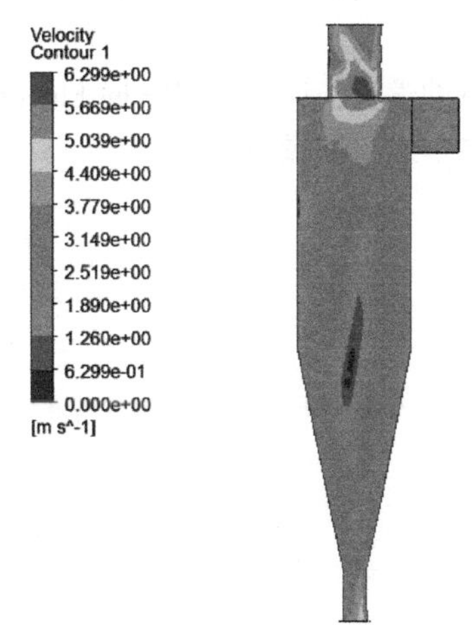

图 6-84　颗粒浓度云图

10）单击工具栏中的（矢量图）按钮，弹出 Insert Vector（创建矢量图）对话框。输入云图名称为“Vector 1”，单击“OK”按钮进入图 6-85 的矢量图设定面板。

11）在“Geometry”（几何）选项卡中，“Locations”选择“Plane 1”，单击“Apply”按钮创建速度矢量图，效果如图 6-86 所示。

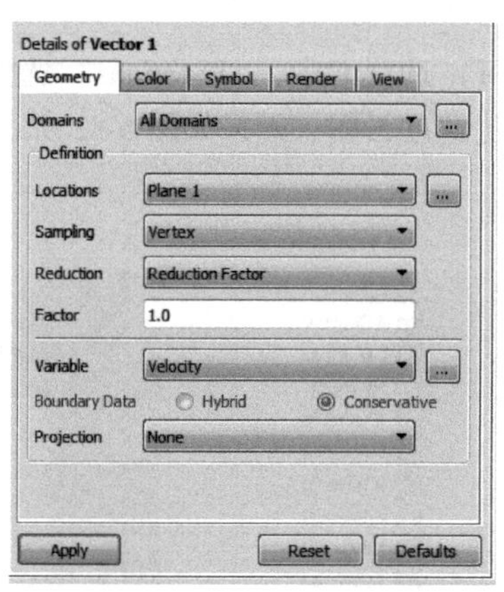

图 6-85　矢量图设定面板

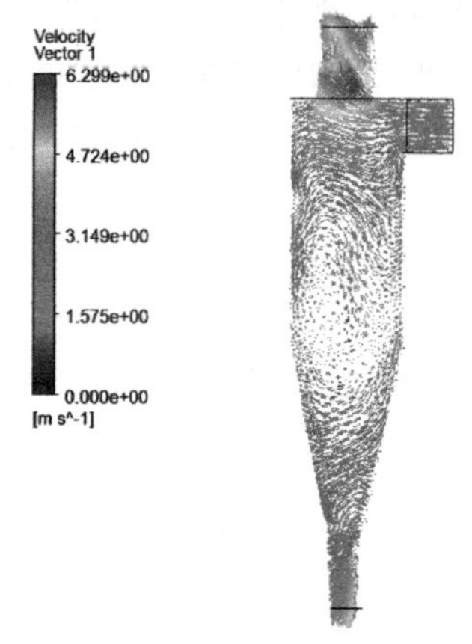

图 6-86　速度矢量图

6.2.13　保存与退出

保存与退出的操作步骤如下。

1）执行主菜单的“File”→“Close CFD-Post”命令，退出 CFD-Post 模块，返回 Workbench 主界面。此时主界面项目管理区中显示的分析项目均已完成。

2）在 Workbench 主界面中单击常用工具栏中的保存按钮，保存包含有分析结果的文件。执行主菜单的“文件”→“退出”命令，退出 ANSYS Workbench 主界面。

6.3　本章小结

本章通过管道内固体颗粒流动和旋流分离器内颗粒流动两个实例介绍了 Fluent 处理离散相问题的工作流程。

通过本章的学习，读者可以掌握 Fluent 中离散相模型的设定的基本操作，以及 Fluent 处理离散相问题的基本思路和操作。

第 7 章 传热流动分析

传热是自然界和工程问题中常见的物理现象。传热是一种复杂现象，物体的传热过程分为三种基本方式，即传导、对流和辐射。辐射是一种由电磁波传播热能的过程，辐射传热不仅有能量的转移，而且伴随能量形式的转化，即热能转变为辐射能，然后辐射出的辐射能被物体吸收后又转化为热能。本章将通过实例来介绍 Fluent 处理传热流动模拟的工作步骤。

学习目标：

1）掌握边界条件的设定。

2）掌握传热模型的设定。

3）掌握物质属性的设定。

7.1 管壳式换热器内部流动

下面将通过管壳式换热器的传热分析案例，让读者对 ANSYS Fluent 2024 R1 分析处理传热流动基本操作步骤的每一项内容有初步了解。

7.1.1 案例介绍

图 7-1 为某三维几何模型，请用 ANSYS Fluent 求解出其压力、速度与温度的分布云图。

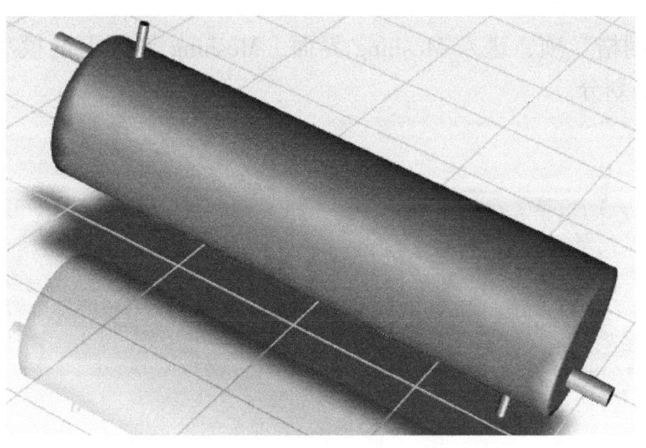

图 7-1 某三维几何模型

7.1.2 建立分析项目

参考算例 3.1，启动 Workbench 并建立流体分析项目，如图 7-2 所示。

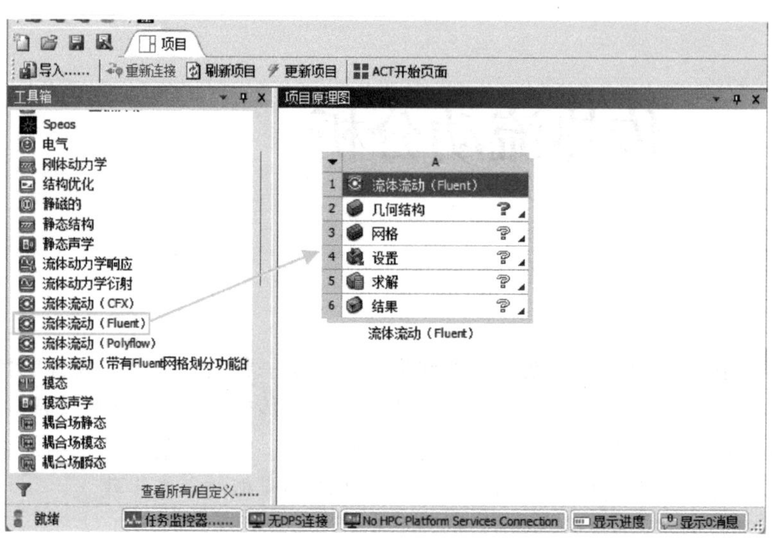

图 7-2　创建流体流动（Fluent）分析项目

7.1.3　导入几何体

导入几何体的操作步骤如下。

1）在 A2 栏的“几何结构”上单击鼠标右键，在弹出的快捷菜单中选择“导入几何模型”→“浏览”命令，此时会弹出“打开”对话框。

2）在“打开”对话框中选择文件路径，导入 Heat-Exchanger. stp 几何体文件，此时 A2 栏“几何结构”后的 ? 变为 ✓，表示实体模型已经存在。

7.1.4　划分网格

划分网格的操作步骤如下。

1）双击 A3 栏“网格”项，进入 Meshing 界面，Meshing 界面下的模型如图 7-3 所示。在该界面下进行模型的网格划分。

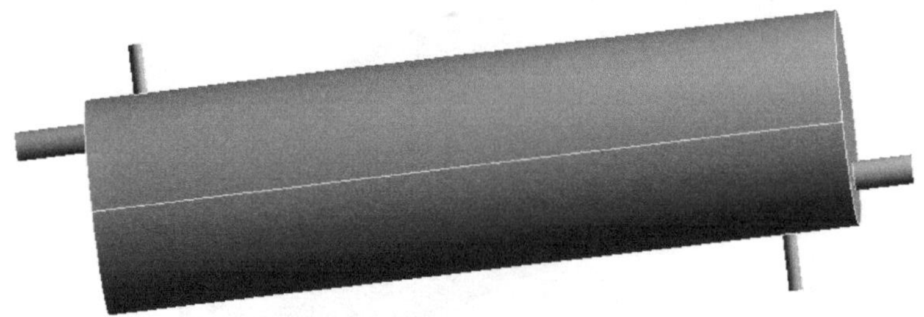

图 7-3　Meshing 界面下的模型

2）右键单击选择几何体入口，在弹出的图 7-4 的快捷菜单中选择“创建命名选择”命令，弹出图 7-5 的“选择名称”对话框，输入名称“hot-inlet”，单击“OK”按钮确认。

3）同步骤 2)，分别创建管程的出口、壳程入口和壳程出口，命名为“hot-outlet”“cold-inlet”和“cold-outlet”，如图 7-6、图 7-7 和图 7-8 所示。

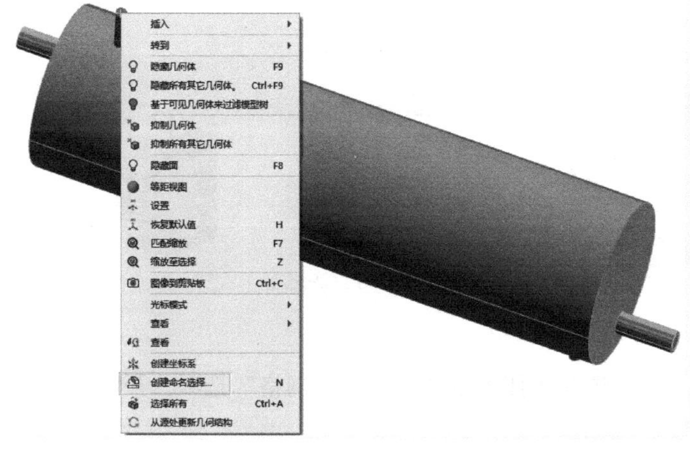

图 7-4　快捷菜单

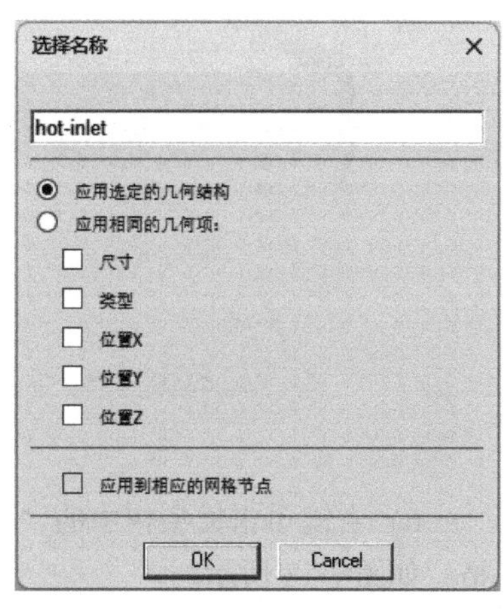

图 7-5　“选择名称”对话框

图 7-6　创建“hot-outlet”

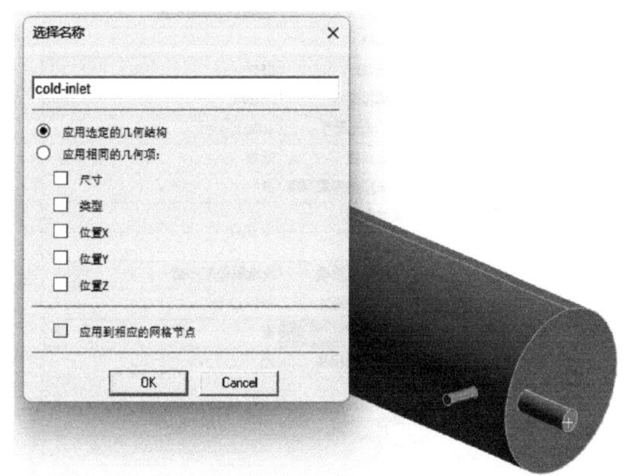

图 7-7　创建“cold-inlet”

4）同步骤 2)，分别创建管程计算域、壳程计算域和管程管道固体域，命名为“tube_fluid”“shell”和“tube_solid”，如图 7-9、图 7-10 和图 7-11 所示。

图 7-8　创建“cold-outlet”

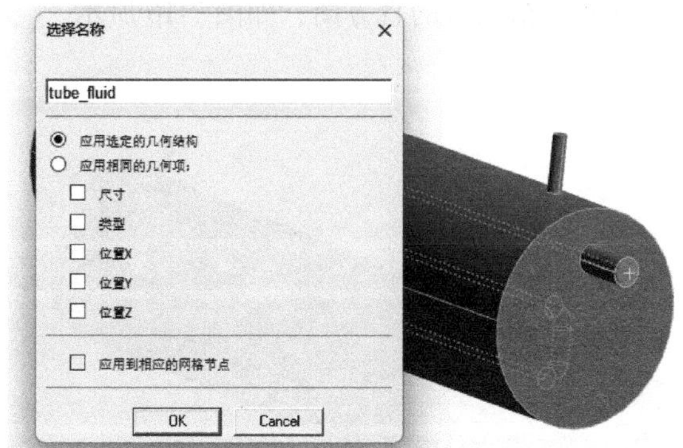

图 7-9　管程计算域

5）单击模型树中的“网格”选项，弹出图 7-12 的网格设置面板。在“单元尺寸”数值框中设置网格尺寸为 1000mm，展开“质量”选项，“平滑”选择“高”。

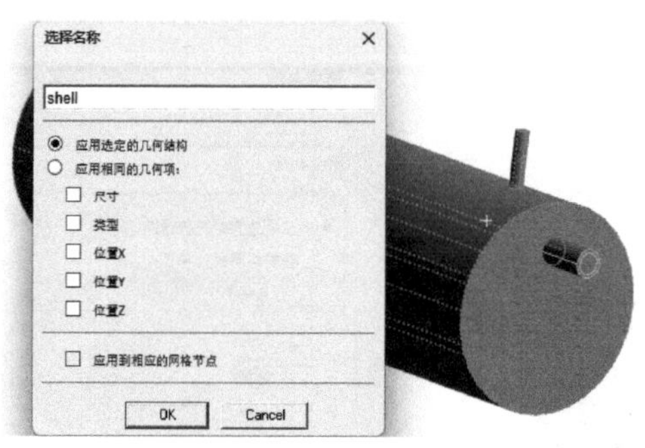

图 7-10 壳程计算域

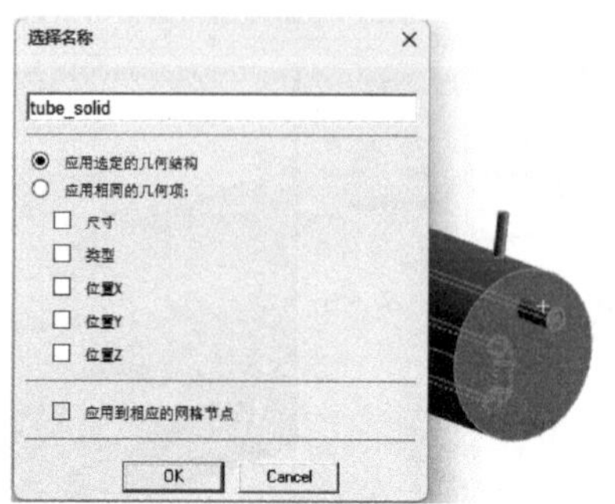

图 7-11 管程管道固体域

6）右键单击模型树中的“网格”命令，选择快捷菜单中的“生成网格”选项，开始生成网格，如图 7-13 所示。

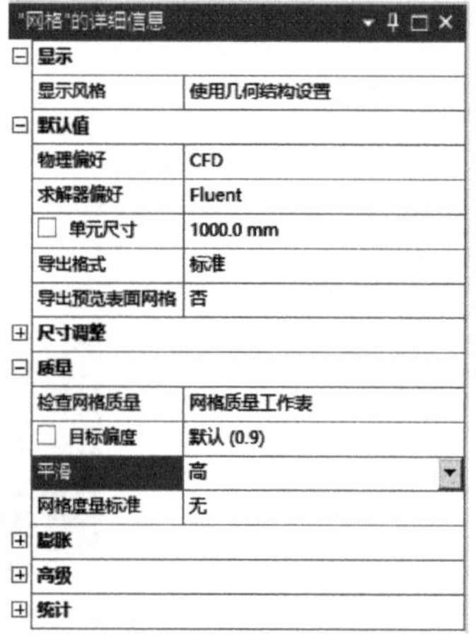

图 7-12 网格属性设置

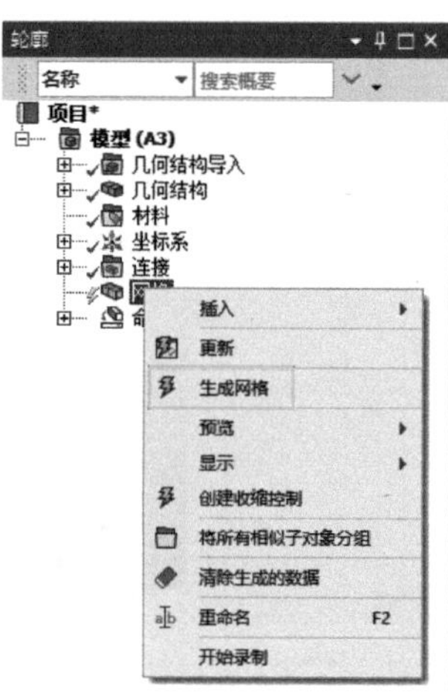

图 7-13 网格生成

7）网格划分完成以后，在图形窗口中显示图 7-14 所示的网格。

8）单击模型树中的“网格”选项，在图 7-15 的网格的详细信息面板中展开“质量”选项，“网格质量标准”选择“正交质量”。这样能够统计出最小值、最大值、平均值以及标准偏差，同时显示网格质量的直方图，如图 7-16 所示。

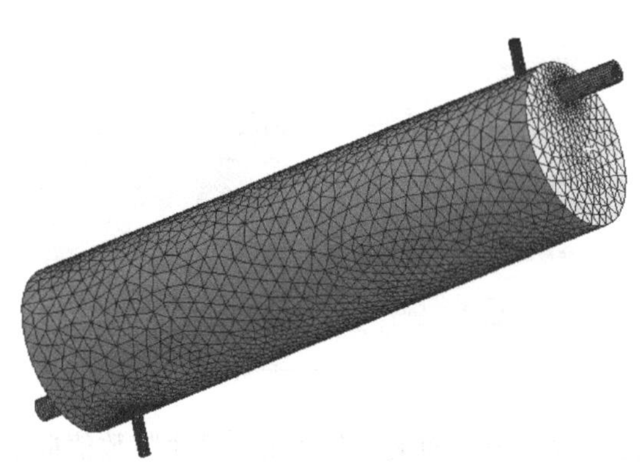
图 7-14 计算域网格

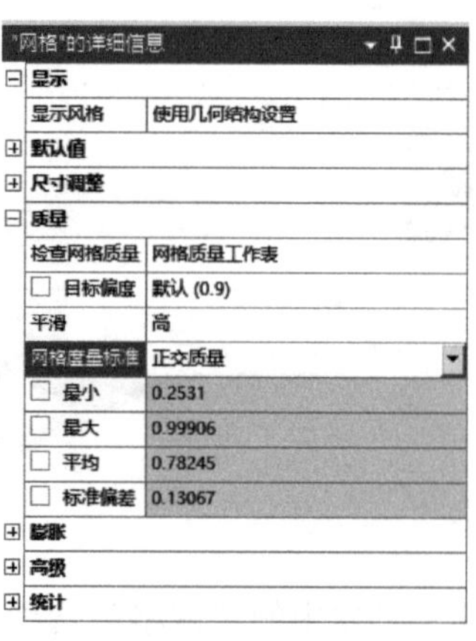

图 7-15 网格详细信息面板

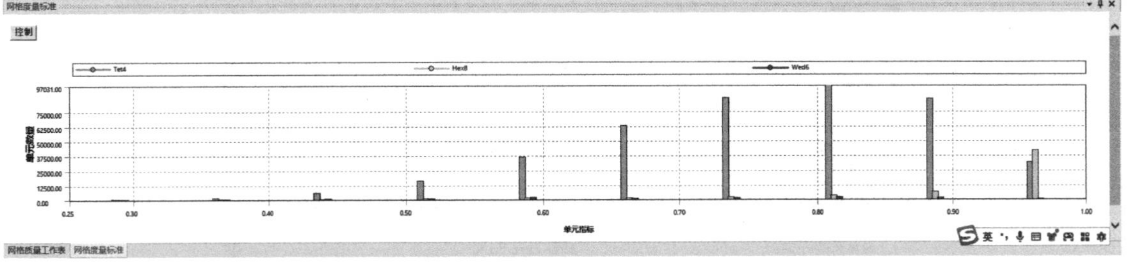

图 7-16　网格划分情况统计

9）执行主菜单的“文件”→“关闭 Meshing”命令，退出网格划分界面，返回 Workbench 主界面。

10）右键单击 Workbench 界面中 A3“网格”项，选择快捷菜单中的“更新”命令，完成网格数据往 Fluent 分析模块中的传递。

7.1.5　定义模型

定义模型的操作步骤如下。

1）双击 A4 栏“设置”项，打开图 7-17 的 Fluent Launcher 对话框，单击“Start”按钮进入 Fluent 界面。

2）在“功能区”选项卡中单击“物理模型”→“通用”按钮，弹出图 7-18 的“通用”面板，在“时间”选项区域中选择“瞬态”单选按钮，勾选“重力”复选框，在“重力加速度”区域的“Z［m/s^2］”数值框中填入-9. 81。

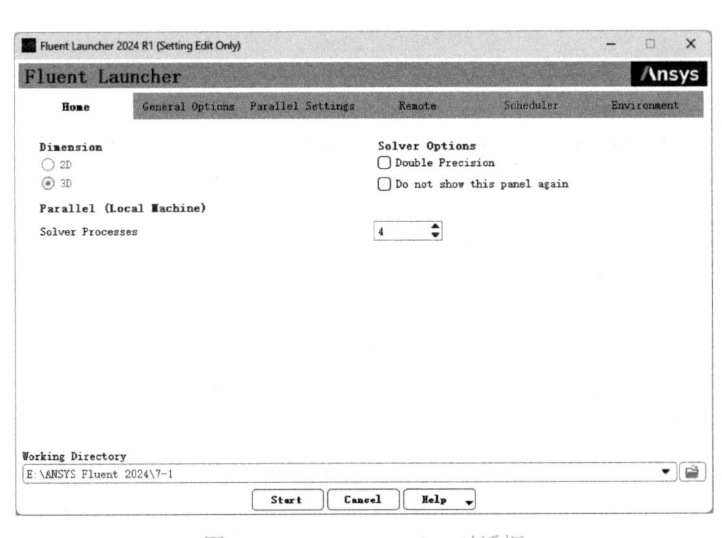

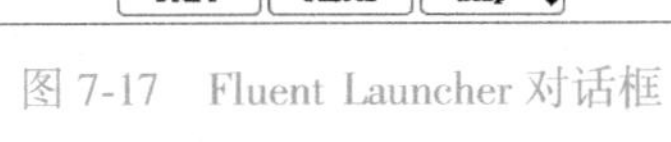

图 7-17　Fluent Launcher 对话框

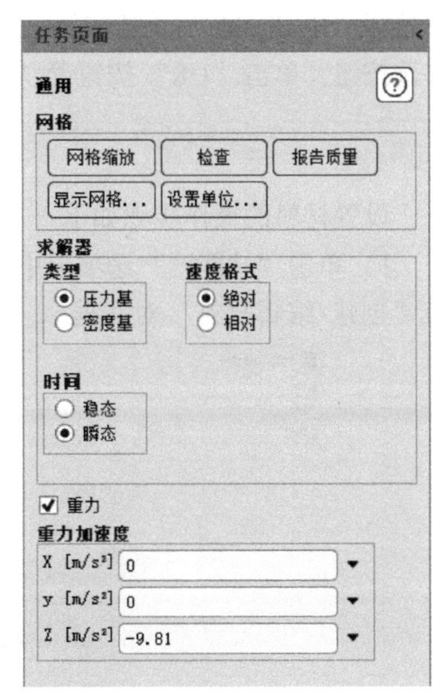

图 7-18　“通用”面板

3）在“功能区”选项卡中单击“物理模型”→“模型”→“能量”按钮。

4）在“功能区”选项卡中单击“物理模型”→“模型”→“黏性”按钮，弹出图 7-19 的“黏性模型”对话框。

图 7-19 “黏性模型”对话框

在“模型”选项区域中选择“k-epsilon（2 eqn）”单选按钮，在“k-omega 模型”选项区域中选择“Realizable”单选按钮，在“壁面函数”选项区域中选择“可扩展壁面函数（SWF）”单选按钮，单击“OK”按钮确认。

7.1.6 设置材料

设置材料的操作步骤如下。

1）单击“功能区”选项卡中的“物理模型”→“材料”→“创建/编辑”按钮，弹出图 7-20 的“创建/编辑材料”对话框。

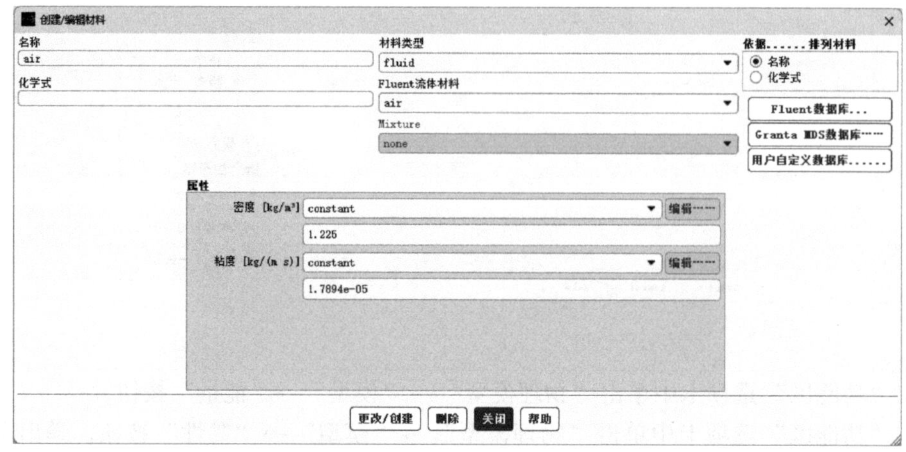

图 7-20 “创建/编辑材料”对话框

2）在“创建/编辑材料”对话框中，单击“Fluent 数据库”按钮，弹出图 7-21 的“Fluent 数据库材料”对话框，在“Fluent 流体材料”列表框中选择 water-liquid，单击“复制”按钮复制。

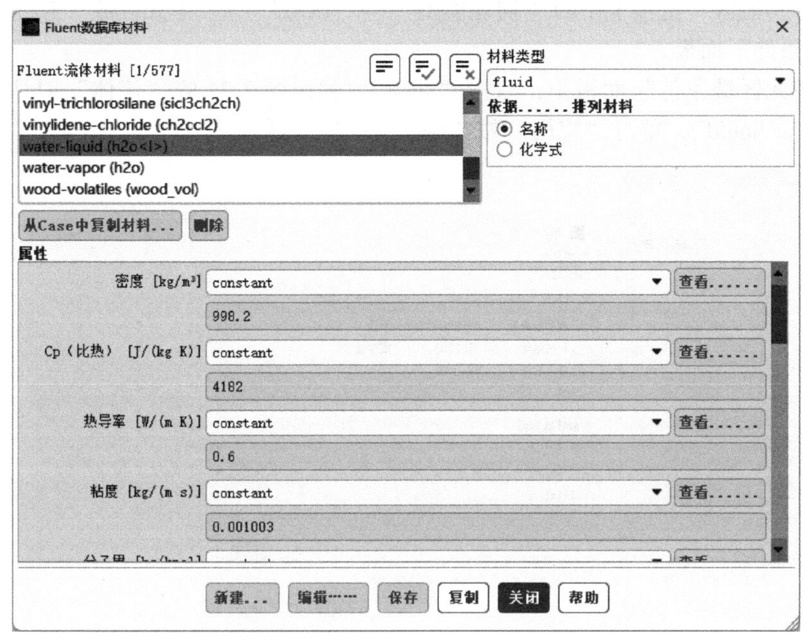

图 7-21 “Fluent 数据库材料”对话框

3）同步骤 2），在“Fluent 数据库材料”对话框中，“材料类型”选择“solid”，“Fluent 固体材料”列表框中选择 copper，单击“复制”按钮复制，如图 7-22 所示。

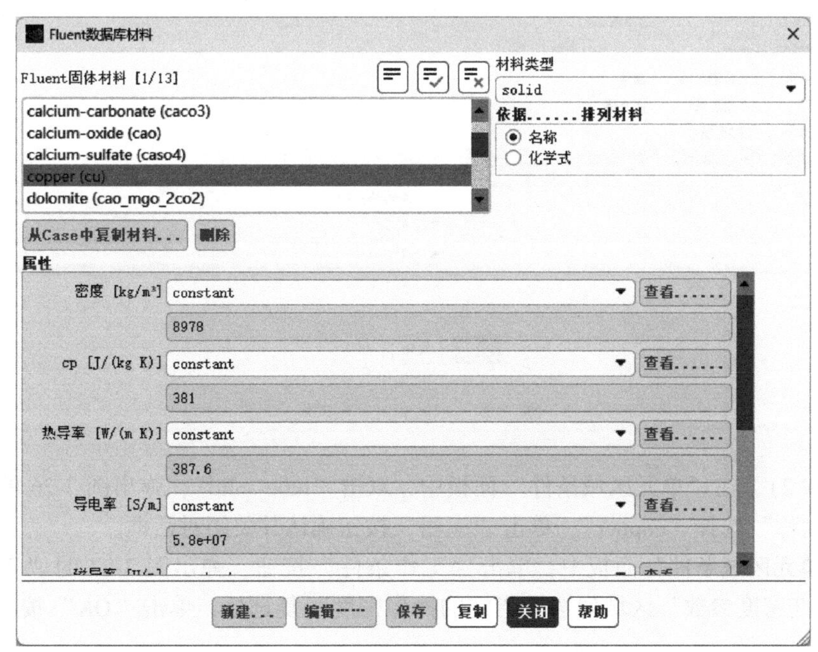

图 7-22 “Fluent 数据库材料”对话框

7.1.7 设置计算域

设置计算域的操作步骤如下。

1）单击“功能区”选项卡中的“物理模型”→“区域”→“单元区域”按钮，启动图 7-23 的“单元区域条件”面板。

2）在“单元区域条件”面板中，双击“shell”，弹出图 7-24 的“流体”对话框，“材料名称”选择“water-liquid”，单击“应用”按钮确认并关闭对话框。

图 7-23 “单元区域条件”面板

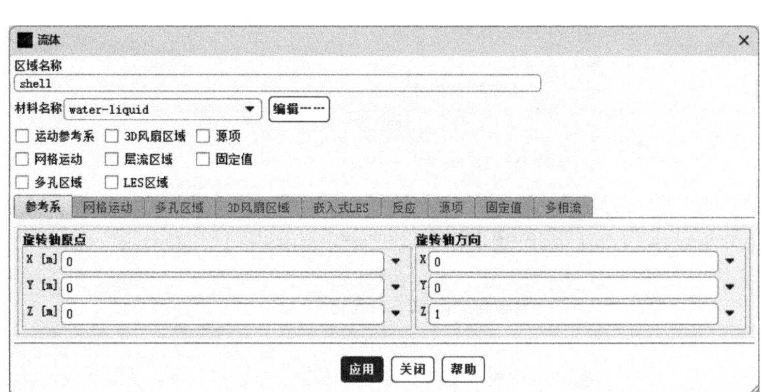

图 7-24 “流体”对话框

3）同步骤 2），在“单元区域条件”面板中，双击“tube-fluid”，弹出图 7-25 的“流体”对话框，“材料名称”选择“water-liquid”，单击“应用”按钮确认并关闭对话框。

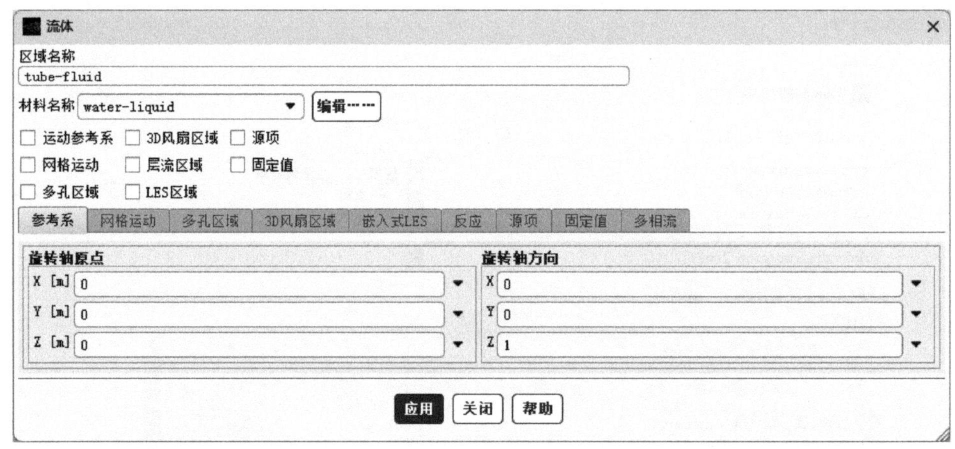

图 7-25 “流体”对话框

4）同步骤 2），在“单元区域条件”面板中，双击“tube-solid”，弹出图 7-26 的“固体”对话框，“材料名称”选择“copper”，单击“应用”按钮确认并关闭对话框。

5）在“单元区域条件”面板中，单击“工作条件”按钮，弹出图 7-27 的“工作条件”对话框，在“可变密度参数”区域勾选“指定的操作密度”复选框，单击“OK”按钮确认并关闭对话框。

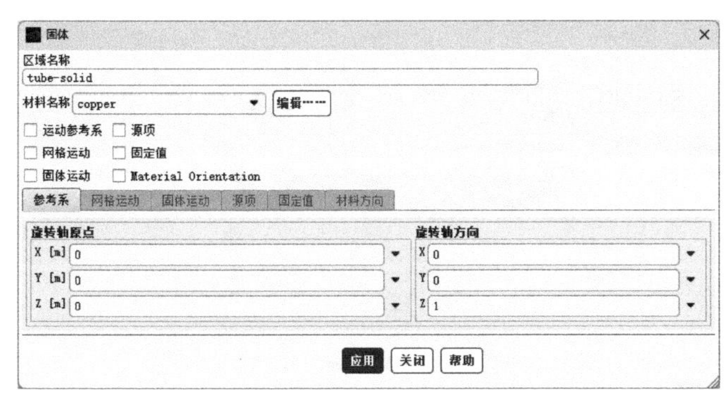

图 7-26 “固体”对话框

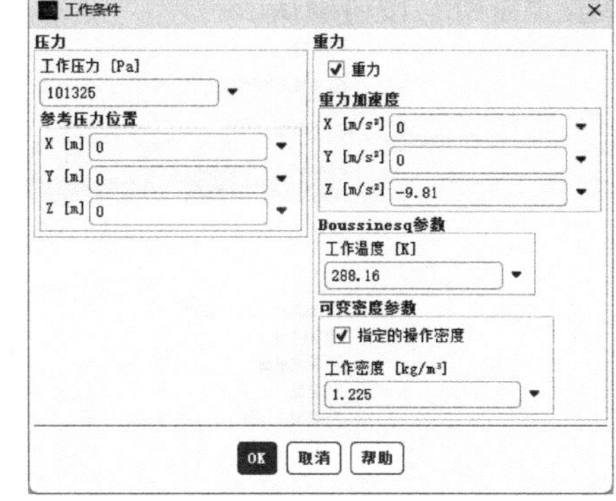

图 7-27 “工作条件”对话框

7.1.8 设置交界面

设置交界面的操作步骤如下。

1）单击“功能区”选项卡中的“区域”→“交界面”→“网格”按钮，启动图 7-28 的“网格交界面”对话框。

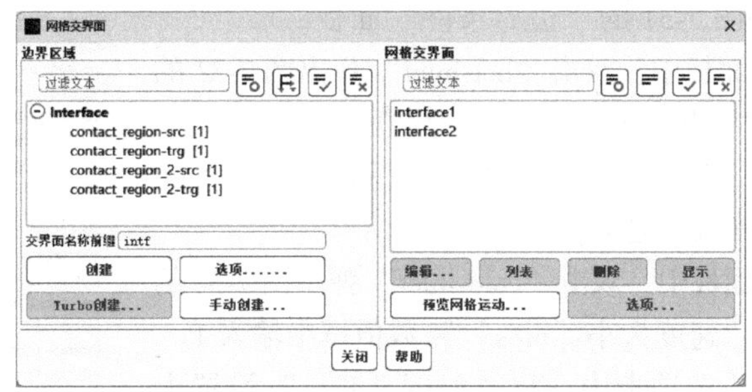

图 7-28 “网格交界面”对话框

2）在“网格交界面”的列表框中单击选择“Interface1”，单击“编辑”按钮弹出图 7-29 的“编辑网格交界面”对话框，在“交界面选项”选项区域中勾选“耦合壁面”复选框，单击“应用”按钮确认。

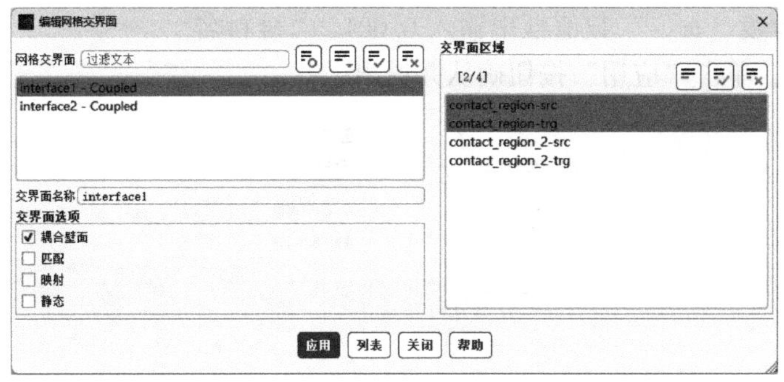

图 7-29 “编辑网格交界面”对话框

3）同步骤 2），在“网格交界面”列表框中单击选择“Interface2”，单击“编辑”按钮弹出图 7-30 的“编辑网格交界面”对话框，在“交界面选项”选项区域中勾选“耦合壁面”复选框，单击“应用”按钮确认。

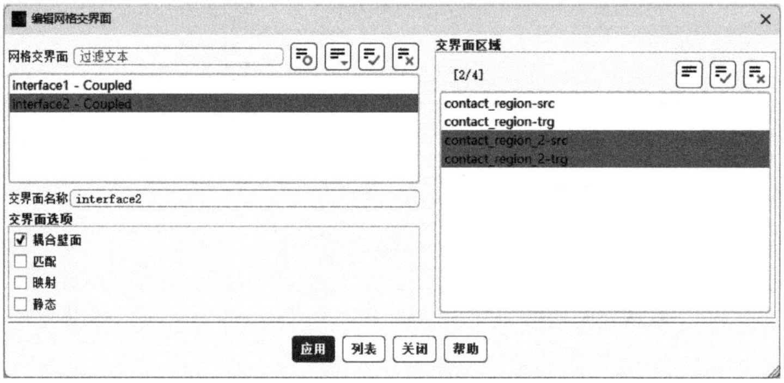

图 7-30 “编辑网格交界面”对话框

7.1.9 设置边界条件

设置边界条件的操作步骤如下。

1）单击“功能区”选项卡中的“物理模型”→“区域”→“边界条件”按钮，启动图 7-31 的“边界条件”面板。

2）在“边界条件”面板中，双击“hot-inlet”弹出图 7-32 的“速度入口”对话框。在“速度大小［m/s］”数值框中输入 2。

在图 7-33 的“热量”选项卡中，将“温度［K］”设置为 368，单击“应用”按钮确认并退出。

3）在“边界条件”面板中，双击“cold-inlet”弹出图 7-34 的“速度入口”对话框。在“速度大小［m/s］”数值框中输入 1。

在图 7-35 的“热量”选项卡中，将“温度［K］”设置为 285，单击“应用”按钮确认并退出。

4）在“壁面”面板中，分别将区域名称设置为“wall-shell”和“wall-tube-solid”，如图 7-36 和图 7-37 所示。在“热量”选项卡中，“传热相关边界条件”选择“对流”单选按钮，在“传热系数［W/(m^2K)］”数值框中输入 23，“来流温度［K］”数值框中输入 305，“壁面厚度［m］”数值框中输入 0.001，“材料名称”选择“copper”，单击“应用”按钮确认并退出。

图 7-31 “边界条件”面板

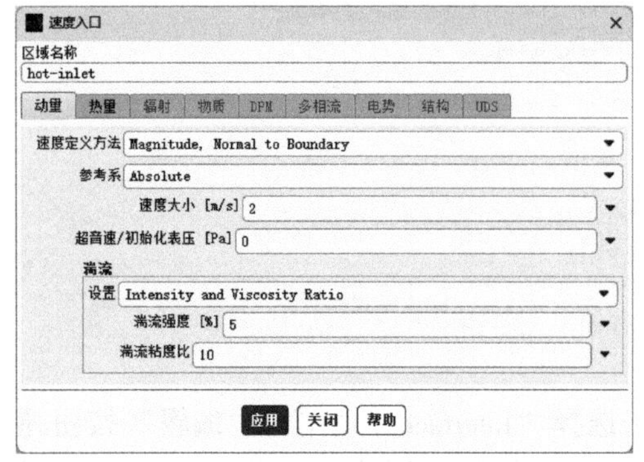

图 7-32 “速度入口”对话框

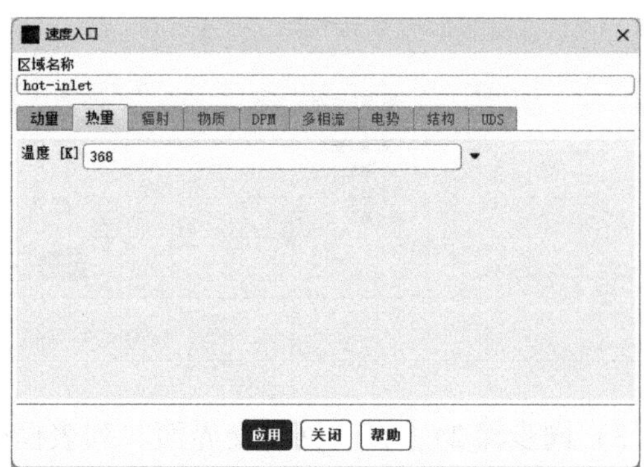

图 7-33 “热量”选项卡

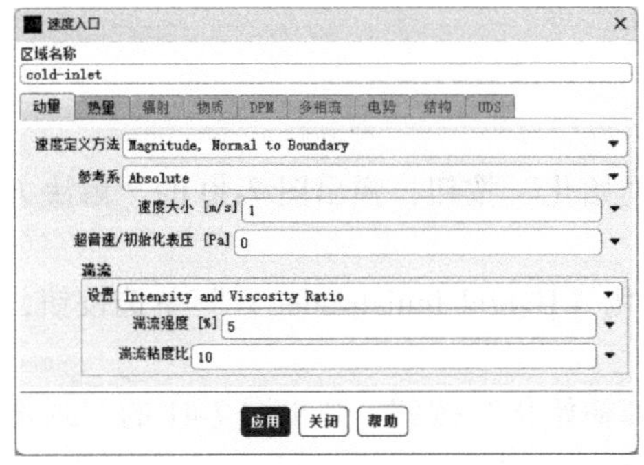

图 7-34 “速度入口”对话框

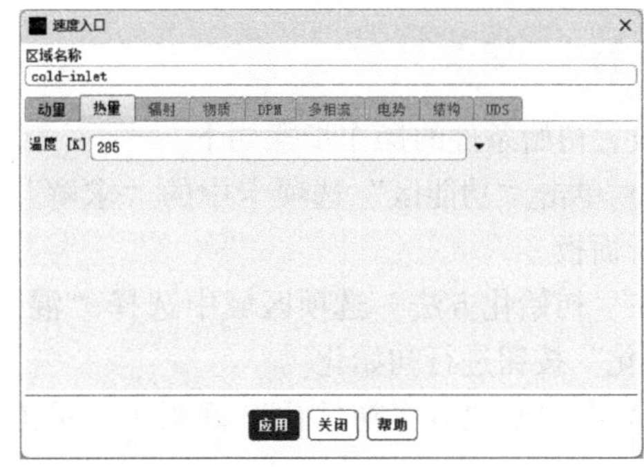

图 7-35 “热量”选项卡

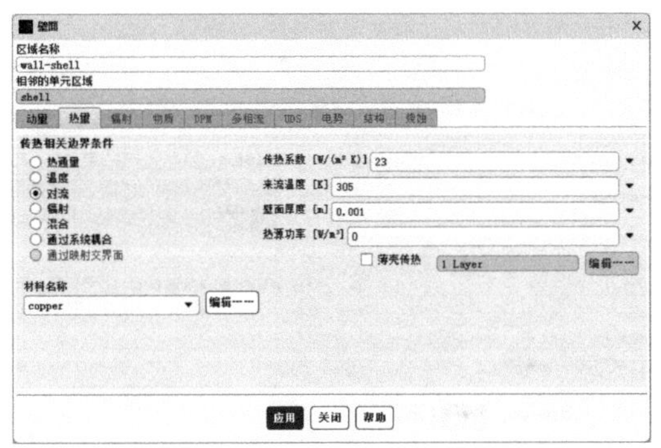

图 7-36 设置区域名称“wall-shell”

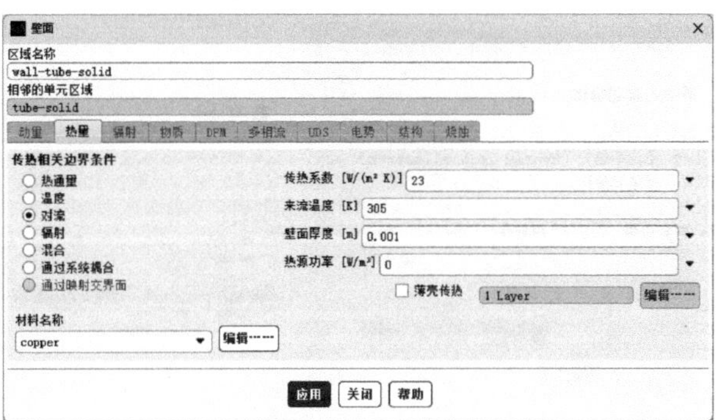

图 7-37 设置区域名称“wall-tube-solid”

7.1.10 调整求解控制

调整求解控制参数的操作步骤如下。

1）单击“功能区”选项卡中的“求解”→“方法”按钮，弹出图 7-38 的“求解方法”面板。保持默认设置不变。

2）单击“功能区”选项卡中的“求解”→“控制”按钮，弹出图 7-39 的“解决方案控制”面板。保持默认设置不变。

图 7-38 “求解方法”面板

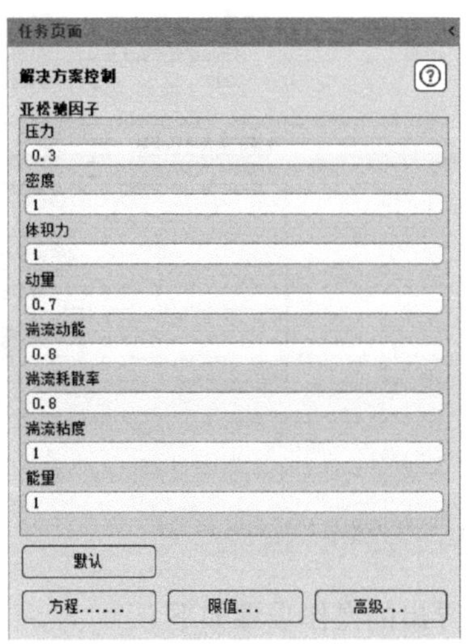

图 7-39 “解决方案控制”面板

7.1.11 设置初始条件

设置初始条件的操作步骤如下。

1）单击“功能区”选项卡中的“求解”→“初始化”按钮，弹出图 7-40 的“解决方案初始化”面板。

在“初始化方法”选项区域中选择“混合初始化（Hybrid Initialization）”单选按钮，单击“初始化”按钮进行初始化。

2）在“解决方案初始化”面板中，单击“局部初始化”按钮，弹出图 7-41 的“局部初始化”对话框，在“待修补区域”区域中选择所有计算域，“Variable”列表框中选择“Temperature”，在“值［K］”数值框中填入 298，单击“局部初始化”按钮。

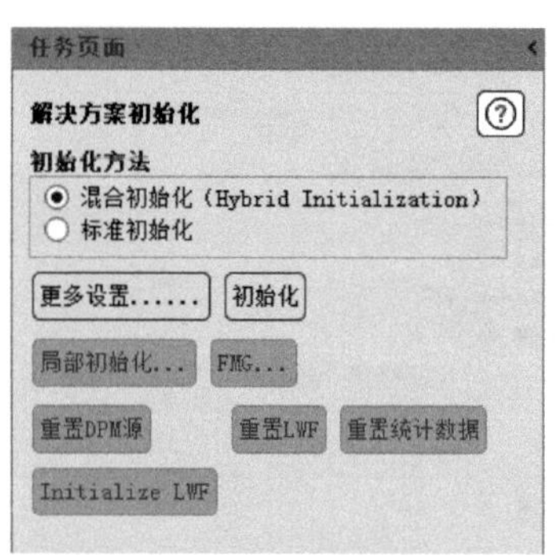

图 7-40 “解决方案初始化”面板

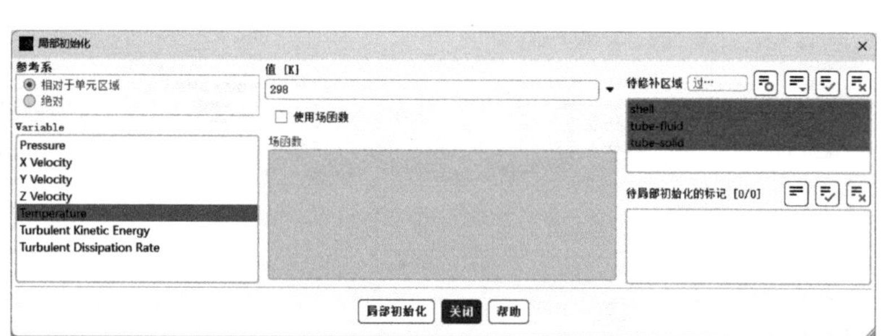

图 7-41 “局部初始化”对话框

7.1.12 求解过程监视

单击“功能区”选项卡中的“求解”→“报告”→“残差”按钮，弹出图 7-42 的“残差监控器”对话框。保持默认设置不变，单击“OK”按钮确认。

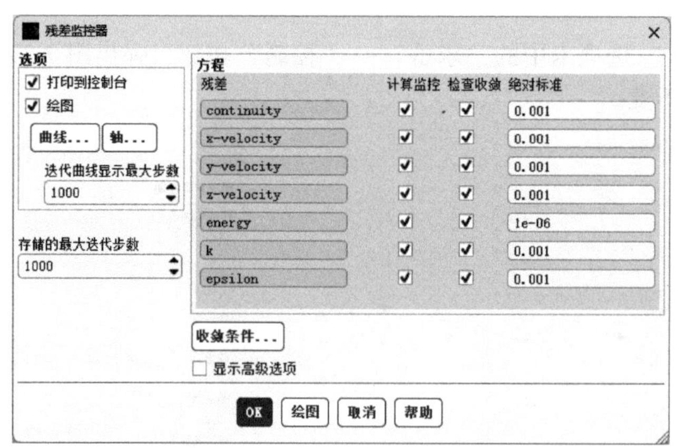

图 7-42 “残差监控器”对话框

7.1.13 数据导出

数据导出的操作步骤如下。

1）单击“功能区”选项卡中的“求解”→“活动”→“创建”→“解决方案数据导出”

按钮，弹出图 7-43 的“自动导出”对话框。

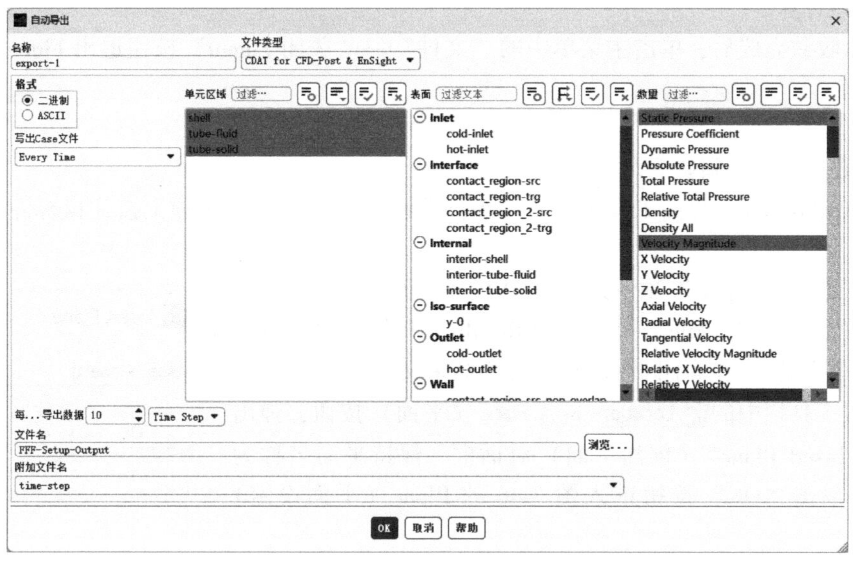

图 7-43 “自动导出”对话框

2）“文件类型”选择“CDAT for CFD-Post & EnSight”，在“每...导出数据”数值框中输入 10，在“数量”列表框中选择“Static Pressure”“Velocity Magnitude”和“Static Temperature”，单击“OK”按钮确认并关闭对话框。

7.1.14 计算求解

计算求解的操作步骤如下。

1）单击“功能区”选项卡中的“求解”→“运行计算”按钮，弹出图 7-44 的“运行计算”面板。

图 7-44 “运行计算”面板

在“时间步长［s］”数值框中输入 0.001，在“时间步数”数值框中输入 4800，单击“开始计算”按钮计算。

2）计算收敛完成后，单击主菜单中的“文件”→“关闭 Fluent”按钮退出 Fluent 界面。

7.1.15 结果后处理

结果后处理操作步骤如下。

1）在 Workbench 主界面工具箱中的“组件系统”→“结果”选项上按住鼠标左键拖拽到项目管理区中。

2）双击 B2 栏“结果”项，进入 CFD-Post 界面。

3）单击主菜单的“File”→“Load Results”按钮，弹出 Load Results Files 对话框，选择不同时间点的计算结果文件。

4）单击工具栏中的 Location→ Plane（平面）按钮，弹出图 7-45 的“Insert Plane”（创建平面）对话框，保持平面名称为“Plane 1”，单击“OK”按钮进入图 7-46 的 Plane（平面设定）面板。

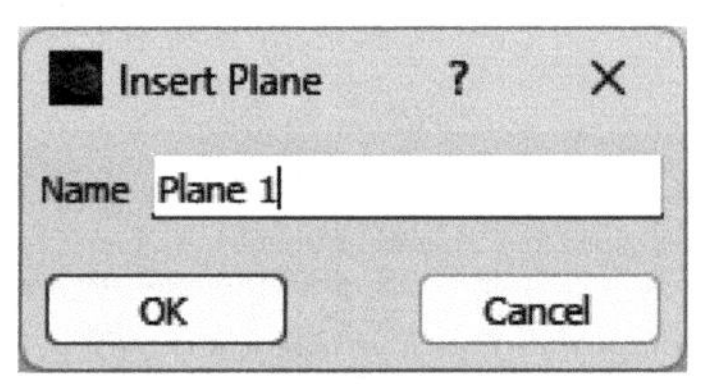

图 7-45 指定平面名称对话框

5）在“Geometry”（几何）选项卡中，“Method”选择“ZX Plane”，Y 坐标取值设定为 0，单位为 m，单击“Apply”按钮创建平面，生成的平面如图 7-47 所示。

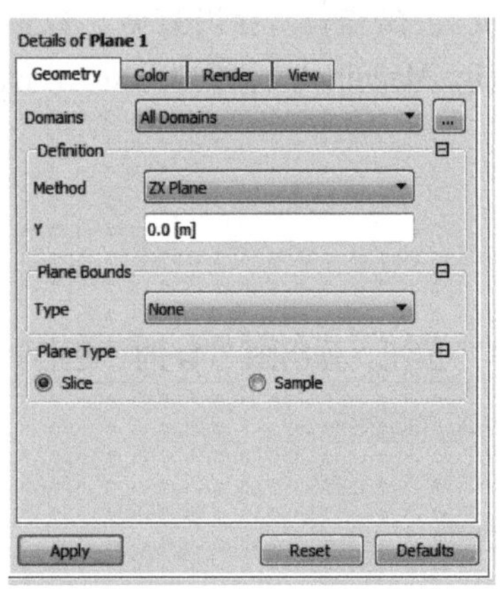

图 7-46 平面设定面板

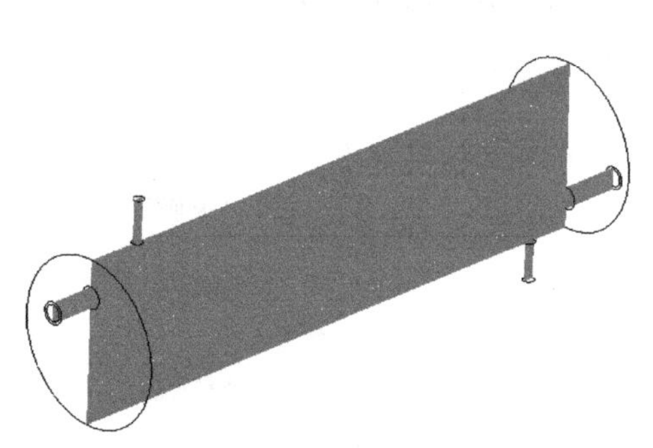

图 7-47 ZX 方向平面

6）单击工具栏中的（云图）按钮，弹出 Insert Contour（创建云图）对话框。输入云图名称为“Press”，单击“OK”按钮进入图 7-48 的云图设定面板。

7）在“Geometry”（几何）选项卡中，“Locations”选择“Plane 1”，“Variable”选择“Pressure”，单击“Apply”按钮创建压力云图，效果如图 7-49 所示。

8）同步骤 6），创建云图“Vec”。

9）在图 7-50 云图设定面板的“Geometry”（几何）选项卡中，“Locations”选择“Plane 1”，“Variable”选择“Velocity”，单击“Apply”按钮创建速度云图，效果如图 7-51 所示。

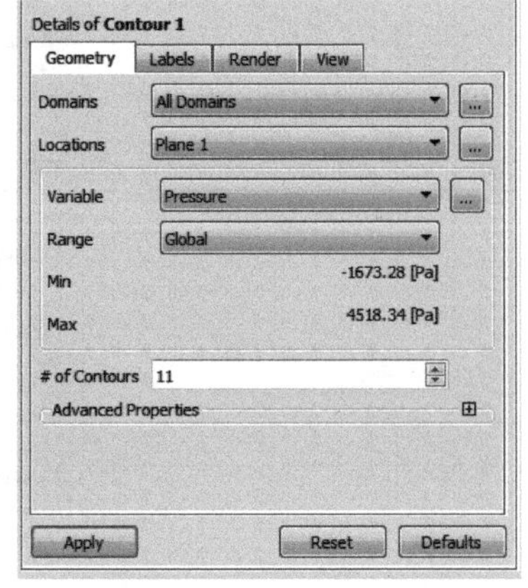

图 7-48 云图设定面板

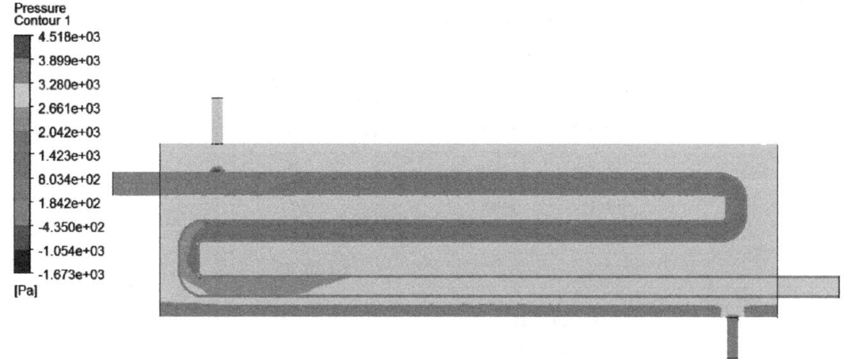

图 7-49　压力云图

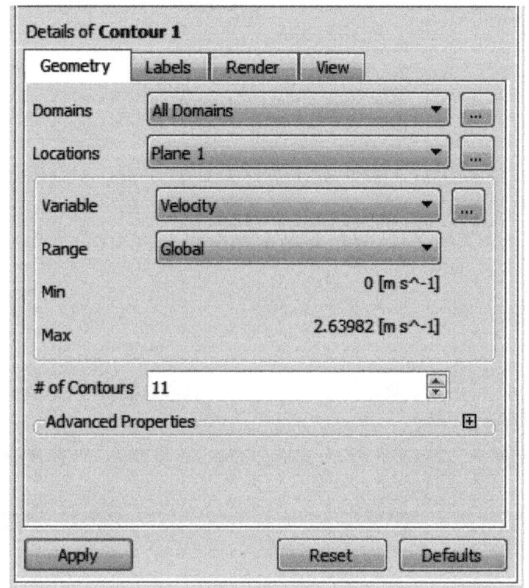

图 7-50　云图设定面板

图 7-51　速度云图

10）同步骤 6），创建云图“Tem”。

11）在图 7-52 云图设定面板的“Geometry”（几何）选项卡中“Locations”选择“Plane 1”，“Variable”选择“Temperature”，单击“Apply”按钮创建温度云图，效果如图 7-53 所示。

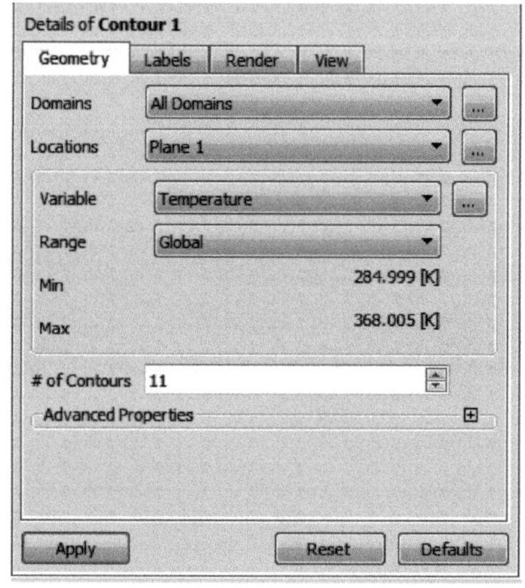

图 7-52　云图设定面板

图 7-53　温度云图

7.1.16　保存与退出

保存与退出的操作步骤如下。

1）执行主菜单的“File”→“Close CFD-Post”命令，退出 CFD-Post 模块，返回 Workbench 主界面。此时主界面项目管理区中显示的分析项目均已完成。

2）在 Workbench 主界面中单击常用工具栏中的保存按钮，保存包含有分析结果的文件。执行主菜单的“文件”→“退出”命令，退出 ANSYS Workbench 主界面。

7.2　机箱内风扇冷却

下面将通过机箱内风扇冷却的传热分析案例，让读者对 ANSYS Fluent 2024 R1 分析处理传热流动基本操作步骤的每一项内容有初步了解。

7.2.1　案例介绍

请用 ANSYS Fluent 求解图 7-54 的三维机箱几何模型的压力、速度与温度的分布云图。

图 7-54　三维机箱几何模型

7.2.2　建立分析项目

参考算例 3.1，启动 Workbench 并建立流体分析项目，如图 7-55 所示。

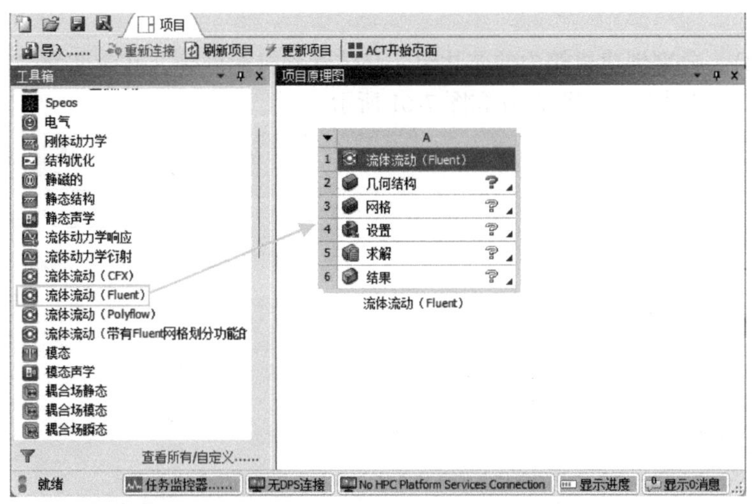

图 7-55　创建流体流动（Fluent）分析项目

7.2.3　导入几何体

导入几何体的操作步骤如下。

1）在 A2 栏的“几何结构”上单击鼠标右键，在弹出的快捷菜单中选择“导入几何模型”→“浏览”命令，此时会弹出“打开”对话框。

2）在“打开”对话框中选择文件路径，导入 cooling. stp 几何体文件，此时 A2 栏“几何结构”后的 ? 变为 ✓，表示实体模型已经存在。

7.2.4　划分网格

划分网格的操作步骤如下。

1）双击 A3 栏“网格”项，进入 Meshing 界面，Meshing 界面下的模型如图 7-56 所示。在该界面下进行模型的网格划分。

2）右键选择几何体的机箱出口，在弹出的图 7-57 的快捷菜单中选择“创建命名选择”命令，弹出图 7-58 的“选择名称”对话框，输入名称“outlet”，单击“OK”按钮确认。

图 7-56　Meshing 界面下的模型

图 7-57 快捷菜单

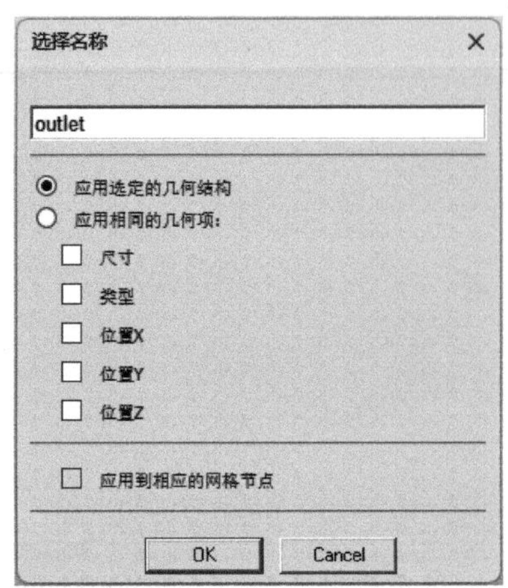

图 7-58 “选择名称”对话框

3）同步骤 2)，分别创建机箱内的芯片组、晶体管和机箱外壳，并命名为“base chip”“transistor”和“wall”，如图 7-59、图 7-60 和图 7-61 所示。

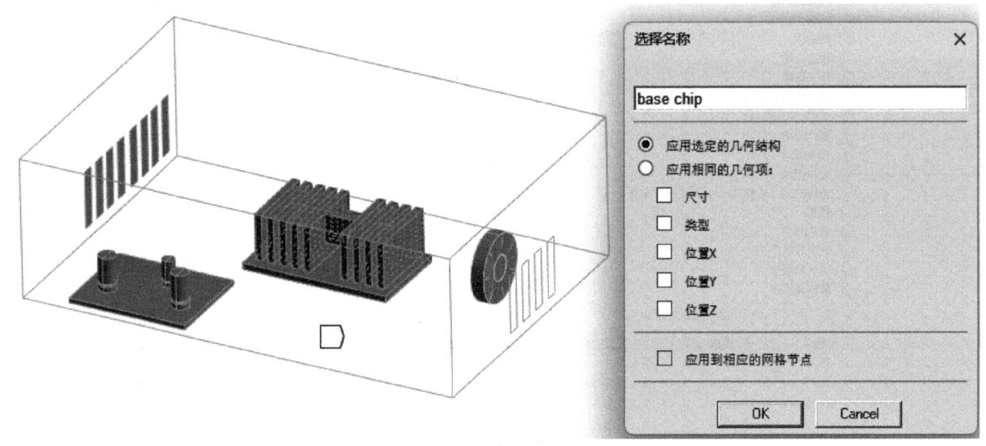

图 7-59 创建“base chip”

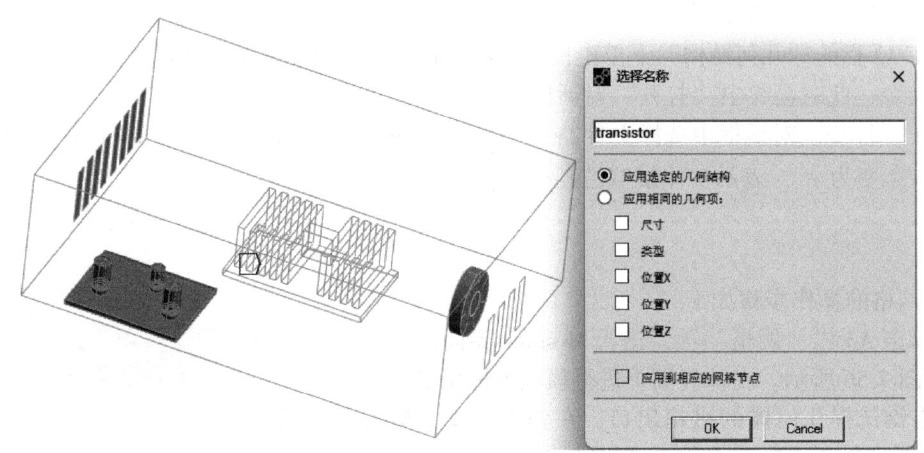

图 7-60 创建“transistor”

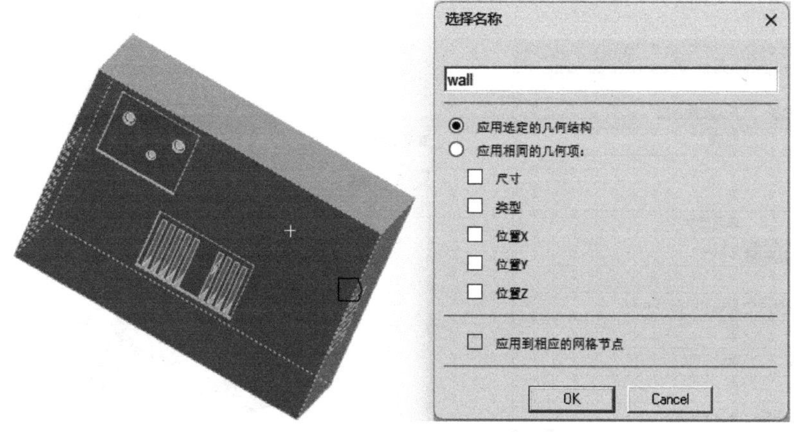

图 7-61　创建“wall”

4）右键单击模型树中的“网格”选项，依次选择“网格”→“插入”→“尺寸调整”命令，如图 7-62 所示。然后弹出图 7-63 的尺寸调整面板。

“几何结构”选择计算域中的风扇区域，在“单元尺寸”文本框中填入 2mm，调整后的效果如图 7-64 所示。

5）同步骤 4)，右键单击模型树中的“网格”选项，依次选择“网格”→“插入”→“尺寸调整”命令，弹出图 7-65 的尺寸调整面板。

“几何结构”选择计算域中的芯片组和晶体管，在“单元尺寸”文本框中填入 2mm，调整后的效果如图 7-66 所示。

图 7-62　设置网格尺寸

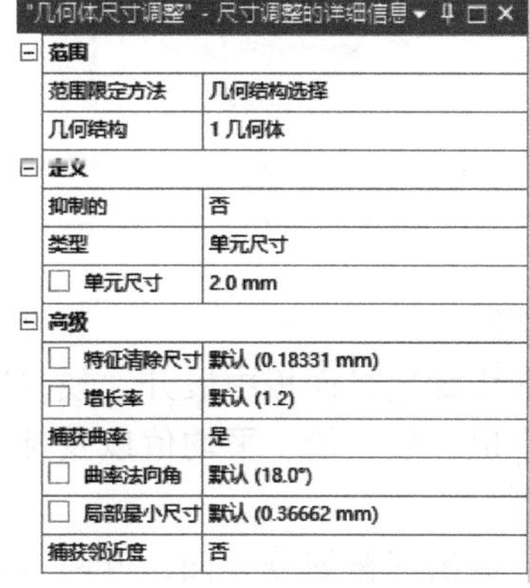

"几何体尺寸调整" - 尺寸调整的详细信息

范围	
范围限定方法	几何结构选择
几何结构	1 几何体
定义	
抑制的	否
类型	单元尺寸
单元尺寸	2.0 mm
高级	
特征清除尺寸	默认 (0.18331 mm)
增长率	默认 (1.2)
捕获曲率	是
曲率法向角	默认 (18.0°)
局部最小尺寸	默认 (0.36662 mm)
捕获邻近度	否

图 7-63　尺寸调整面板

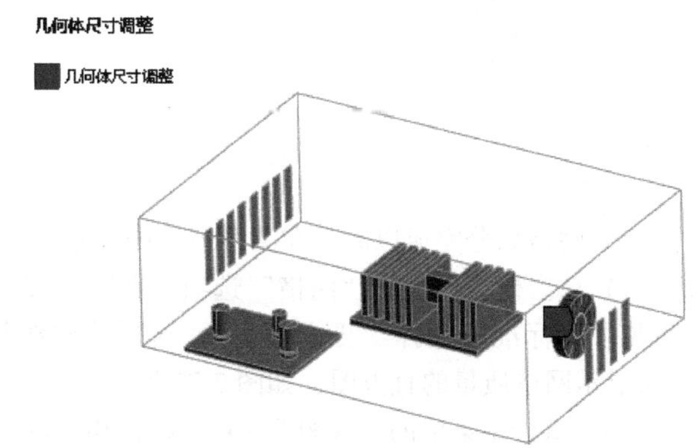

图 7-64　调整后的模型效果

6）单击模型树中的“网格”选项，弹出图 7-67 的网格设置面板。在“单元尺寸”文本框中设置单元尺寸为 15mm，展开“质量”选项，“平滑”选择“高”。

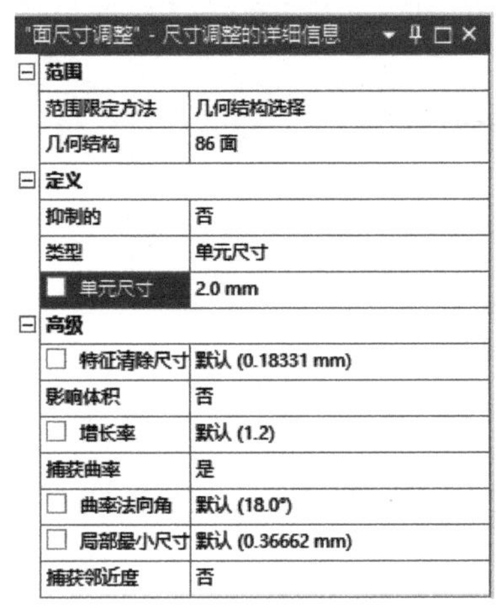

图 7-65　尺寸调整面板

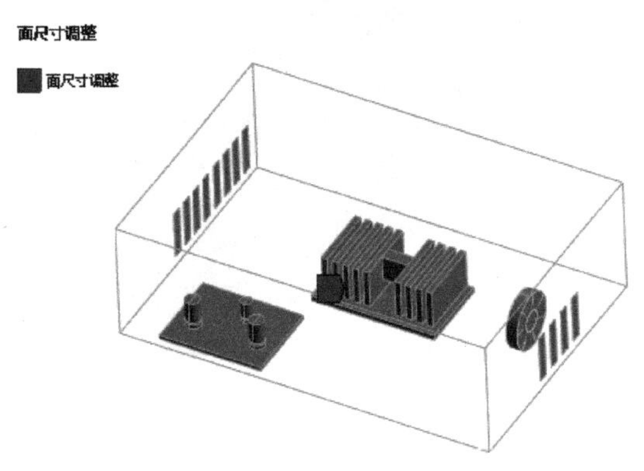

图 7-66　调整后的效果

7）右键单击模型树中的“网格”选项，选择快捷菜单中的“生成网格”命令，开始生成网格，如图 7-68 所示。

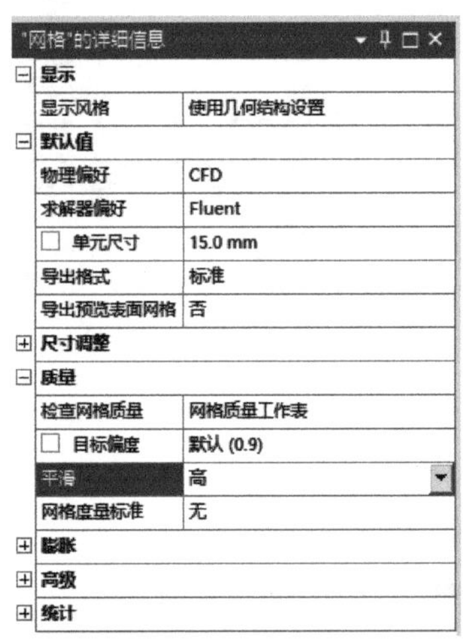

图 7-67　网格属性设置

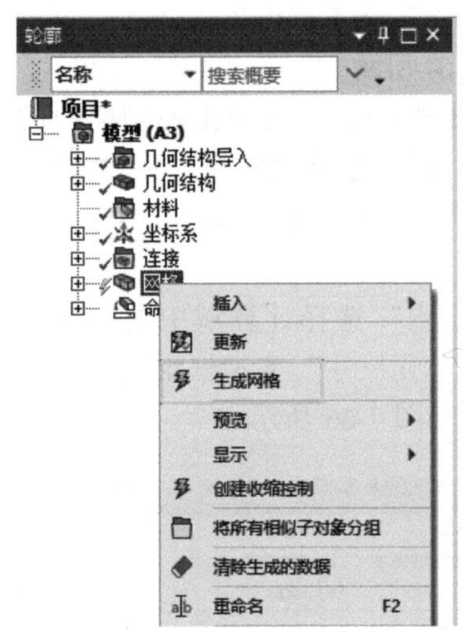

图 7-68　网格生成

8）网格划分完成以后，在图形窗口中显示图 7-69 的网格。

9）单击模型树中的“网格”选项，在图 7-70 的网格的详细信息面板中展开“质量”选项，“网格质量标准”选择“正交质量”。这样能够统计出最小值、最大值、平均值以及标准偏差，同时显示网格质量的直方图，如图 7-71 所示。

10）执行主菜单的“文件”→“关闭 Meshing”命令，退出网格划分界面，返回 Workbench 主界面。

11）右键单击 Workbench 界面中 A3“网格”项，选择快捷菜单中的“更新”命令，完成网格数据往 Fluent 分析模块中的传递。

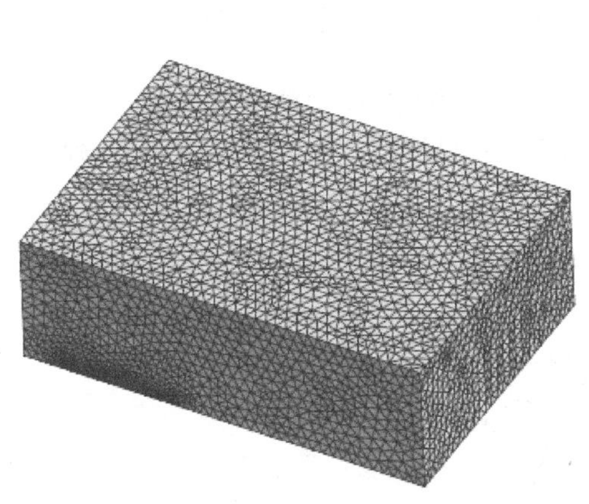
图 7-69　计算域网格

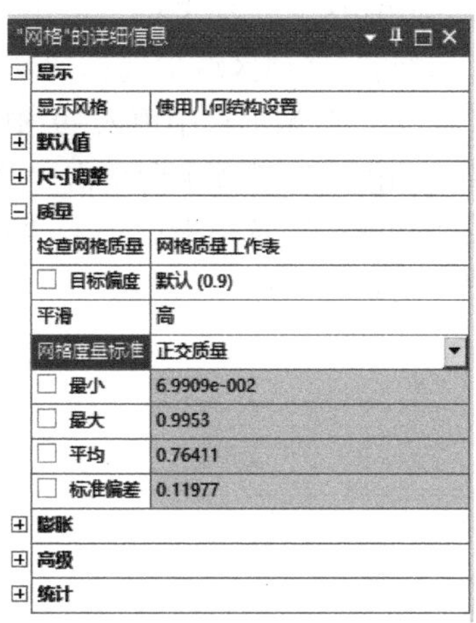

图 7-70　网格详细信息面板

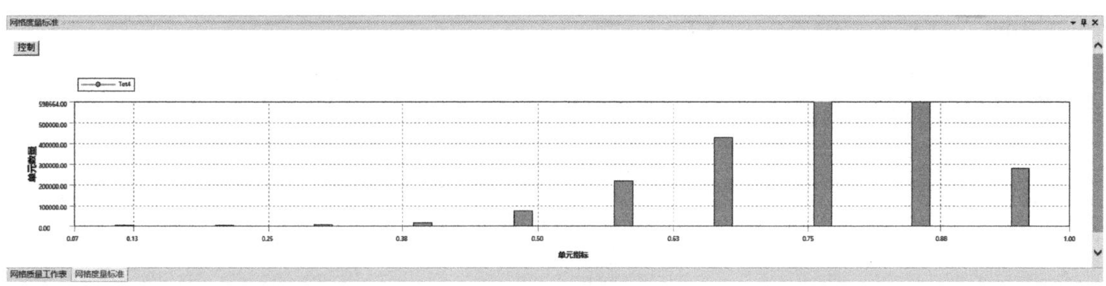

图 7-71　网格划分情况统计

7.2.5　定义模型

定义模型的操作步骤如下。

1）双击 A4 栏“设置”项，打开图 7-72 的 Fluent Launcher 对话框，单击“Start”按钮进入 Fluent 界面。

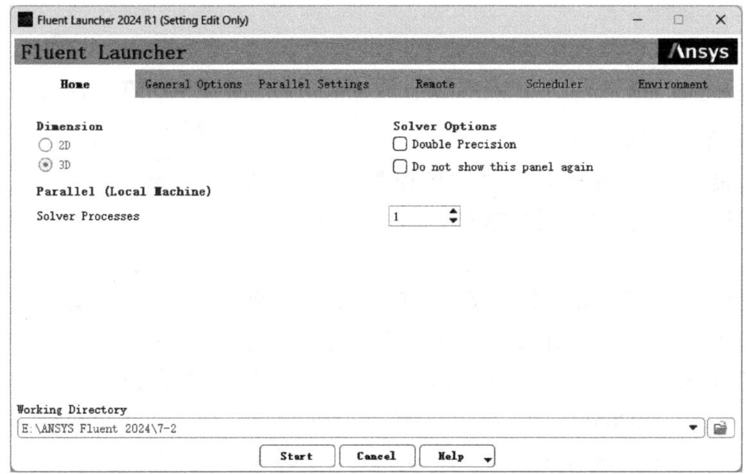

图 7-72　Fluent Launcher 对话框

2）在“功能区”选项卡中，单击“物理模型”→“通用”按钮，弹出图 7-73 的“通用”面板，在“时间”选项区域中选择“瞬态”单选按钮，勾选“重力”复选框，在重力加速度区域的“Z［m/s^2］”数值框中填入-9.81。

3）在“功能区”选项卡中单击“物理模型”→“模型”→“能量”按钮。

4）在“功能区”选项卡中单击“物理模型”→“模型”→“黏性”按钮，弹出图 7-74 的“黏性模型”对话框。

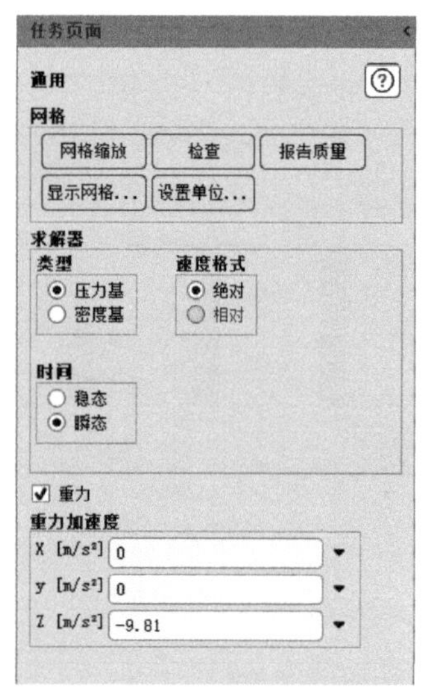

图 7-73 “通用”面板

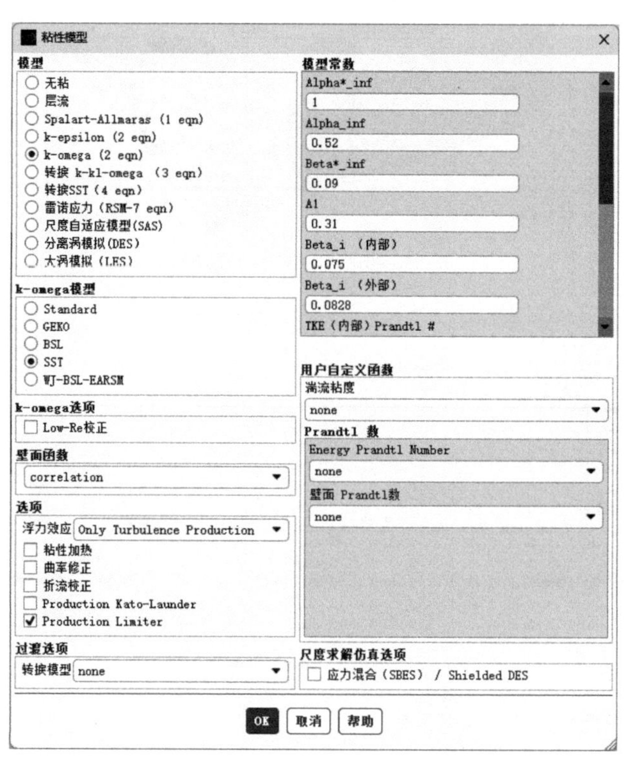

图 7-74 “黏性模型”对话框

在“模型”选项区域中选择“k-omega（2 eqn）”单选按钮，在“k-omega 模型”选项区域中选择“SST”单选按钮，在“选项”区域中选择“Production Limiter”复选框，单击“OK”按钮确认。

7.2.6 设置计算域

设置计算域的操作步骤如下。

1）单击“功能区”选项卡中的“物理模型”→“区域”→“单元区域”按钮，启动图 7-75 的“单元区域条件”面板。

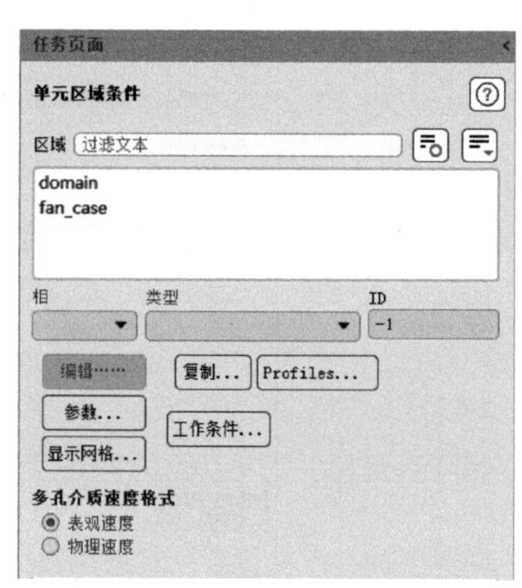

图 7-75 “单元区域条件”面板

2）在“单元区域条件”面板中，双击“fan_case”，弹出图 7-76 的“流体”对话框，勾选“网格运动”复选框，在“旋转轴原点”区域“X［m］”“Y［m］”“Z［m］”数值框中分别输入 0、0.026586、0，在“旋转轴方向”区域“X”“Y”“Z”数值框中分别输入 0、1、0，在“旋转速度”区域“速度［rev/min］”数值框中输入 1000，单击

“应用”按钮确认并关闭对话框。

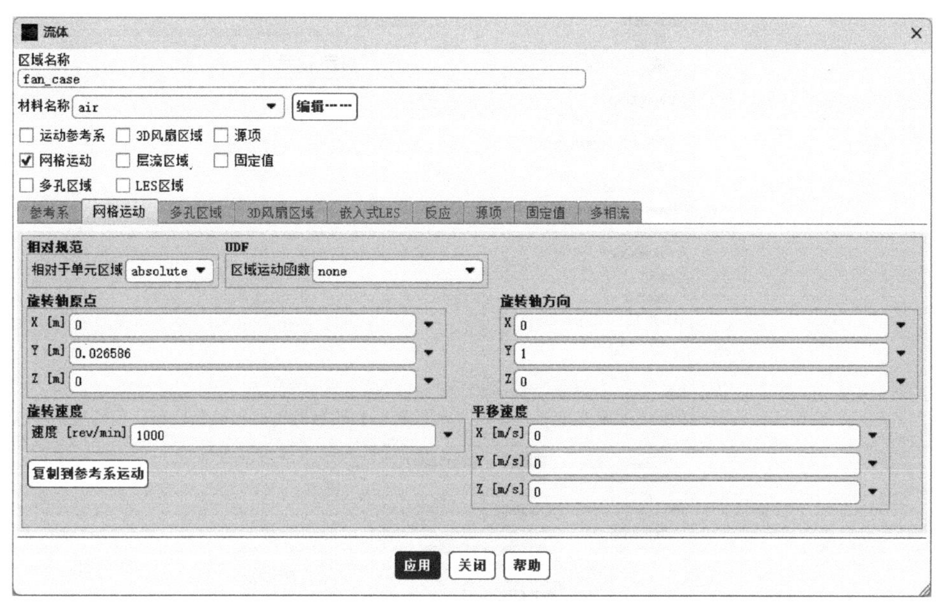

图 7-76 “流体”对话框

3）在“单元区域条件”面板中单击“工作条件”按钮，弹出图 7-77 的“工作条件”对话框，在“可变密度参数”区域勾选“指定的操作密度”复选框，单击“OK”按钮确认并关闭对话框。

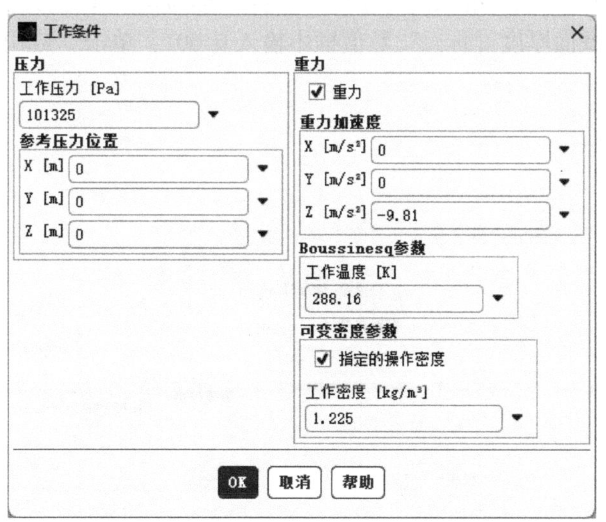

图 7-77 “工作条件”对话框

7.2.7 设置边界条件

设置边界条件的操作步骤如下。

1）单击“功能区”选项卡中的“物理模型”→“区域”→“边界条件”按钮，启动图 7-78 的“边界条件”面板。

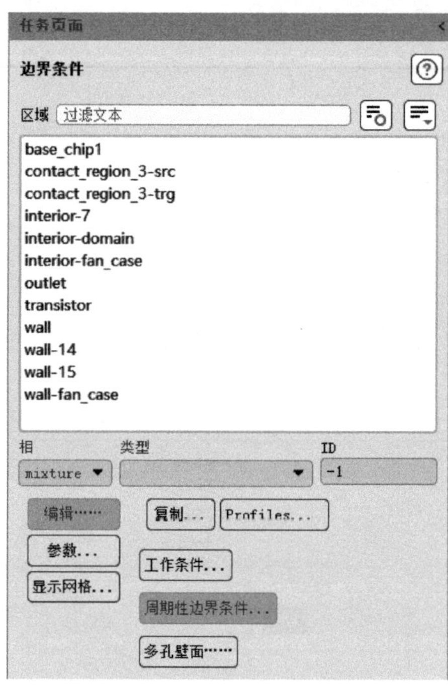

图 7-78 “边界条件”面板

2）在“边界条件”面板中，分别双击设置“base_chip1”和“transistor”，弹出图 7-79 和图 7-80 的“壁面”对话框。

在“热量”选项卡中，“传热相关边界条件”选择“热通量”单选按钮，“热通量［W/m^2］”数值框中输入 2500，“壁面厚度［m］”数值框中输入 0.001，单击“应用”按钮确认并退出。

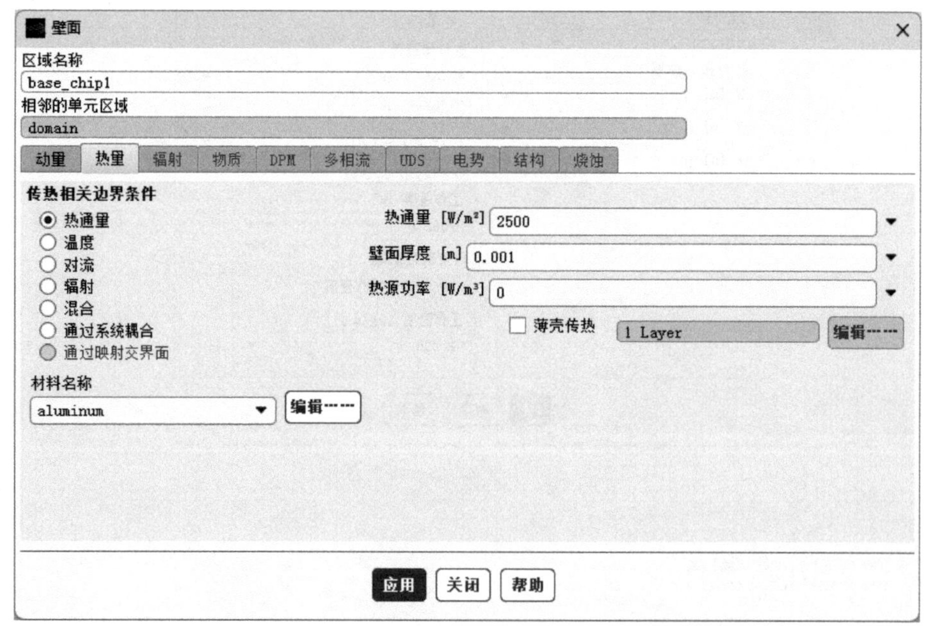

图 7-79 “壁面”对话框

3）同步骤 2），在“边界条件”面板中，双击“wall”弹出图 7-81 的“壁面”对话框。

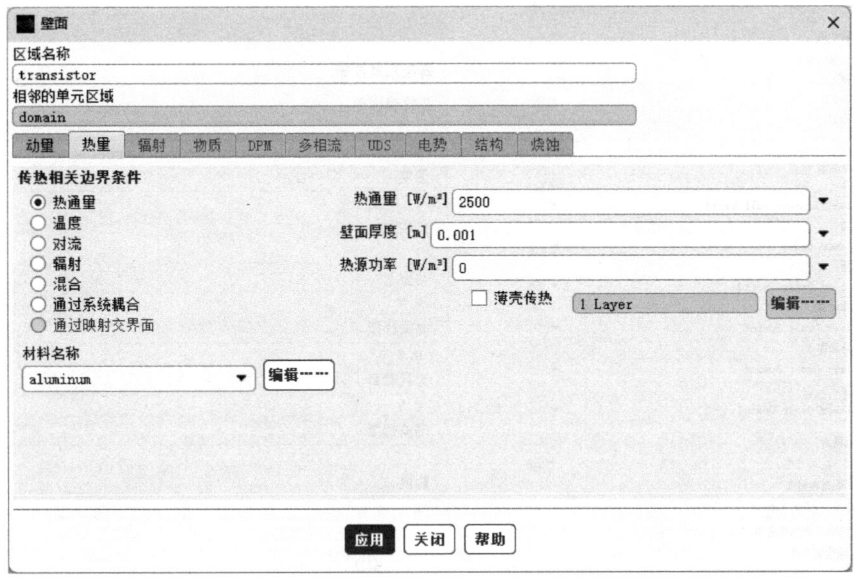

图 7-80 “壁面”对话框

在“热量”选项卡中，“传热相关边界条件”选择“对流”单选按钮，“传热系数［W/(m³K)］”数值框中输入25，“来流温度［K］”数值框中输入300，“壁面厚度［m］”数值框中输入0.001，单击“应用”按钮确认并退出。

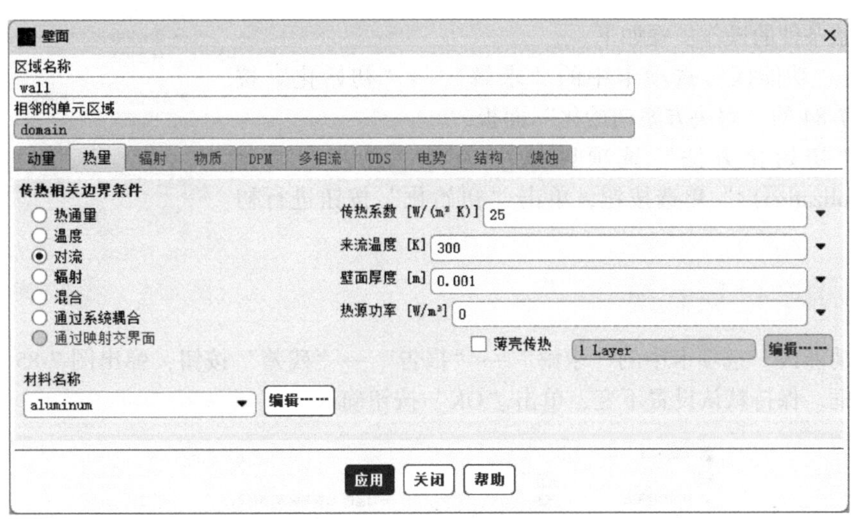

图 7-81 “壁面”对话框

7.2.8 调整求解控制

调整求解控制参数的操作步骤如下。

1）单击“功能区”选项卡中的“求解”→“方法”按钮，弹出图 7-82 的“求解方法”面板。保持默认设置不变。

2）单击“功能区”选项卡中的“求解”→“控制”按钮，弹出图 7-83 的“解决方案控制”面板。保持默认设置不变。

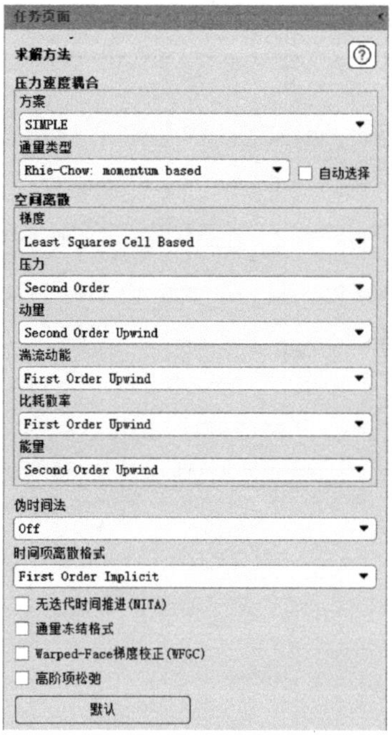

图 7-82 “求解方法”面板

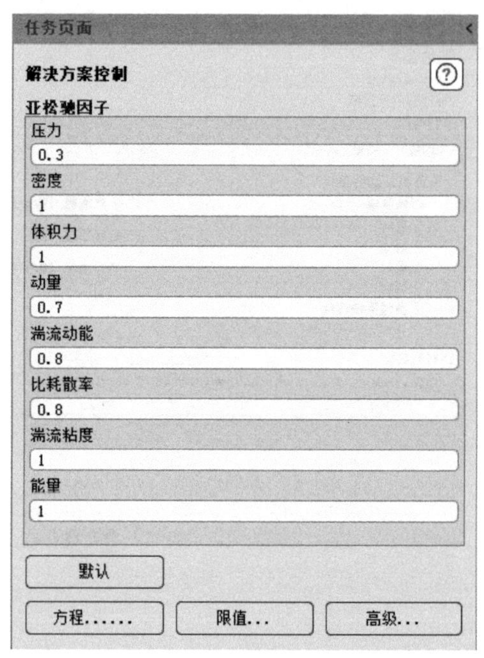

图 7-83 “解决方案控制”面板

7.2.9 设置初始条件

设置初始条件的操作步骤如下。

1）单击“功能区”选项卡中的“求解”→“初始化”按钮，弹出图 7-84 的“解决方案初始化”面板。

2）在“初始化方法”选项区域中选择“混合初始化（Hybrid Initialization）”单选按钮，单击“初始化”按钮进行初始化。

图 7-84 “解决方案初始化”面板

7.2.10 求解过程监视

单击“功能区”选项卡中的“求解”→“报告”→“残差”按钮，弹出图 7-85 的“残差监控器”对话框。保持默认设置不变，单击“OK”按钮确认。

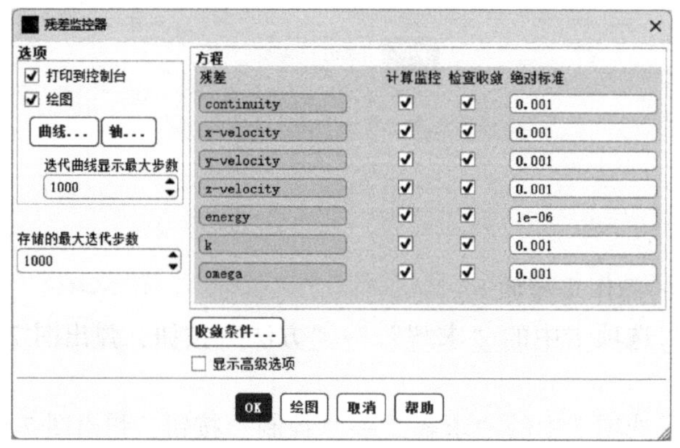

图 7-85 “残差监控器”对话框

7.2.11 数据导出

数据导出的操作步骤如下。

1）单击“功能区”选项卡中的“求解”→“活动”→“创建”→“解决方案数据导出”按钮，弹出图 7-86 的“自动导出”对话框。

2）“文件类型”选择“CDAT for CFD-Post & EnSight”，在“每...导出数据”数值框中输入 10，在“数量”列表框中选择“Static Pressure”“Velocity Magnitude”和“Static Temperature”，单击“OK”按钮确认并关闭对话框。

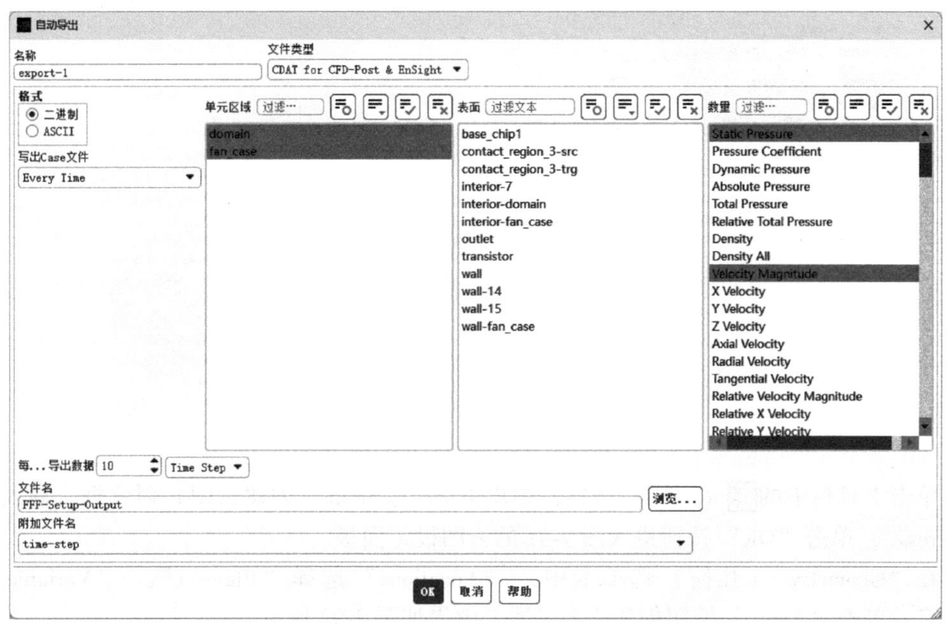

图 7-86 “自动导出”对话框

7.2.12 计算求解

计算求解的操作步骤如下。

1）单击“功能区”选项卡中的“求解”→“运行计算”按钮，弹出图 7-87 的“运行计算”面板。在“时间步长［s］”数值框中输入 0.0015，在“时间步数”数值框中输入 1000，单击“开始计算”按钮计算。

2）计算收敛完成后，单击主菜单中的“文件”→“关闭 Fluent”按钮退出 Fluent 界面。

图 7-87 “运行计算”面板

7.2.13 结果后处理

结果后处理操作步骤如下。

1）在 Workbench 主界面工具箱中的“组件系统”→“结果”选项上按住鼠标左键拖拽到项目管理区中。

2）双击 B2 栏“结果”项，进入 CFD-Post 界面。

3）单击主菜单的“File”→“Load Results”按钮，弹出 Load Results Files 对话框，选择不同时间点的计算结果文件。

4）单击工具栏中的 Location→ Plane（平面）按钮，弹出图 7-88 的“Insert Plane”（创建平面）对话框，保持平面名称为“Plane 1”，单击“OK”按钮进入图 7-89 的 Plane（平面设定）面板。

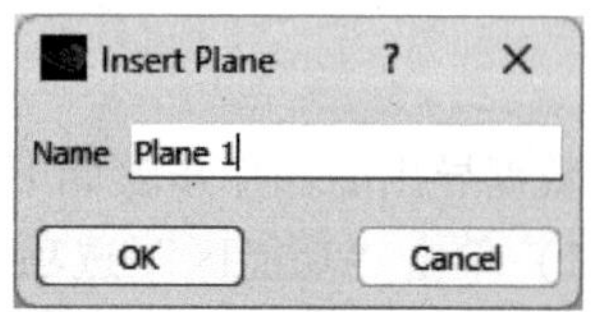

图 7-88 创建平面对话框

5）在“Geometry”（几何）选项卡中，“Method”选择“XY Plane”，Z 坐标取值设定为 0，单位为 m，单击“Apply”按钮创建平面，生成的平面如图 7-90 所示。

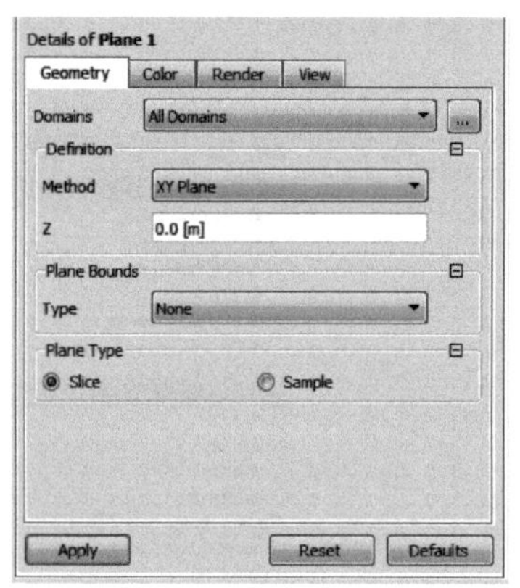

图 7-89 平面设定面板

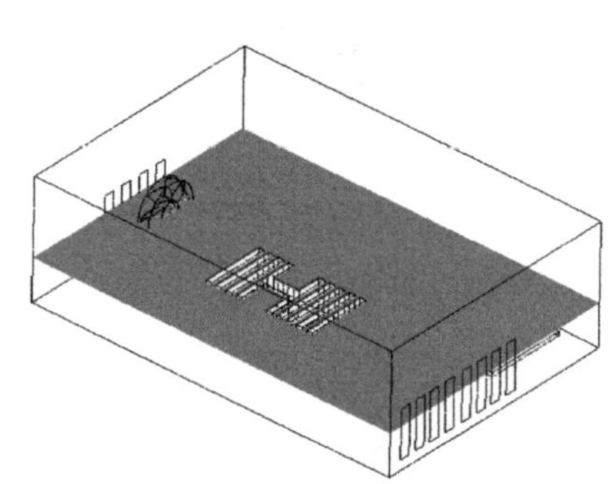
图 7-90 XY 方向平面

6）单击工具栏中的（云图）按钮，弹出 Insert Contour（创建云图）对话框。输入云图名称为“Press”，单击“OK”按钮进入图 7-91 的云图设定面板。

7）在“Geometry”（几何）选项卡中，“Locations”选择“Plane 1”，“Variable”选择“Pressure”，单击“Apply”按钮创建压力云图，效果如图 7-92 所示。

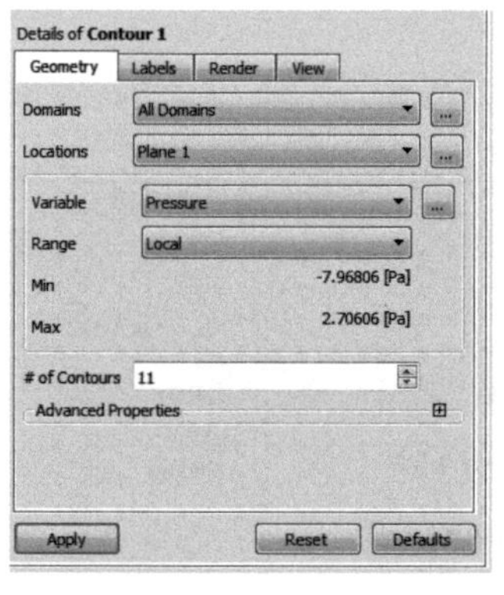

图 7-91 云图设定面板

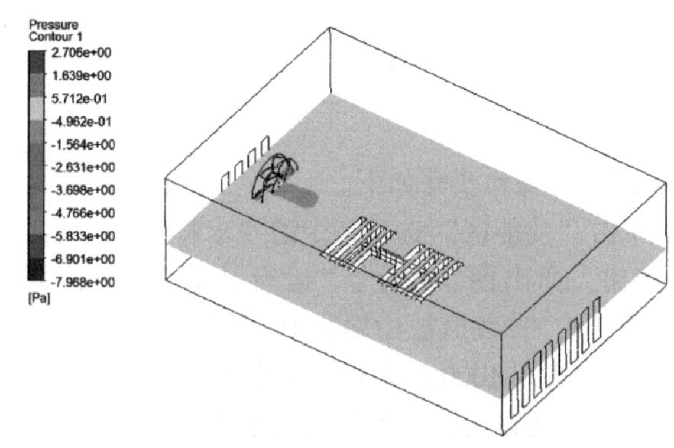

图 7-92 压力云图

8）同步骤 6)，创建云图“Vec”。

9）在图 7-93 云图设定面板的“Geometry”（几何）选项卡中，“Locations”选择“Plane 1”，“Variable”选择“Velocity”，单击“Apply”按钮创建速度云图，效果如图 7-94 所示。

10）同步骤 6)，创建云图“Tem”。

11）在图 7-95 云图设定面板的“Geometry”（几何）选项卡中，“Locations”选择“Plane 1”，“Variable”选择“Temperature”，单击“Apply”按钮创建温度云图，效果如图 7-96 所示。

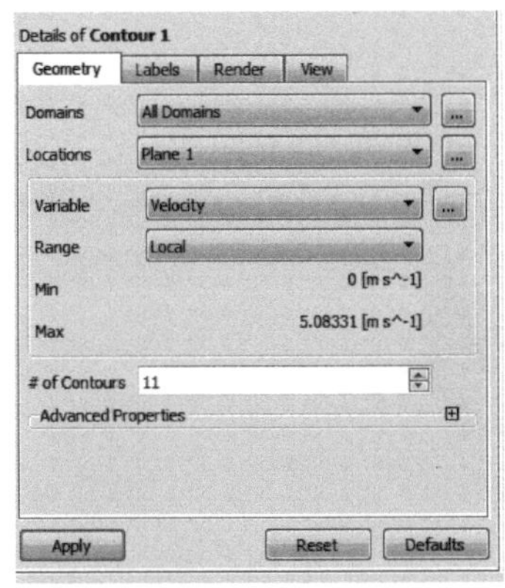

图 7-93　云图设定面板

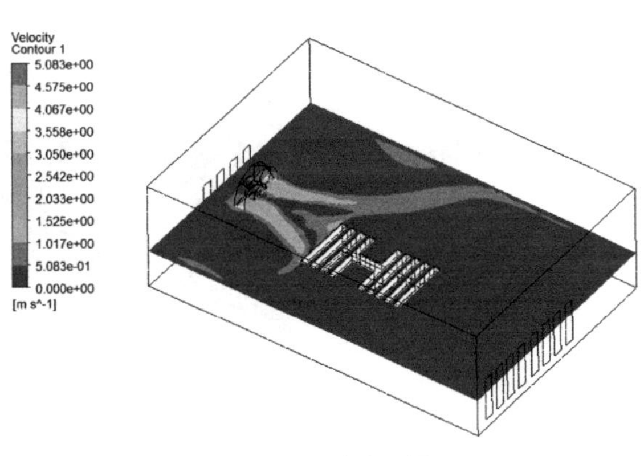

图 7-94　速度云图

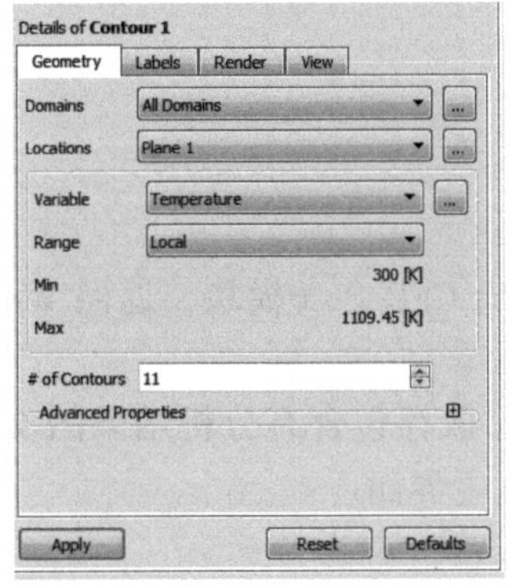

图 7-95　云图设定面板

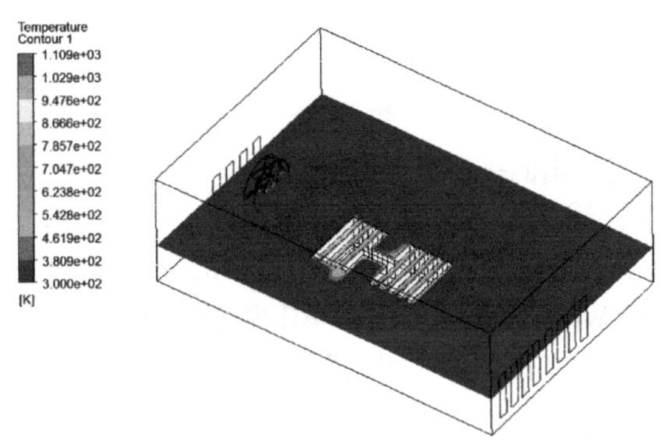

图 7-96　温度云图

12）单击工具栏中的（体绘制）按钮，弹出 Insert Volume Rendering（创建体绘制）对话框。输入云图名称为“Volume Rendering 1”，单击“OK”按钮进入图 7-97 的云图设定面板。

13）在“Geometry”（几何）选项卡中，“Variable”选择“Velocity”，“Resolution”设定为 200，“Transparency”设定为 0.6。

在“Color”选项卡中，“Variable”选择“Velocity”，单击“Apply”按钮创建体绘制云图，如图 7-98 所示。创建的体绘制云图如图 7-99 所示。

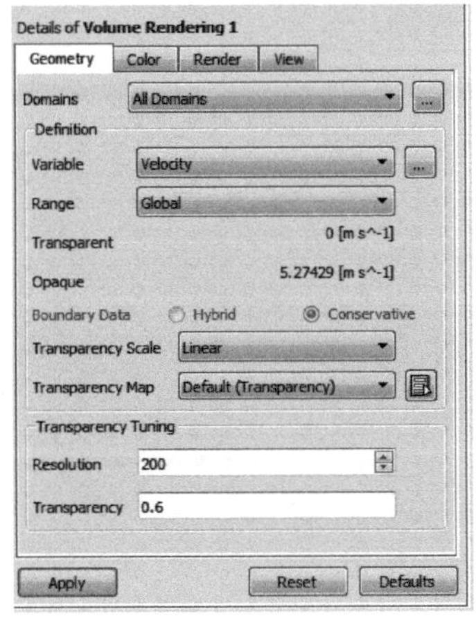

图 7-97　云图设定面板

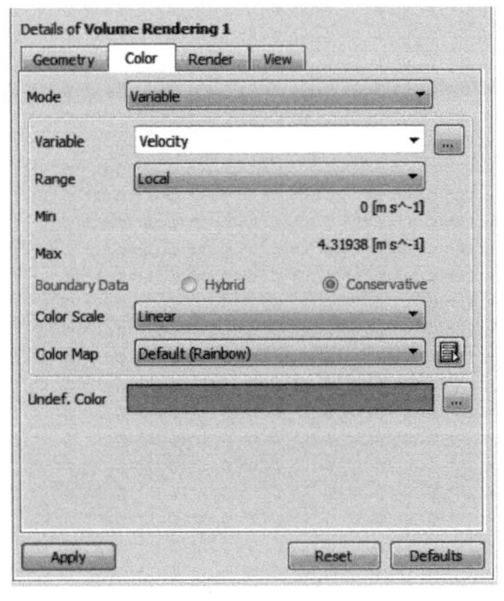

图 7-98　“Color”选项卡

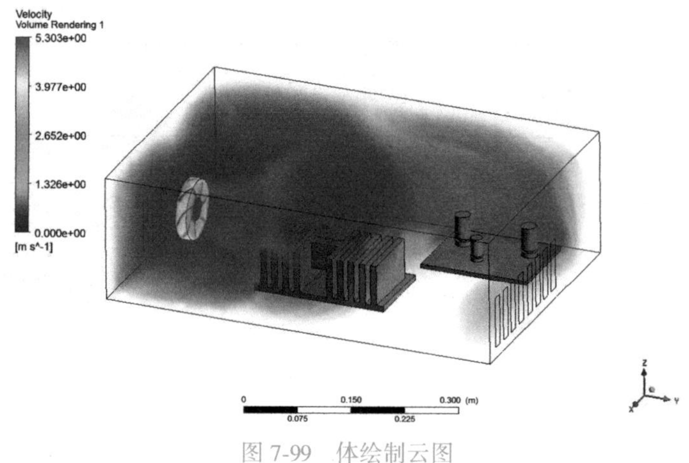

图 7-99　体绘制云图

7.2.14　保存与退出

保存与退出的操作步骤如下。

1）执行主菜单的“File”→“Close CFD-Post”命令，退出 CFD-Post 模块，返回 Workbench 主界面。此时主界面项目管理区中显示的分析项目均已完成。

2）在 Workbench 主界面中单击常用工具栏中的保存按钮，保存包含有分析结果的文件。执行主菜单的“文件”→“退出”命令，退出 ANSYS Workbench 主界面。

7.3　本章小结

本章通过管壳式换热器内部流动和机箱内风扇冷却两个实例分别介绍了 Fluent 处理传热流动的工作流程，实例中说明了 Fluent 生成热传输模型的过程。通过本章内容的学习，读者可以掌握 Fluent 传热模型的设定和物质属性的设定。

第 8 章 多孔介质和气动噪声分析

多孔介质是由多相物质占据的共同空间，也是和多相物质共存的一种组合体。而没有固体骨架的那部分空间叫作孔隙，由液体或气体或气液两相共同占有，相对于其中一相来说，其他相都弥散在其中，并以固相为固体骨架，使得空隙空间的某些空洞相互连通。

气动噪声是指由气流直接产生的振幅和频率杂乱、统计上无规则的声音。气动噪声的生成和传播可以通过求解可压 NS 方程的方式进行数值模拟。在 Fluent 中可以使用 Lighthill 的声学近似模型，即将声音的产生与传播过程分别进行计算，从而达到加快计算速度的目的。

本章将通过两个实例来分别介绍 Fluent 处理多孔介质和气动噪声模拟的工作步骤。

学习目标：

1）掌握离散化设置。

2）掌握表达式的运行。

3）掌握边界条件的设定。

4）掌握气动噪声模型的设定。

5）掌握多孔介质的设定。

8.1 地下管线泄漏流动

下面将通过地下管线泄漏流动的分析案例，让读者对 ANSYS Fluent 2024 R1 分析处理多孔介质基本操作步骤的每一项内容有初步了解。

8.1.1 案例介绍

图 8-1 为某三维几何模型，请用 ANSYS Fluent 求解其压力与速度的分布云图。

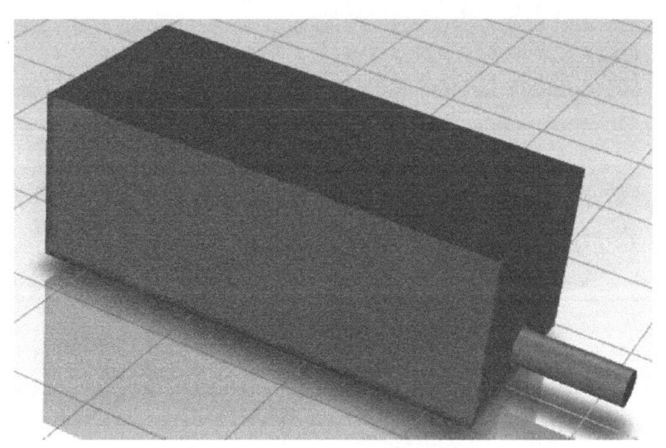

图 8-1 某三维几何模型

8.1.2 建立分析项目

参考算例3.1，启动Workbench并建立流体分析项目，如图8-2所示。

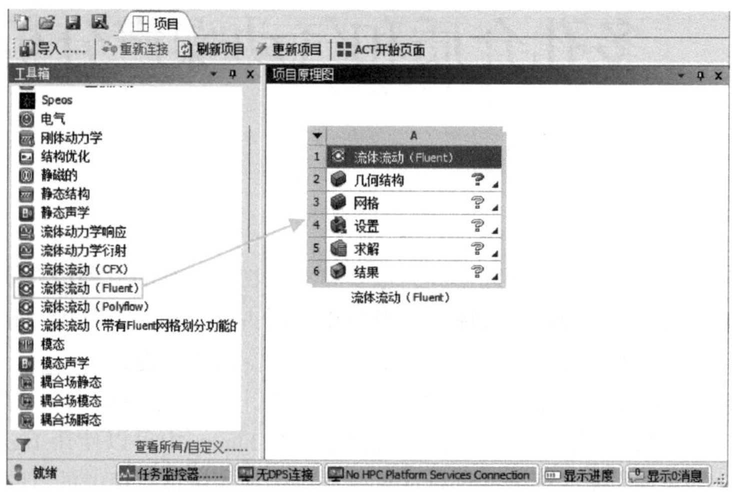

图8-2 创建流体流动（Fluent）分析项目

8.1.3 导入几何体

导入几何体的操作步骤如下。

1）在A2栏的“几何结构”上单击鼠标右键，在弹出的快捷菜单中选择“导入几何模型”→“浏览”命令，此时会弹出“打开”对话框。

2）在“打开”对话框中选择文件路径，导入Leak.stp几何体文件，此时A2栏“几何结构”后的 ? 变为 ✓，表示实体模型已经存在。

8.1.4 划分网格

划分网格的操作步骤如下。

1）双击A3栏“网格”选项，进入Meshing界面，Meshing界面下的模型如图8-3所示。在该界面下进行模型的网格划分。

图8-3 Meshing界面下的模型

2）右键单击选择几何体入口，在弹出的图 8-4 的快捷菜单中选择“创建命名选择”命令，弹出图 8-5 的“选择名称”对话框，输入名称“inlet”，单击“OK”按钮确认。

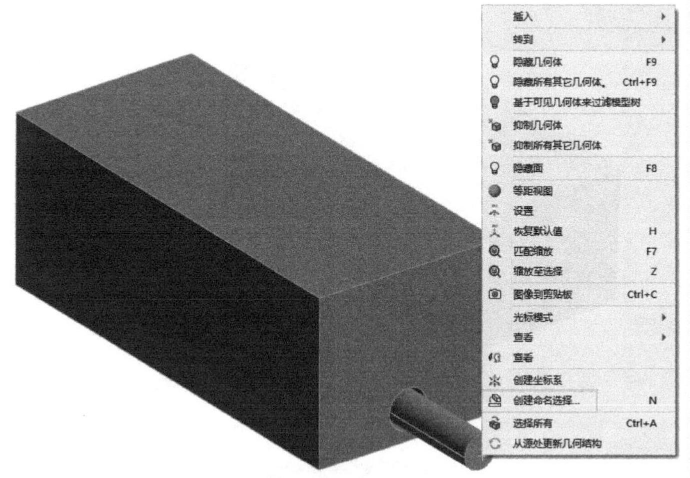

图 8-4　快捷菜单

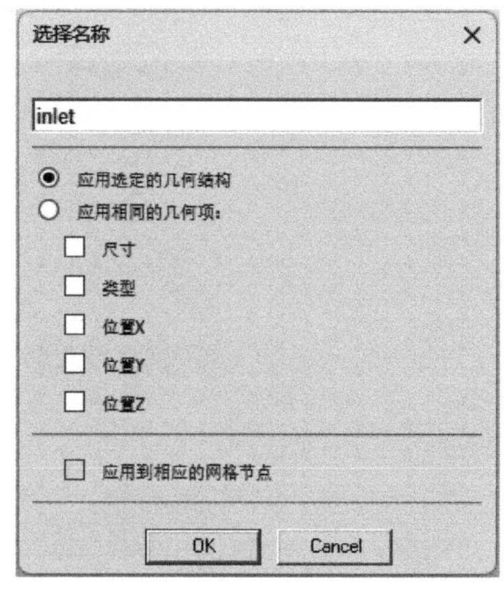

图 8-5　“选择名称”对话框

3）同步骤 2)，分别创建管道的出口和地面出口，并命名为“outlet”和“outlet2”，如图 8-6 和图 8-7 所示。

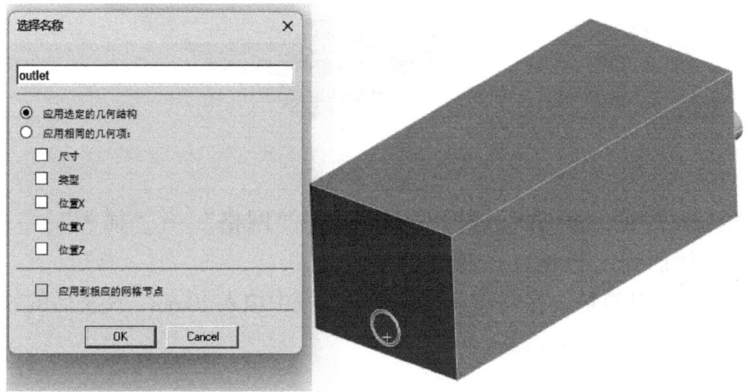

图 8-6　创建管道出口

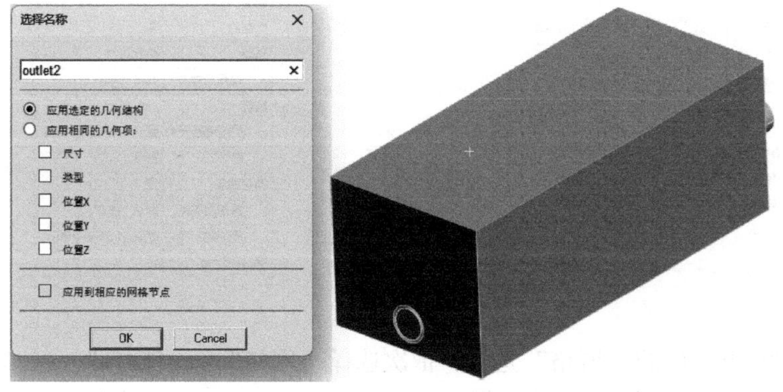

图 8-7　创建地面出口

4）同步骤 2)，分别创建管道计算域和土壤计算域，并命名为“pipe”和“porous”，如图 8-8 和图 8-9 所示。

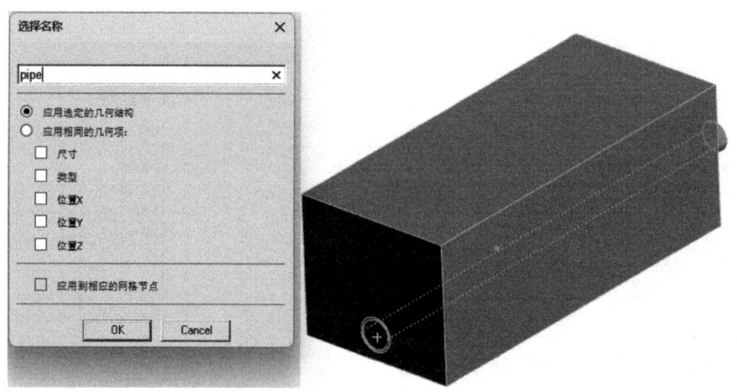

图 8-8　创建管道计算域

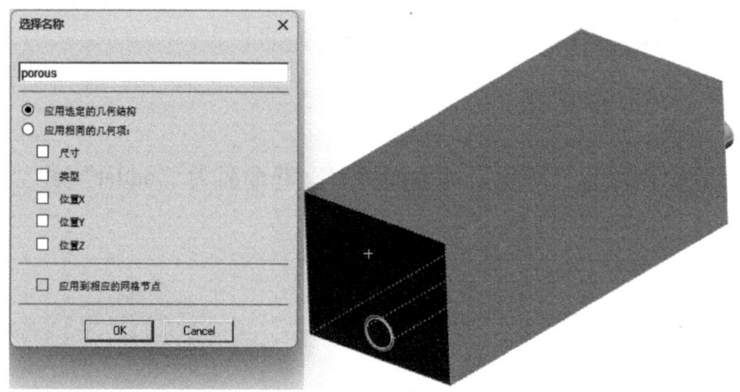

图 8-9　创建土壤计算域

5）右键单击模型树中的“网格”选项，依次选择“网格”→“插入”→“尺寸调整”命令，如图 8-10 所示。然后弹出图 8-11 的尺寸调整面板。

“几何结构”选择管道计算域，在“单元尺寸”数值框中填入 10mm，调整后的效果如图 8-12 所示。

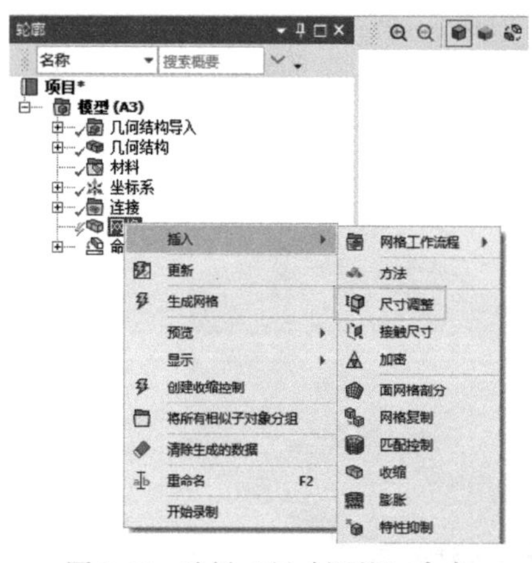

图 8-10　选择“尺寸调整”命令

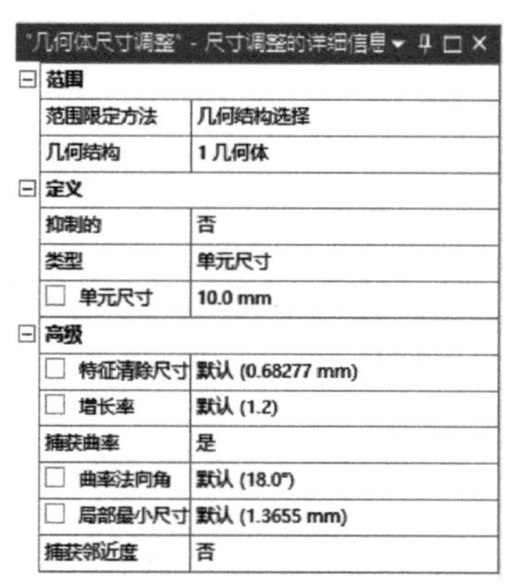

图 8-11　尺寸调整面板

6）右键单击模型树中的“网格”选项，依次选择“网格”→“插入”→“膨胀”命令，如图 8-13 所示。然后弹出图 8-14 的膨胀面板。

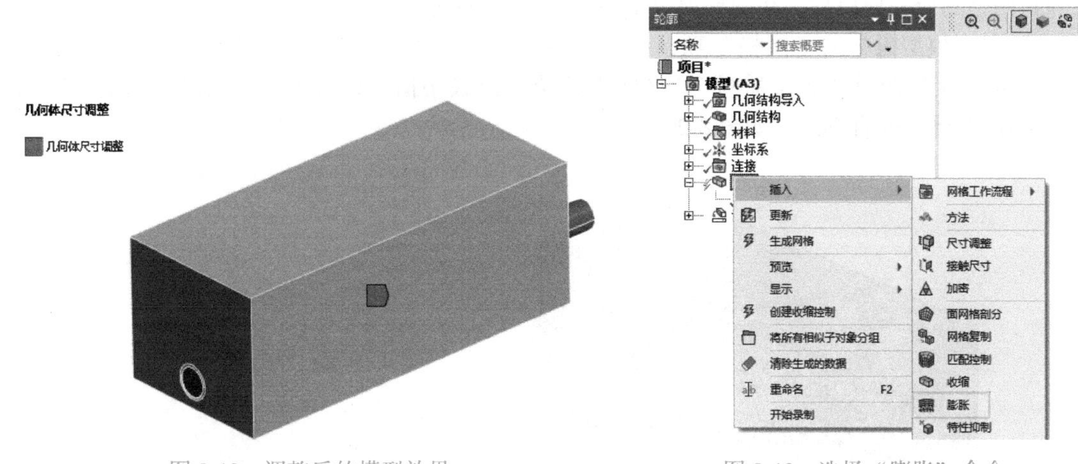

图 8-12　调整后的模型效果　　　　图 8-13　选择“膨胀”命令

“几何结构”选择整个模型计算域，“边界”选择图 8-15 的分离器壁面，在“最大层数”数值框中输入 5。

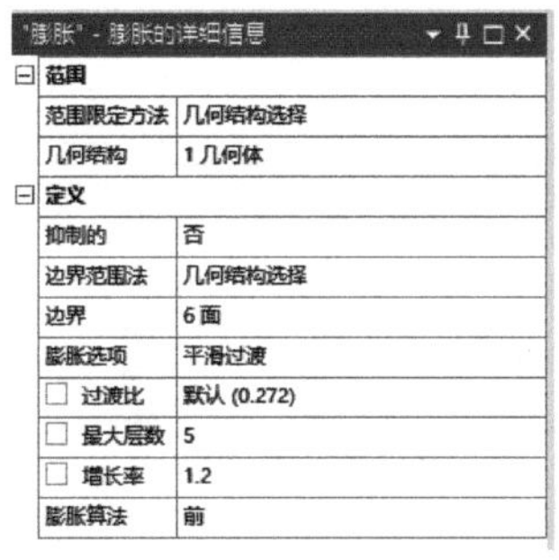

图 8-14　膨胀面板　　　　图 8-15　分离器壁面

7）单击模型树中的“网格”选项，弹出图 8-16 的网格设置面板。在“单元尺寸”中设置网格尺寸为 50mm，展开“质量”选项，“平滑”选择“高”。

8）右键单击模型树中的“网格”选项，选择快捷菜单中的“生成网格”命令，开始生成网格，如图 8-17 所示。

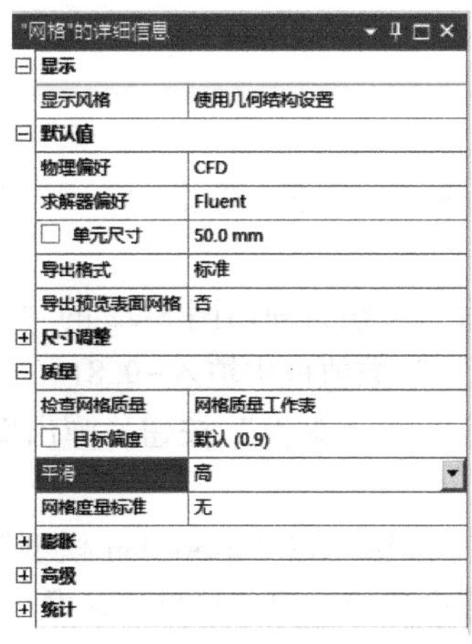

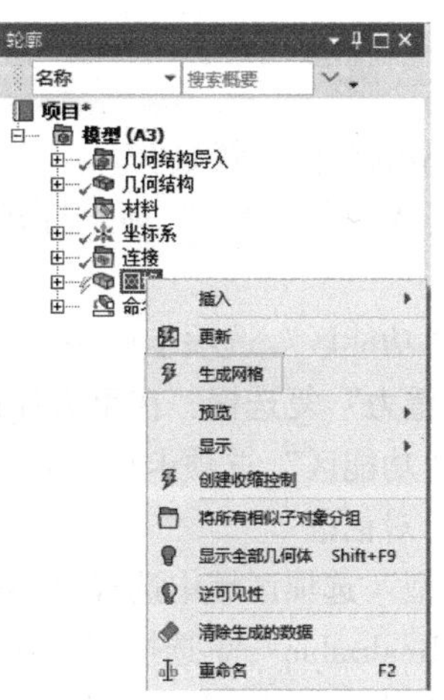

图 8-16　网格属性设置　　　　图 8-17　网格生成

9）网格划分完成以后，在图形窗口中显示图 8-18 的网格。

10）单击模型树中的“网格”项，在图 8-19 的网格的详细信息面板中展开“质量”选项，“网格质量标准”选择“正交质量”。这样能够统计出最小值、最大值、平均值以及标准偏差，同时显示网格质量的直方图，如图 8-20 所示。

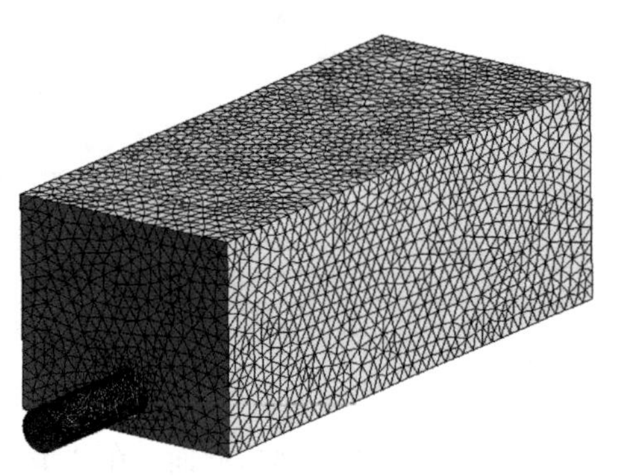

图 8-18 计算域网格

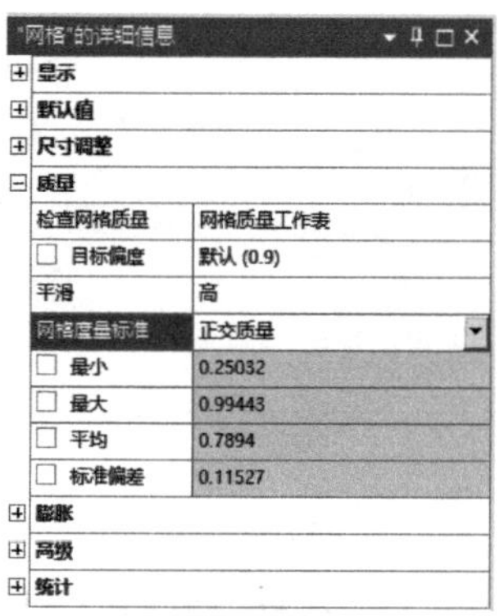

图 8-19 网格详细信息面板

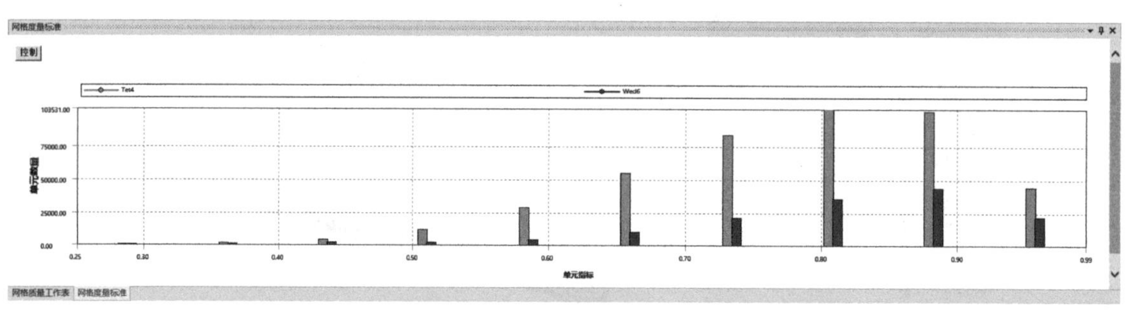

图 8-20 网格划分情况统计

11）执行主菜单的“文件”→“关闭 Meshing”命令，退出网格划分界面，返回 Workbench 主界面。

12）右键单击 Workbench 界面中 A3“网格”项，选择快捷菜单中的“更新”命令，完成网格数据往 Fluent 分析模块中的传递。

8.1.5 定义模型

定义模型的操作步骤如下。

1）双击 A4 栏“设置”项，打开图 8-21 的 Fluent Launcher 对话框，单击“Start”按钮进入 Fluent 界面。

2）在“功能区”选项卡中单击“物理模型”→“通用”按钮，弹出图 8-22 的“通用”面板，勾选“重力”复选框，在重力加速度区域的“Z [m/s^2]”数值框中填入-9.81。

3）在“功能区”选项卡中单击“物理模型”→“模型”→“黏性”按钮，弹出图 8-23 的“黏性模型”对话框。

在“模型”选项区域中选择“k-epsilon（2 eqn）”单选按钮，在“k-epsilon 模型”选项区域中选择“Realizable”单选按钮，在“壁面函数”选项区域中选择“可扩展壁面函数（SWF）”单选按钮，单击“OK”按钮确认。

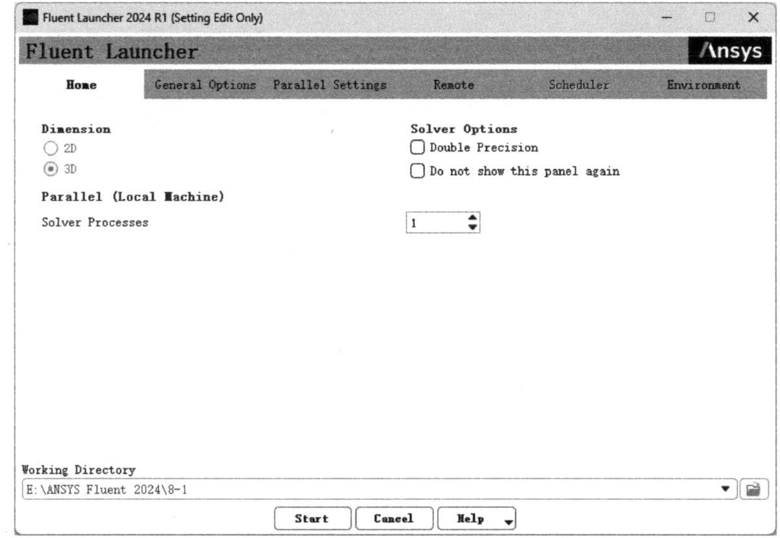

图 8-21　Fluent Launcher 对话框

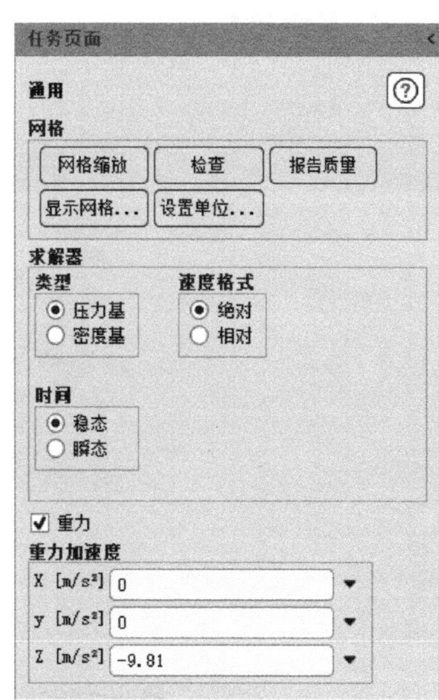

图 8-22　“通用”面板

图 8-23　“黏性模型”对话框

8.1.6　设置材料

设置材料的操作步骤如下。

1）单击“功能区”选项卡中的“物理模型”→“材料”→“创建/编辑”按钮，弹出图 8-24 的“创建/编辑材料”对话框。

2）在“创建/编辑材料”对话框中，单击“Fluent 数据库”按钮，弹出图 8-25 的“Fluent 数据库材料”对话框，在“Fluent 流体材料”列表框中选择 water-liquid，单击“复制”按钮复制。

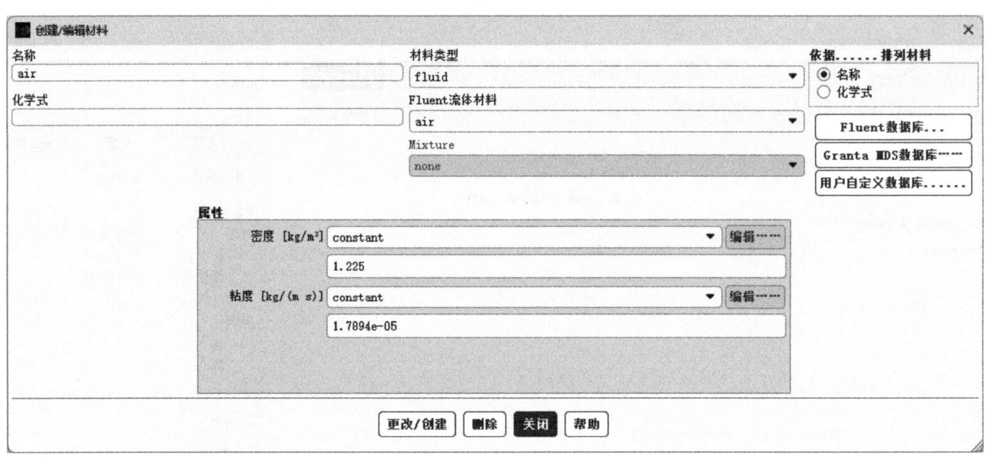

图 8-24 “创建/编辑材料”对话框

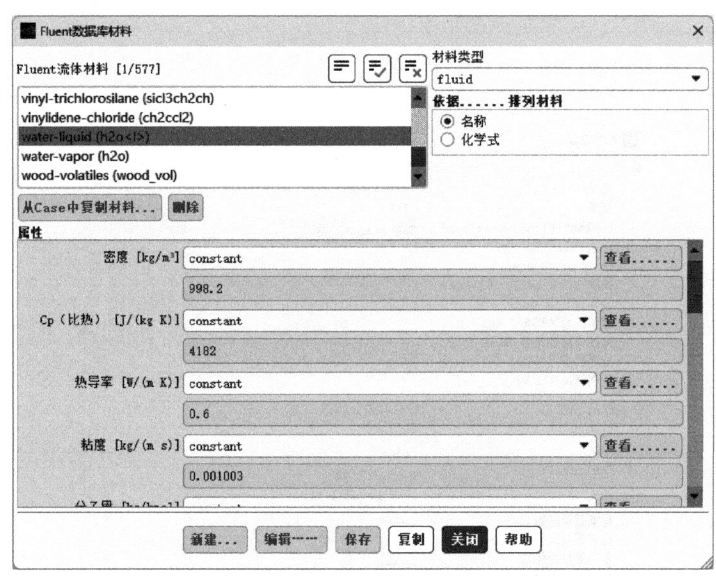

图 8-25 “Fluent 数据库材料”对话框

8.1.7 设置计算域

设置计算域的操作步骤如下。

1）单击“功能区”选项卡中的“物理模型”→“区域”→“单元区域”按钮，启动图 8-26 的“单元区域条件”面板。

2）在“单元区域条件”面板中，双击“pipe”，弹出图 8-27 的“流体”对话框，“材料名称”选择“water-liquid”，单击“应用”按钮确认并关闭对话框。

3）在“单元区域条件”面板中，双击“porous”，弹出图 8-28 的“流体”对话框，“材料名称”选择“water-liquid”，勾选“多孔区域”复选框。

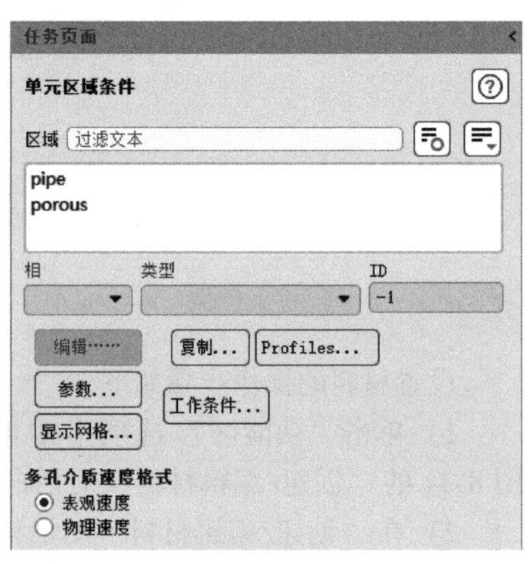

图 8-26 “单元区域条件”面板

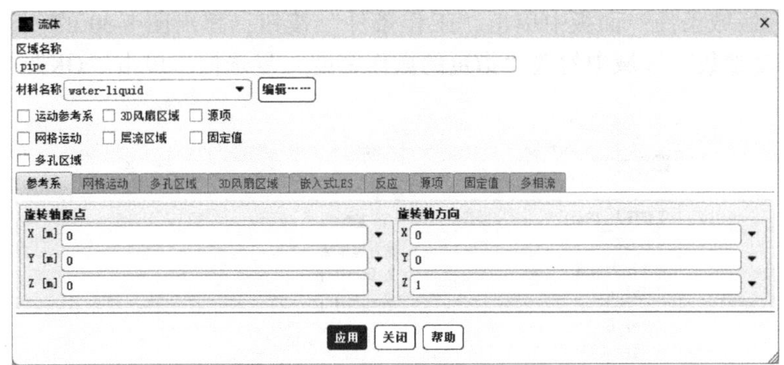

图 8-27 “流体”对话框

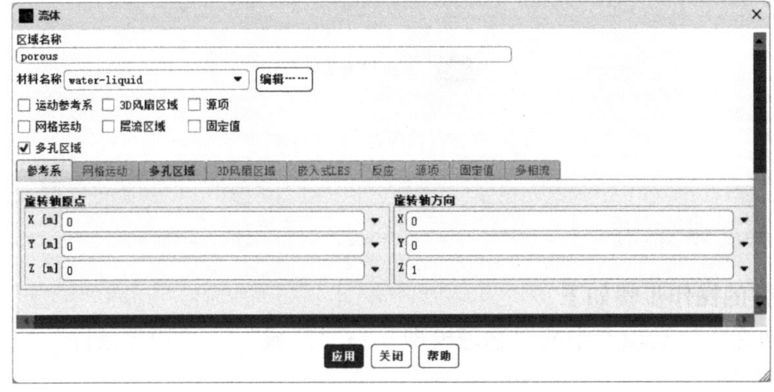

图 8-28 “流体”对话框

4）在图 8-29 的“多孔区域”选项卡中，在“黏性阻力（逆绝对渗透率）”区域的 3 个数值框中分别填入 12000000000，在“惯性阻力”区域的 3 个数值框中分别填入 350000，单击“应用”按钮确认并关闭对话框。

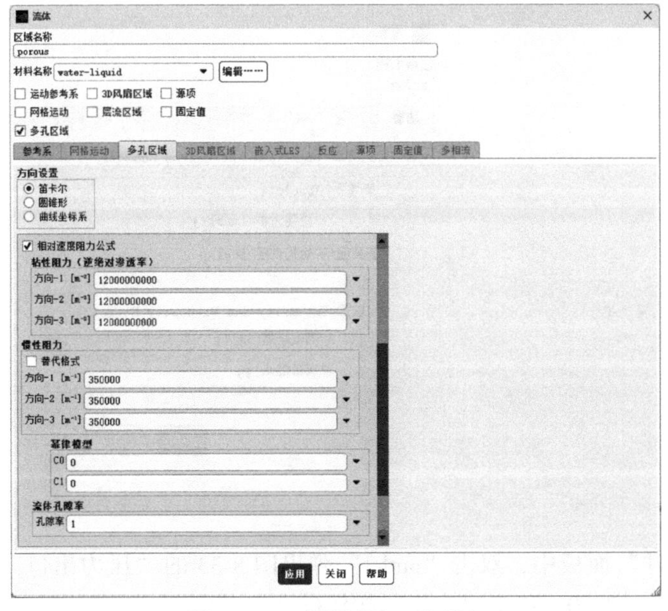

图 8-29 “多孔区域”选项卡

5）在“单元区域条件”面板中单击“工作条件”按钮，弹出图 8-30 的“工作条件”对话框，在“可变密度参数”区域中勾选“指定的操作密度”复选框，单击“OK”按钮确认并关闭对话框。

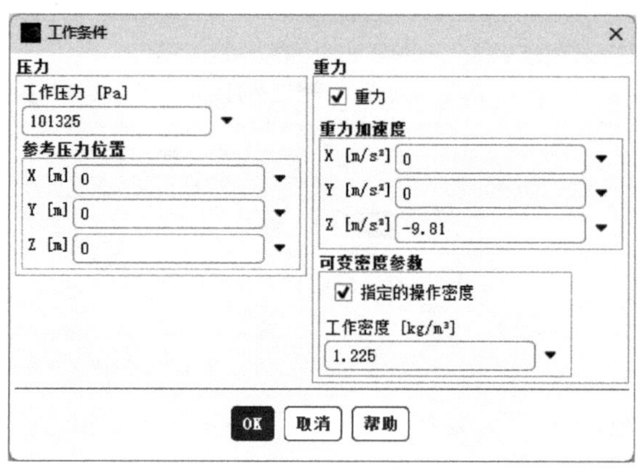

图 8-30 “工作条件”对话框

8.1.8 设置边界条件

设置边界条件的操作步骤如下。

1）单击“功能区”选项卡中的“物理模型”→“区域”→“边界条件”按钮，启动图 8-31 的“边界条件”面板。

2）在“边界条件”面板中，双击“inlet”弹出图 8-32 的“速度入口”对话框。在“速度大小［m/s］”数值框中输入 1，单击“应用”按钮确认并退出。

图 8-31 “边界条件”面板

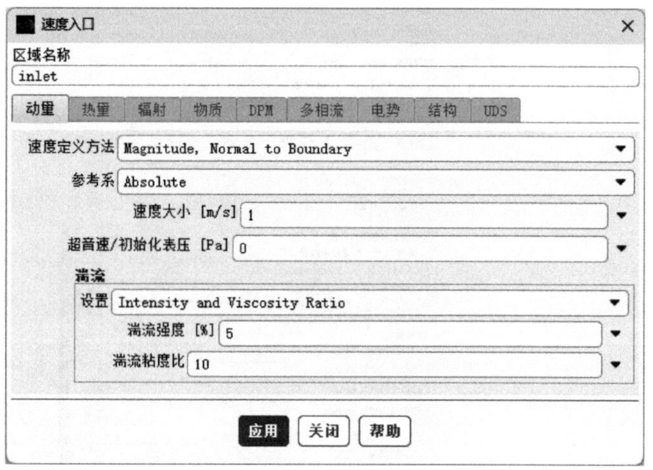

图 8-32 “速度入口”对话框

3）在“边界条件”面板中，双击“outlet”弹出图 8-33 的“压力出口”对话框。在“表压［Pa］”数值框中输入 17500，单击“应用”按钮确认并退出。

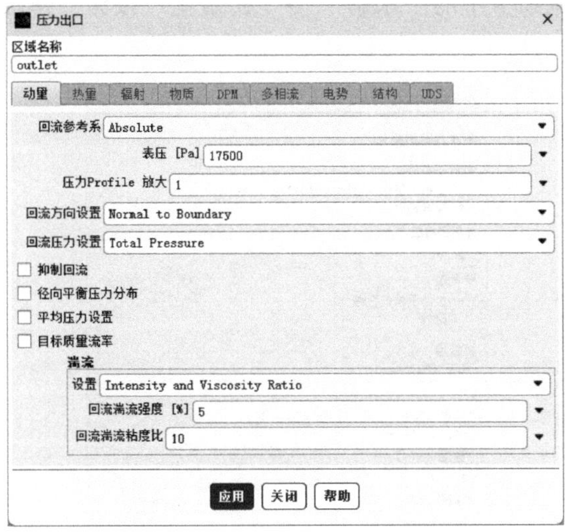

图 8-33 “压力出口”对话框

8.1.9 调整求解控制

调整求解控制参数的操作步骤如下。

1）单击“功能区”选项卡中的“求解”→“方法”按钮，弹出图 8-34 的“求解方法”面板。保持默认设置不变。

2）单击“功能区”选项卡中的“求解”→“控制”按钮，弹出图 8-35 的“解决方案控制”面板。保持默认设置不变。

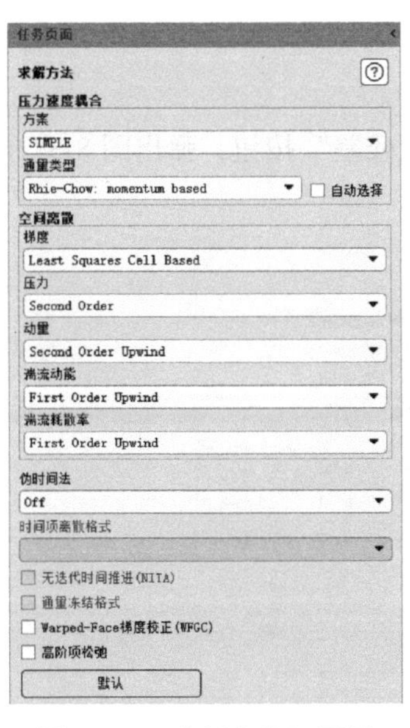

图 8-34 “求解方法”面板

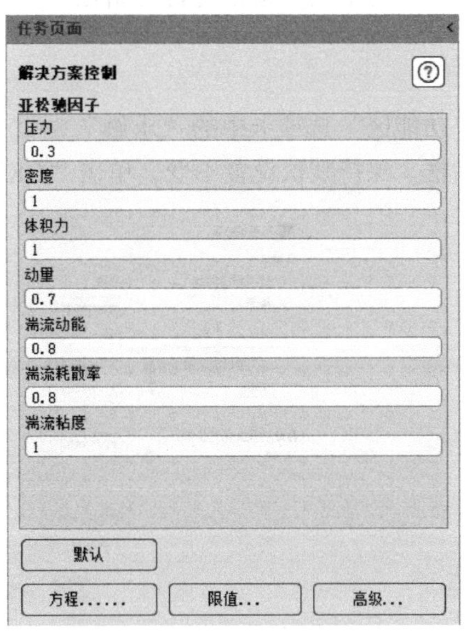

图 8-35 “解决方案控制”面板

8.1.10 设置初始条件

设置初始条件的操作步骤如下。

1）单击“功能区”选项卡中的“求解”→“初始化”按钮，弹出图 8-36 的“解决方案初始化”面板。

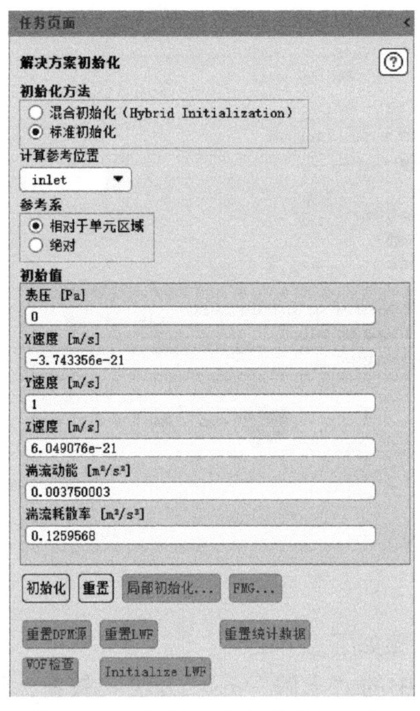

图 8-36 “解决方案初始化”面板

2）在“初始化方法”选项区域中选择“标准初始化”单选按钮，“计算参考位置”选择“inlet”，单击“初始化”按钮进行初始化。

8.1.11 求解过程监视

单击“功能区”选项卡中的“求解”→“报告”→“残差”按钮，弹出图 8-37 的“残差监控器”对话框。保持默认设置不变，单击“OK”按钮确认。

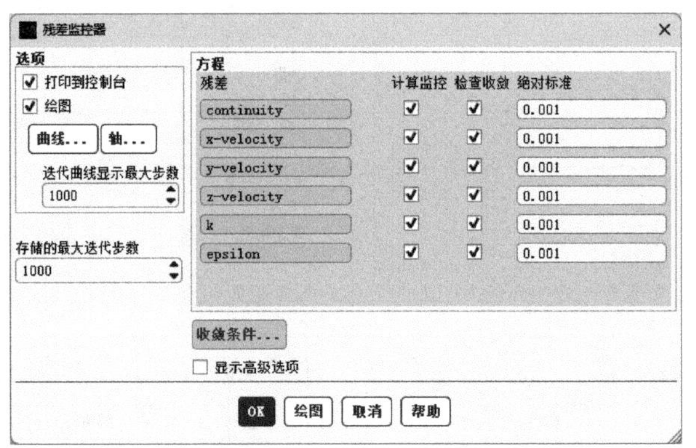

图 8-37 “残差监控器”对话框

8.1.12 计算求解

计算求解的操作步骤如下。

1）单击“功能区”选项卡中的“求解”→“运行计算”按钮，弹出图 8-38 的“运行计算”面板。在“参数”区域的“迭代次数”数值框中输入 500，单击“开始计算”按钮开始计算。

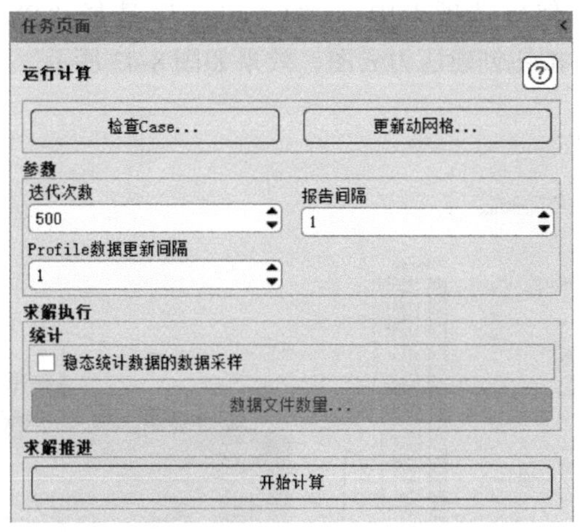

图 8-38 “运行计算”面板

2）计算收敛完成后，单击主菜单中的“文件”→“关闭 Fluent”按钮退出 Fluent 界面。

8.1.13 结果后处理

结果后处理操作步骤如下。

1）在 Workbench 主界面，双击 A6 栏“结果”项，进入 CFD-Post 界面。

2）单击工具栏中的 Location→ Plane（平面）按钮，弹出图 8-39 的“Insert Plane”（创建平面）对话框，保持平面名称为“Plane 1”，单击“OK”按钮进入图 8-40 的 Plane（平面设定）面板。

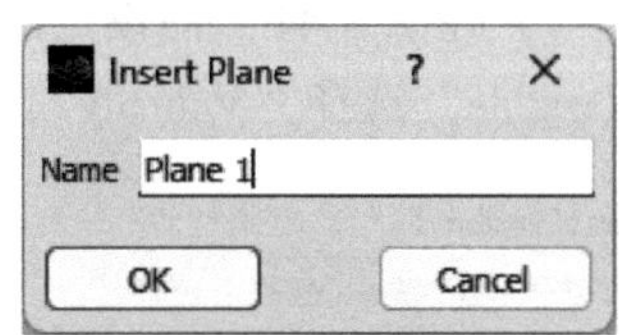

图 8-39 创建平面对话框

3）在“Geometry”（几何）选项卡中，“Method”选择“YZ Plane”，X 坐标取值设定为 0，单位为 m，单击“Apply”按钮创建平面，生成的平面如图 8-41 所示。

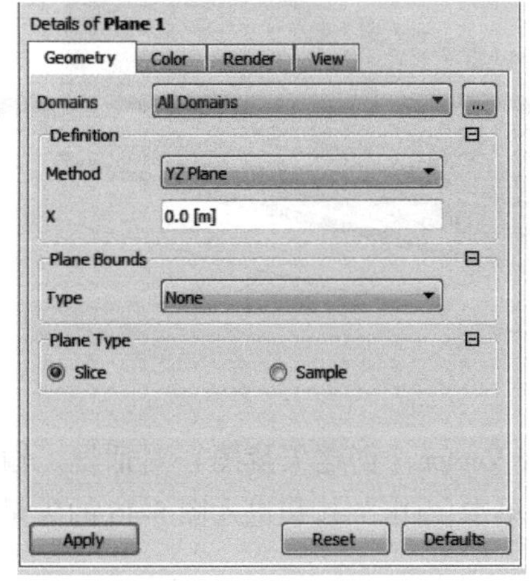

图 8-40 平面设定面板

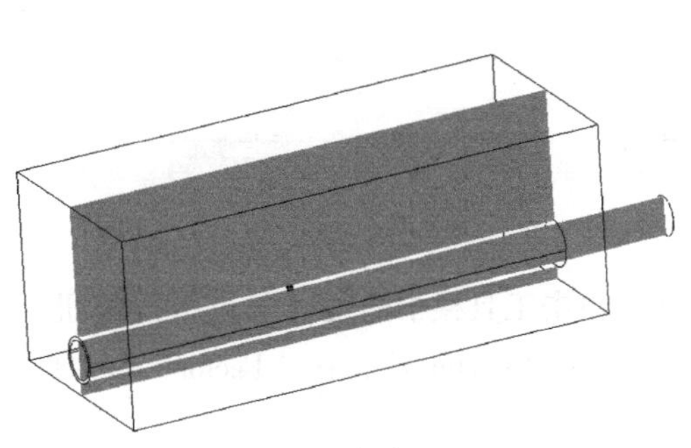

图 8-41 YZ 方向平面

4）单击工具栏中的 （云图）按钮，弹出 Insert Contour（创建云图）对话框。输入云图名称为“Press”，单击“OK”按钮进入图 8-42 的云图设定面板。

5）在“Geometry”（几何）选项卡中，“Locations”选择“Plane 1”，“Variable”选择“Pressure”，单击“Apply”按钮创建压力云图，效果如图 8-43 所示。

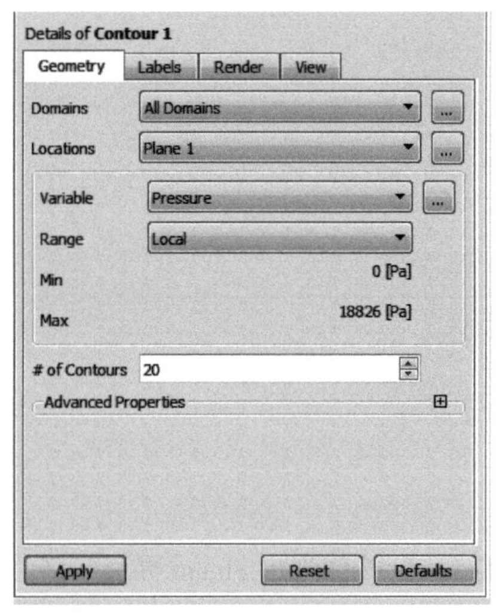

图 8-42 云图设定面板

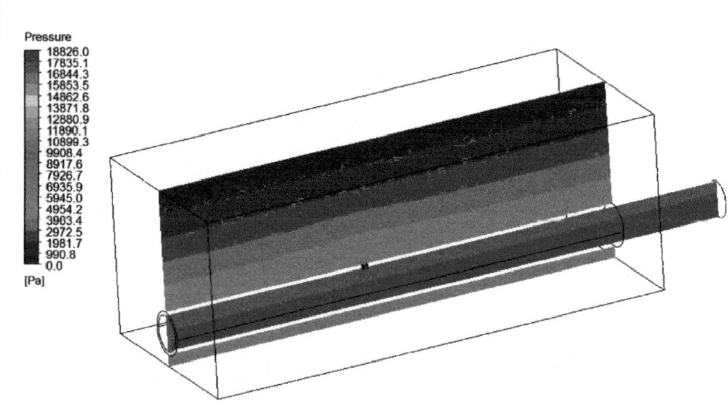

图 8-43 压力云图

6）同步骤 4)，创建云图“Vec”。

7）在图 8-44 云图设定面板的“Geometry”（几何）选项卡中，“Locations”选择“Plane 1”，“Variable”选择“Velocity”，单击“Apply”按钮创建速度云图，效果如图 8-45 所示。

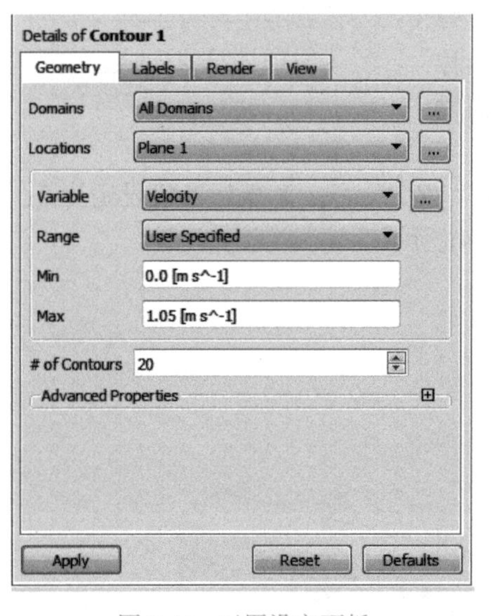

图 8-44 云图设定面板

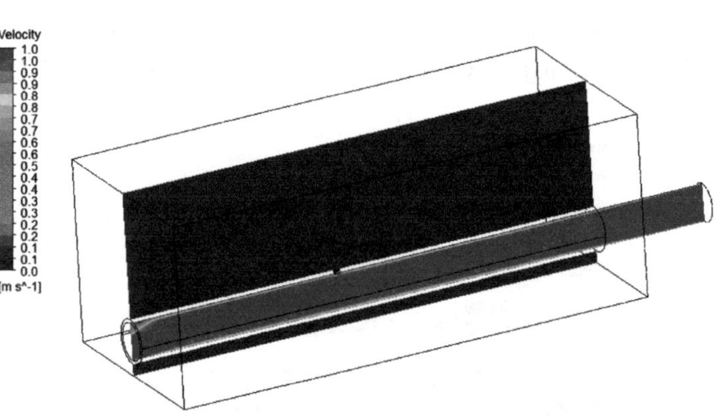

图 8-45 速度云图

8）单击工具栏中的 （矢量图）按钮，弹出 Insert Vector（创建矢量图）对话框。输入矢量图名称为“Vector 1”，在“Factor”数值框中输入 3，单击“OK”按钮进入图 8-46 的矢量图设定面板。

9）在“Geometry”（几何）选项卡中，“Locations”选择“Plane 1”，单击“Apply”按钮创

建速度矢量图，效果如图 8-47 所示。

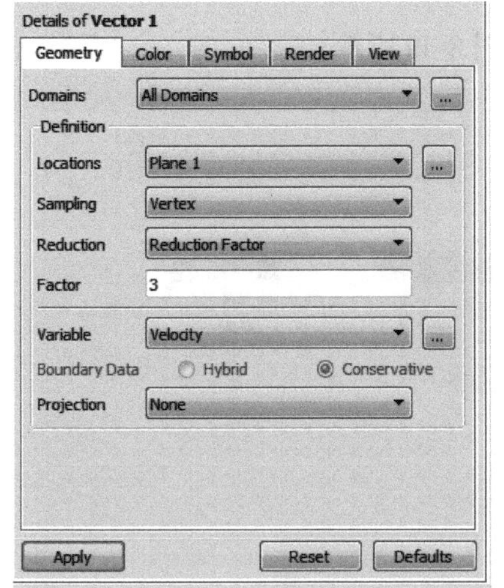

图 8-46　矢量图设定面板

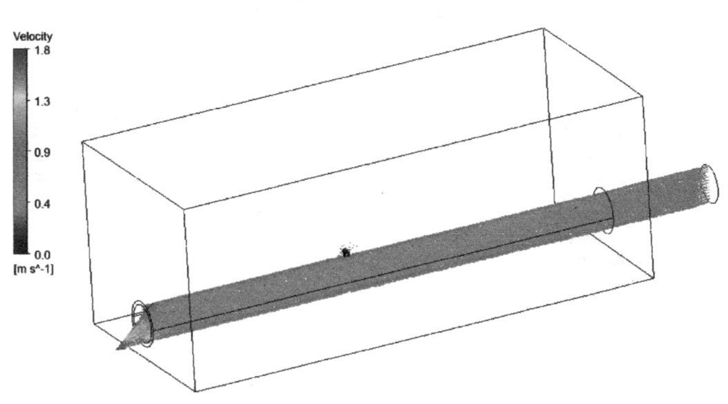

图 8-47　速度矢量图

8.1.14　保存与退出

保存与退出的操作步骤如下。

1）执行主菜单“File”→“Close CFD-Post”命令，退出 CFD-Post 模块，返回 Workbench 主界面。此时主界面项目管理区中显示的分析项目均已完成。

2）在 Workbench 主界面中单击常用工具栏中的保存按钮，保存包含有分析结果的文件。执行主菜单的“文件”→“退出”命令，退出 ANSYS Workbench 主界面。

8.2　喷气发动机气动噪声

下面将通过喷气发动机分析案例，让读者对 ANSYS Fluent 2024 R1 分析处理气动噪声基本操作步骤的每一项内容有初步了解。

8.2.1　案例介绍

图 8-48 为某喷气发动机，请用 ANSYS Fluent 分析计算发动机出口位置处气动噪声情况。

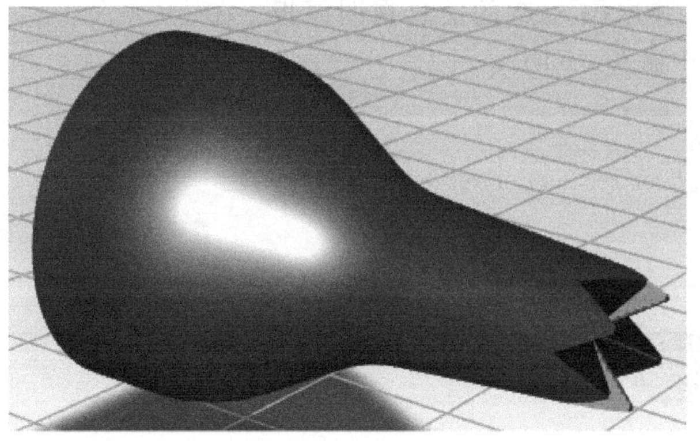

图 8-48　某喷气发动机

8.2.2 建立分析项目

参考算例 2.1，启动 Workbench 并建立流体分析项目，如图 8-49 所示。

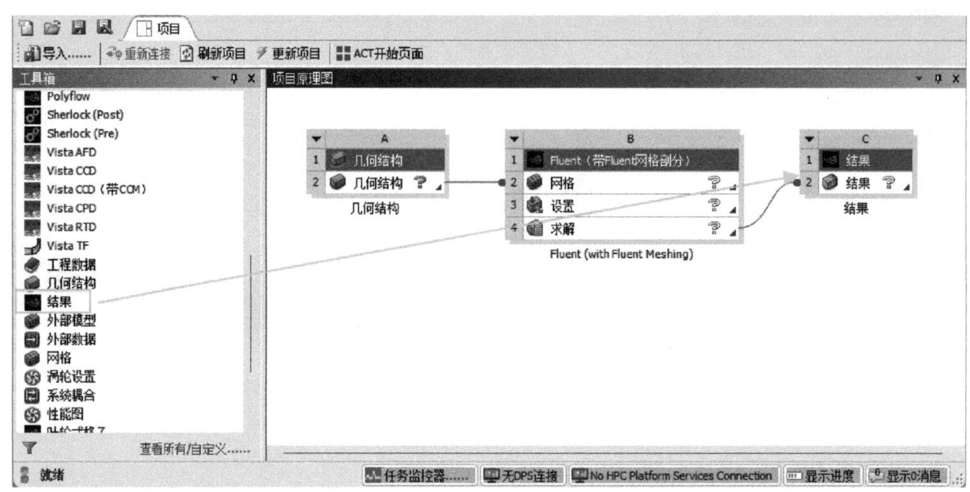

图 8-49 创建流体流动（Fluent）分析项目

8.2.3 导入几何体

导入几何体的操作步骤如下。

1）在 A2 栏的“几何结构”上单击鼠标右键，在弹出的快捷菜单中选择“导入几何模型”→“浏览”命令，此时会弹出“打开”对话框。

2）在“打开”对话框中选择文件路径，导入 nozzle. stp 几何体文件，此时 A2 栏“几何结构”后的？变为✓，表示实体模型已经存在。

3）双击项目 A 中的 A2 栏“几何结构”，进入 Design Modeler 界面，此时设计树中 Import1 前显示⚡，表示需要生成。如果图形窗口中没有模形显示，单击⚡生成按钮，显示模形，如图 8-50 所示。

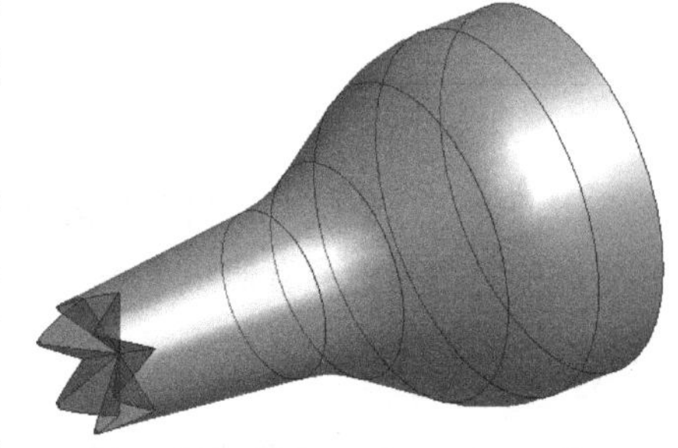

图 8-50 显示模型

4）右键单击模型顶部，在图 8-51 的快捷菜单中选择“命名的选择”命令，弹出图 8-52 的信息视图面板，在“命名的选择”文本框中输入“inlet”。

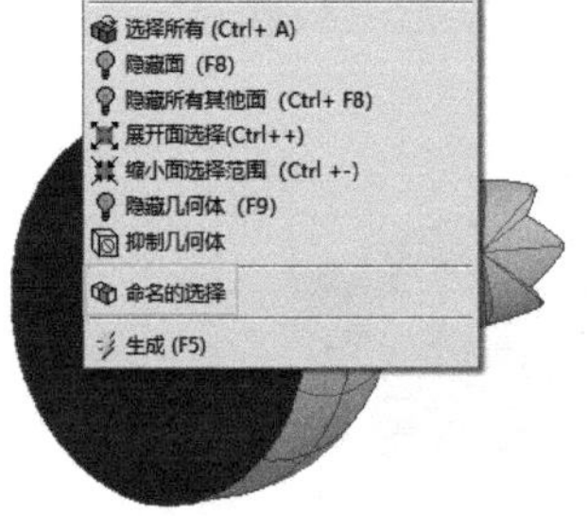

图 8-51 快捷菜单

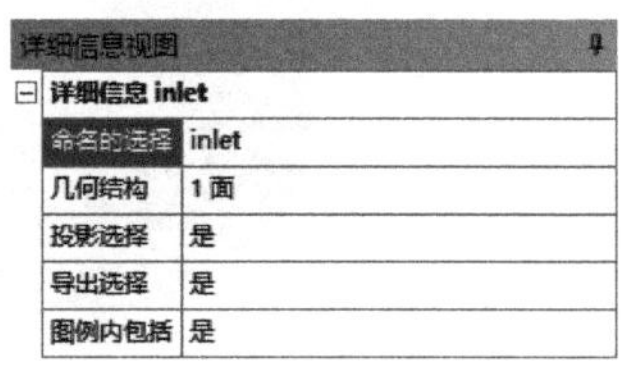

图 8-52 信息视图面板

5）同步骤 4)，分别创建边界 outlet 和 wall，如图 8-53 和图 8-54 所示。

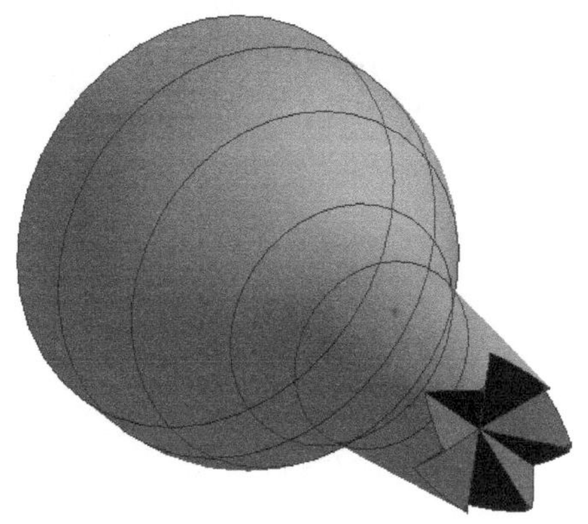

图 8-53　outlet 边界

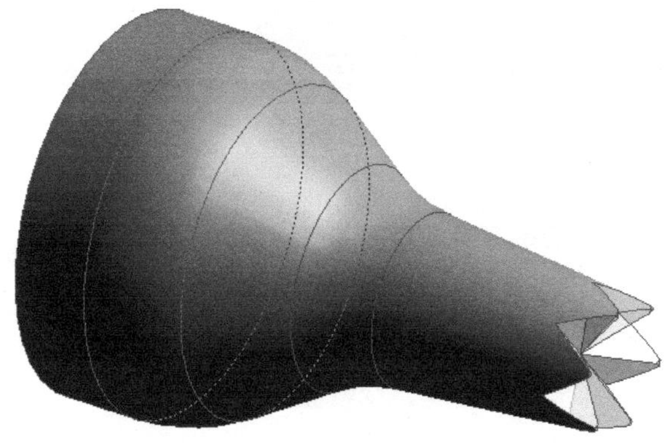

图 8-54　wall 边界

6）执行主菜单的“文件”→“关闭 Design Modeler”命令，退出 Design Modeler，返回 Workbench 主界面。

8.2.4　划分网格

划分网格的操作步骤如下。

1）双击项目 B 中的 B2 栏“网格”项，进入图 8-55 的 Fluent Launcher 2024 R1 界面，单击“Start”按钮进入网格划分界面。

2）进入 Fluent Meshing 工作界面，在流程树中，单击选择“导入几何模型”命令，弹出图 8-56 的“导入几何模型”面板，单击“更新”按钮导入几何模型，效果如图 8-57 所示。

3）进入添加局部尺寸面板，“是否要添加局部尺寸?”选择“no”，单击“更新”按钮，如图 8-58 所示。

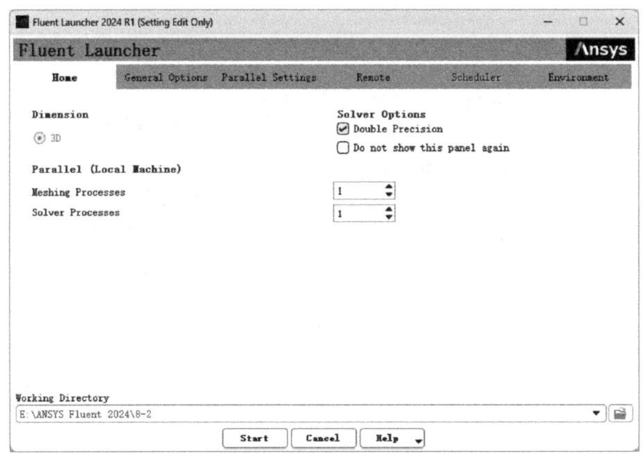

图 8-55　Fluent Launcher 2024 R1 界面

图 8-56　“导入几何模型”面板

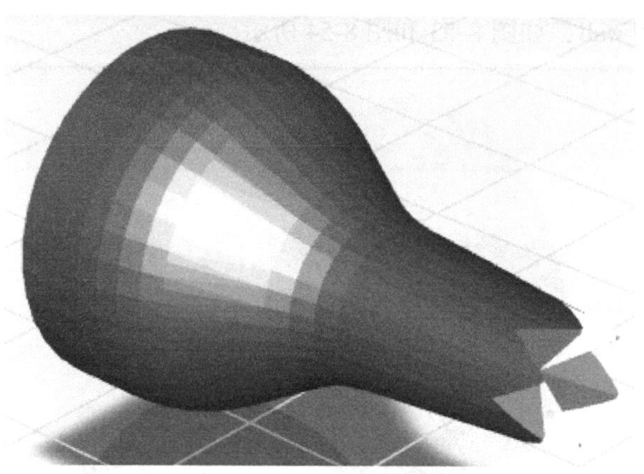

图 8-57 导入的几何模型

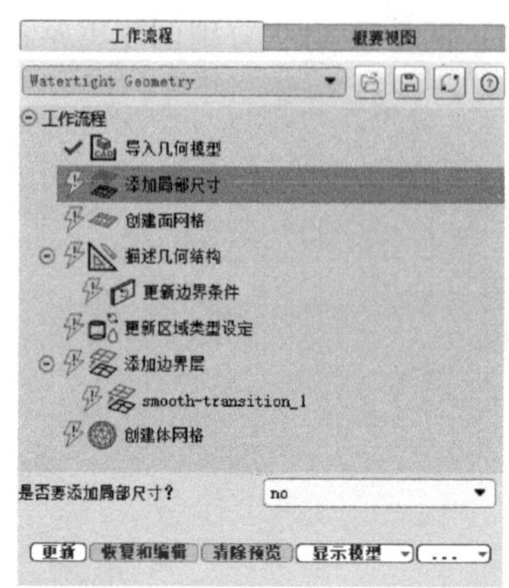

图 8-58 添加局部尺寸面板

4）进入图 8-59 的“创建面网格”面板，在“Minimum Size［m］”数值框中填入 0.00015，在“Maximum Size［m］”数值框中填入 0.003，在“曲率法向角［度］”数值框中填入 5，单击“生成面网格”按钮生成面网格，如图 8-60 所示。

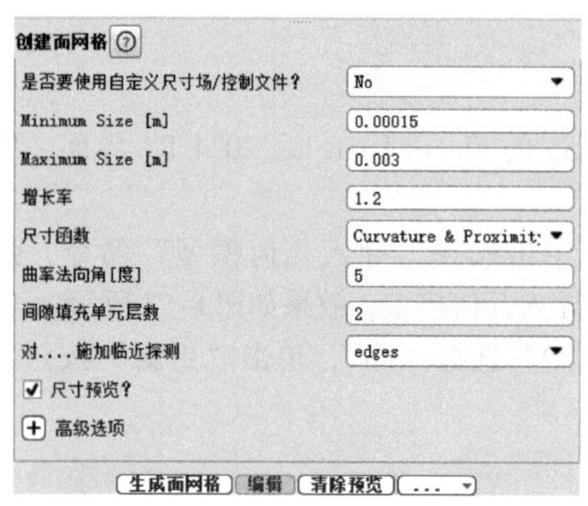

图 8-59 “创建面网格”面板

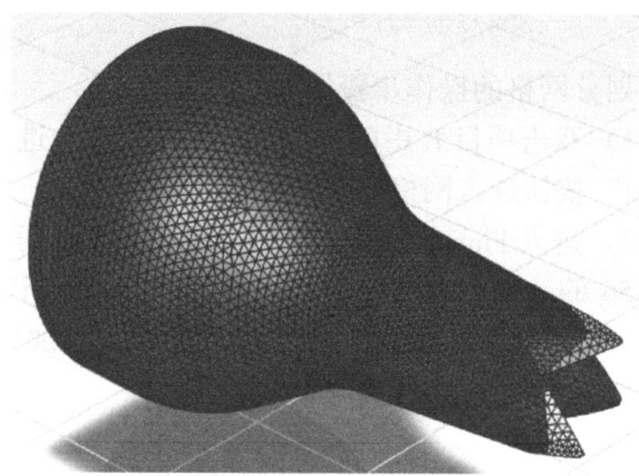

图 8-60 面网格

5）进入“描述几何结构”面板，在“几何结构类型”选项区域选择“几何模型仅由没有空隙的流体区域组成”单选按钮，单击“描述几何结构”按钮，如图 8-61 所示。

6）进入“更新边界条件”面板，“inlet”的 Boundary Type 设置为“pressure-inlet”，单击“更新边界条件”按钮，如图 8-62 所示。

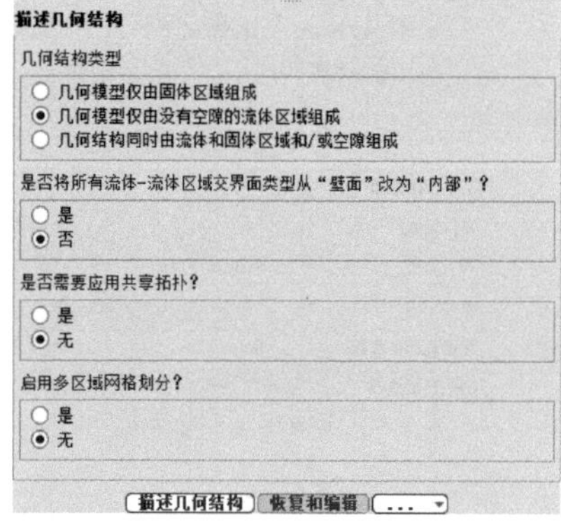

图 8-61 “描述几何结构”面板

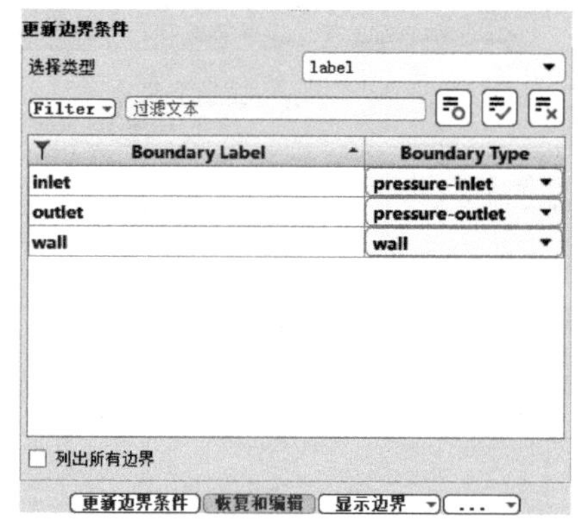

图 8-62 “更新边界条件”面板

7）进入“更新区域类型设定”面板，保持默认值，单击“更新区域类型设定”按钮，如图 8-63 所示。

8）进入“添加边界层”面板，保持默认值，单击“添加边界层”按钮，如图 8-64 所示。

图 8-63 “更新区域类型设定”面板

图 8-64 “添加边界层”面板

9）进入图 8-65 的“创建体网格”面板，“填充体网格”选择“poly-hexcore”，在“Max Cell Length [m]”数值框中填入 0.003，单击“生成体网格”按钮生成网格，如图 8-66 所示。

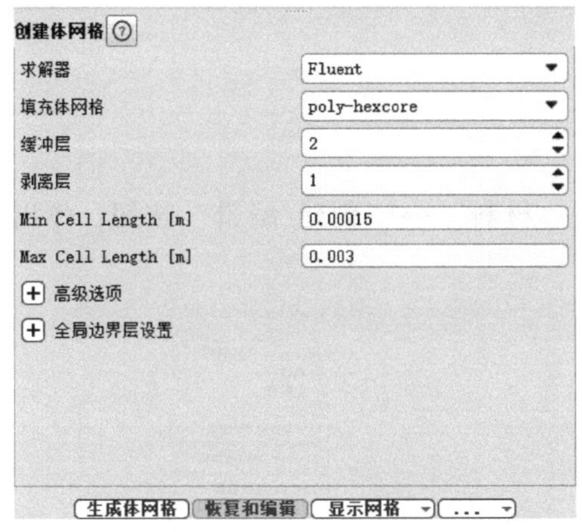

图 8-65 “创建体网格”面板

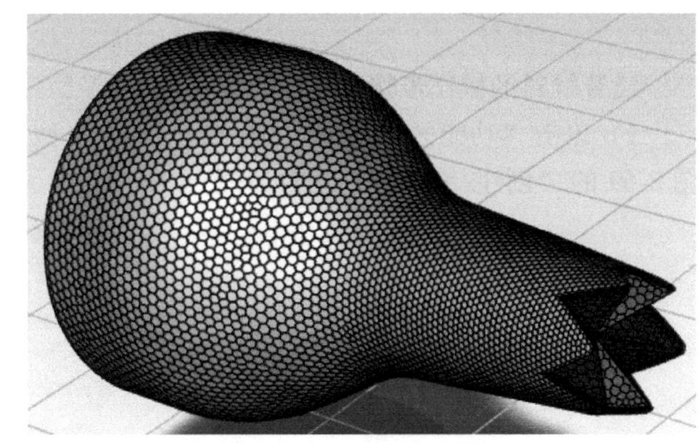

图 8-66 体网格

10）单击工具栏的“求解”→“切换到求解模式”按钮进入 Fluent 求解界面。

8.2.5 定义模型

定义模型的操作步骤如下。

1）在“功能区”选项卡中单击“物理模型”→“通用”按钮，弹出图 8-67 的“通用”面板，在“求解器”中，“类型”选择“密度基”单选按钮，“时间”选择“稳态”单选按钮，进行稳态计算。

2）在“功能区”选项卡中单击“物理模型”→“模型”→“黏性”按钮，弹出图 8-68 的“黏性模型”对话框。

在“模型”选项区域中选择“k-epsilon（2 eqn）”单选按钮，在“k-epsilon 模型”选项区域中选择“Realizable”单选按钮，单击“OK”按钮确认。

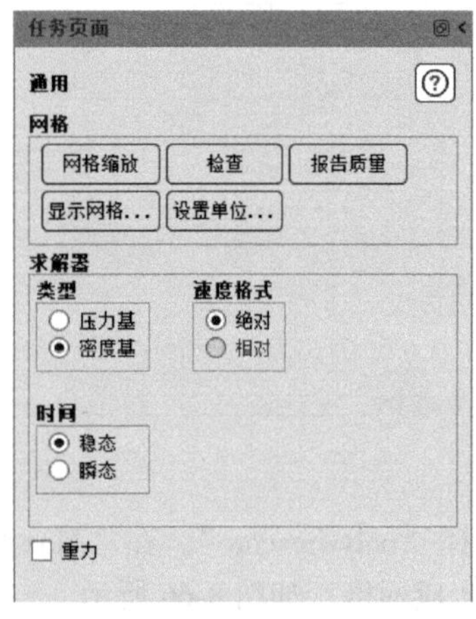

图 8-67 “通用”面板

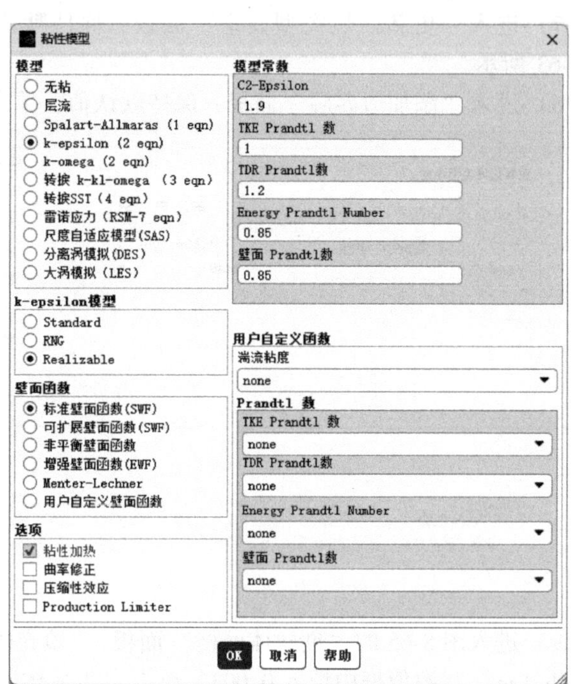

图 8-68 “黏性模型”对话框

8.2.6 设置材料

设置材料的操作步骤如下。

1）单击“功能区”选项卡中的“物理模型”→“材料”→“创建/编辑”按钮，弹出图 8-69 的“创建/编辑材料”对话框。

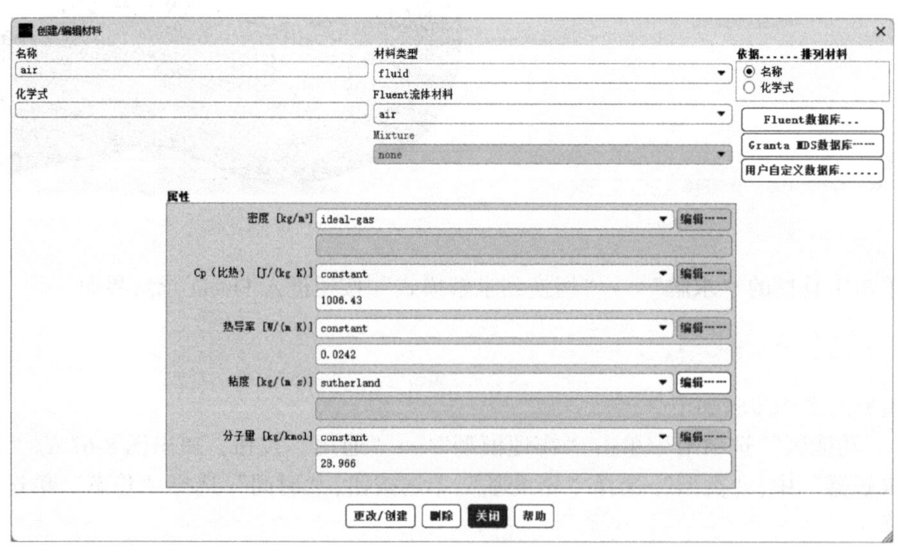

图 8-69 “创建/编辑材料”对话框

2）在“属性”区域中，“密度［kg/m^3］”选择“ideal-gas”，“黏度［kg/(ms)］”选择“sutherland”，单击“更改/创建”按钮，更改并关闭“创建/编辑材料”对话框。

8.2.7 设置工作条件

单击“功能区”选项卡中的“物理模型”→“求解器”→“工作条件”按钮，弹出图 8-70 的“工作条件”对话框。在“工作压力［Pa］”数值框中填入 0，单击“OK”按钮确认并关闭对话框。

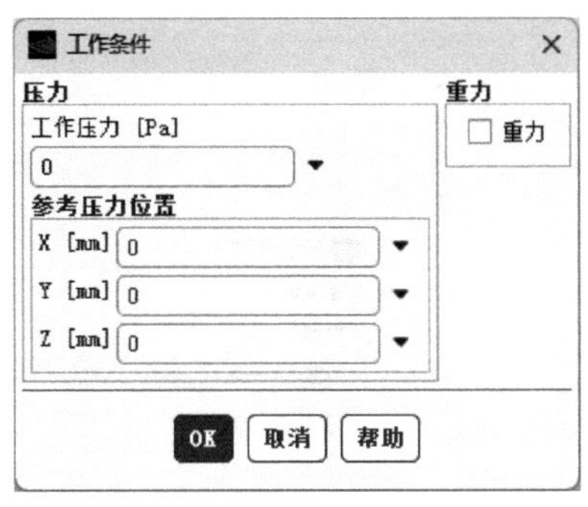

图 8-70 “工作条件”对话框

8.2.8 设置边界条件

设置边界条件的操作步骤如下。

1）单击“功能区”选项卡中的“物理模型”→“区域”→“边界条件”按钮，启动图 8-71 的“边界条件”面板。

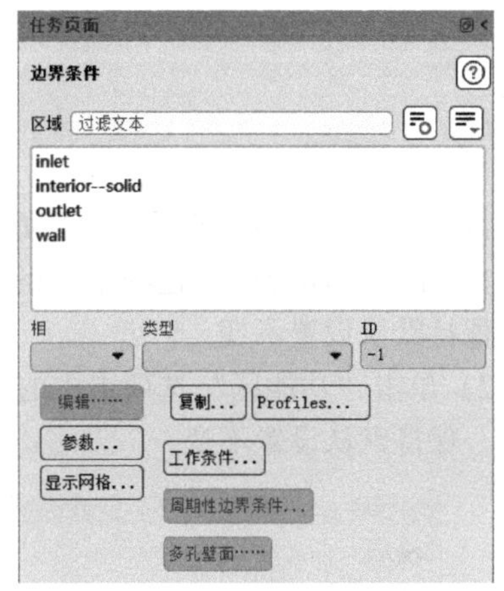

图 8-71 “边界条件”面板

2）在“边界条件”面板中，双击“inlet”，弹出图 8-72 的“压力进口”对话框。在“总压（表压）［Pa］”数值框中填入 155000，在“超音速/初始化表压［Pa］”数值框中填入 154555。

在“热量”选项卡中，在“总温度［K］”数值框中填入 600，单击“应用”按钮确认并退出，如图 8-73 所示。

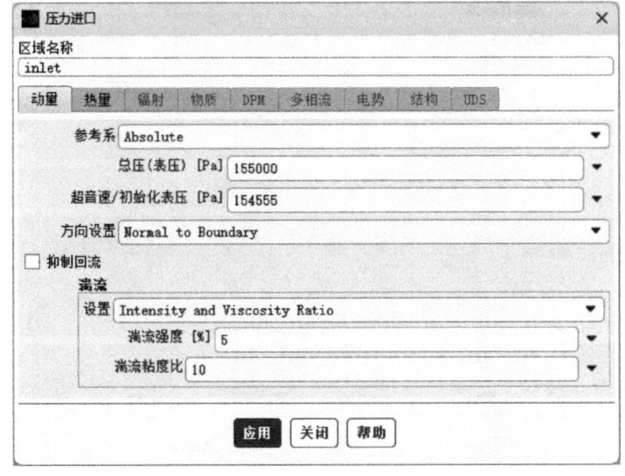

图 8-72 “压力进口”对话框

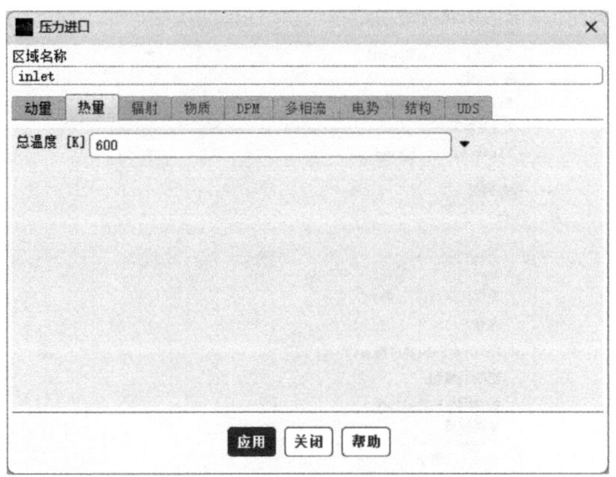

图 8-73 “热量”选项卡

3）在“边界条件”面板中，双击“outlet”弹出图 8-74 的“压力出口”对话框。在“表压［Pa］”数值框中输入 7500，在“热量”选项卡中，在“回流总温［K］”数值框中填入 300，单击“应用”按钮确认并退出，如图 8-75 所示。

图 8-74 “压力出口”对话框

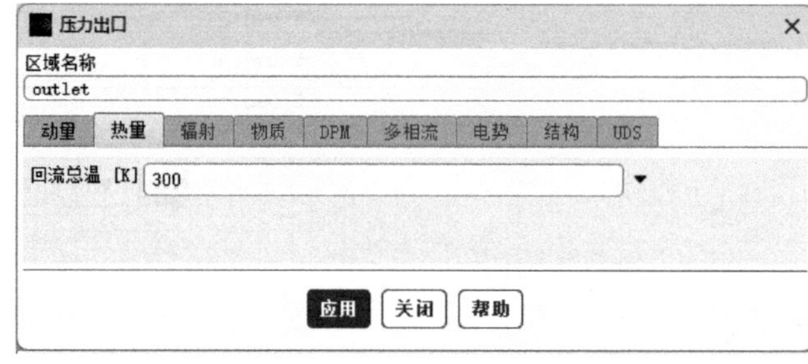

图 8-75 “热量”选项卡

8.2.9 调整求解控制

调整求解控制参数的操作步骤如下。

1）单击“功能区”选项卡中的“求解”→“方法”按钮，弹出图 8-76 的“求解方法”面板。保持默认设置不变。

2）单击“功能区”选项卡中的“求解”→“控制”按钮，弹出图 8-77 的“解决方案控制”面板。保持默认设置不变。

图 8-76 “求解方法”面板

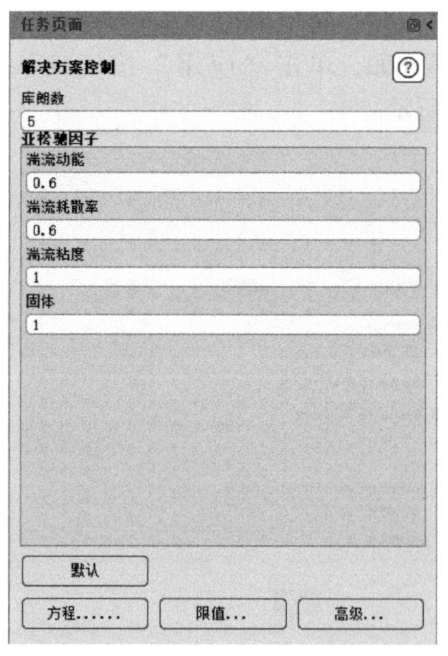

图 8-77 “解决方案控制”面板

8.2.10 设置初始条件

设置初始条件的操作步骤如下。

1）单击“功能区”选项卡中的“求解”→“初始化”按钮，弹出图 8-78 的“解决方案初始化”面板。

2）在“初始化方法”选项区域中选择“标准初始化”单选按钮，“计算参考位置”选择“inlet”，单击“初始化”按钮进行初始化。

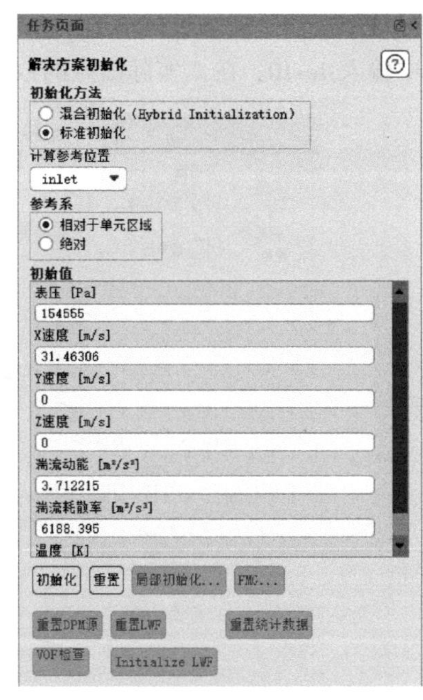

图 8-78 “解决方案初始化”面板

8.2.11 求解过程监视

求解过程监视的操作步骤如下。

1）单击“功能区”选项卡中的“求解”→“报告”→“残差”按钮，弹出图 8-79 的“残差监控器”对话框。保持默认设置不变，单击“OK”按钮确认。

2）单击“功能区”选项卡中的“结果”→“报告”→“参考值”按钮，弹出图 8-80 的“参考值”面板。“计算参考位置”选择“inlet”。

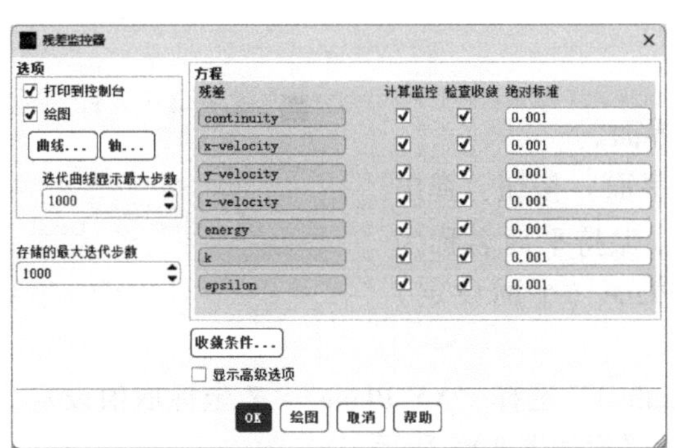

图 8-79 “残差监控器”对话框

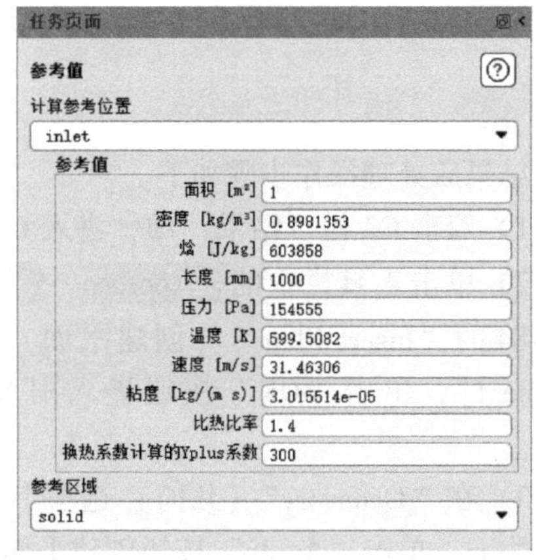

图 8-80 “参考值”面板

8.2.12 计算求解

单击“功能区”选项卡中的“求解”→“运行计算”按钮，弹出图 8-81 的“运行计算”面板。在“参数”区域的“迭代次数”数值框中输入 500，单击“开始计算”按钮开始计算。

图 8-81 “运行计算”面板

8.2.13 定义声学模型

在“功能区”选项卡中单击“物理模型”→“模型”→“声学”按钮，如图 8-82 所示。然后弹出图 8-83 的“声学模型”对话框，在“模型”选项区域中选择“宽频噪声模型”单选按钮，在“模型参数”区域的“参考声功率［W］”数值框中输入 4e-10，在“实际极点的数量”数值框中输入 100，单击“应用”按钮确认。

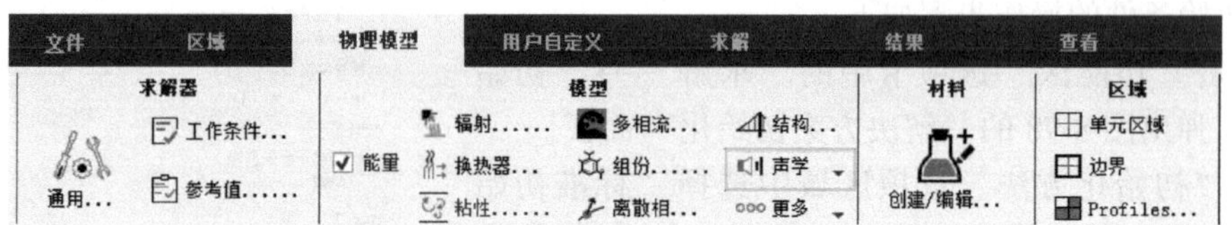

图 8-82 单击“声学”按钮

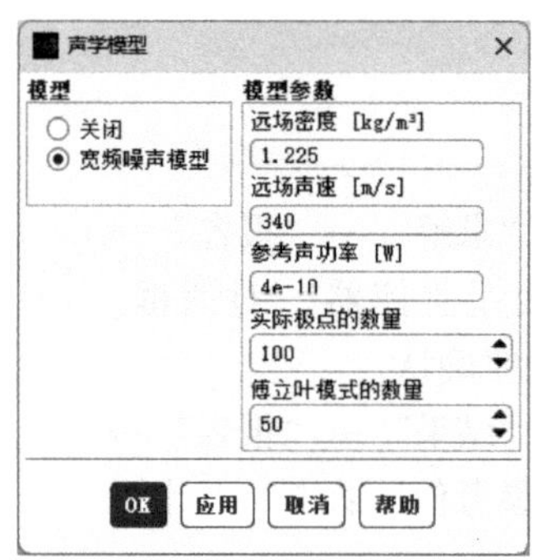

图 8-83 “声学模型”对话框

8.2.14 结果后处理

结果后处理操作步骤如下。

1）双击 C2 栏“结果”项，进入 CFD-Post 界面。

2）单击工具栏中的 Location→ Plane（平面）按钮，弹出图 8-84 的“Insert Plane”（创建平面）对话框，保持平面名称为“Plane 1”，单击“OK”按钮进入图 8-85 的 Plane（平面设定）面板。

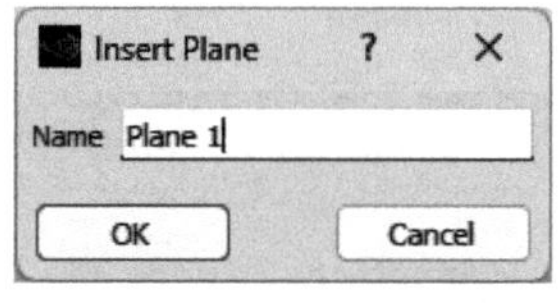

图 8-84 创建平面对话框

3）在“Geometry”（几何）选项卡中，“Method”选择“XY Plane”，Z 坐标取值设定为 0，单位为 m，单击“Apply”按钮创建平面，生成的平面如图 8-86 所示。

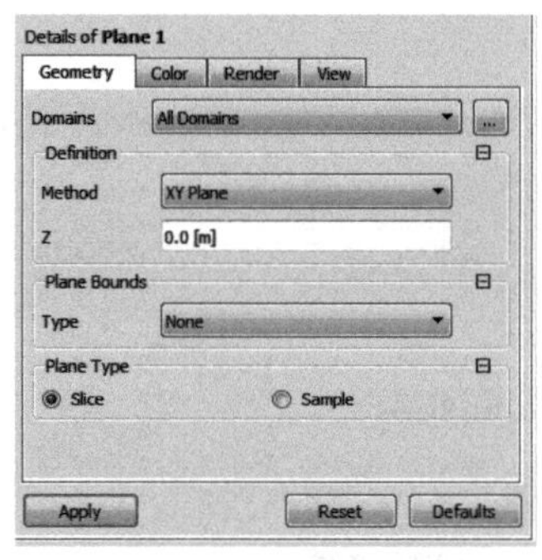

图 8-85 平面设定面板

图 8-86 XY 方向平面

4）单击工具栏中的 （云图）按钮，弹出 Insert Contour（创建云图）对话框。输入云图名称为“Press”，单击“OK”按钮进入图 8-87 的云图设定面板。

5）在“Geometry”（几何）选项卡中，“Locations”选择“Plane 1”，“Variable”选择

“Pressure”，单击“Apply”按钮创建压力云图，效果如图 8-88 所示。

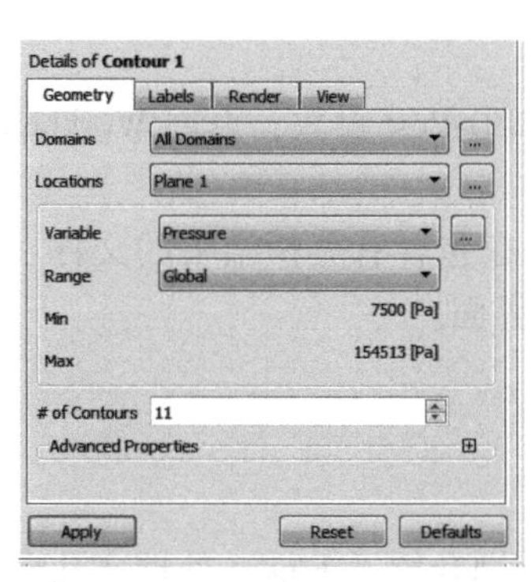

图 8-87　云图设定面板

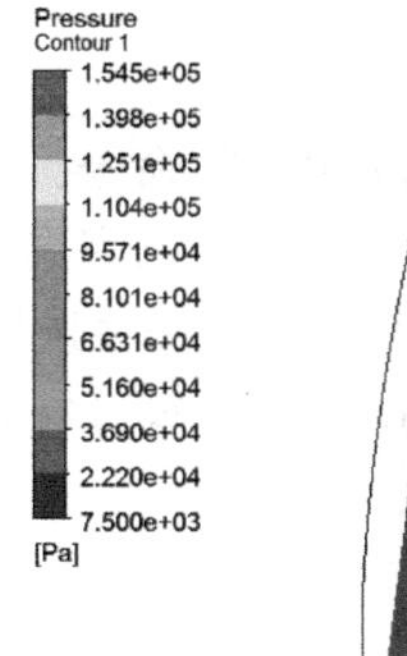

图 8-88　压力云图

6）同步骤 4），创建云图“Vec”。

7）在图 8-89 云图设定面板的“Geometry”（几何）选项卡中，“Locations”选择“Plane 1”，“Variable”选择“Velocity”，单击“Apply”按钮创建速度云图，效果如图 8-90 所示。

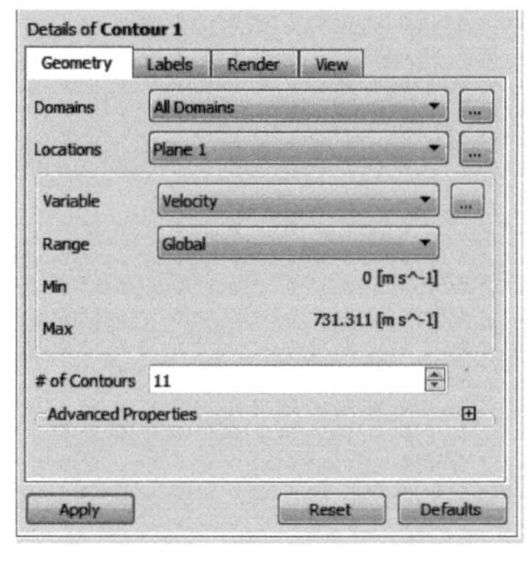

图 8-89　云图设定面板

图 8-90　速度云图

8）在模型树中勾选“Wall”，双击“Wall”弹出图 8-91 的 Wall 设置面板，“Mode”选择“Variable”，“Variable”选择“Acoustic Power Level Db”，单击“Apply”按钮创建声场云图，效果如图 8-92所示。

图 8-91　Wall 设置面板

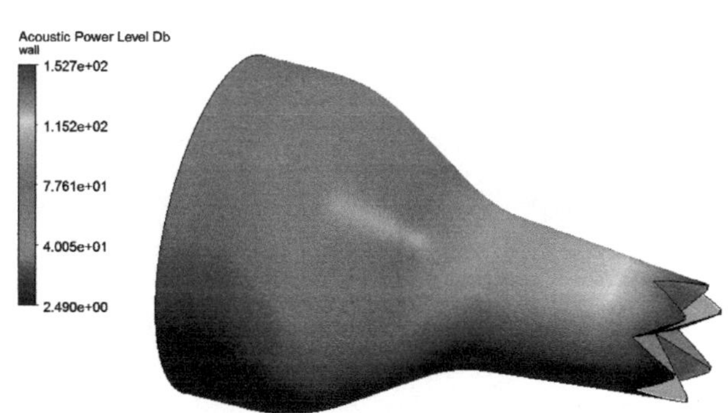

图 8-92　声场云图

8.2.15 保存与退出

保存与退出的操作步骤如下。

1）执行主菜单的“File”→“Close CFD-Post”命令，退出 CFD-Post 模块，返回 Workbench 主界面。此时主界面项目管理区中显示的分析项目均已完成。

2）在 Workbench 主界面中单击常用工具栏中的保存按钮，保存包含有分析结果的文件。执行主菜单的“文件”→“退出”命令，退出 ANSYS Workbench 主界面。

8.3 本章小结

本章通过地下管线泄漏流动和喷气发动机气动噪声两个实例分别介绍了 Fluent 处理多孔介质和气动噪声模拟的工作流程，讲解了多孔介质模型的创建过程及多孔率、阻损等与多孔介质材料相关属性的设定，以及介绍了气动噪声模型的设置计算过程。

通过本章内容的学习，读者可以掌握 Fluent 中的离散化设置、多孔介质的设定和噪声模型的设定。

第 9 章 动网格模拟分析

动网格技术用于计算运动边界问题。通常计算域的边界都是静止的或是做刚体运动的，而动网格技术则可以计算边界发生形变的问题。边界的形变过程可以是已知的，也可以是取决于内部流场变化的。在计算之前首先要给定体网格的初始定义，在边界发生形变后，其内部网格的重新划分是在 Fluent 内部自动完成的。而边界的形变过程既可以用边界函数来定义，也可以用 UDF 函数来定义。

学习目标：

1）掌握分析类型设置。

2）掌握边界条件的设定。

3）掌握动网格的设定。

4）掌握后处理的设定。

9.1 发动机进排气模拟

下面将通过发动机进排气分析案例，让读者对 ANSYS Fluent 2024 R1 分析处理动网格基本操作步骤的每一项内容有初步了解。

9.1.1 案例介绍

图 9-1 为某发动机示意图，请用 ANSYS Fluent 分析计算发动机的进排气情况。

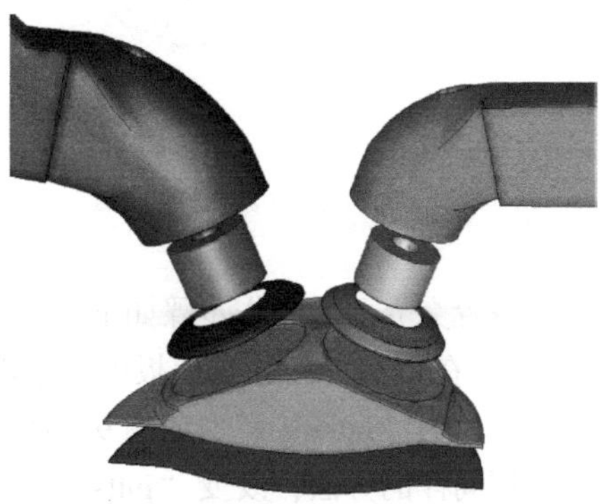

图 9-1 某发动机

9.1.2 启动 Fluent 并导入网格

1）在 Windows 系统中启动 Fluent，进入图 9-2 的 Fluent Launcher 界面。

2）选择“Dimension”→“3D”单选按钮并勾选“Double Precision”复选框，其他保持默认设置，然后单击“Start”按钮进入 Fluent 主界面窗口。

3）在 Fluent 主界面中，执行“文件”→“读入”→“网格”命令，在弹出的 Select File 对话框中导入 IC_tutorial_II. msh. gz 三维网格文件，单击“OK”按钮便可导入网格。

4）导入网格后，将显示图 9-3 的几何模型。

5）单击“功能区”选项卡中的“区域”→“网格”→“检查”→“执行网格检查”按钮，检查网格质量，确保不存在负体积。

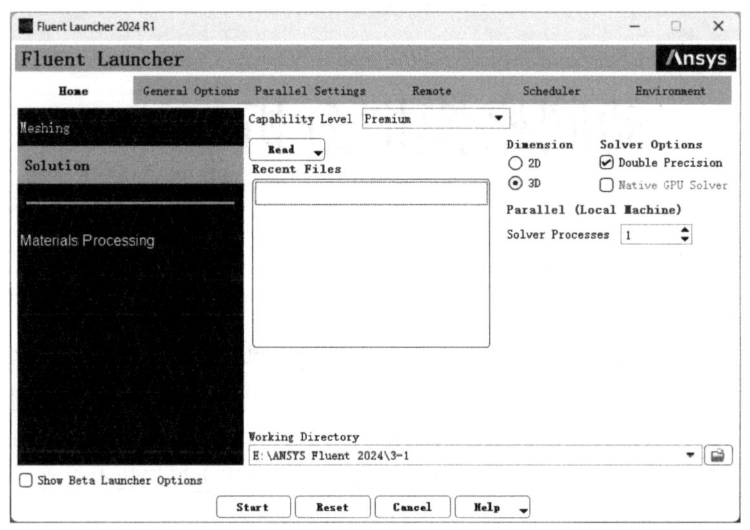

图 9-2 Fluent Launcher 界面

6）单击“功能区”选项卡中的“区域”→“网格”→“网格缩放”按钮，弹出图 9-4 的“缩放网格”对话框。保持默认值并关闭窗口。

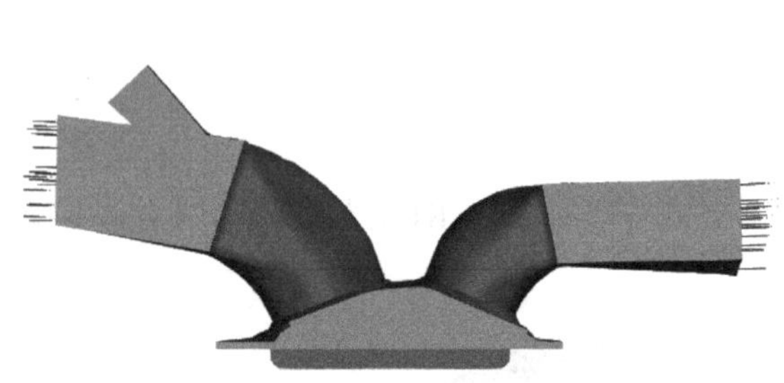

图 9-3 显示几何模型

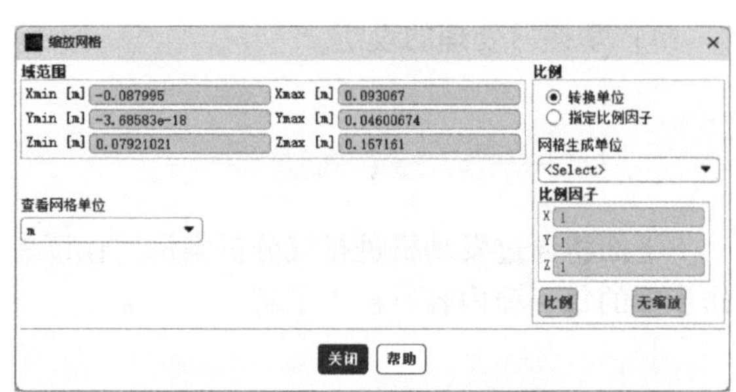

图 9-4 “缩放网格”对话框

9.1.3 设置交界面

设置交界面的操作步骤如下。

1）在“边界条件”面板中，单击“intf-int-exvalve-ib-fluid-ib”，在“类型”下拉列表中改变边界条件为“interface”，如图 9-5 所示。

用同样的方法，改变“intf-int-exvalve-ib-fluid-port”“intf-int-exvalve-ob-fluid-port”“intf-int-exvalve-ob-fluid-vlayer”“intf-int-invalve-ib-fluid-ib”“intf-int-invalve-ib-fluid-port”“intf-int-invalve-ob-fluid-port”“intf-int-invalve-ob-fluid-vlayer ”“intf-invalve-ib-fluid-ib”“intf-invalve-ib-fluid-ob-quad”“intf-invalve-ib-fluid-ob-tri”的“类型”为“interface”。

2）单击“功能区”选项卡中的“区域”→“交界面”→“网格”按钮，启动图 9-6 的“网格交界面”对话框。

3）单击“手动创建”按钮，弹出图 9-7 的“创建/编辑网格交界面”对话框，并创建对应的网格界面，见表 9-1。

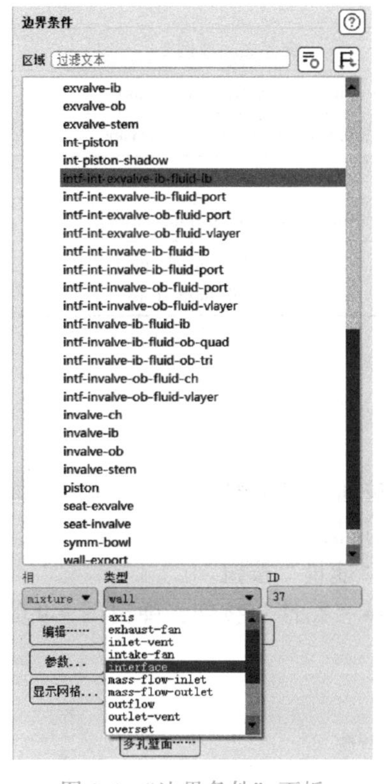

图 9-5 “边界条件”面板

图 9-6 “网格交界面”对话框

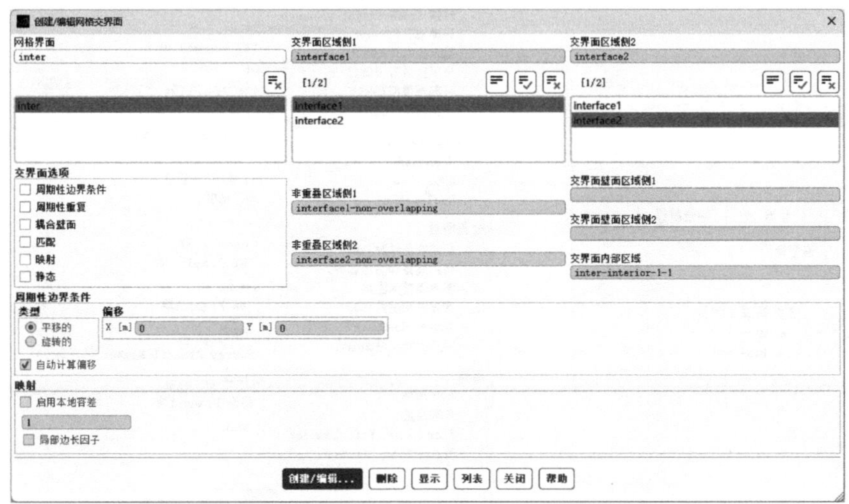

图 9-7 “创建/编辑网格交界面”面板

表 9-1 对应的网格界面

网格界面名称	交界面区域例 1	交界面区域例 2
exvalve	intf-exvalve-ob-fluid-ch	intf-exvalve-ob-fluid-vlayer
intf-exvalve	intf-exvalve-ib-fluid-ib	intf-exvalve-ib-fluid-ob-quad intf-exvalve-ib-fluid-ob-tri

（续）

网格界面名称	交界面区域例 1	交界面区域例 2
intf-int-exvalve-ib	intf-int-exvalve-ib-fluid-ib	intf-int-exvalve-ib-fluid-port
intf-int-exvalve-ob	intf-int-exvalve-ob-fluid-port	intf-int-exvalve-ob-fluid-vlayer
intf-int-invalve-ib	intf-int-invalve-ib-fluid-ib	intf-int-invalve-ib-fluid-port
intf-int-invalve-ob	intf-int-invalve-ob-fluid-port	intf-int-invalve-ob-fluid-vlayer
intf-invalve	intf-invalve-ib-fluid-ib	intf-invalve-ib-fluid-ob-quad intf-invalve-ib-fluid-ob-tri

9.1.4 定义模型

定义模型的操作步骤如下。

1）在“功能区”选项卡中单击“物理模型”→“通用”按钮，弹出图 9-8 的“通用”面板，在“时间”选项区域中选择“瞬态”单选按钮，其余保持默认值。

2）在“功能区”选项卡中单击“物理模型”→“模型”→“能量”按钮。

3）在“功能区”选项卡中单击“物理模型”→“模型”→“黏性”按钮，弹出图 9-9 的“黏性模型”对话框。

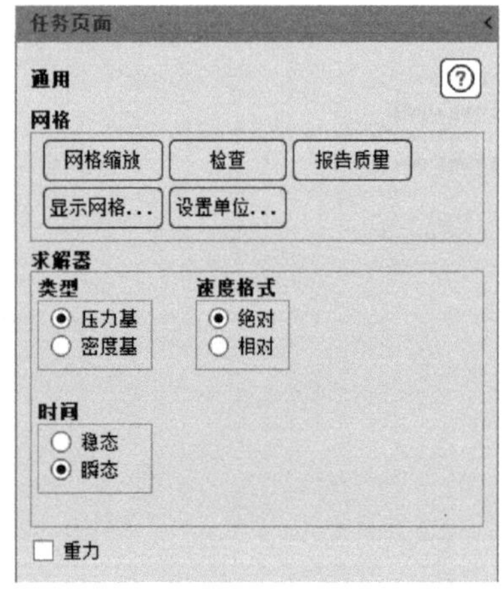

图 9-8 “通用”面板

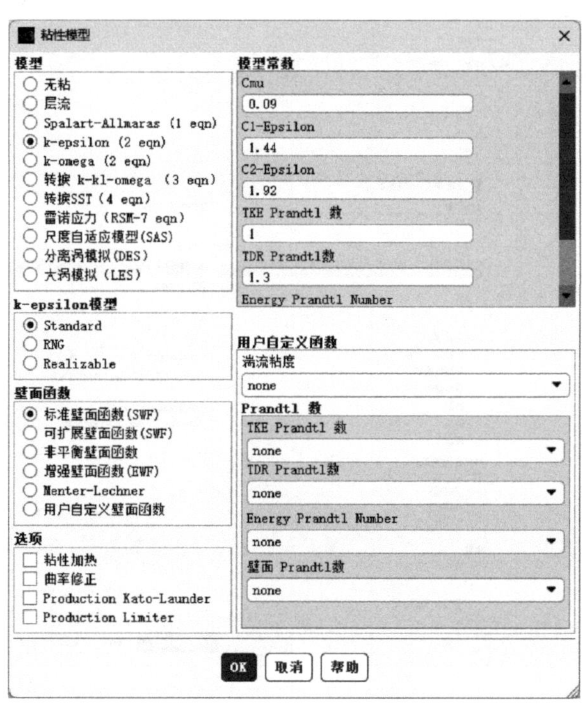

图 9-9 “黏性模型”对话框

在“模型”选项区域中选择“k-epsilon（2 eqn）”单选按钮，单击“OK”按钮确认。

9.1.5 设置材料

设置材料的操作步骤如下。

1）单击“功能区”选项卡中的“物理模型”→“材料”→“创建/编辑”按钮，弹出图 9-10

的“创建/编辑材料”对话框。

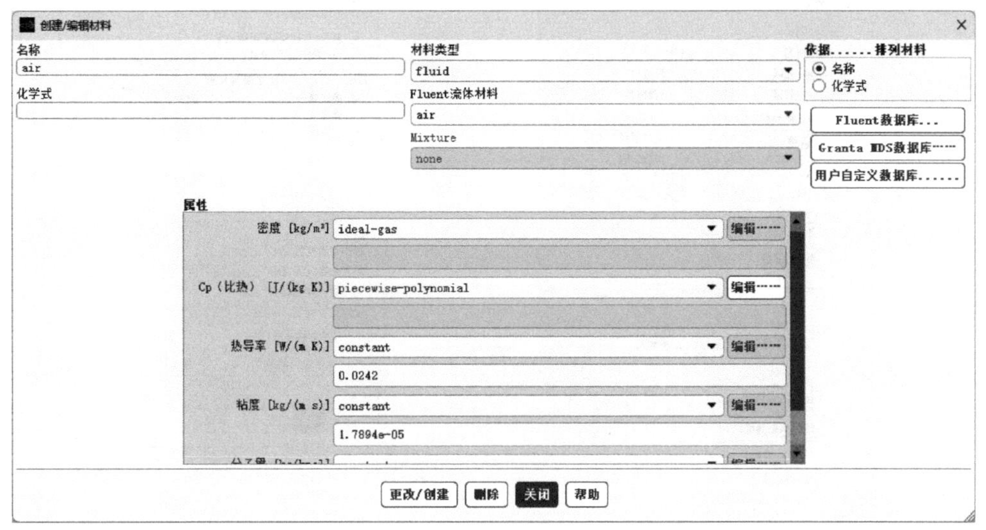

图 9-10 “创建/编辑材料”对话框

2）在“属性”区域中，“密度［kg/m^2］”选择“ideal-gas”，“Cp（比热）［J/(kgK)］”选择 piecewise-polynomial，单击“更改/创建”按钮，更改并关闭“创建/编辑材料”对话框。

9.1.6 动网格设置

动网格设置的操作步骤如下。

1）在“功能区”选项卡中单击“区域”→“网格模型”→“动网格”按钮，如图 9-11 所示。然后弹出图 9-12 的“动网格”面板。

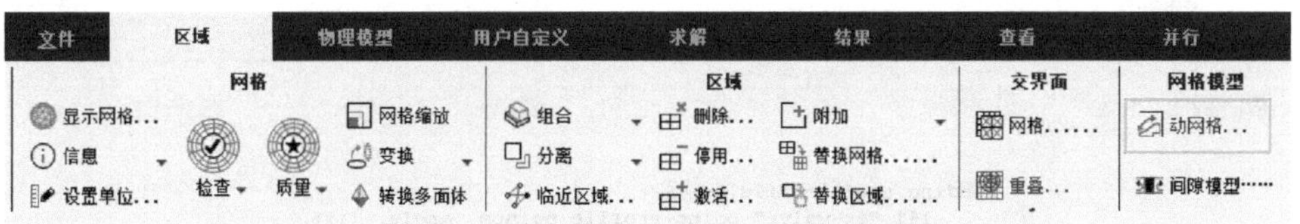

图 9-11 单击“动网格”按钮

勾选“动网格”复选框，在“网格方法”区域中选择勾选“光顺”“层铺”和“重新划分网格”复选框。

2）单击“网格方法”区域中的“设置”按钮，弹出图 9-13 的“网格方法设置”对话框，在“重新划分网格”选项卡中，勾选“方法”区域中的“区域面”复选框，在“参数”区域的“最小长度尺度［m］”数值框中填入 0.001523，在“最大长度尺度［m］”数值框中填入 0.005406，单击“OK”按钮确认并关闭对话框。

3）在“动网格”面板的“选项”区域中勾选“内燃机”复选框并单击“设置”按钮，弹出图 9-14 的“选项”对话框，填入发动机的主要物理参数，单击“OK”按钮确认并关闭对话框。

4）单击主菜单中的“文件”→“读入”→“Profile”按钮，弹出图 9-15 的“Select File”（导入 Profile 文件）对话框，选择文件名为 valve.prof 的 Profile 文件，单击“OK”按钮导入，然后在文本框会显示图 9-16 所示的信息。

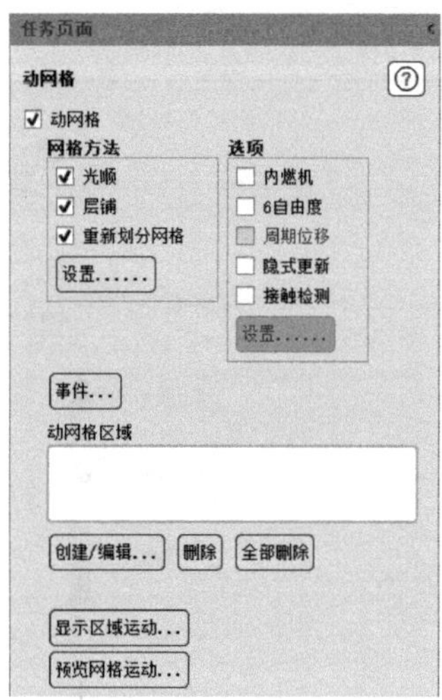

图 9-12 “动网格”面板

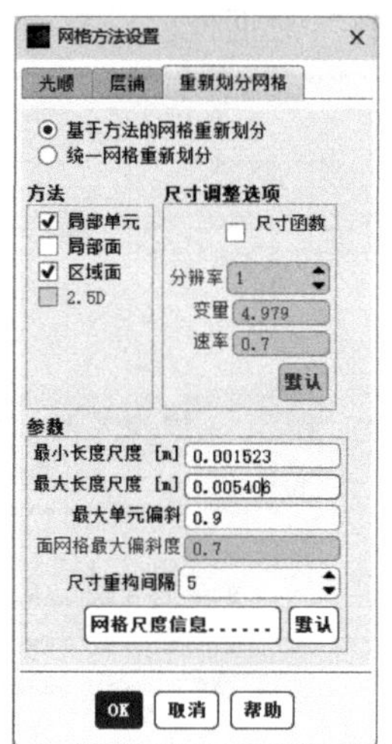

图 9-13 “网格方法设置”对话框

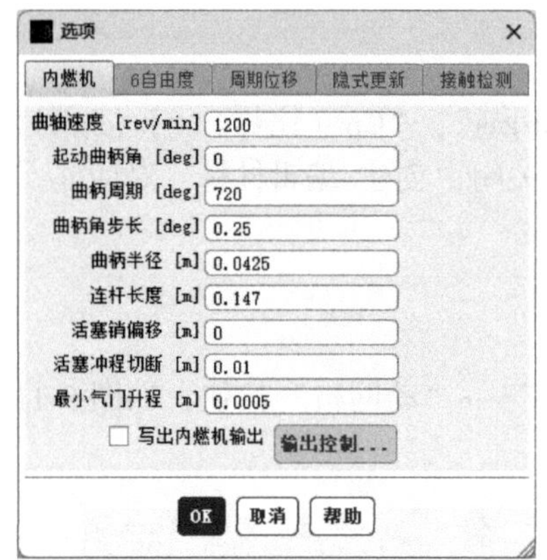

图 9-14 “选项”对话框

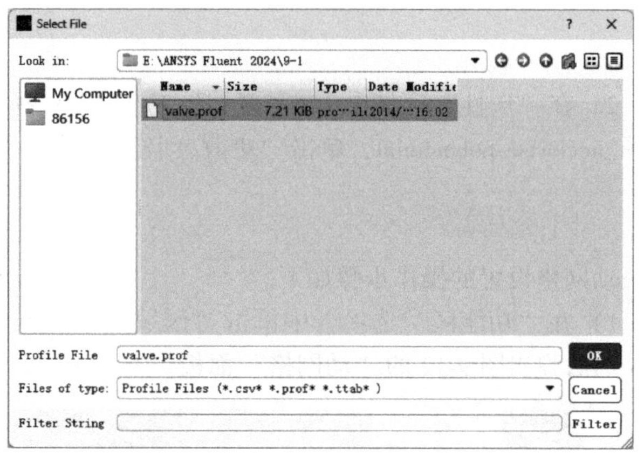

图 9-15 “Select File”对话框

```
Reading profile file...
     141 "ex-valve" point-profile points, angle, lift.
     140 "in-valve" point-profile points, angle, lift.
```

图 9-16 显示的信息

5）在“动网格”面板中单击“创建/编辑”按钮，弹出图 9-17 的“动网格区域”对话框。

“区域名称”选择“cyl-tri”，在“类型”选项区域中选择“变形”单选按钮，在“几何定义”选项卡中，“定义”选择“cylinder”，在“圆柱半径”数值框中输入 0.046，在“圆柱轴”区域中的“X”“Y”“Z”数值框中输入 1、0、0，在“网格划分选项”选项卡中，勾选“重新划分网格”，在“参数”区域中，“最小长度尺度”数值框中输入 0.0014，“最大长度尺度”数值框中输入 0.0041，“最大偏斜度”数值框中输入 0.6，取消勾选“光顺”，单击“创建”按钮创建动网格区域。

“区域名称”选择“exvalve-ch”，“类型”选择“刚体”，在“几何定义”选项卡中，“运动 UDF/离散分布”选择“ex-valve”，在“活塞轴”区域的“x”“y”“z”数值框中对应填入 0.374648、0、0.927167，在“网格划分选项”选项卡中，“单元高度”数值框中填入 0.002913，单击“创建”按钮创建动网格区域。

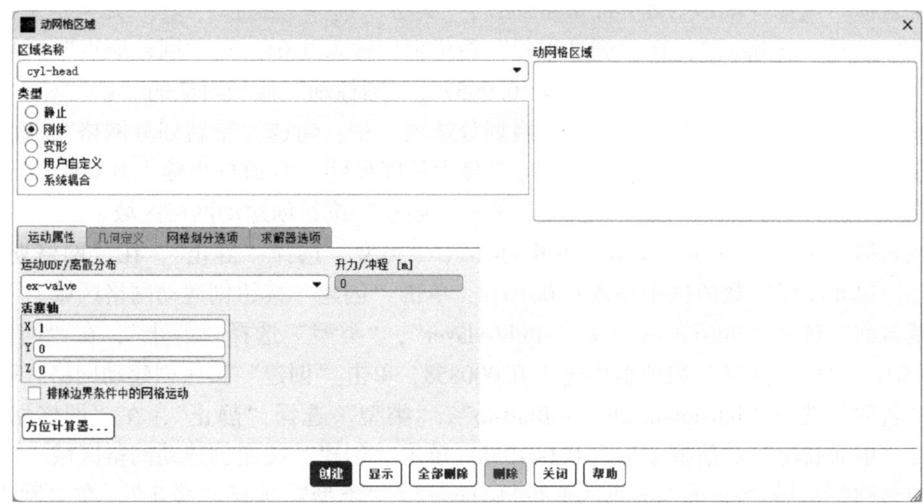

图 9-17 “动网格区域”对话框

“区域名称”选择“exvalve-ib”，“类型”选择“刚体”，在“几何定义”选项卡中，“运动 UDF/离散分布”选择“ex-valve”，在“活塞轴”区域的“x”“y”“z”数值框中对应填入 0.374648、0、0.927167，在“网格划分选项”选项卡中，“单元高度”数值框中填入 0，单击“创建”按钮创建动网格区域。

“区域名称”选择“exvalve-ob”，“类型”选择“刚体”，在“几何定义”选项卡中，“运动 UDF/离散分布”选择“ex-valve”，在“活塞轴”区域的“x”“y”“z”数值框中对应填入 0.374648、0、0.927167，在“网格划分选项”选项卡中，“单元高度”数值框中填入 0，单击“创建”按钮创建动网格区域。

“区域名称”选择“fluid-exvalve-ib”，“类型”选择“刚体”，在“几何定义”选项卡中，“运动 UDF/离散分布”选择“ex-valve”，在“活塞轴”区域的“x”“y”“z”数值框中对应填入 0.374648、0、0.927167，单击“创建”按钮创建动网格区域。

“区域名称”选择“fluid-exvalve-vlayer”，“类型”选择“刚体”，在“几何定义”选项卡中，“运动 UDF/离散分布”选择“ex-valve”，在“活塞轴”区域的“x”“y”“z”数值框中对应填入 0.374648、0、0.927167，单击“创建”按钮创建动网格区域。

“区域名称”选择“fluid-invalve-ib”，“类型”选择“刚体”，在“几何定义”选项卡中，“运动 UDF/离散分布”选择“in-valve”，在“活塞轴”区域的“x”“y”“z”数值框中对应填入 -0.342026、0、0.93969，单击“创建”按钮创建动网格区域。

“区域名称”选择“fluid-invalve-vlayer”，“类型”选择“刚体”，在“几何定义”选项卡中，“运动 UDF/离散分布”选择“in-valve”，在“活塞轴”区域的“x”“y”“z”数值框中对应填入 -0.342026、0、0.93969，单击“创建”按钮创建动网格区域。

“区域名称”选择“fluid-piston-layer”，“类型”选择“刚体”，在“几何定义”选项卡中，“运动 UDF/离散分布”选择“piston-full”，在“活塞轴”区域的“x”“y”“z”数值框中对应填入 0、0、1，单击“创建”按钮创建动网格区域。

“区域名称”选择“int-piston”，“类型”选择“刚体”，在“几何定义”选项卡中，“运动 UDF/离散分布”选择“piston-limit”，在“活塞轴”区域的“x”“y”“z”数值框中对应填入 0、0、1，单击“创建”按钮创建动网格区域。

“区域名称”选择“intf-exvalve-ob-fluid-ch”，“类型”选择“变形”，在“几何定义”选项卡中，“定义”选择“cylinder”，在“圆柱半径”数值框中输入 0.01573，“圆柱原点”区域的“x”“y”“z”数值框中输入 0.0205、0.019518、0.09578，“圆柱轴”区域对应的“x”“y”“z”数值框中输入 0.374648、0、0.927167，在“网格划分选项”中，勾选“重新划分网格”，在“参数”中，“最小长度尺度”数值框中输入 0.0013，“最大长度尺度”数值框中输入 0.004，“最大偏斜度”数值框中输入 0.6，取消勾选“光顺”，单击“创建”按钮创建动网格区域。

“区域名称”选择“intf-int-exvalve-ib-fluid-ib”，“类型”选择“静止”，在“网格划分选项”选项卡中，“单元高度”数值框中输入 0.001049，单击“创建”按钮创建动网格区域。

“区域名称”选择“intf-int-exvalve-ob-fluid-vlayer”，“类型”选择“静止”，在“网格划分选项”选项卡中，“单元高度”数值框中输入 0.000858，单击“创建”按钮创建动网格区域。

“区域名称”选择“intf-int-invalve-ib-fluid-ib”，“类型”选择“静止”，在“网格划分选项”选项卡中，“单元高度”数值框中输入 0.001255，单击“创建”按钮创建动网格区域。

“区域名称”选择“intf-int-invalve-ob-fluid-vlayer”，“类型”选择“静止”，在“网格划分选项”选项卡中，“单元高度”数值框中输入 0.000917，单击“创建”按钮创建动网格区域。

“区域名称”选择“intf-invalve-ob-fluid-ch”，“类型”选择“变形”，在“几何定义”选项卡中，“定义”选择“cylinder”，在“圆柱半径”数值框中输入 0.0182，“圆柱原点”区域的“x”“y”“z”数值框中输入-0.016783、0.019442、0.095021，“圆柱轴”区域对应的“x”“y”“z”数值框中输入-0.342026、0、0.93969，在“网格划分选项”中，勾选“重新划分网格”，在“参数”中，“最小长度尺度”数值框中输入 0.001，“最大长度尺度”数值框中输入 0.0031，“最大偏斜度”数值框中输入 0.6，取消勾选“光顺”，单击“创建”按钮创建动网格区域。

“区域名称”选择“invalve-ch”，“类型”选择“静止”，在“网格划分选项”选项卡中，“单元高度”数值框中输入 0.002926，单击“创建”按钮创建动网格区域。

“区域名称”选择“invalve-ib”，“类型”选择“刚体”，在“几何定义”选项卡中，“运动 UDF/离散分布”选择“in-valve”，在“活塞轴”区域的“x”“y”“z”数值框中对应填入-0.342026、0、0.93969，单击“创建”按钮创建动网格区域。

“区域名称”选择“invalve-ob”，“类型”选择“刚体”，在“几何定义”选项卡中，“运动 UDF/离散分布”选择“in-valve”，在“活塞轴”区域的“x”“y”“z”数值框中对应填入-0.342026、0、0.93969，单击“创建”按钮创建动网格区域。

“区域名称”选择“piston”，“类型”选择“刚体”，在“几何定义”选项卡中，“运动 UDF/离散分布”选择“piston-full”，在“活塞轴”区域的“x”“y”“z”数值框中对应填入 0、0、1，单击“创建”按钮创建动网格区域。

“区域名称”选择“seat-exvalve”，“类型”选择“静止”，在“网格划分选项”选项卡中，“单元高度”数值框中输入 0.000858，单击“创建”按钮创建动网格区域。

“区域名称”选择“seat-invalve”，“类型”选择“静止”，在“网格划分选项”选项卡中，“单元高度”数值框中输入 0.000917，单击“创建”按钮创建动网格区域。

“区域名称”选择“symm-cyl-tri”，“类型”选择“变形”，在“几何定义”选项卡中，“定义”选择“plane”，在“平面法线”区域的“x”“y”“z”数值框中输入 0、1、0，在“网格划分选项”中，勾选“重新划分网格”，在“参数”中，“最小长度尺度”数值框中输入 0.0012，“最大长度尺度”数值框中输入 0.0035，“最大偏斜度”数值框中输入 0.65，取消勾选“光顺”，单击“创建”按钮创建动网格区域。

6）在“动网格”对话框中单击“事件”按钮，弹出图 9-18 的“动网格事件”对话框，单击

“读入”按钮弹出图 9-19 的“导入文件”对话框，选择 dynamic-mesh-events 文件并单击“OK”按钮导入文件，设置不同时刻气门处的边界变化。

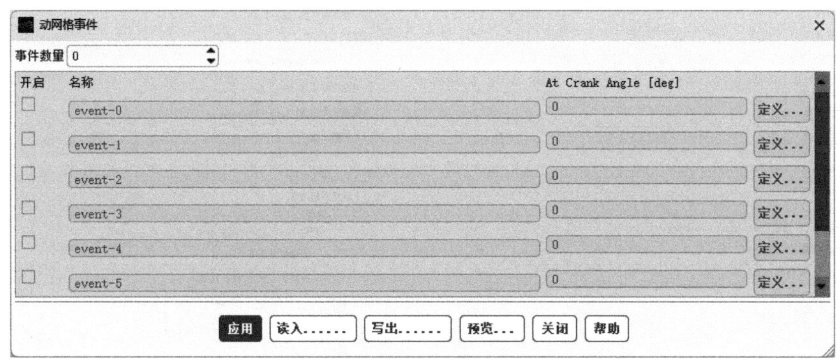

图 9-18 “动网格事件”对话框

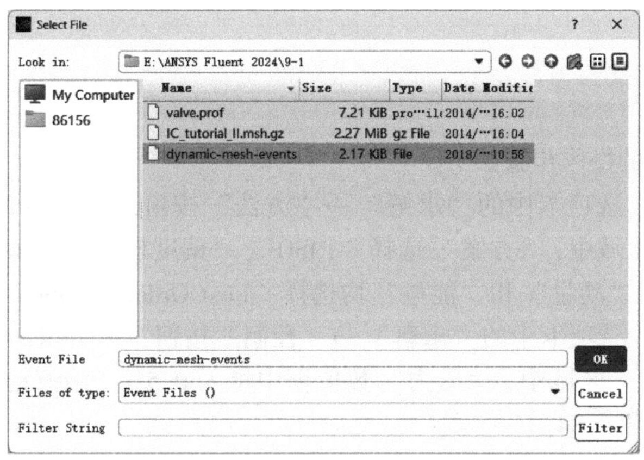

图 9-19 “导入文件”对话框

9.1.7 设置边界条件

设置边界条件的操作步骤如下。

1）单击“功能区”选项卡中的“物理模型”→“区域”→“边界条件”按钮，启动图 9-20 的“边界条件”面板。

2）在“边界条件”面板中，双击“inlet”弹出图 9-21 的“压力进口”对话框。在“湍流”区域中，“设置”选择“Intensity and Hydraulic Diameter”，“水力直径[m]”数值框中填入 0.03。

3）在“边界条件”面板中，双击“outlet”弹出图 9-22 的“压力出口”对话框。在“湍流”区域中，“设置”选择“Intensity and Hydraulic Diameter”，“回流湍流强度［%］”数值框中填入 8，“回流水力直径［m］”数值框中填入 0.03。

图 9-20 “边界条件”面板

图 9-21 “压力进口”对话框

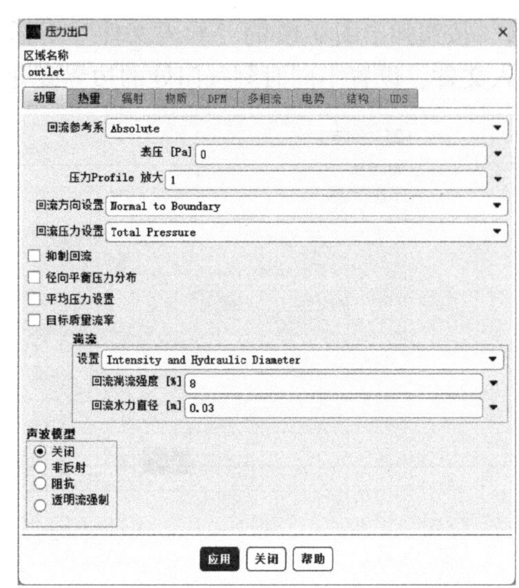

图 9-22 “压力出口”对话框

9.1.8 调整求解控制

调整求解控制参数的操作步骤如下。

1）单击“功能区”选项卡中的“求解”→“方法”按钮，弹出图 9-23 的“求解方法”面板。“压力速度耦合”区域中，“方案”选择“PISO”，“偏度校正”数值框中填入 0，在“空间离散”区域中，“密度”“动量”和“能量”均选择“First Order Upwind”。

2）单击“功能区”选项卡中的“求解”→“控制”按钮，弹出图 9-24 的“解决方案控制”面板，在“亚松弛因子”区域中，“压力”数值框中填入 0.5，“湍流动能”及“湍能耗散率”数值框中分别填入 0.4 和 0.84。

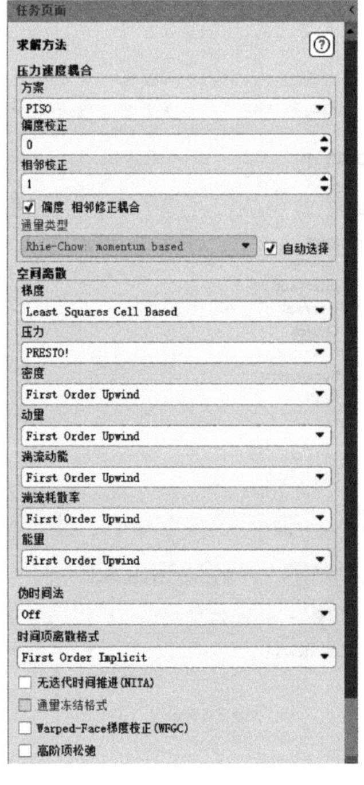

图 9-23 “求解方法”面板

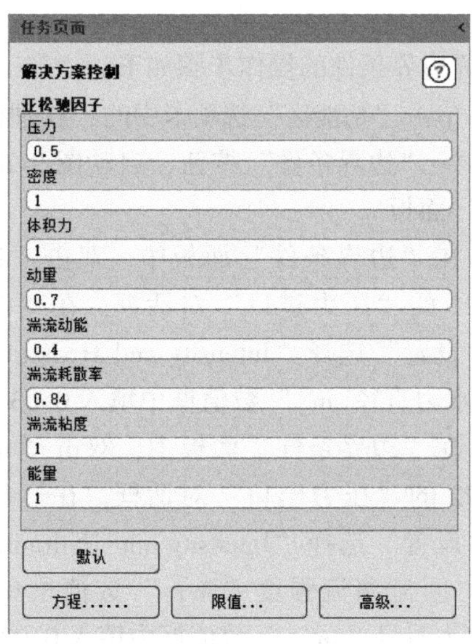

图 9-24 “解决方案控制”面板

9.1.9 设置初始条件

设置初始条件的操作步骤如下。

1）单击“功能区”选项卡中的“求解”→“初始化”按钮，弹出图 9-25 的“解决方案初始化”面板。

2）在“初始化方法”选项区域中选择“标准初始化”单选按钮，单击“初始化”按钮进行初始化。

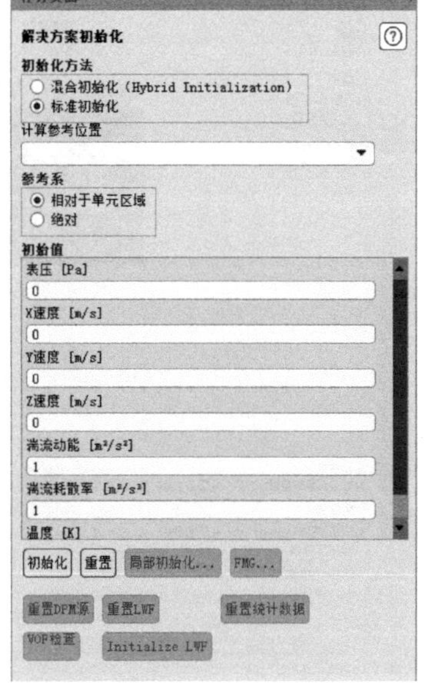

图 9-25 “解决方案初始化”面板

9.1.10 求解过程监视

求解过程监视的操作步骤如下。

1）单击“功能区”选项卡中的“求解”→“报告”→“残差”按钮，弹出图 9-26 的“残差监控器”对话框。

2）在“方程”区域中，残差“continuity”的“绝对标准”数值框中填入 0.1，残差“epsilon”的“绝对标准”数值框中填入 0.002，单击“OK”按钮确认并退出。

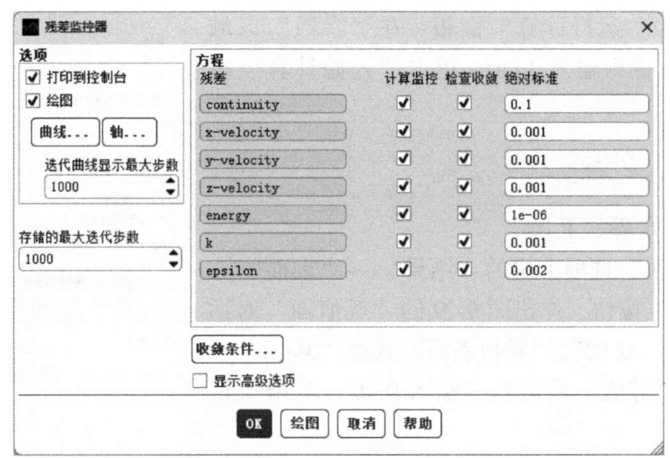

图 9-26 “残差监控器”对话框

9.1.11 数据导出

数据导出的操作步骤如下。

1）单击“功能区”选项卡中的“求解”→“活动”→“创建”→“解决方案数据导出”按钮，弹出图 9-27 的“自动导出”对话框。

2）“文件类型”选择“CDAT for CFD-Post & EnSight”，在“每...导出数据”数值框中输入 180，在“数量”列表框中选择“Static Pressure”和“Velocity Magnitude”，单击“OK”按钮确认并关闭对话框。

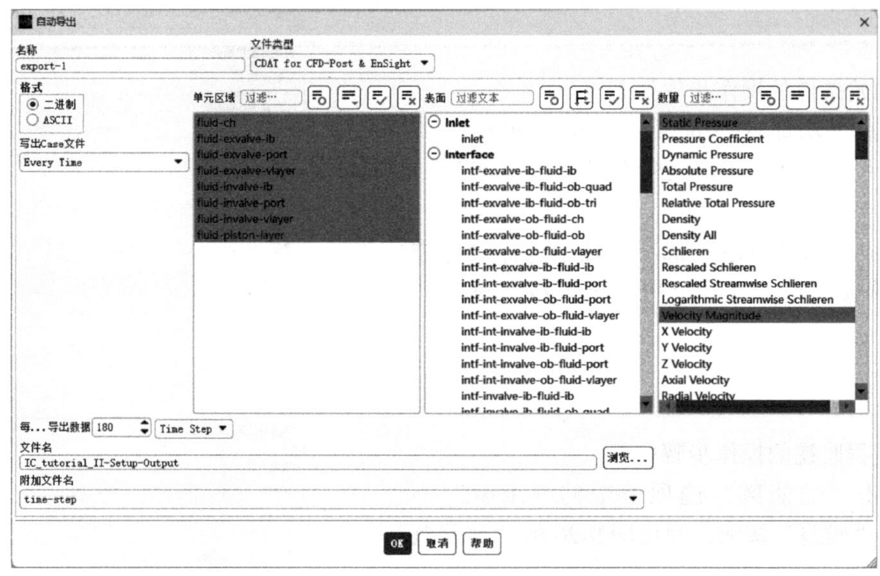

图 9-27 “自动导出”对话框

图 9-28 “运行计算”面板

9.1.12 计算求解

单击“功能区”选项卡中的“求解”→“运行计算”按钮，弹出图 9-28 的“运行计算”面板。在“参数”区域的“时间步数”数值框中输入 1440，单击“开始计算”按钮计算。

9.1.13 结果后处理

结果后处理操作步骤如下。

1）单击“功能区”选项卡中的“结果”→“表面”→“创建”→“等值面”按钮，弹出图 9-29 的“等值面”对话框，在名称处输入“y=0.02”，“常数表面”选择“Mesh”和“Y-Coordinate”，在“等值”数值框中输入 0.02，单击“创建”按钮确认。

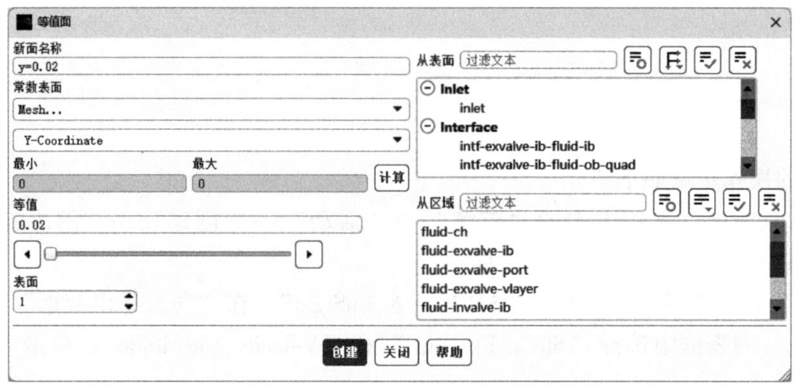

图 9-29 “等值面”面板

2）单击“功能区”选项卡中的“结果”→“图形”→“云图”→“创建”按钮，弹出图 9-30 的“云图”对话框。在“选项”中选择相应的复选框，在“表面”中选择 y=0.02，单击“保存/显示”按钮，显示云图 9-31 的效果。

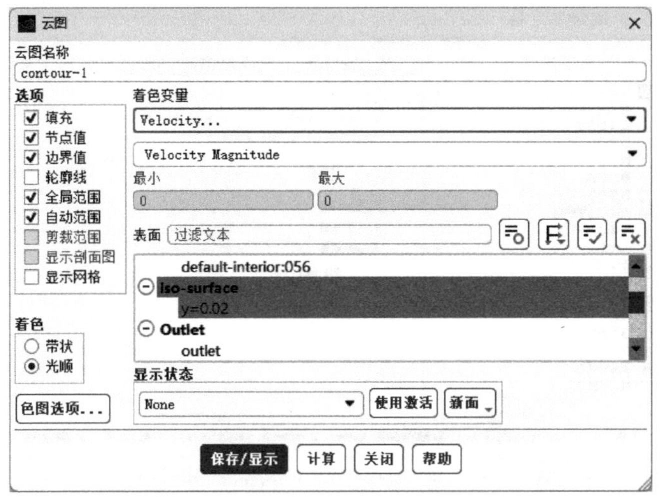

图 9-30 “云图”对话框

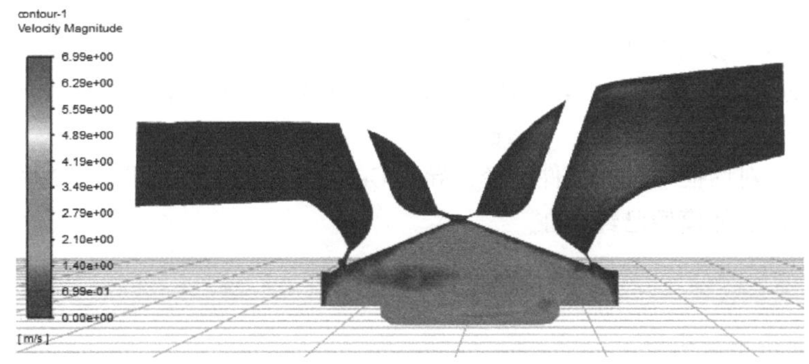

图 9-31 结果云图

9.2 子弹出膛模拟

下面将通过一颗子弹出膛的案例分析，让读者对 ANSYS Fluent 2024 R1 分析处理动网格基本操作步骤的每一项内容有初步了解。

9.2.1 案例介绍

图 9-32 为某枪膛，子弹在初始高压气体膨胀的推动下飞出枪膛，请用 ANSYS Fluent 分析压力和速度场分布情况。

图 9-32 某枪膛

9.2.2 建立分析项目

参考案例 3.1，启动 Workbench 并建立流体分析项目，如图 9-33 所示。

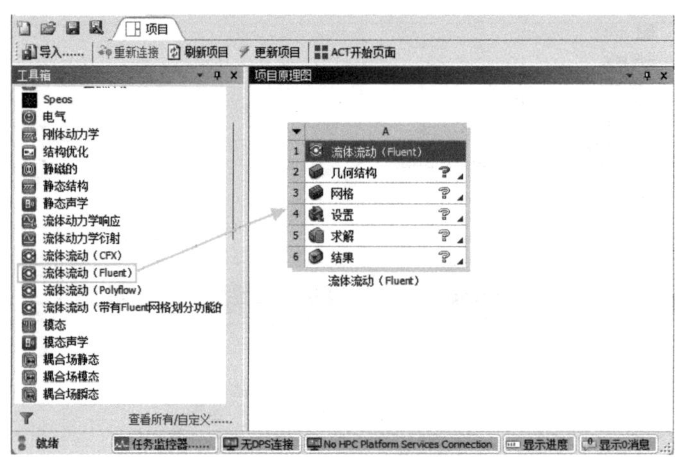

图 9-33 创建流体流动（Fluent）分析项目

9.2.3 导入几何体

导入几何体的操作步骤如下。

1）在 A2 栏的“几何结构”上单击鼠标右键，在弹出的快捷菜单中选择“导入几何模型”→“浏览”命令，此时会弹出“打开”对话框。

2）在“打开”对话框中选择文件路径，导入 Geom 几何体文件，此时 A2 栏“几何结构”后的 ? 变为 ✓，表示实体模型已经存在。

9.2.4 划分网格

划分网格的操作步骤如下。

1）双击 A3 栏“网格”项，进入 Meshing 界面，Meshing 界面下的模型如图 9-34 所示。在该界面下进行模型的网格划分。

图 9-34 Meshing 界面下的模型

2）右键单击选择几何外部边界，在弹出的图 9-35 的快捷菜单中选择“创建命名选择”命令，然后弹出图 9-36 的“选择名称”对话框，输入名称“out”，单击“OK”按钮确认。

3）同步骤 2），创建枪膛外壁面、对称轴、子弹、枪膛顶端和出口，分别命名为“gun”“symm”“bullet”“top”和“out2”，如图 9-37～图 9-41 所示。

图 9-35　快捷菜单

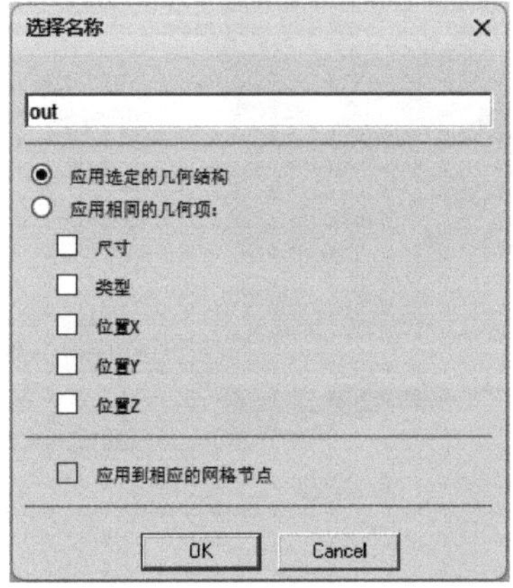

图 9-36　“选择名称”对话框

图 9-37　创建外壁面

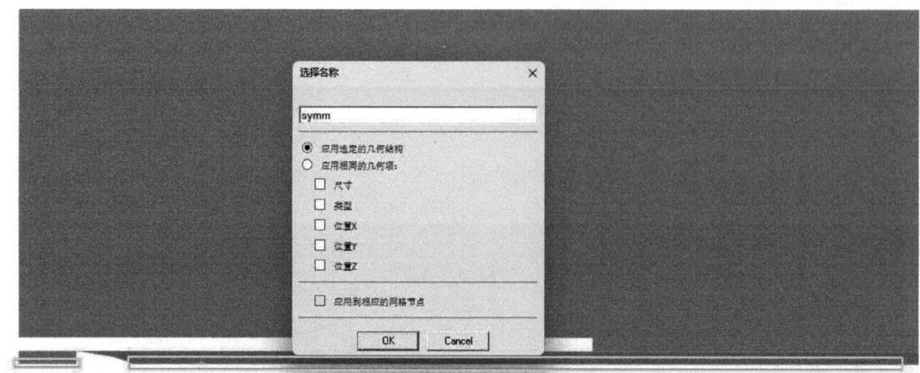

图 9-38　创建对称轴

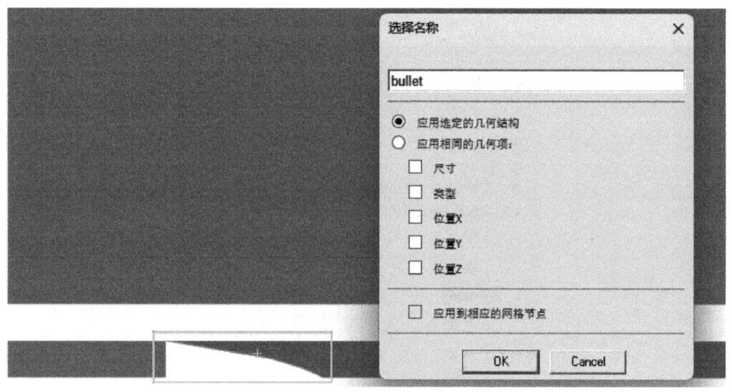

图 9-39　创建子弹

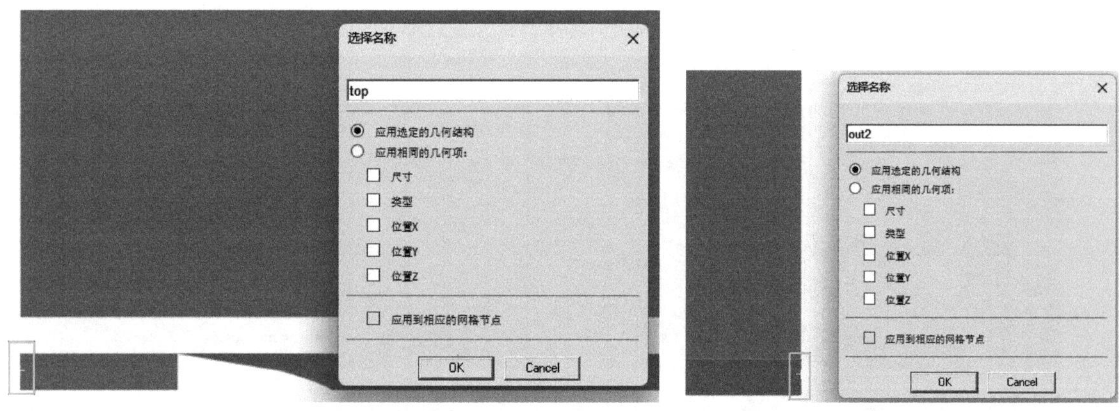

图 9-40　创建枪膛顶端　　　　图 9-41　创建出口

4）同步骤 2），创建几何外部区域与内部区域的交界面，属于外部区域的交界面边界命名为“interface_out”，属于内部区域的交界面边界命名为“interface_bullet”，如图 9-42 和图 9-43 所示。

5）右键单击选择外部几何区域，在弹出的快捷菜单中选择“创建命名选择”命令，在弹出的“选择名称”对话框中输入名称“out_fluid”，单击“OK”按钮确认，如图 9-44 所示。

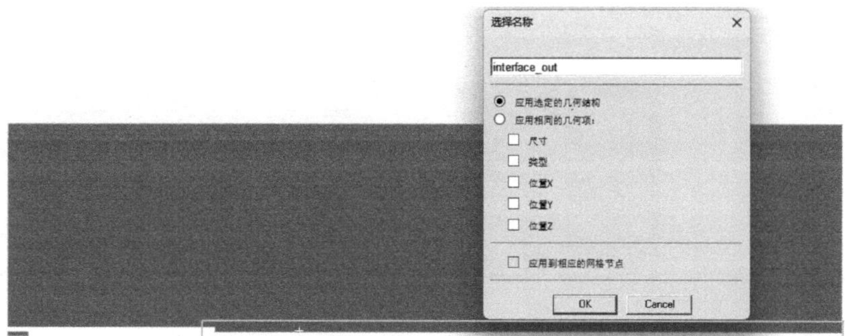

图 9-42　创建外部区域的交界面边界

图 9-43　创建内部区域的交界面边界

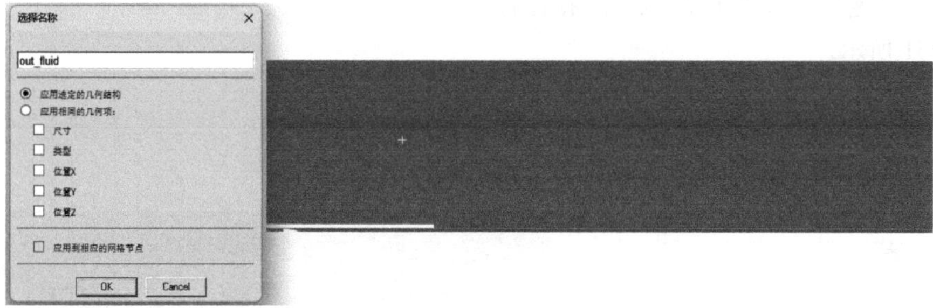

图 9-44　创建面名称

6）同步骤 5），分别右键单击选择子弹飞行区域和初始高压区域，并命名为 “bullet_fluid” 和 “inipress_fluid”，单击 “OK” 按钮确认，如图 9-45 和图 9-46 所示。

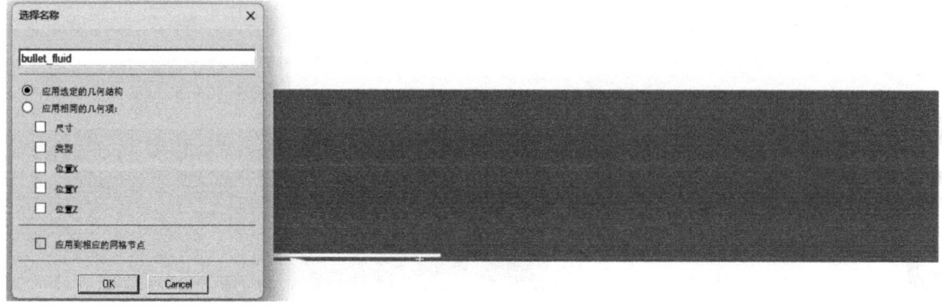

图 9-45　创建面名称

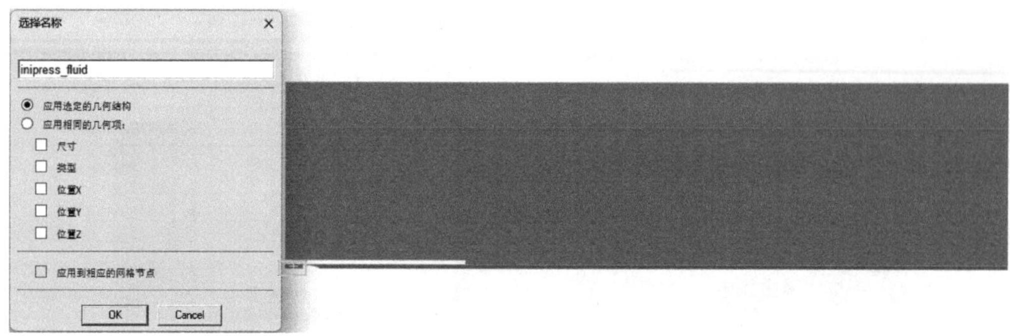

图 9-46 创建面名称

7）右键单击模型树中的“网格”选项，依次选择“网格”→“插入”→“尺寸调整”命令，如图 9-47 所示。然后弹出图 9-48 的边缘尺寸调整面板。

“几何结构”选择枪膛出口位置壁面，“类型”选择“分区数量”，在“分区数量”数值框中填入 6，调整后的效果如图 9-49 所示。

8）右键单击模型树中的“网格”选项，依次选择“网格”→“插入”→“加密”命令，弹出图 9-50 的加密面板。

“几何结构”选择初始高压区域和子弹飞行区域，在“加密”数值框中填入 2，最后的效果如图 9-51 所示。

图 9-47 选择“尺寸调整”命令

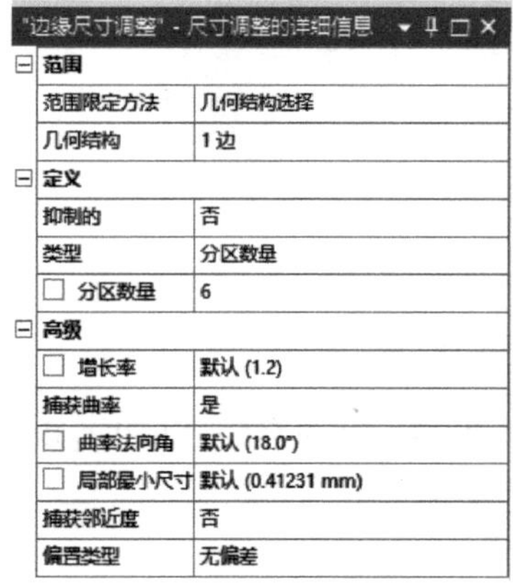

图 9-48 尺寸调整面板

图 9-49 调整后的效果

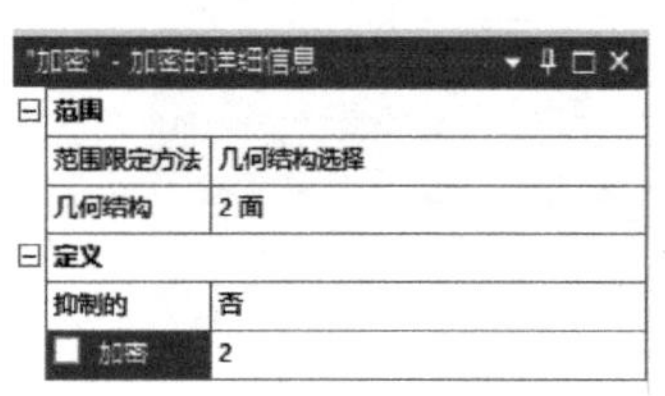

图 9-50 加密面板

图 9-51 网格加密区域效果

9）单击模型树中的“网格”选项，弹出图 9-52 的网格设置面板。设置“单元尺寸”为 1.5mm，展开“质量”选项，“平滑”选择“高”。

10）右键单击模型树中的“网格”选项，选择快捷菜单中的“生成网格”命令，开始生成网格，如图 9-53 所示。

图 9-52　网格属性设置

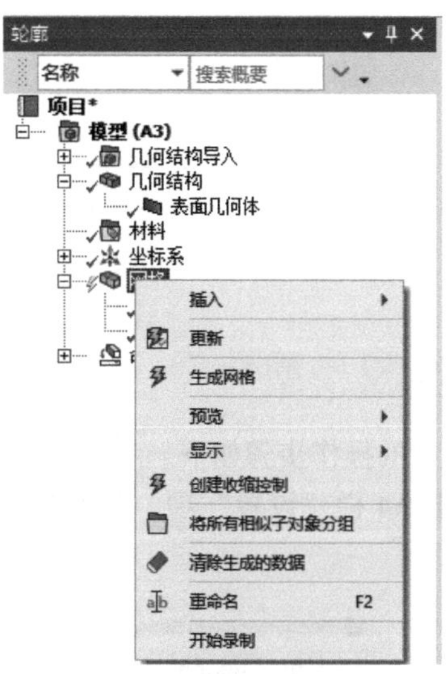

图 9-53　网格生成

11）网格划分完成以后，在图形窗口中显示图 9-54 的网格。

图 9-54　计算域网格

12）单击模型树中的“网格”选项，在图 9-55 的网格的详细信息面板中展开“质量”选项，“网格质量标准”选择“正交质量”。这样能够统计出最小值、最大值、平均值以及标准偏差，同时显示网格质量的直方图，如图 9-56 所示。

13）执行主菜单的“文件”→“关闭 Meshing”命令，退出网格划分界面，返回 Workbench 主界面。

14）右键单击 Workbench 界面中 A3“网格”项，选择快捷菜单中的“更新”命令，完成网格数据往 Fluent 分析模块中的传递。

图 9-55　网格详细信息面板

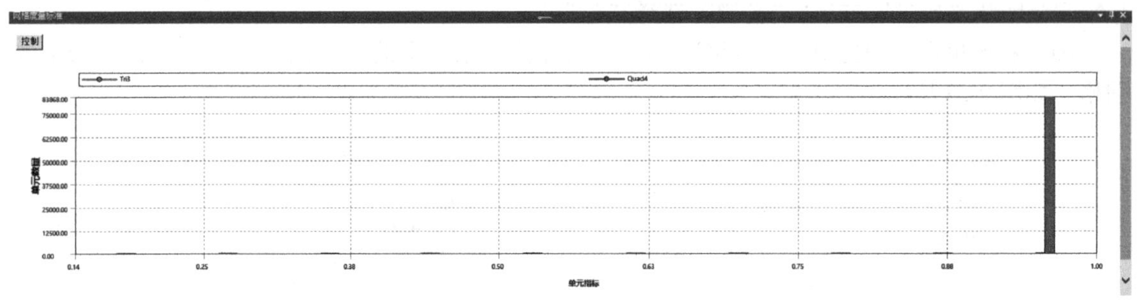

图 9-56　网格划分情况统计

9.2.5　定义模型

定义模型的操作步骤如下。

1）双击 A4 栏“设置”项，打开图 9-57 的 Fluent Launcher 对话框，单击“Start”按钮进入 Fluent 界面。

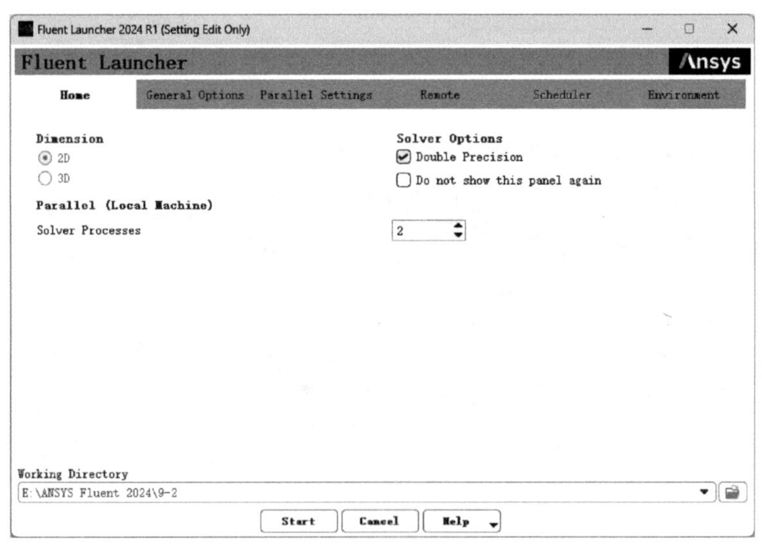

图 9-57　Fluent Launcher 对话框

2）在“功能区”选项卡中单击“物理模型”→“通用”按钮，弹出图 9-58 的“通用”面板，在“求解器”中，“类型”选项区域中选择“密度基”单选按钮，“时间”选项区域中选择“瞬态”单选按钮。

3）在”功能区”选项卡中单击”物理模型”→“Models”→“Energy”按钮。

4）在“功能区”选项卡中单击“物理模型”→“模型”→“能量”按钮。

5）在“功能区”选项卡中单击“物理模型”→“模型”→“黏性”按钮，弹出图 9-59 的“黏性模型”对话框。

在“模型”选项区域中选择“k-omega（2 eqn）”单选按钮，在“k-omega 模型”选项区域中选择“SST”单选按钮，在“选项”区域中选择“Production Limiter”复选框，单击“OK”按钮确认。

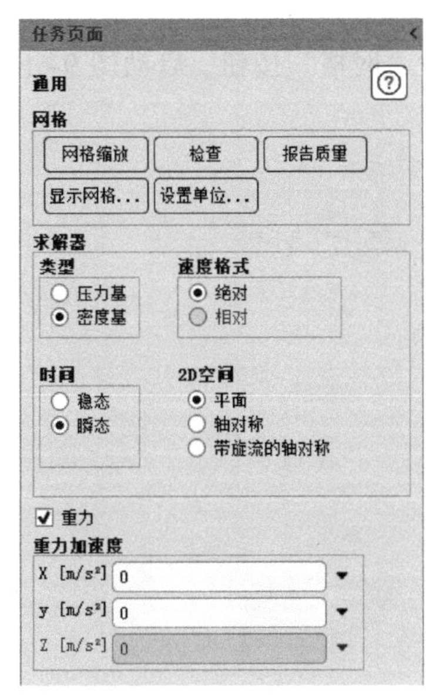

图 9-58 “通用”面板

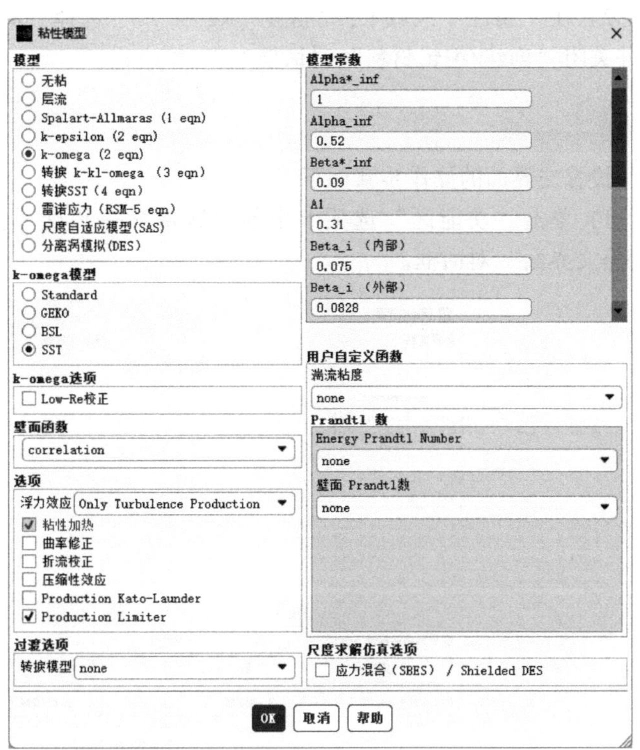

图 9-59 “黏性模型”对话框

9.2.6 设置材料

设置材料的操作步骤如下。

1）单击“功能区”选项卡中的“物理模型”→“材料”→“创建/编辑”按钮，弹出图 9-60 的“创建/编辑材料”对话框。

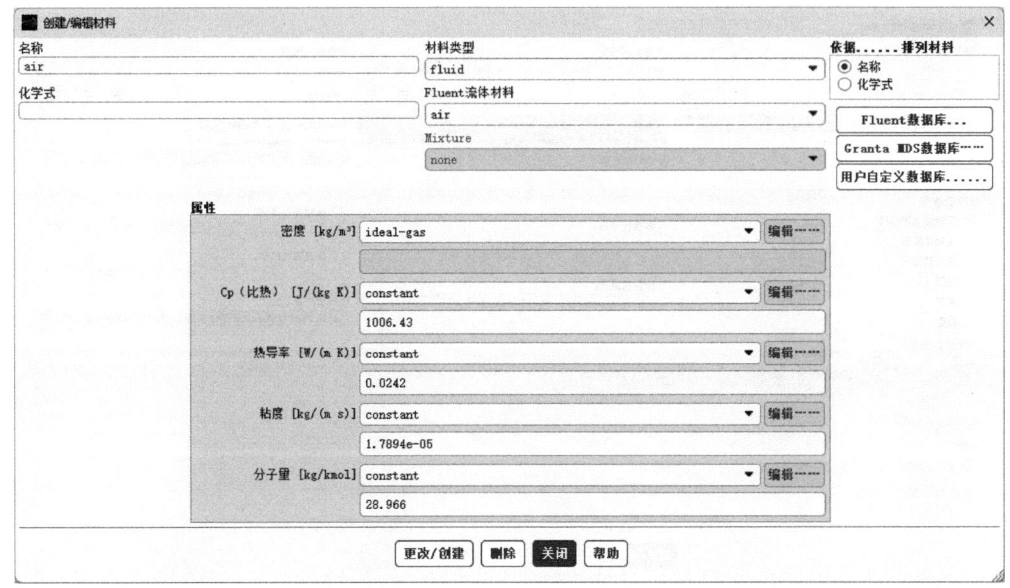

图 9-60 “创建/编辑材料”对话框

2）在“属性”区域中，“密度［kg/m³］”选择“ideal-gas”，单击“更改/创建”按钮，更改并关闭“创建/编辑材料”对话框。

9.2.7 设置交界面

设置交界面的操作步骤如下。

1）单击“功能区”选项卡中的“区域”→“交界面”→“网格”按钮，启动图 9-61 的“网格交界面”对话框。

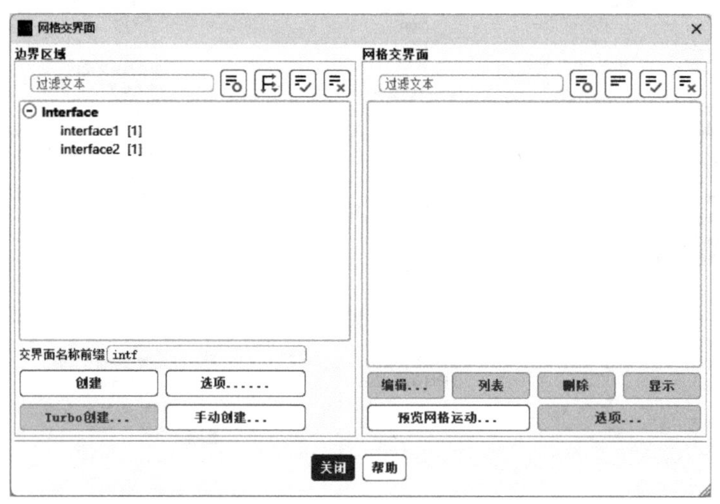

图 9-61 “网格交界面”对话框

2）在“网格交界面”对话框中单击“手动创建”按钮，弹出图 9-62 的“创建/编辑网格交界面”对话框，在“网格界面”文本框中输入“interface”，“交界面区域侧 1”列表框中选择“interface_bullet-bullet_fluid”和“interface_bullet-inipress_fluid”，“交界面区域侧 2”列表框中选择“interface_out”，单击“创建/编辑”按钮确认。

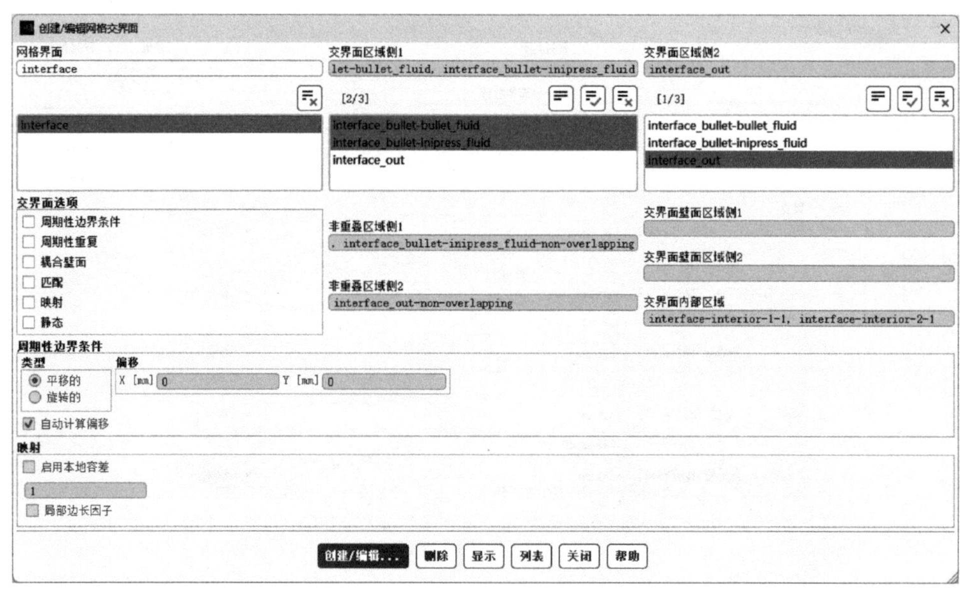

图 9-62 “创建/编辑网格交界面”对话框

9.2.8 设置工作条件

单击“功能区”选项卡中的“物理模型”→“求解器”→“工作条件”按钮，弹出图 9-63 的“工作条件”对话框。在“压力”区域的“工作压力［Pa］”数值框中填入 0，在“可变密度参数”区域勾选“指定的操作密度”复选框，单击“OK”按钮确认并关闭对话框。

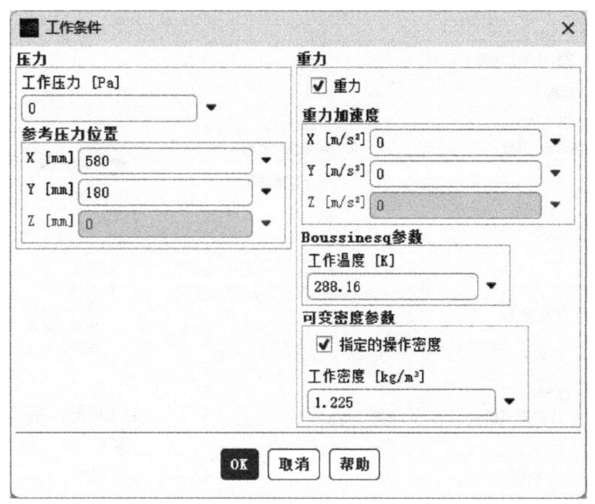

图 9-63 “工作条件”对话框

9.2.9 动网格设置

1）在“功能区”选项卡中单击“区域”→“网格模型”→“动网格”按钮，弹出图 9-64 的“动网格”面板。

勾选“动网格”复选框，在“网格方法”区域中勾选“层铺”复选框。

在“选项”区域中勾选“6 自由度”复选框，单击“设置”按钮弹出图 9-65 的“选项”对话框。

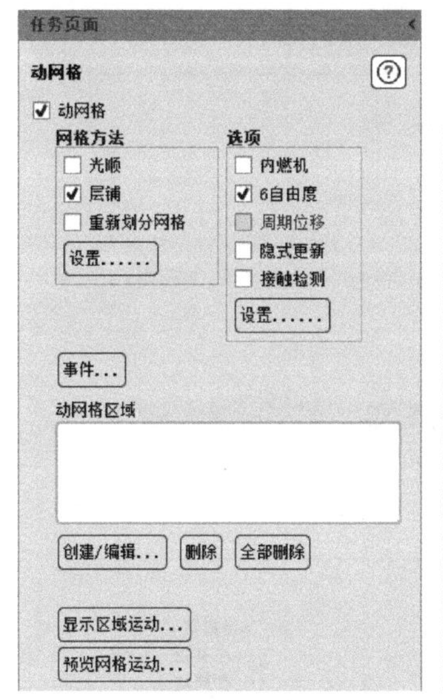

图 9-64 “动网格”面板

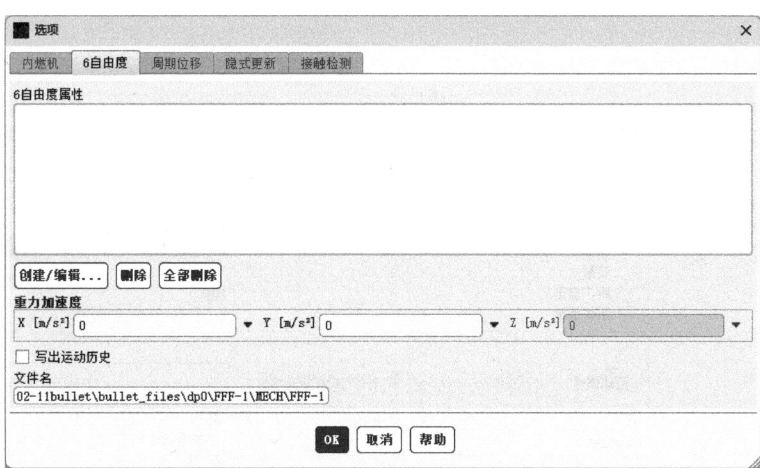

图 9-65 “选项”对话框

2）在“选项”对话框中单击“创建/编辑”按钮，弹出图 9-66 的“6 自由度属性”对话框。在“名称”文本框中输入“bullet”，“质量［kg］”数值框中输入 0.012，勾选“一个 DOF 平移”复选框，在“方向”中的“X”数值框中输入 1，在“Y”数值框中输入 0，单击“创建”按钮确认并退出。

回到“选项”对话框中，单击“OK”按钮确认并退出。

3）在“动网格”面板中单击“创建/编辑”按钮，弹出图 9-67 的“动网格区域”对话框。

“区域名称”选择“bullet_fluid”，“类型”选项区域中选择“刚体”单选按钮，在“运动属性”选项卡中，“属性”选择“bullet”，在“6 自由度”区域中勾选“开启”和“随动”复选框，单击“创建”按钮创建动网格区域。

4）同步骤 3），创建图 9-68 的名称为“inipress_fluid”的动网格区域。

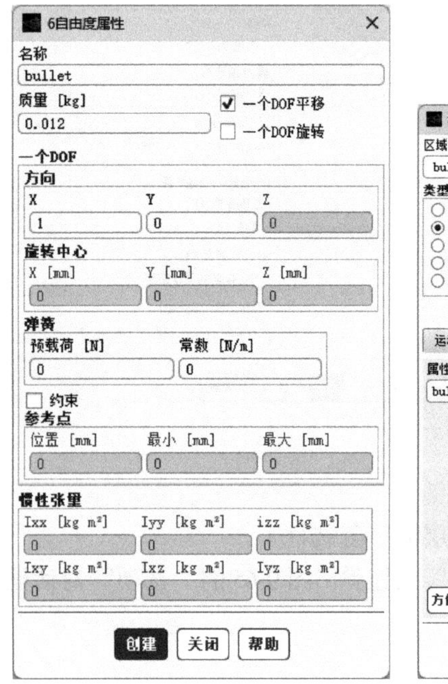

图 9-66 “6 自由度属性”对话框

图 9-67 “动网格区域”对话框

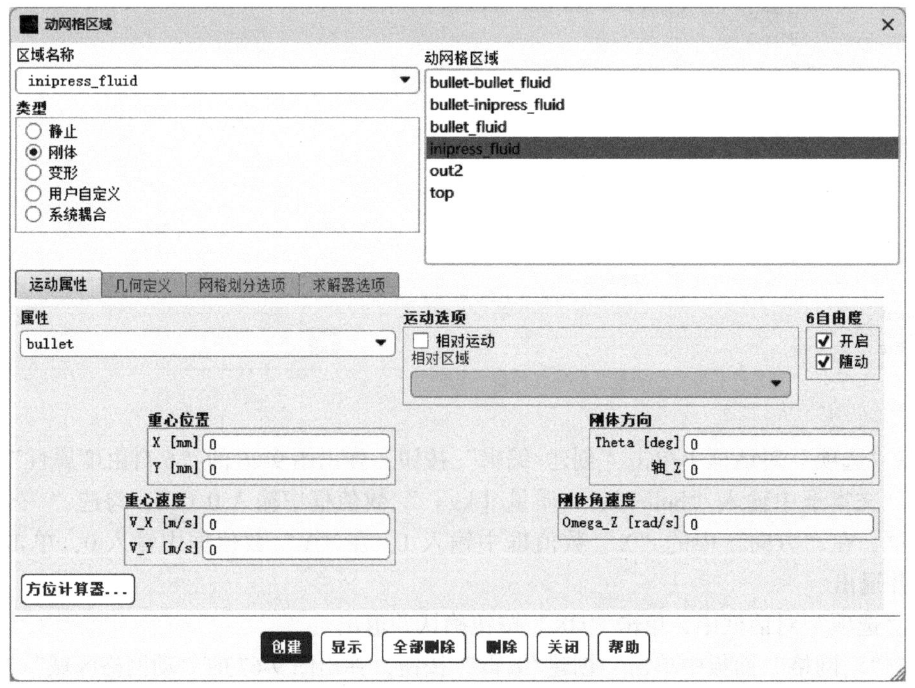

图 9-68 创建 inipress_fluid 动网格区域

5）同步骤 3），创建图 9-69 和图 9-70 的名称为“bullet-bullet_fluid”和“bullet-inipress_fluid”的“动网格区域”，并且在“6 自由度”区域中取消勾选“随动”复选框。

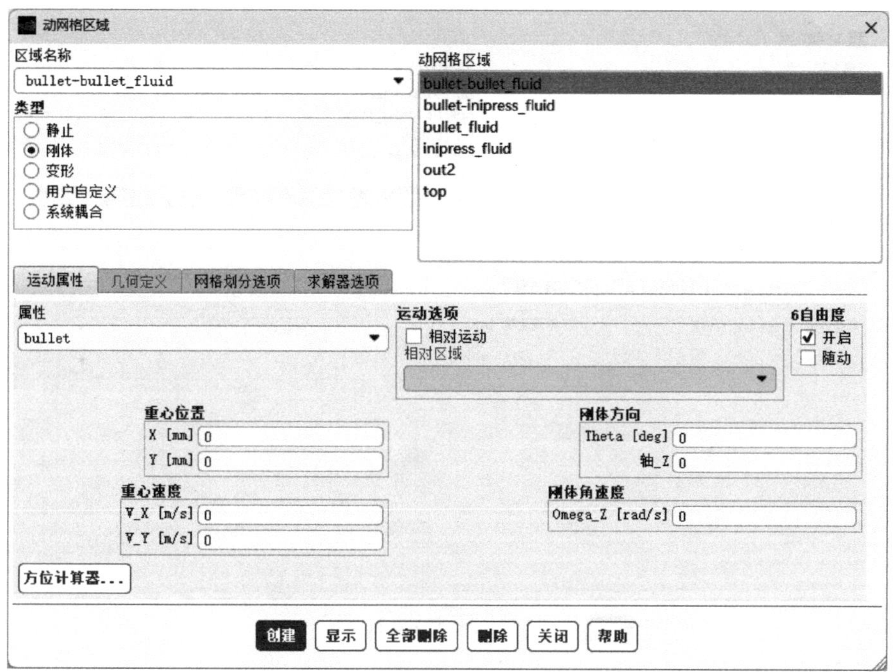

图 9-69　创建 bullet-bullet_fluid 动网格区域

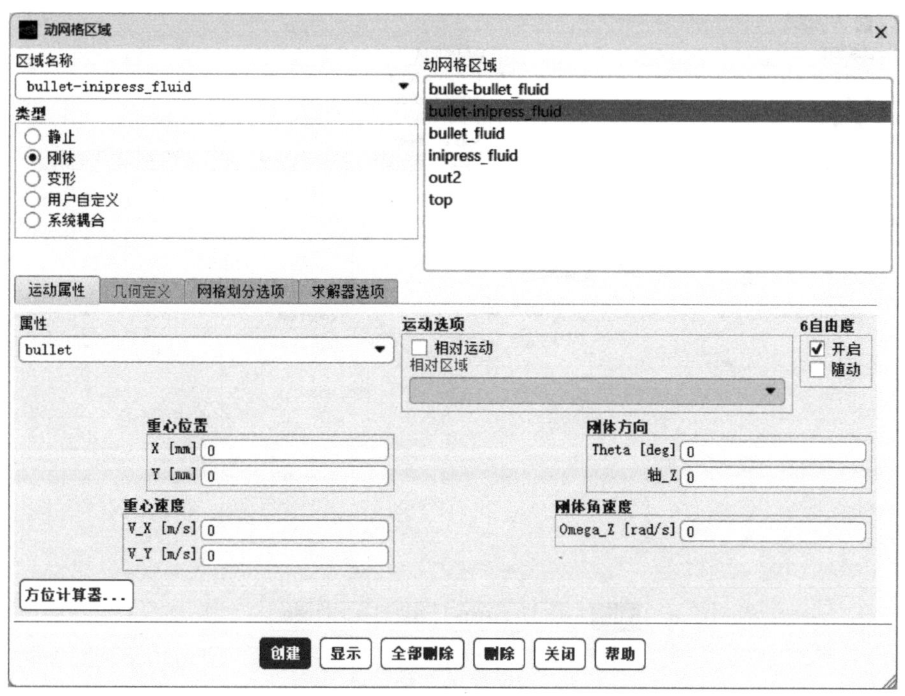

图 9-70　创建 bullet-inipress_fluid 动网格区域

6）“区域名称”分别选择 top 和 out2，“类型”选项区域中均选择“静止”单选按钮，在“网格划分选项”选项卡中，“单元高度［mm］”均设置为 1mm，单击“创建”按钮创建动网格区域，如图 9-71 和图 9-72 所示。

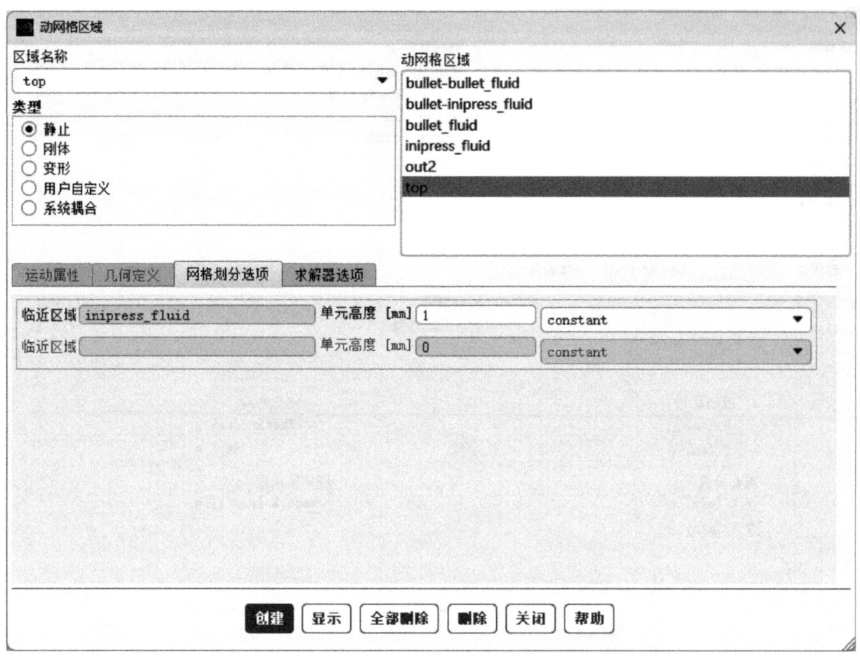

图 9-71 选择 top 动网格区域

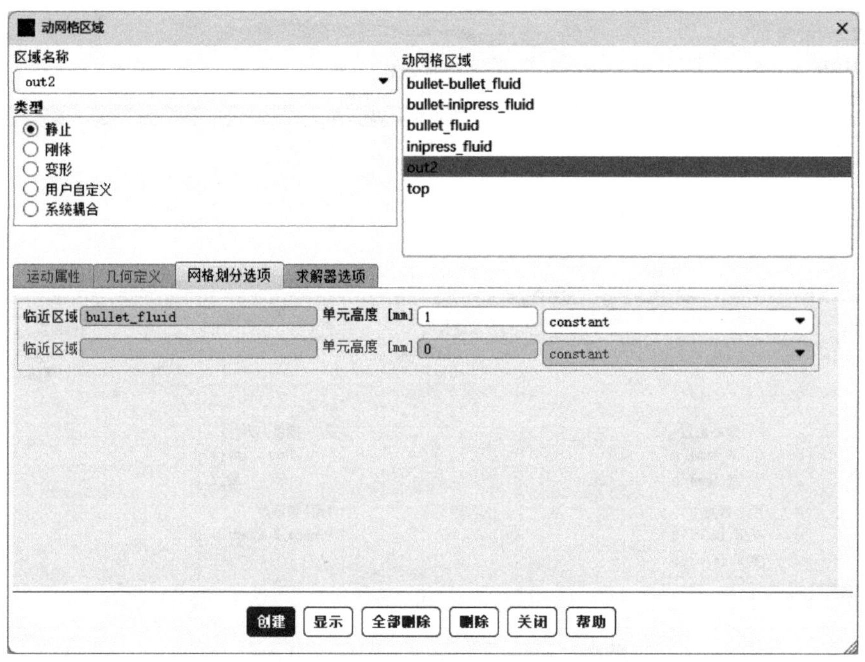

图 9-72 选择 out2 动网格区域

9.2.10 设置边界条件

设置边界条件的操作步骤如下。

1）单击“功能区”选项卡中的“物理模型”→“区域”→“边界条件”按钮，启动图 9-73

的“边界条件”面板。

2）在“边界条件”面板中，双击“out”弹出图 9-74 的“压力出口”对话框。“表压[Pa]”数值框中输入 101325，单击“应用”按钮确认并退出。

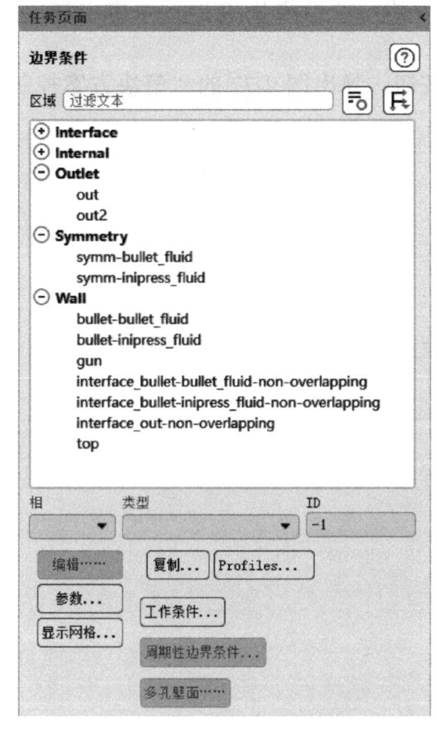

图 9-73 “边界条件”面板

图 9-74 “压力出口”对话框

3）在“边界条件”面板中，双击“out2”弹出图 9-75 的“压力出口”对话框。“表压[Pa]”数值框中输入 101325，单击“应用”按钮确认并退出。

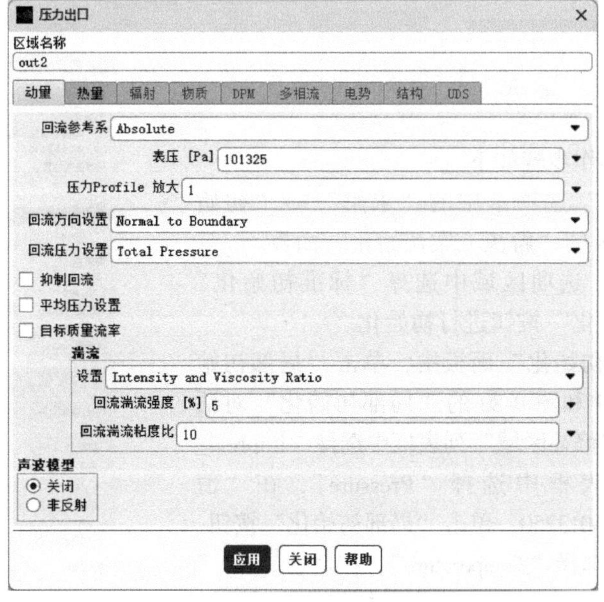

图 9-75 “压力出口”对话框

9.2.11 调整求解控制

调整求解控制参数的操作步骤如下。

1）单击“功能区”选项卡中的“求解”→“方法”按钮，弹出图 9-76 的“求解方法”面板。“方案”选择“Coupled”。

2）单击“功能区”选项卡中的“求解”→“控制”按钮，弹出图 9-77 的“解决方案控制”面板。保持默认设置不变。

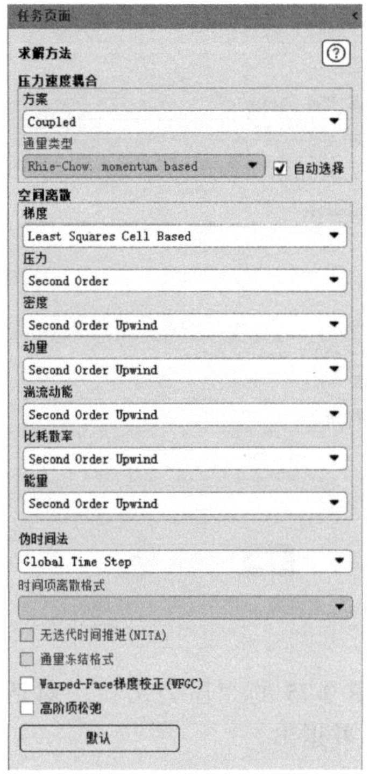

图 9-76 “求解方法”面板

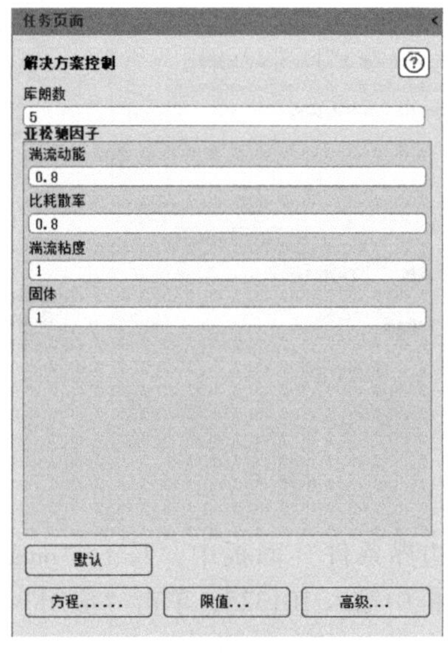

图 9-77 “解决方案控制”面板

9.2.12 设置初始条件

设置初始条件的操作步骤如下。

1）单击“功能区”选项卡中的“求解”→“初始化”按钮，弹出图 9-78 的“解决方案初始化”面板。

在“初始化方法”选项区域中选择“标准初始化”单选按钮，单击“初始化”按钮进行初始化。

2）在“解决方案初始化”面板中，单击“局部初始化”按钮，弹出图 9-79 和图 9-80 的“局部初始化”对话框。图 9-79 中，在“待修补区域”列表框中选择“inipress_fluid”，“Variable”列表框中选择“Pressure”，在“值［Pa］”数值框中填入 6013250，单击“局部初始化”按钮。图 9-80 中，“Variable”选择“Temperature”，在“值［K］”数值框中填入 1000，单击“局部初始化”按钮。

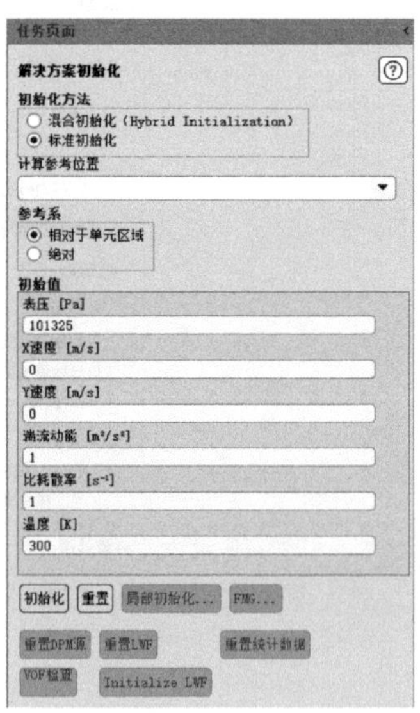

图 9-78 “解决方案初始化”面板

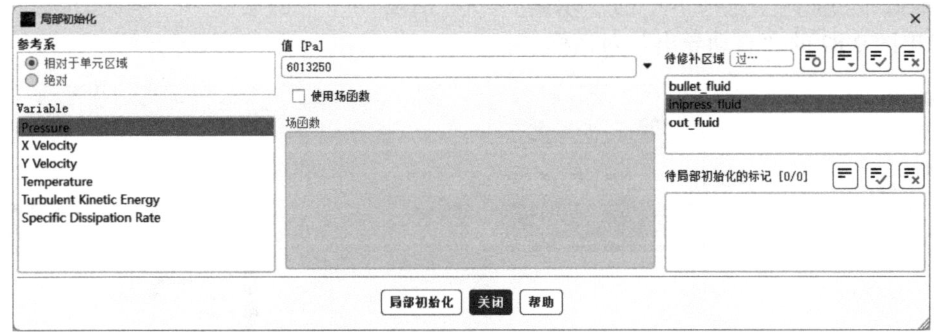

图 9-79 “局部初始化”对话框

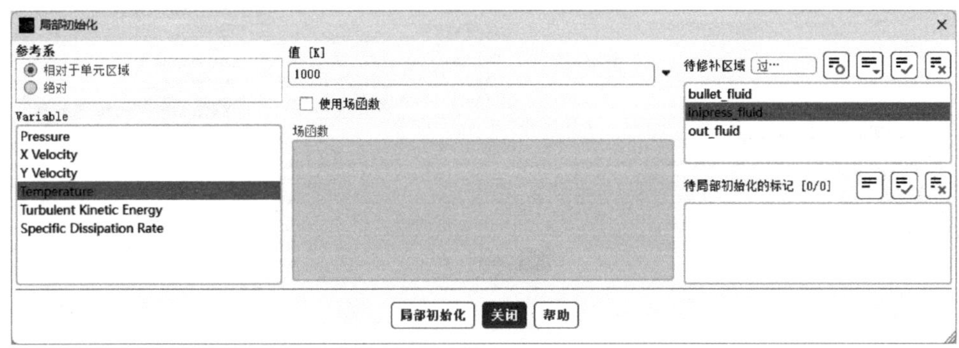

图 9-80 “局部初始化”对话框

9.2.13 求解过程监视

单击“功能区”选项卡中的“求解”→“报告”→“残差”按钮，弹出图 9-81 的“残差监控器”对话框。保持默认设置不变，单击“OK”按钮确认。

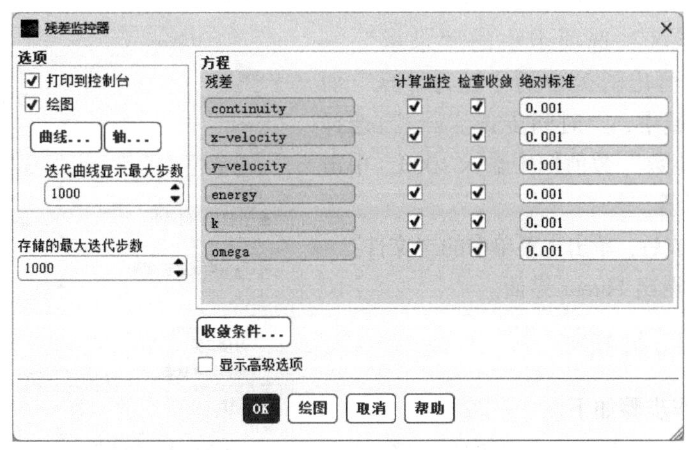

图 9-81 “残差监控器”对话框

9.2.14 数据导出

数据导出的操作步骤如下。

1）单击“功能区”选项卡中的“求解”→“活动”→“创建”→“解决方案数据导出”按钮，弹出图 9-82 的“自动导出”对话框。

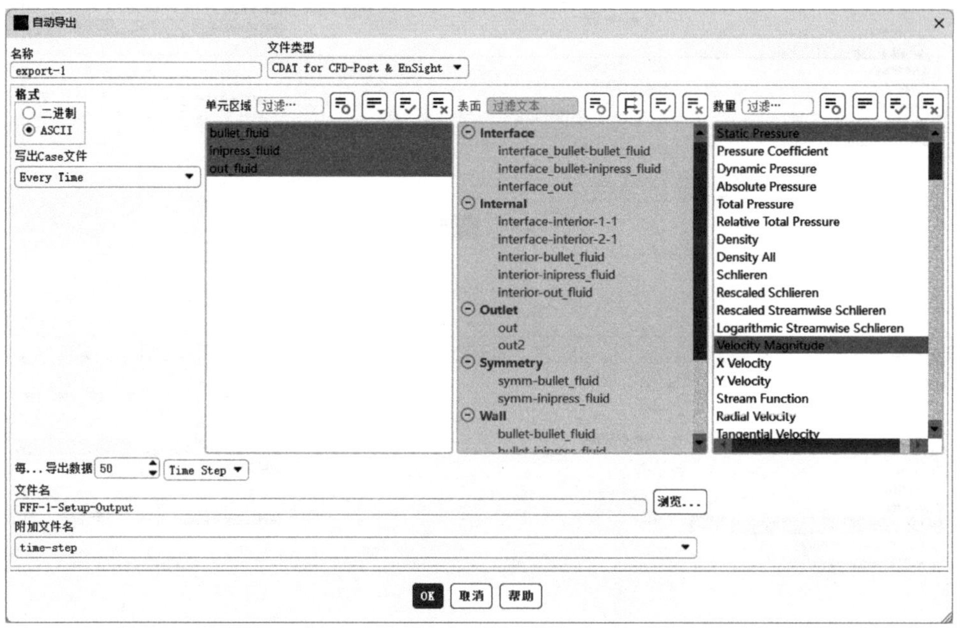

图 9-82 “自动导出”对话框

2）“文件类型”选择“CDAT for CFD-Post & EnSight”，在“每...导出数据”数值框中输入 50，在“数量”列表框中选择“Static Pressure”和“Velocity Magnitude”，单击“OK”按钮确认并关闭对话框。

9.2.15 计算求解

计算求解的操作步骤如下。

1）单击“功能区”选项卡中的“求解”→“运行计算”按钮，弹出图 9-83 的“运行计算”面板。在“参数”区域中，“时间步长［s］”选择“1e-6”，在“时间步数”数值框中输入 1000，单击“开始计算”按钮计算。

2）计算收敛完成后，单击主菜单中的“文件”→“关闭 Fluent”按钮退出 Fluent 界面。

图 9-83 “运行计算”面板

9.2.16 结果后处理

结果后处理操作步骤如下。

1）在 Workbench 主界面工具箱中的“组件系统”→“结果”选项上按住鼠标左键拖拽到项目管理区中。

2）双击 B2 栏“结果”项，进入 CFD-Post 界面。

3）单击主菜单的“File”→“Load Results”按钮弹出 Load Results Files 对话框，选择不同时间点的计算结果文件。

4）双击模型树中的“Default Transform”选项，如图 9-84 所示。然后弹出图 9-85 的 Default Transform 面板。勾选“Apply Reflection”复选框，“Method”选择“ZX Plane”，在“Y”文本框中输入 0.0［m］，单击“Apply”按钮。

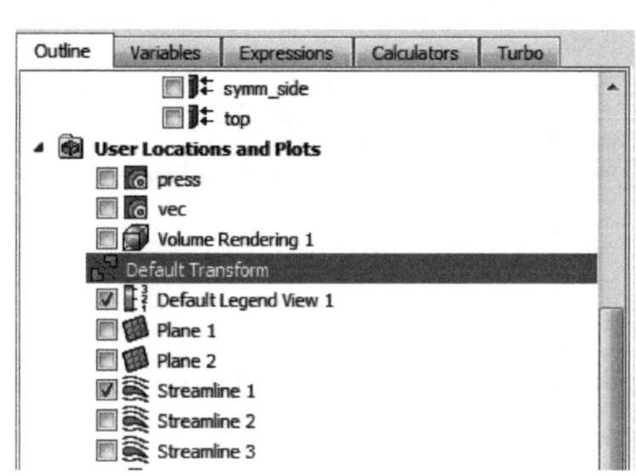

图 9-84 双击“Default Transform”选项

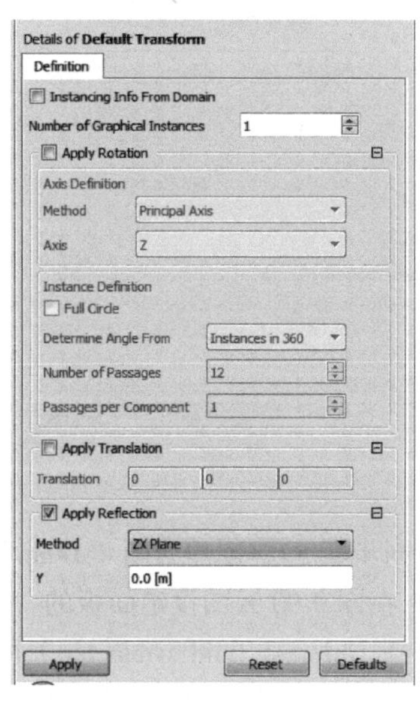

图 9-85 Default Transform 面板

5）单击工具栏中的 （云图）按钮，弹出 Insert Contour（创建云图）对话框。输入云图名称为“Press”，单击“OK”按钮进入图 9-86 的云图设定面板。

6）在“Geometry”（几何）选项卡中，“Locations”选择 bullet_fluid symmetry 1，inipress_fluid symmetry 1 和 out_fluid symmetry 1，“Variable”选择“Pressure”，单击“Apply”按钮创建压力云图，效果如图 9-87 所示。

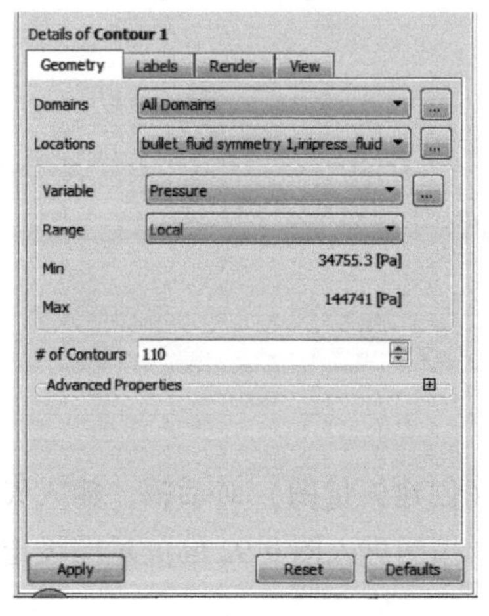

图 9-86 云图设定面板

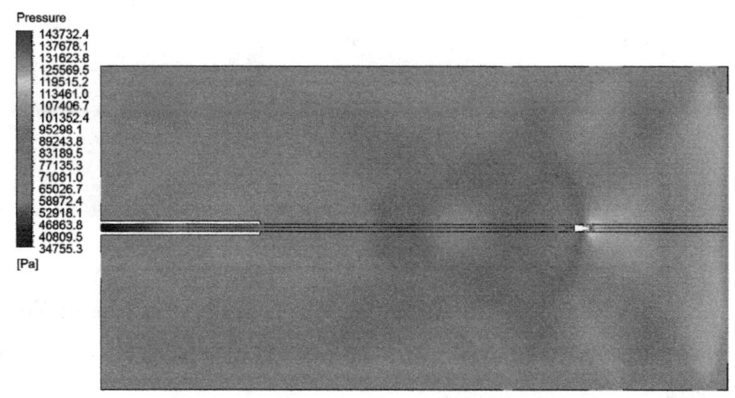

图 9-87 压力云图

7）同步骤 5），创建云图“Vec”。

8）在图 9-88 云图设定面板的“Geometry”（几何）选项卡中，“Locations”选择 bullet_fluid symmetry 1，inipress_fluid symmetry 1 和 out_fluid symmetry 1，“Variable”选择“Velocity”，单击“Apply”按钮创建速度云图，效果如图 9-89 所示。

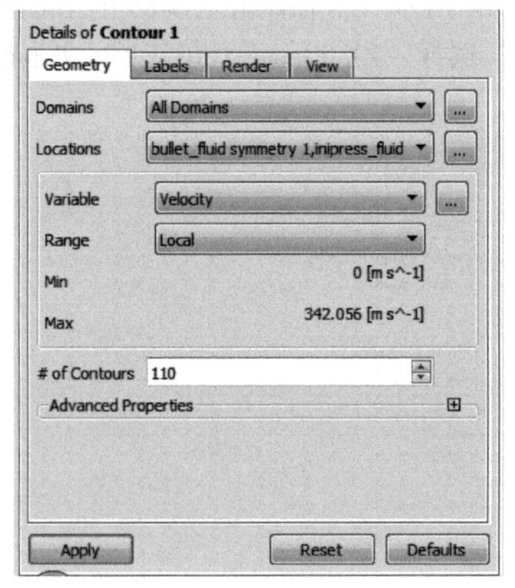

图 9-88 云图设定面板

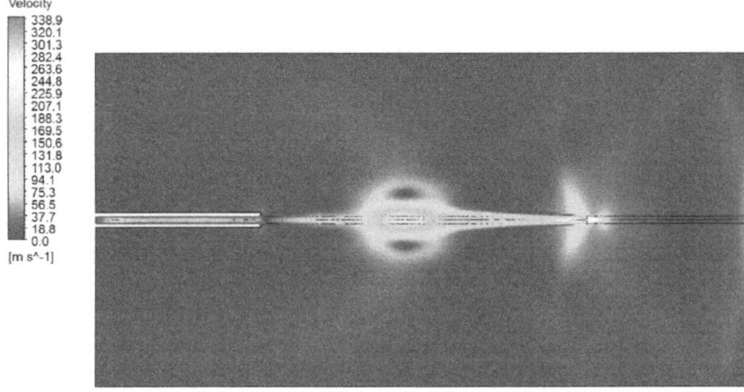

图 9-89 速度云图

9）同步骤 5)，创建云图“Temp”。

10）在图 9-90 云图设定面板的“Geometry”（几何）选项卡中，“Locations”选择 bullet_fluid symmetry 1，inipress_fluid symmetry 1 和 out_fluid symmetry 1，“Variable”选择“Temperature”，单击“Apply”按钮创建密度云图，效果如图 9-91 所示。

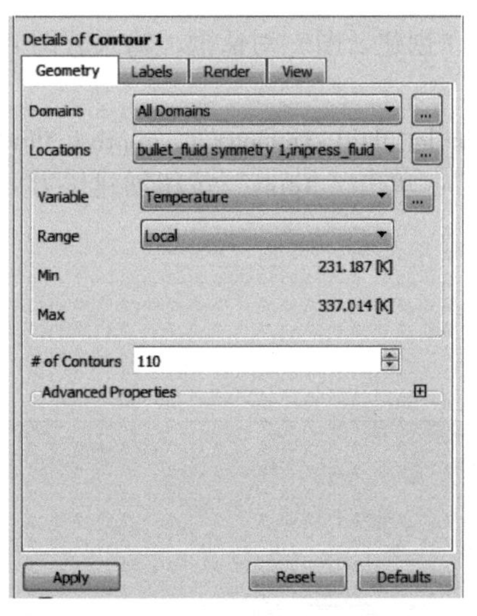

图 9-90 云图设定面板

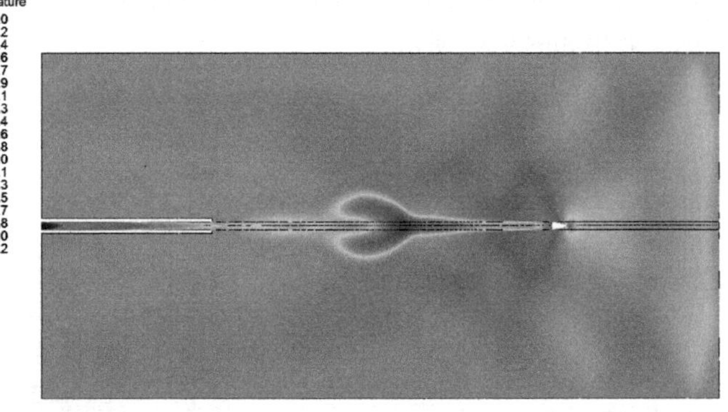

图 9-91 密度云图

11）单击工具栏中的（矢量图）按钮，弹出 Insert Vector（创建矢量图）对话框。输入矢量图名称为“Vector 1”，在“Factor”数值框输入 1，单击“OK”按钮进入图 9-92 的矢量图设定面板。

12）在“Geometry”（几何）选项卡中，“Locations”选择 bullet_fluid symmetry 1，inipress_fluid symmetry 1 和 out_fluid symmetry 1，单击“Apply”按钮创建速度矢量图，效果如图 9-93 所示。

图 9-92　矢量图设定面板

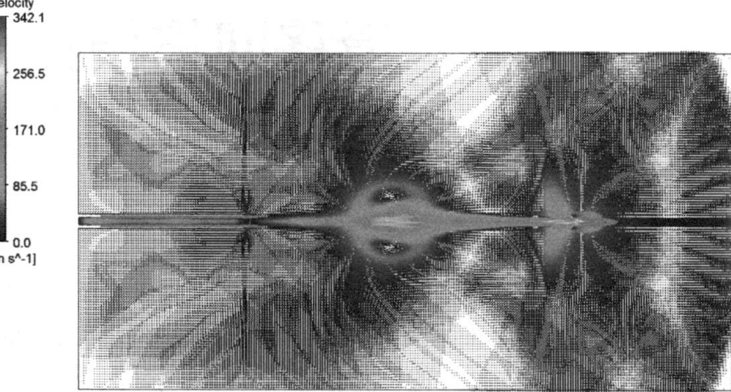

图 9-93　速度矢量图

9.2.17　保存与退出

保存与退出的操作步骤如下。

1）执行主菜单的“File”→“Close CFD-Post”命令，退出 CFD-Post 模块，返回 Workbench 主界面。此时主界面项目管理区中显示的分析项目均已完成。

2）在 Workbench 主界面中单击常用工具栏中的保存按钮，保存包含有分析结果的文件。执行主菜单的“文件”→“退出”命令，退出 ANSYS Workbench 主界面。

9.3　本章小结

本章介绍了动网格的基本技术，通过发动机进排气模拟和子弹出膛两个实例介绍了 Fluent 处理动网格的工作流程和相关参数的设定。

通过本章的内容学习，读者可以掌握 Fluent 中分析类型设置以及处理动网格问题的具体方法和步骤，基本掌握用 Fluent 处理动网格的基本思路和操作步骤。

第 10 章

滑移网格模拟分析

上一章介绍了动网格技术计算运动边界问题。由于动网格技术计算量较大，且对网格设置的精度要求较高，因此在计算分析诸如旋转机械等问题时，Fluent 提供了滑移网格计算。滑移网格计算通过在两个相对运动的计算域之间的交接面来实现滑动，不需要对网格进行变形重构，大大降低了计算难度。本章将通过实例来介绍 Fluent 处理滑移网格的工作步骤。

学习目标：

1）掌握分析类型设置。

2）掌握边界条件的设定。

3）掌握滑移网格的设定。

4）掌握后处理的设定。

10.1 离心泵内部液体的流动

下面将通过离心泵内部液体流动的分析案例，让读者对使用 ANSYS Fluent 2024 R1 分析处理内部流动基本操作步骤的每一项内容有初步了解。

10.1.1 案例介绍

图 10-1 为某三维几何模型，离心泵旋转速度为 1800rpm，请用 ANSYS Fluent 求解出压力与速度的分布云图。

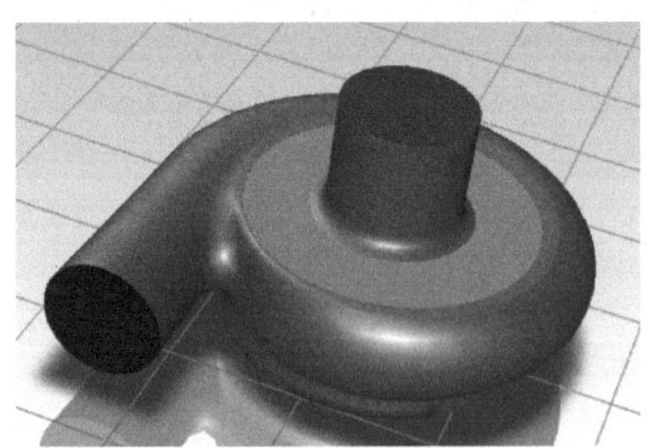

图 10-1 某三维几何模型

10.1.2 建立分析项目

参考算例 3.1，启动 Workbench 并建立流体分析项目，如图 10-2 所示。

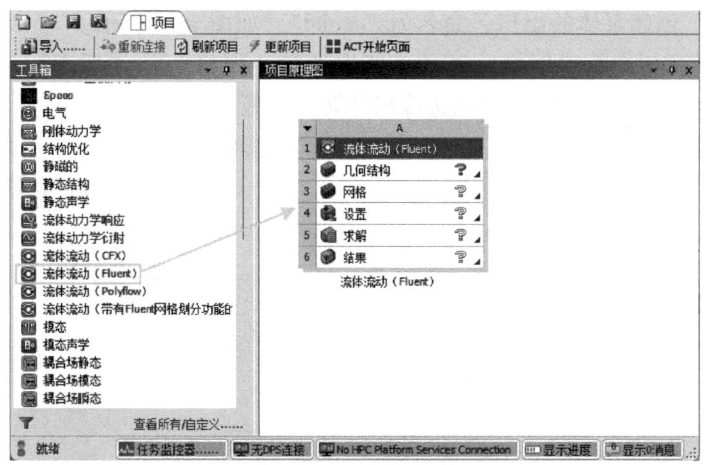

图 10-2 创建流体流动（Fluent）分析项目

10.1.3 导入几何体

导入几何体的操作步骤如下。

1）在 A2 栏的“几何结构”上单击鼠标右键，在弹出的快捷菜单中选择“导入几何模型”→“浏览”命令，此时会弹出“打开”对话框。

2）在“打开”对话框中选择文件路径，导入 Centrifugal Pump. stp 几何体文件，此时 A2 栏“几何结构”后的 ? 变为 ✓，表示实体模型已经存在。

10.1.4 划分网格

划分网格的操作步骤如下。

1）双击 A3 栏“网格”项，进入 Meshing 界面，Meshing 界面下的模型如图 10-3 所示。在该界面下进行模型的网格划分。

2）右键单击选择泵体的入口，在弹出的图 10-4 的快捷菜单中选择“创建命名选择”命令，然后弹出图 10-5 的“选择名称”对话框，输入名称“inlet”，单击“OK”按钮确认。

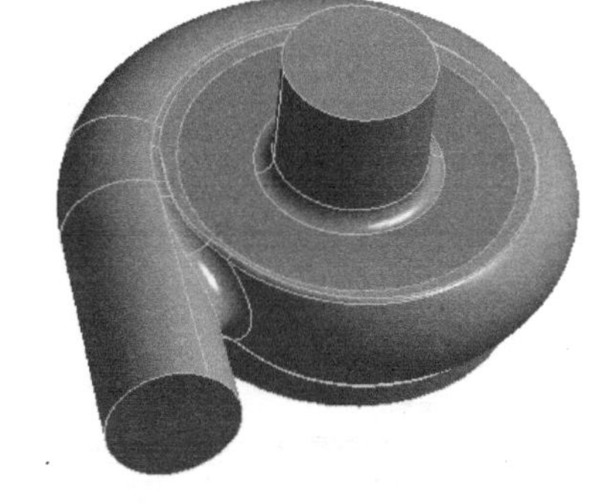

图 10-3 Meshing 界面下的模型

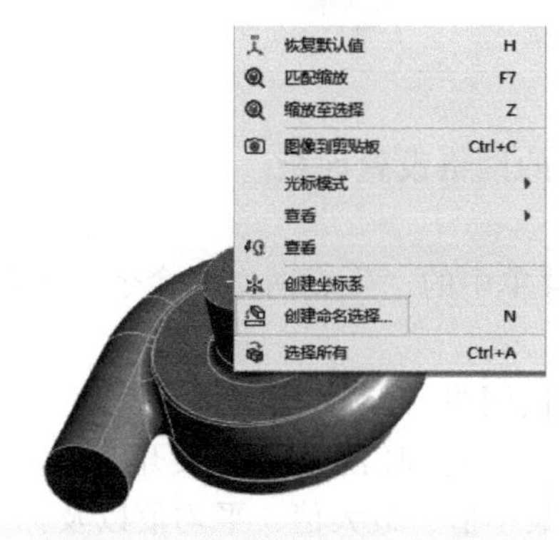

图 10-4 快捷菜单

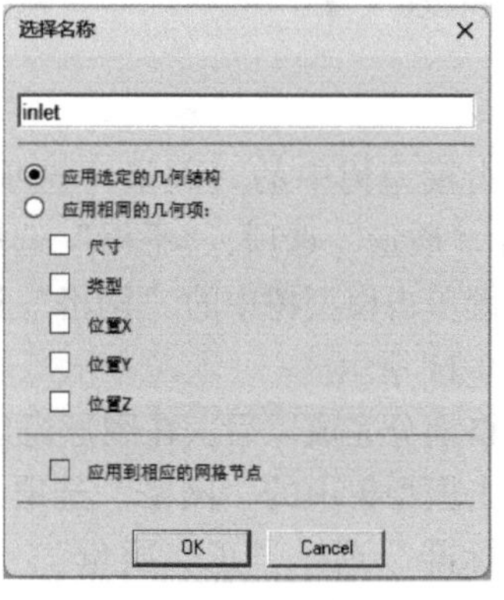

图 10-5 “选择名称”对话框

3）同步骤 2)，创建泵体的出口，命名为“outlet”，如图 10-6 所示。

4）右键单击模型树中的“网格”选项，依次选择“网格”→“插入”→“尺寸调整”命令，如图 10-7 所示。然后弹出图 10-8 的边缘尺寸调整面板。

图 10-6　创建面名称

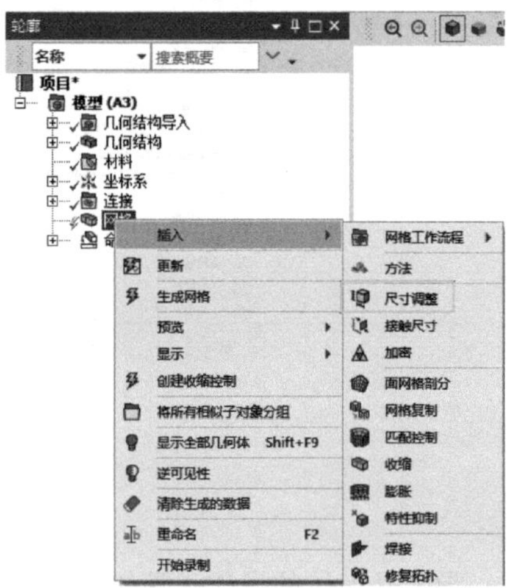

图 10-7　设置网格尺寸

“几何结构”选择计算域中泵体区域，在“单元尺寸”数值框中填入 3mm，调整后的效果如图 10-9 所示。

"几何体尺寸调整" - 尺寸调整的详细信息

范围	
范围限定方法	几何结构选择
几何结构	1 几何体
定义	
抑制的	否
类型	单元尺寸
单元尺寸	3.0 mm
高级	
特征清除尺寸	默认 (3.2944e-002 mm)
增长率	默认 (1.2)
捕获曲率	是
曲率法向角	默认 (18.0°)
局部最小尺寸	默认 (6.5887e-002 mm)
捕获邻近度	否

图 10-8　尺寸调整面板

图 10-9　调整后的模型效果

5）单击模型树中的“网格”选项，弹出图 10-10 的网格设置面板。设置“单元尺寸”为 4mm，展开“质量”选项，“平滑”选择“高”。

6）右键单击模型树中的“网格”选项，选择快捷菜单中的“生成网格”命令，开始生成网格，如图 10-11 所示。

7）网格划分完成以后，在图形窗口中显示图 10-12 的网格。

8）单击模型树中的“网格”选项，在图 10-13 的网格的详细信息面板中展开“质量”选项，“网格质量标准”选择“正交质量”。这样能够统计出最小值、最大值、平均值以及标准偏差，同时显示网格质量的直方图，如图 10-14 所示。

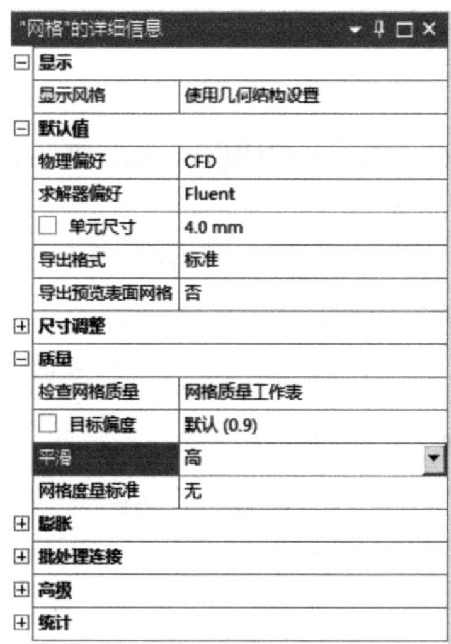

图 10-10　网格属性设置

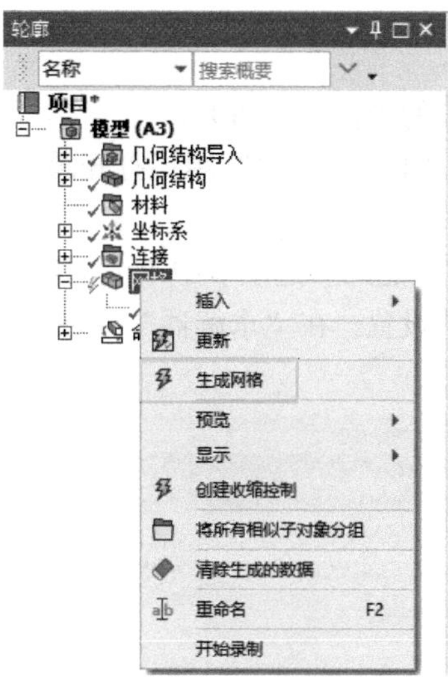

图 10-11　网格生成

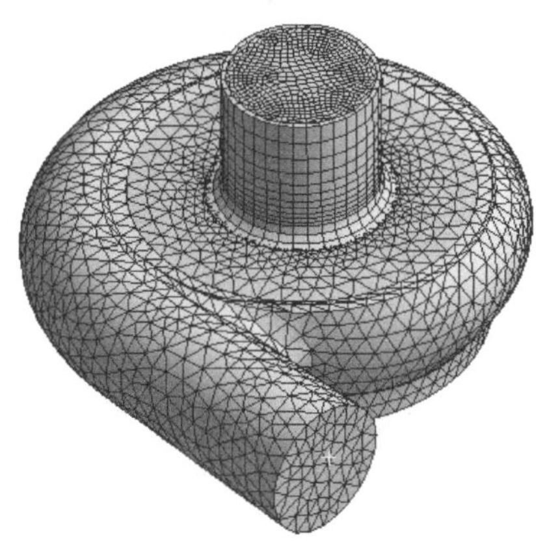

图 10-12　计算域网格

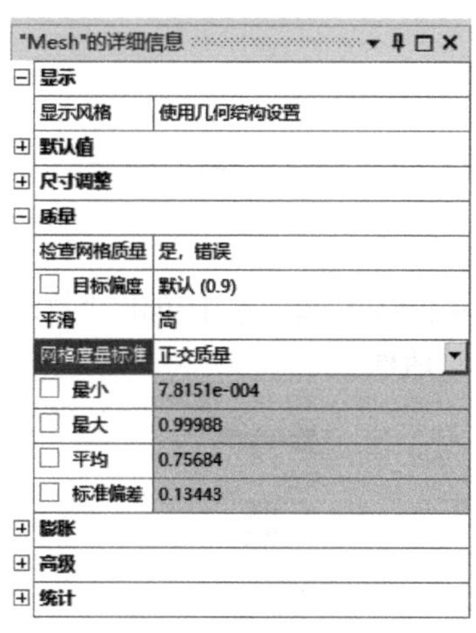

图 10-13　网格详细信息面板

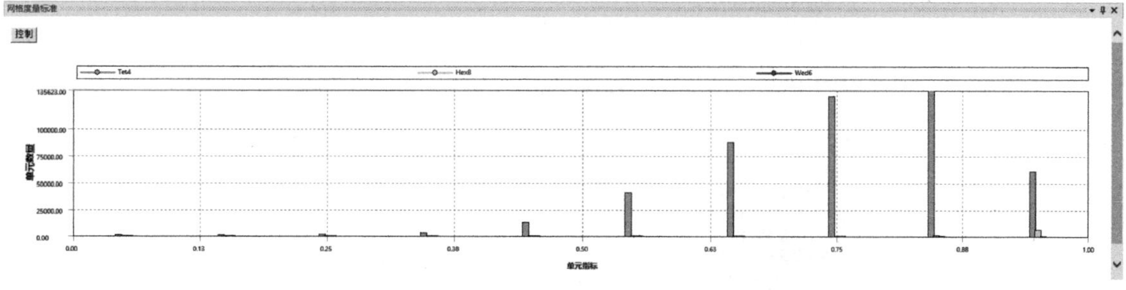

图 10-14　网格划分情况统计

9）执行主菜单的“文件”→“关闭 Meshing”命令，退出网格划分界面，返回 Workbench 主界面。

10）右键单击 Workbench 界面中的 A3“网格”项，选择快捷菜单中的“更新”命令，完成网格数据往 Fluent 分析模块中的传递。

10.1.5 定义模型

定义模型的操作步骤如下。

1）双击 A4 栏“设置”项，打开图 10-15 的 Fluent Launcher 对话框，单击“Start”按钮进入 Fluent 界面。

2）在“功能区”选项卡中单击“物理模型”→“通用”按钮，弹出图 10-16 的“通用”面板，保持默认设置，在“求解器”区域中，“时间”选择“瞬态”单选按钮。

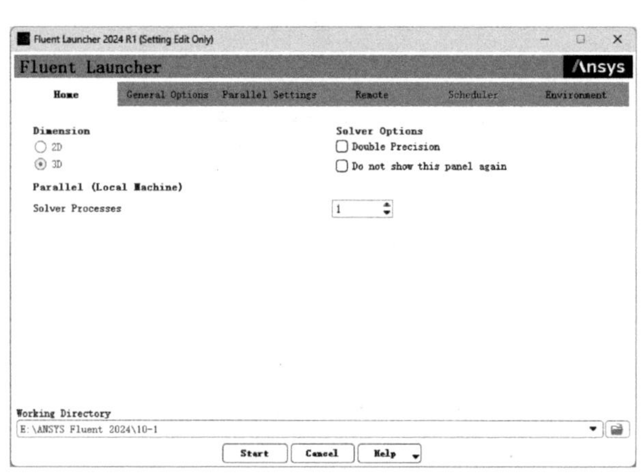

图 10-15 Fluent Launcher 对话框

任务页面
通用
网格
网格缩放
检查
报告质量
显示网格...
设置单位...
求解器
类型
压力基
密度基
速度格式
绝对
相对
时间
稳态
瞬态
重力

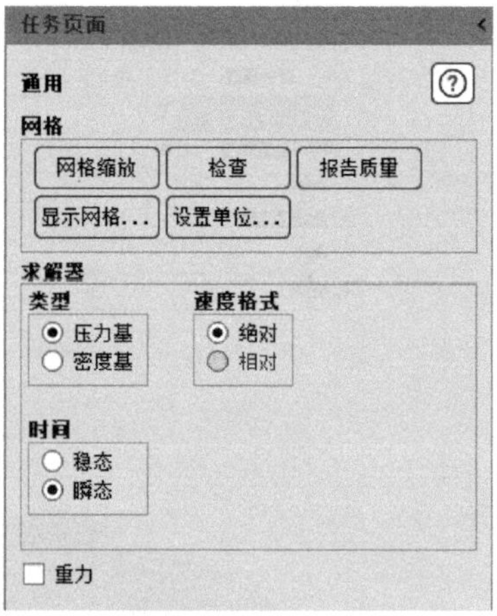

图 10-16 “通用”面板

3）在“功能区”选项卡中单击“物理模型”→“模型”→“黏性”按钮，弹出图 10-17 的“黏性模型”对话框。

图 10-17 “黏性模型”对话框

在“模型”选项区域中选择“k-epsilon（2 eqn）”单选按钮，在“k-epsilon 模型”选项区域中选择“Realizable”单选按钮，在“壁面函数”选项区域中选择“可扩展壁面函数（SWF）”单选按钮，单击“OK”按钮确认。

10.1.6 设置材料

设置材料的操作步骤如下。

1）单击“功能区”选项卡中的“物理模型”→“材料”→“创建/编辑”按钮，弹出图 10-18 的“创建/编辑材料”对话框。

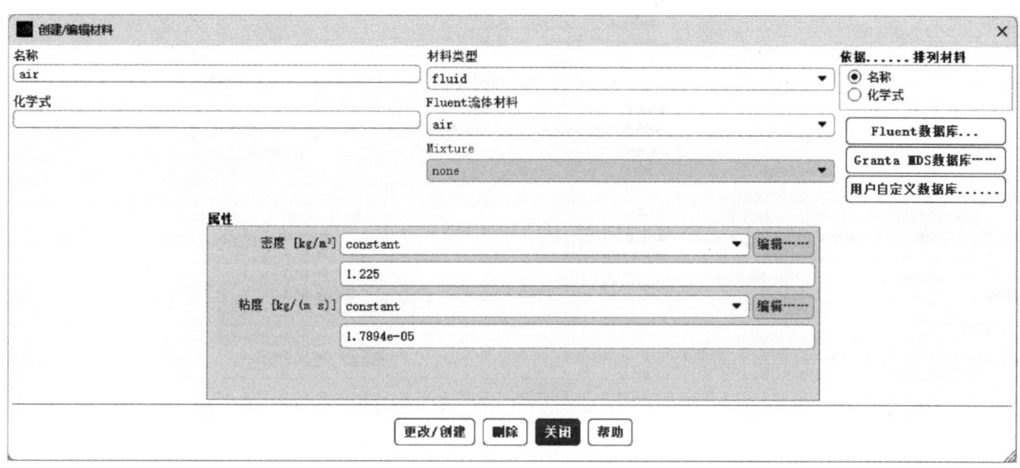

图 10-18 “创建/编辑材料”对话框

2）在“创建/编辑材料”对话框中，单击“Fluent 数据库”按钮，弹出图 10-19 的“Fluent 数据库材料”对话框，在“Fluent 流体材料”列表框中选择“water-liquid”，单击“复制”按钮复制。

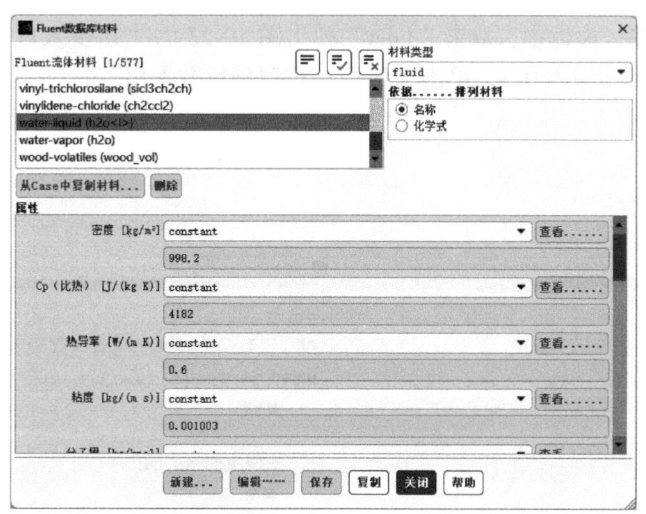

图 10-19 “Fluent 数据库材料”对话框

10.1.7 设置计算域

设置计算域的操作步骤如下。

1）单击“功能区”选项卡中的“物理模型”→“区域”→“单元区域”按钮，启动图 10-20 的“单元区域条件”面板。

2）在“单元区域条件”面板中，双击“impeller_zone”，弹出图 10-21 的“流体”对话框，勾选“网格运动”复选框，在“旋转轴原点”区域的“X［m］”“Y［m］”“Z［m］”数值框中分别输入 0、0、0，在“旋转轴方向”区域的“X”“Y”“Z”数值框中分别输入 1、0、0，在“旋转速度”区域的“速度［rev/min］”数值框中输入 1800，单击“应用”按钮应用并关闭对话框。

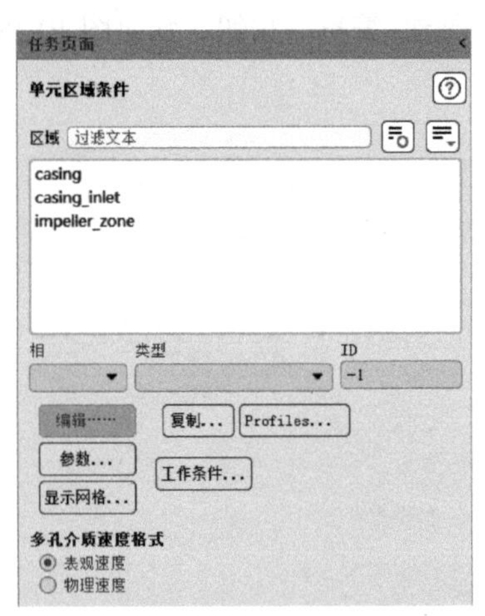

图 10-20 “单元区域条件”面板

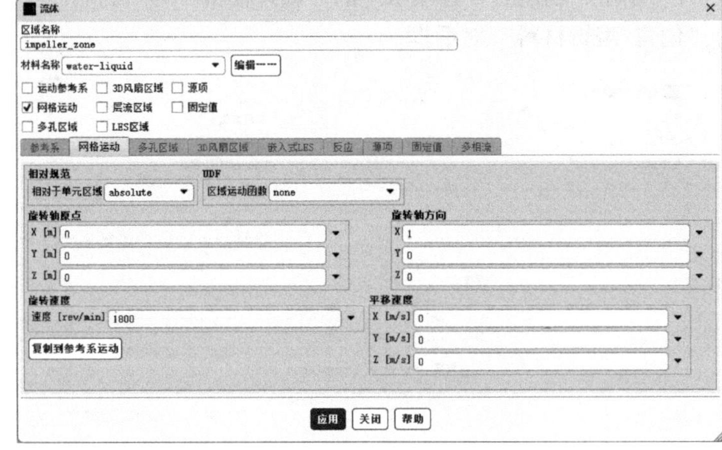

图 10-21 “流体”对话框

10.1.8 设置边界条件

设置边界条件的操作步骤如下。

1）单击“功能区”选项卡中的“物理模型”→“区域”→“边界条件”按钮，启动图 10-22 的“边界条件”面板。

2）在“边界条件”面板中，双击“inlet”弹出图 10-23 的“速度入口”对话框。在“速度大小［m/s］”数值框中输入 0.3，单击“应用”按钮确认并退出。

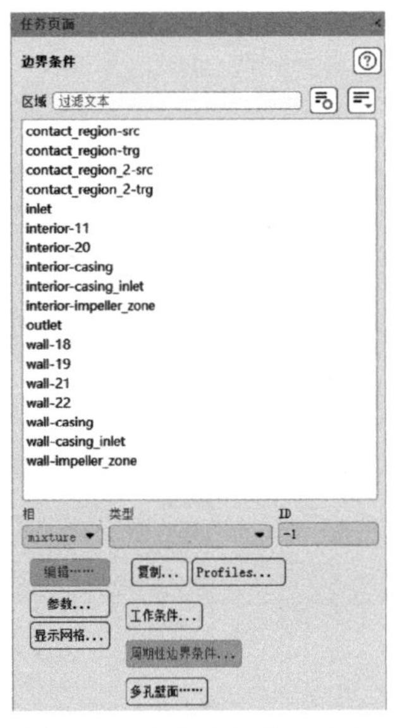

图 10-22 “边界条件”面板

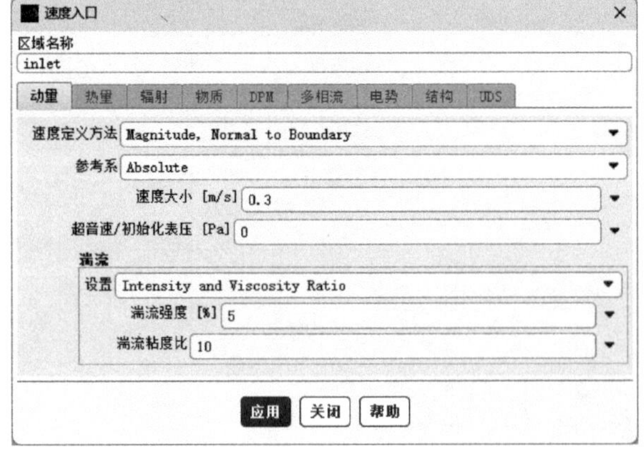

图 10-23 “速度入口”对话框

3）在“边界条件”面板中，双击“outlet”弹出图 10-24 的“压力出口”对话框。“表压［Pa］”数值框中输入 20000，单击“应用”按钮确认并退出。

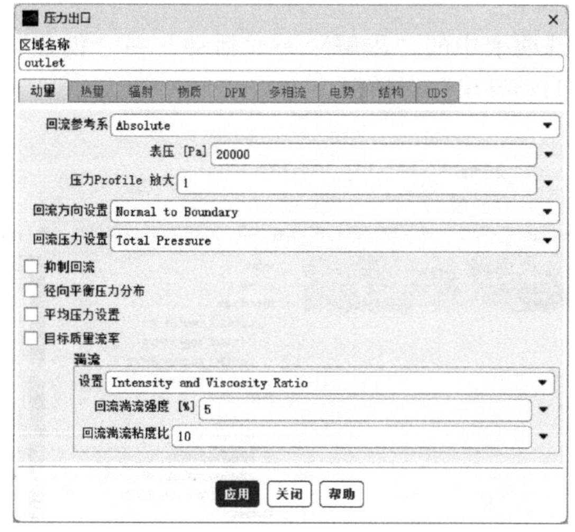

图 10-24 “压力出口”对话框

10.1.9 设置初始条件

设置初始条件的操作步骤如下。

1）单击“功能区”选项卡中的“求解”→“初始化”按钮，弹出图 10-25 的“解决方案初始化”面板。

2）在“初始化方法”选项区域中选择“混合初始化（Hybrid Initialization）”单选按钮，单击“初始化”按钮进行初始化。

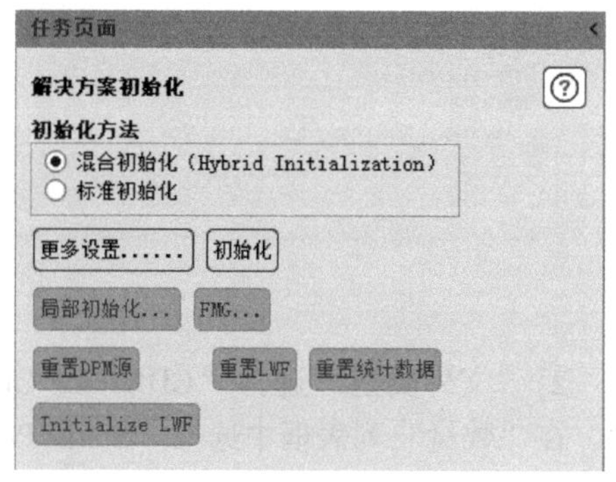

图 10-25 “解决方案初始化”面板

10.1.10 求解过程监视

单击“功能区”选项卡中的“求解”→“报告”→“残差”按钮，弹出图 10-26 的“残差监控器”对话框。保持默认设置不变，单击“OK”按钮确认。

图 10-26 “残差监控器”对话框

10.1.11 数据导出

数据导出的操作步骤如下。

1）单击“功能区”选项卡中的“求解”→“活动”→“创建”→“解决方案数据导出”按钮，弹出图 10-27 的“自动导出”对话框。

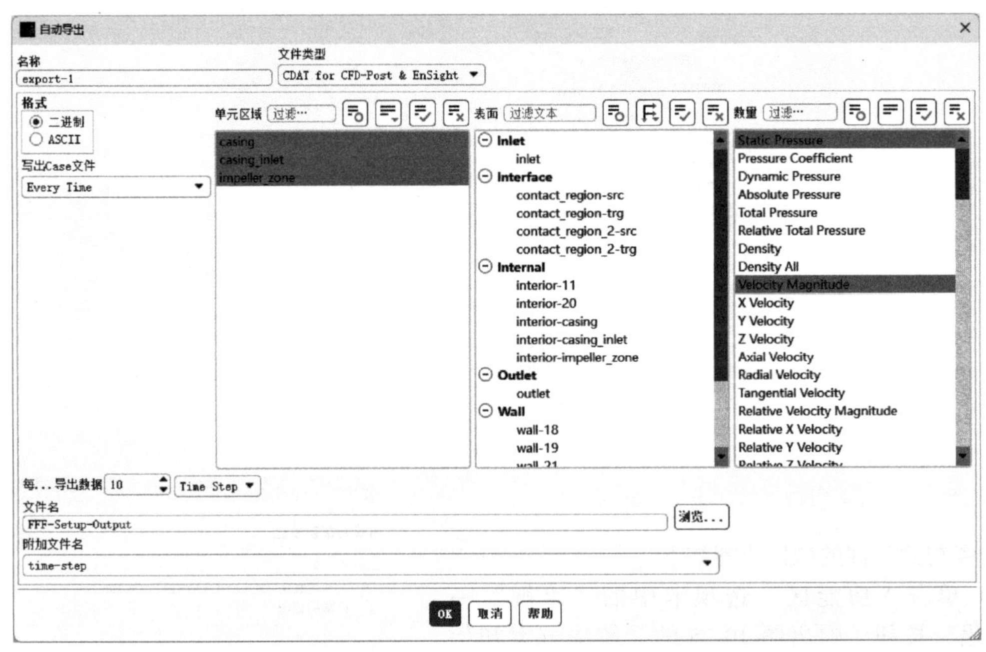

图 10-27 “自动导出”对话框

2）“文件类型”选择“CDAT for CFD-Post & EnSight”，在“每...导出数据”数值框中输入 10，在“数量”列表框中选择“Static Pressure”和“Velocity Magnitude”，单击“OK”按钮确认并关闭对话框。

10.1.12 计算求解

计算求解的操作步骤如下。

1）单击“功能区”选项卡中的“求解”→“运行计算”按钮，弹出图 10-28 的“运行计算”面板。在“时间步长［s］”数值框中输入 0.0001，在“时间步数”数值框中输入 500，单击“开始计算”按钮计算。

2）计算收敛完成后，单击主菜单中的“文件”→“关闭 Fluent”按钮退出 Fluent 界面。

图 10-28 “运行计算”面板

10.1.13 结果后处理

结果后处理操作步骤如下。

1）在 Workbench 主界面工具箱中的“组件系统”→“结果”选项上按住鼠标左键并拖拽到项目管理区中。

2）双击 B2 栏“结果”项，进入 CFD-Post 界面。

3）单击主菜单的“File”→“Load Results”按钮，弹出 Load Results Files 对话框，选择不同时间点的计算结果文件。

4）单击工具栏中的 Location→ Plane（平面）按钮，弹出图 10-29 的“Insert Plane”（创建平面）对话框，保持平面名称为“Plane 1”，单击“OK”按钮进入图 10-30 的 Plane（平面设定）面板。

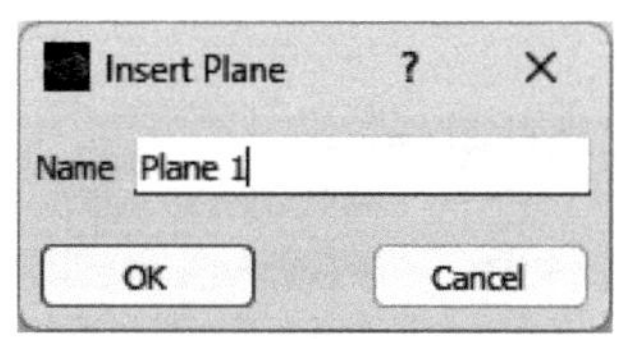

图 10-29 创建平面对话框

5）在“Geometry”（几何）选项卡中，“Method”选择“YZ Plane”，X 坐标取值设定为-0.009，单位为 m，单击“Apply”按钮创建平面，生成的平面如图 10-31 所示。

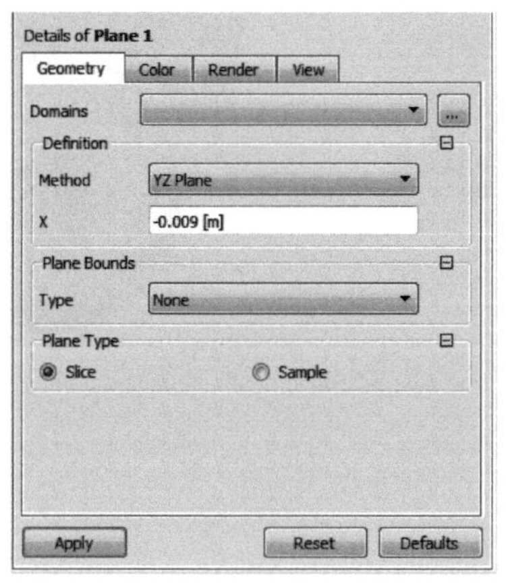

图 10-30 平面设定面板

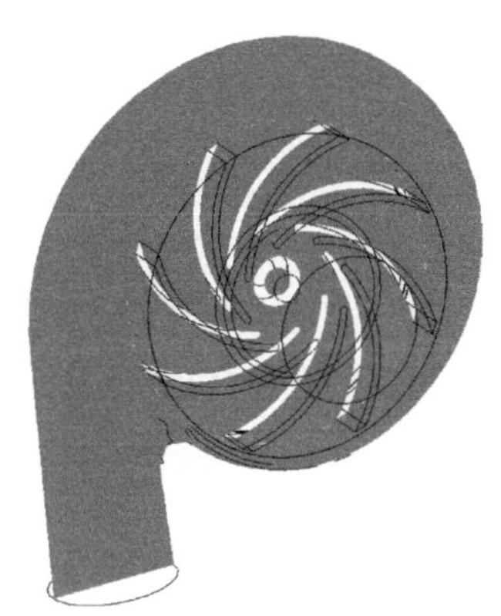

图 10-31 YZ 方向平面

6）单击工具栏中的 （云图）按钮，弹出 Insert Contour（创建云图）对话框。输入云图名称为“Press”，单击“OK”按钮进入图 10-32 的云图设定面板。

7）在“Geometry”（几何）选项卡中，“Locations”选择“Plane 1”，“Variable”选择“Pressure”，单击“Apply”按钮创建压力云图，效果如图 10-33 所示。

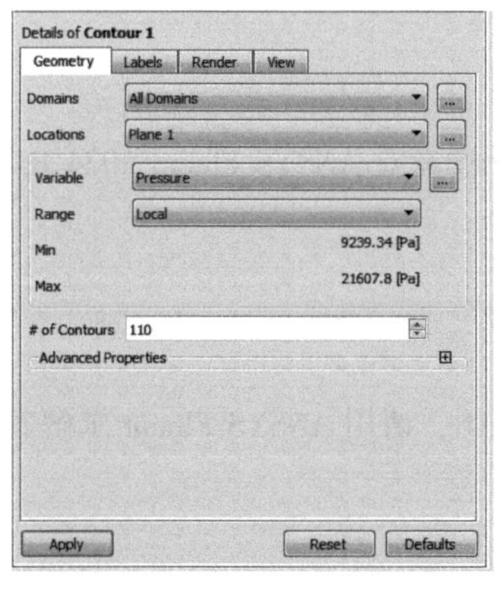

图 10-32 云图设定面板

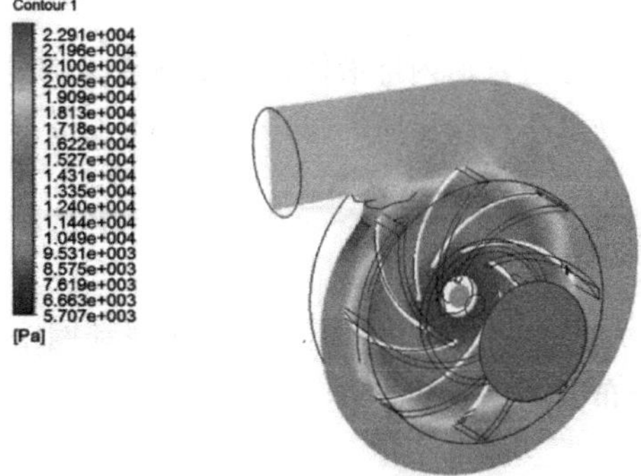

图 10-33 压力云图

8）同步骤 6），创建云图“Vec”。

9）在云图设定面板的“Geometry”（几何）选项卡中，“Locations”选择“Plane 1”，“Variable”选择“Velocity in Stn Frame”，单击“Apply”按钮创建速度云图，如图 10-34 所示。生成的速度云图如图 10-35 所示。

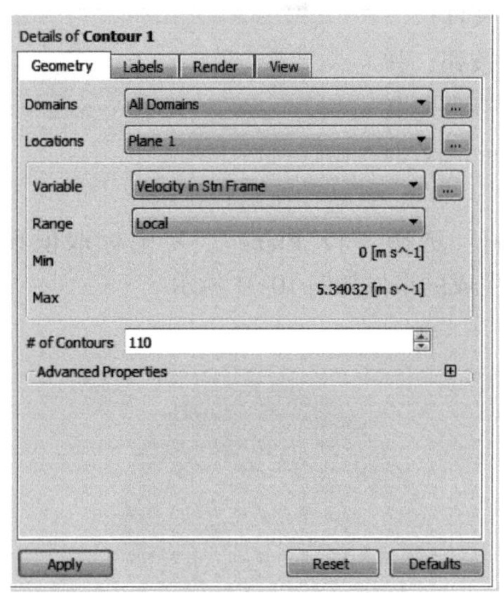

图 10-34　云图设定面板

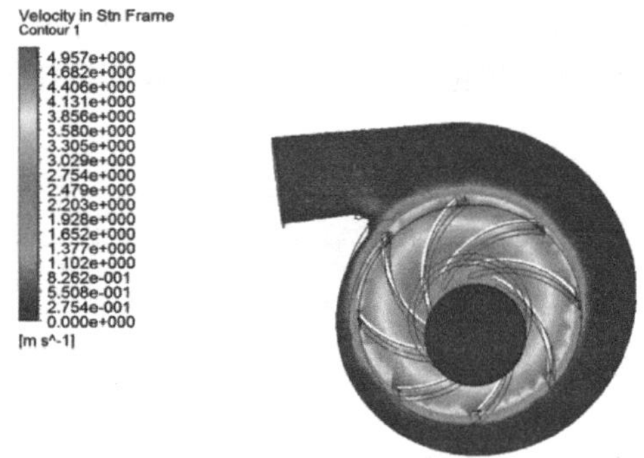

图 10-35　速度云图

10.1.14　保存与退出

保存与退出的操作步骤如下。

1）执行主菜单的“File”→“Close CFD-Post”命令，退出 CFD-Post 模块，返回 Workbench 主界面。此时主界面项目管理区中显示的分析项目均已完成。

2）在 Workbench 主界面中单击常用工具栏中的保存按钮，保存包含有分析结果的文件。执行主菜单的“文件”→“退出”命令，退出 ANSYS Workbench 主界面。

10.2　水锤现象模拟

下面将通过管道内部液体发生水锤现象的分析案例，让读者对 ANSYS Fluent 2024 R1 分析处理内部流动基本操作步骤的每一项内容有初步了解。

10.2.1　案例介绍

图 10-36 为某二维几何模型，使用滑动网格法将阀门关闭，请用 ANSYS Fluent 求解其压力与速度的分布云图。

图 10-36　某二维几何模型

10.2.2 建立分析项目

参考算例 3.1，启动 Workbench 并建立流体分析项目，如图 10-37 所示。

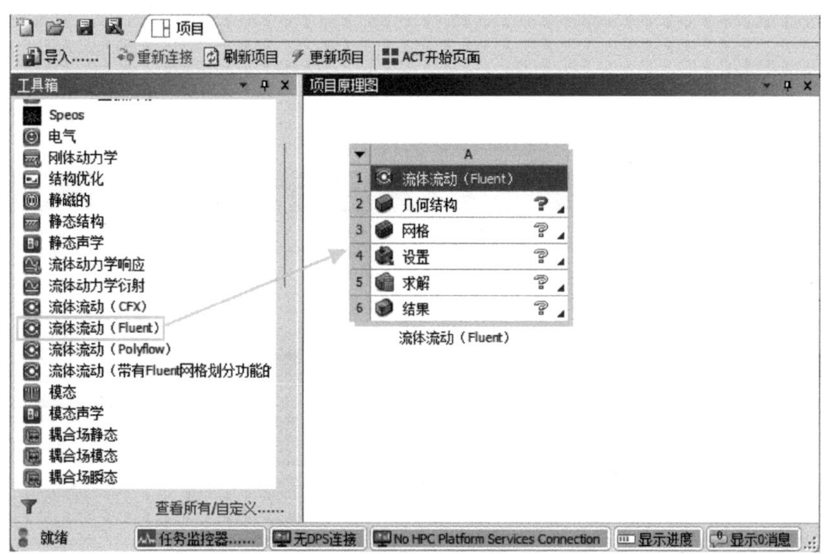

图 10-37 创建流体流动（Fluent）分析项目

10.2.3 导入几何体

导入几何体的操作步骤如下。

1）在 A2 栏的“几何结构”上单击鼠标右键，在弹出的快捷菜单中选择“导入几何模型”→“浏览”命令，此时会弹出“打开”对话框。

2）在“打开”对话框中选择文件路径，导入 water hammer. stp 几何体文件，此时 A2 栏“几何结构”后的 ? 变为 ✓，表示实体模型已经存在。

10.2.4 划分网格

划分网格的操作步骤如下。

1）双击 A3 栏“网格”项，进入 Meshing 界面，Meshing 界面下的模型如图 10-38 所示。在该界面下进行模型的网格划分。

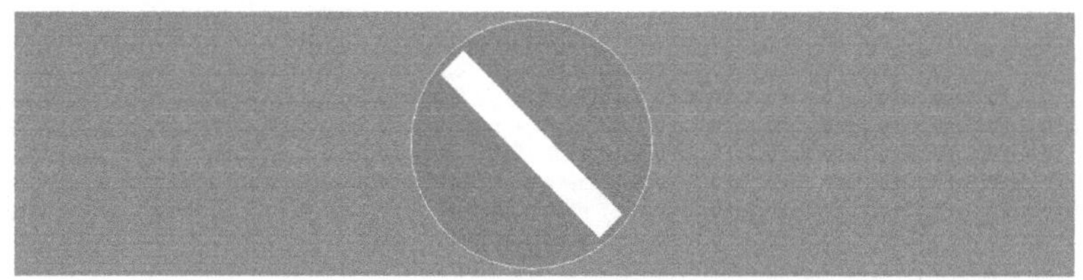

图 10-38 Meshing 界面下的模型

2）右键单击选择管道的入口，在弹出的图 10-39 的快捷菜单中选择“创建命名选择”命令，然后弹出图 10-40 的“选择名称”对话框，输入名称“inlet”，单击“OK”按钮确认。

3）同步骤 2)，创建管道的出口，命名为“outlet”，如图 10-41 所示。

图 10-39 快捷菜单

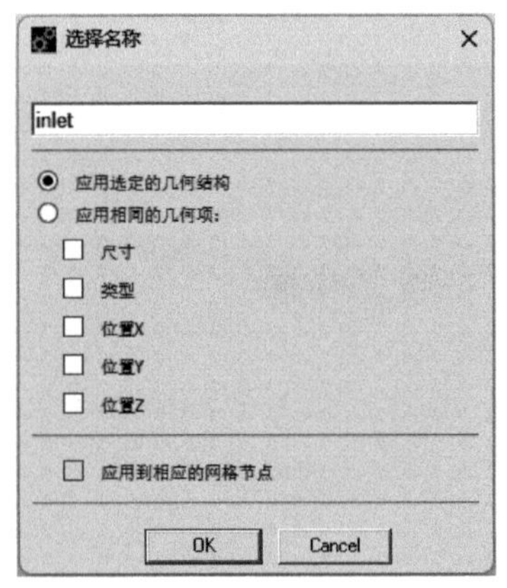

图 10-40 “选择名称”对话框

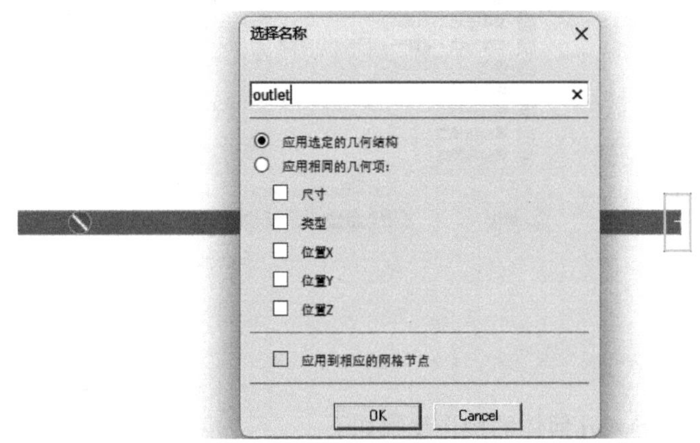

图 10-41 创建管道出口

4）右键单击模型外部管道面，在弹出的快捷菜单中选择“创建命名选择”命令，弹出图 10-42的“选择名称”对话框，输入名称“pipe”，单击“OK”按钮确认。

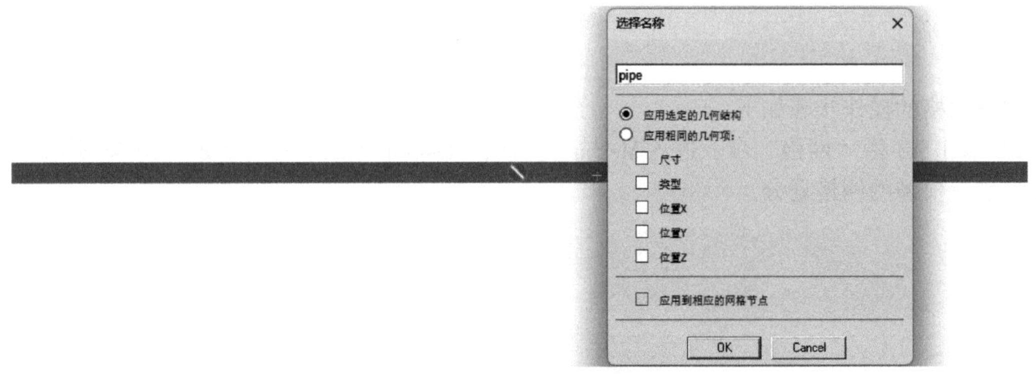

图 10-42 创建外部管道面

5）同步骤 2），创建内部阀门面，命名为“valve”，如图 10-43 所示。

6）右键分别选择管道和阀门的交界面，在弹出的快捷菜单中选择“创建命名选择”命令，弹出图 10-44 和图 10-45 的“选择名称”对话框，分别输入名称“interface1”和“interface2”，单击“OK”按钮确认。

图 10-43　创建内部阀门面

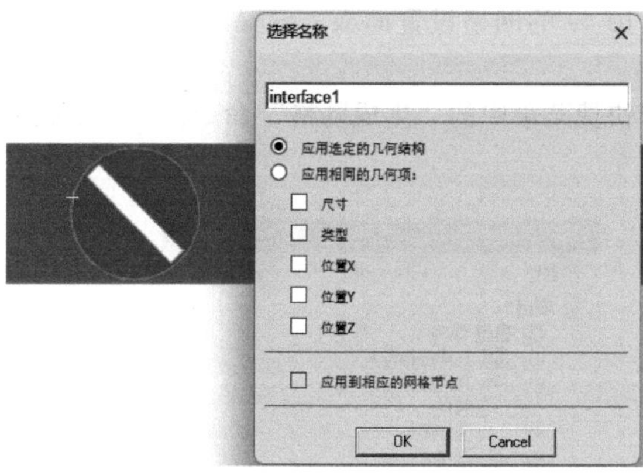

图 10-44　创建管道交界面

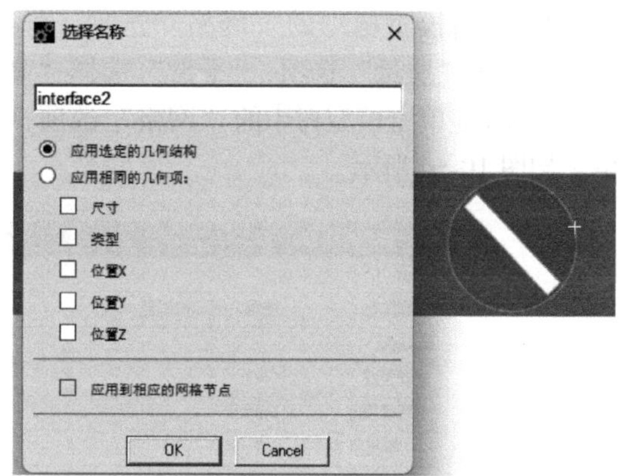

图 10-45　创建阀门交界面

7）右键单击模型树中的“网格”选项，依次选择“网格”→“插入”→“膨胀”命令，如图 10-46 所示。然后弹出图 10-47 的膨胀面板。

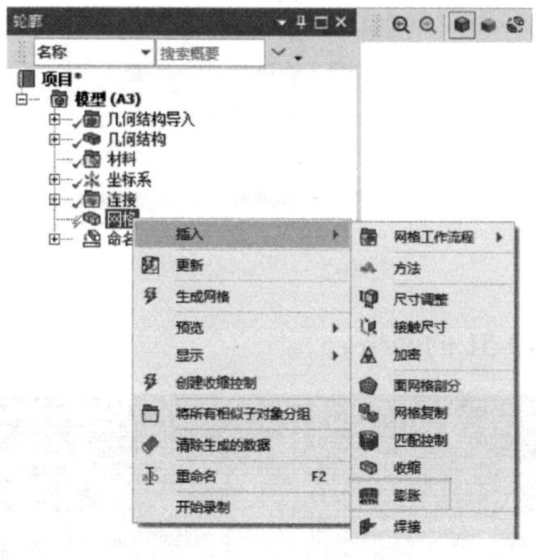

图 10-46　选择“膨胀”选项

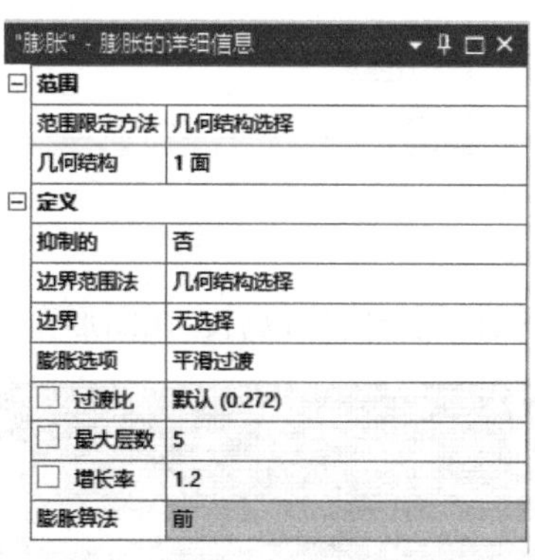

图 10-47　膨胀面板

“几何结构”选择整个模型计算域，“边界”选择图 10-48 的阀门，在“最大层数”数值框中输入 5。

膨胀

膨胀

图 10-48 阀门

8）单击模型树中的“网格”选项，弹出图 10-49 的网格设置面板。设置“单元尺寸”为 3mm，展开“质量”选项，“平滑”选择“高”。

9）右键单击模型树中的“网格”选项，选择快捷菜单中的“生成网格”命令，开始生成网格，如图 10-50 所示。

图 10-49 网格设置面板

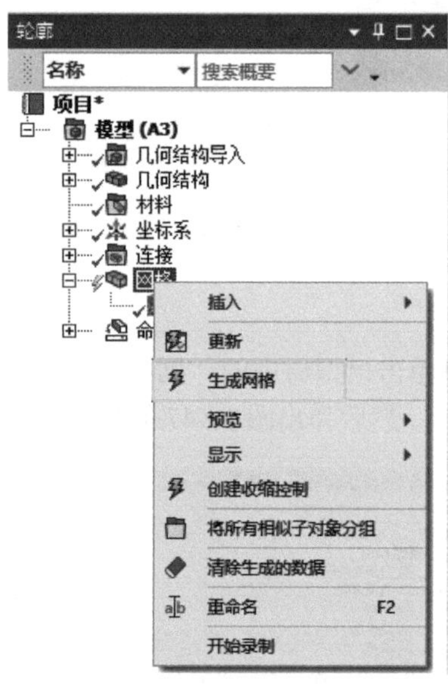

图 10-50 网格生成

10）网格划分完成以后，在图形窗口中显示图 10-51 的网格。

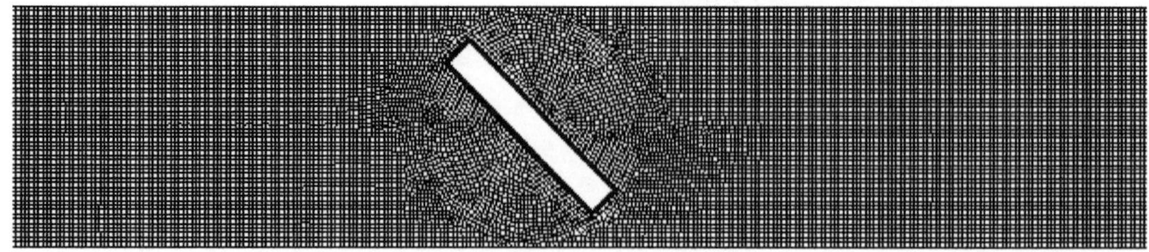

图 10-51 计算域网格

11）单击模型树中的“网格”选项，在图 10-52 的网格的详细信息面板中展开“质量”选项，“网格质量标准”选择“正交质量”。这样能够统计出最小值、最大值、平均值以及标准偏差，同时显示网格质量的直方图，如图 10-53 所示。

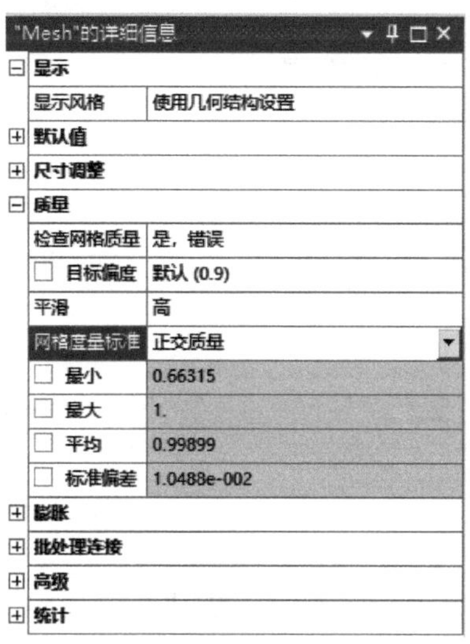

图 10-52　网格详细信息面板

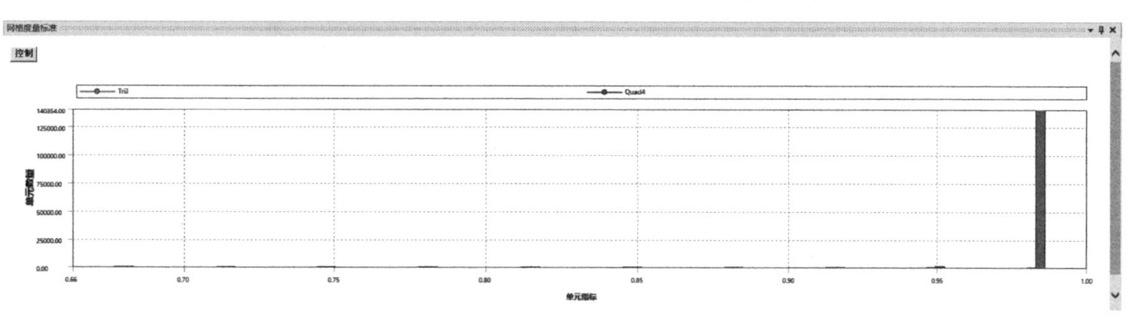

图 10-53　网格划分情况统计

12）执行主菜单的“文件”→“关闭 Meshing”命令，退出网格划分界面，返回 Workbench 主界面。

13）右键单击 Workbench 界面中的 A3“网格”项，选择快捷菜单中的“更新”命令，完成网格数据往 Fluent 分析模块中的传递。

10.2.5　定义模型

定义模型的操作步骤如下。

1）双击 A4 栏“设置”项，打开图 10-54 的 Fluent Launcher 对话框，单击“Start”按钮进入 Fluent 界面。

2）在“功能区”选项卡中单击“物理模型”→“通用”按钮，弹出图 10-55 的“通用”面板，在“求解器”区域中，“时间”选择“瞬态”单选按钮，其余保持默认值。

3）在“功能区”选项卡中单击“物理模型”→“模型”→“黏性”按钮，弹出图 10-56 的“黏性模型”对话框。

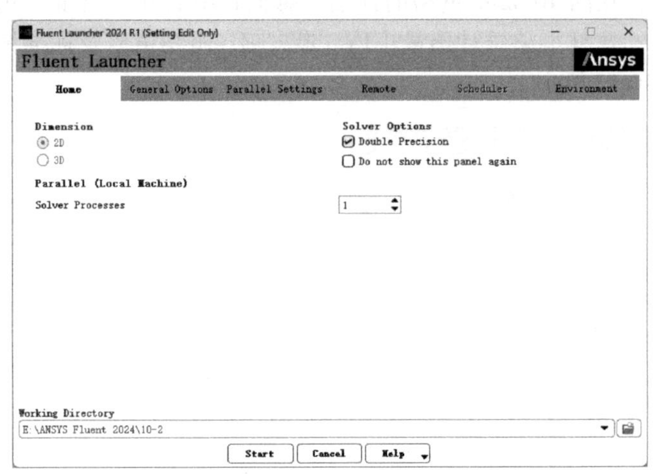

图 10-54　Fluent Launcher 对话框

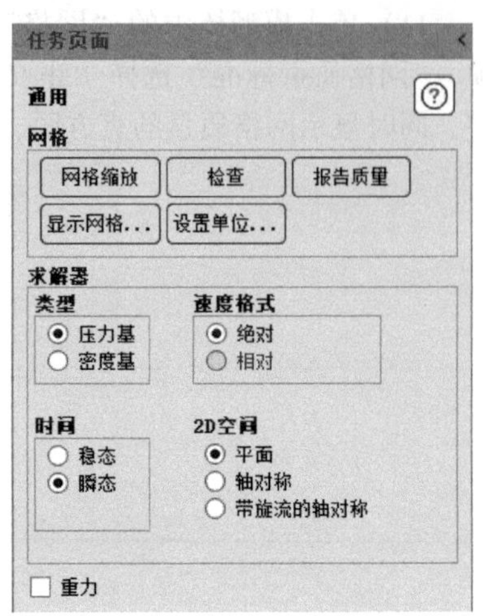

图 10-55　“通用”面板

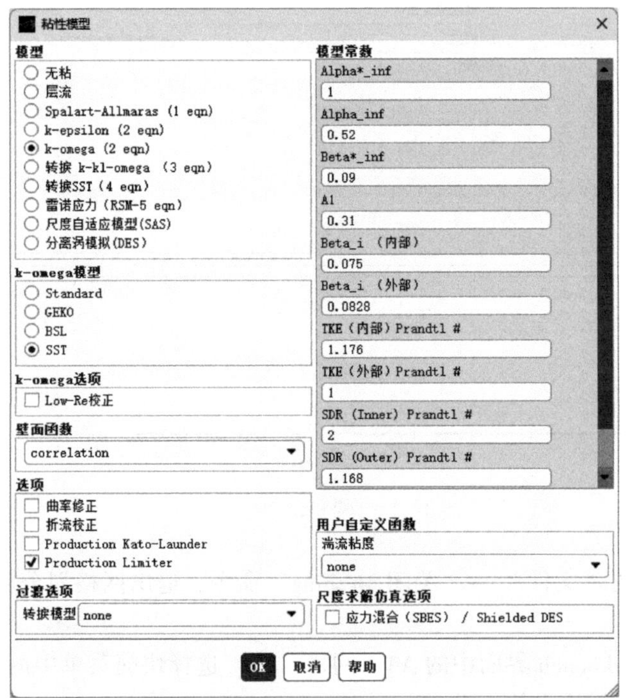

图 10-56　“黏性模型”对话框

在“模型”选项区域中选择“k-omega（2 eqn）”单选按钮，在“k-omega 模型”选项区域中选择“SST”单选按钮，在“选项”区域中选择“Production Limiter”复选框，单击“OK”按钮确认。

10.2.6　设置材料

设置材料的操作步骤如下。

1）单击“功能区”选项卡中的“物理模型”→“材料”→“创建/编辑”按钮，弹出图 10-57 的“创建/编辑材料”对话框。

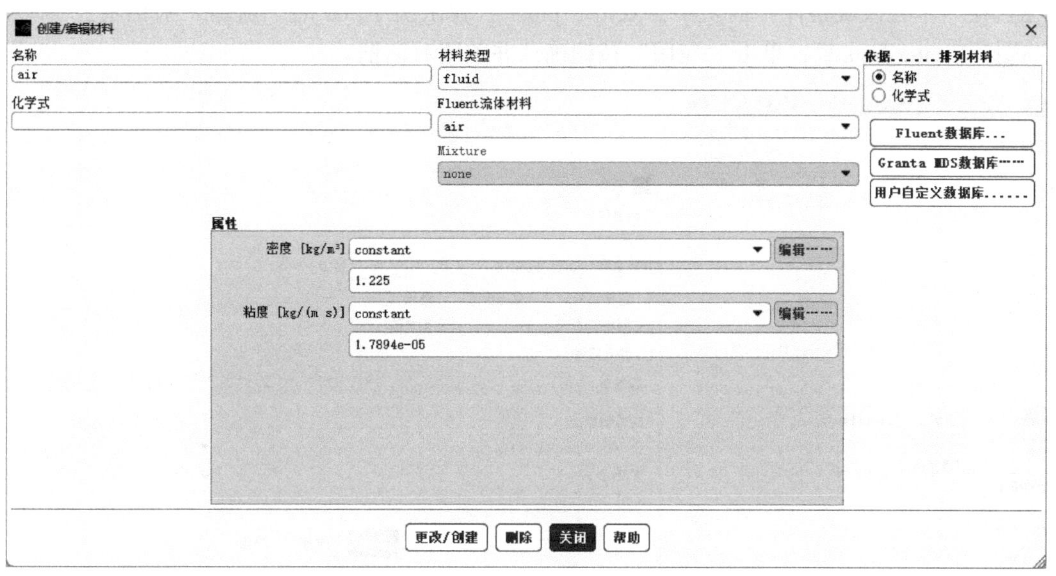

图 10-57 “创建/编辑材料”对话框

2）在“创建/编辑材料”对话框中，单击“Fluent 数据库”按钮，弹出图 10-58 的“Fluent 数据库材料”对话框，在“Fluent 流体材料”列表框中选择 water-liquid，单击“复制”按钮复制。

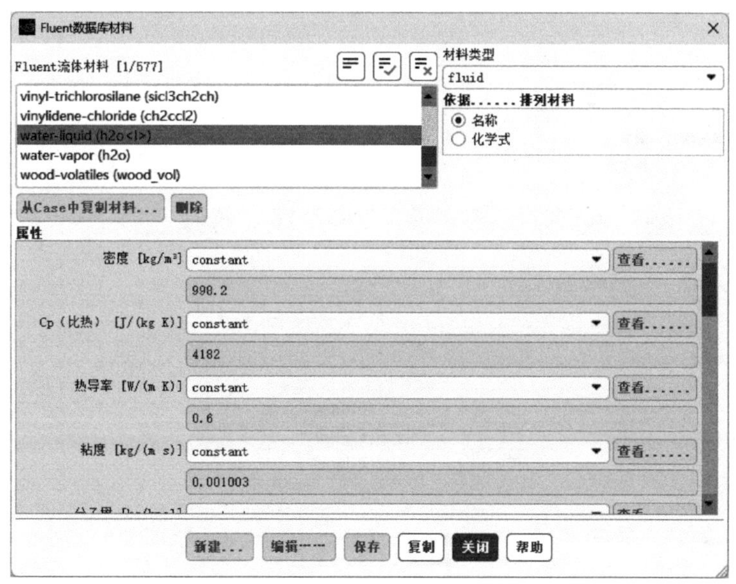

图 10-58 “Fluent 数据库材料”对话框

10.2.7 设置计算域

设置计算域的操作步骤如下。

1）单击“功能区”选项卡中的“物理模型”→“区域”→“单元区域”按钮，启动图 10-59 的“单元区域条件”面板。

2）在“单元区域条件”面板中，双击“pipe”，弹出图 10-60 的“流体”对话框，“材料名称”选择“water-liquid”，单击“应用”按钮确认并关闭对话框。

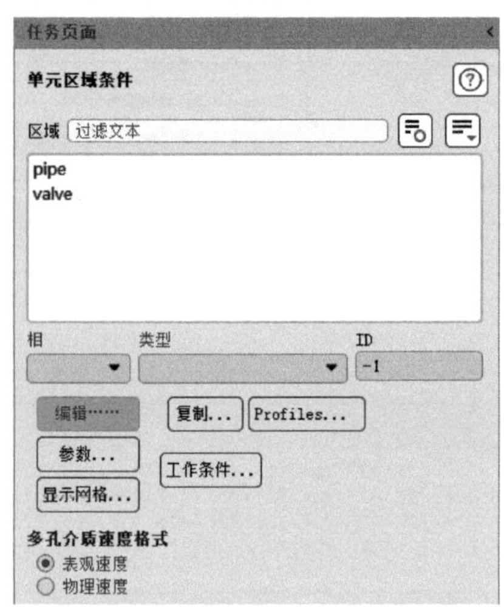

图 10-59 “单元区域条件”面板

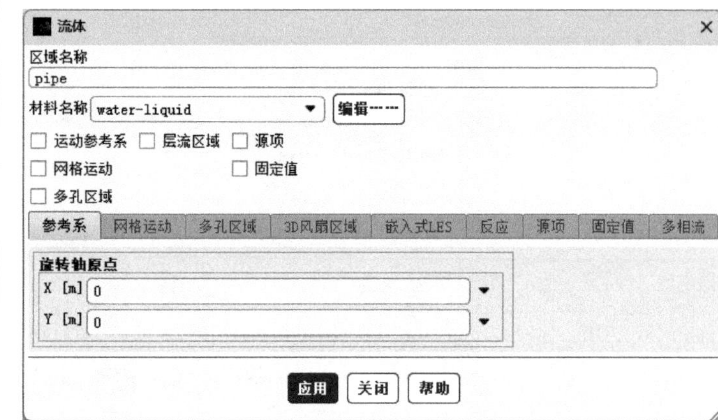

图 10-60 “流体”对话框

3）在“单元区域条件”面板中，双击“valve”，弹出图 10-61 的“流体”对话框，“材料名称”选择“water-liquid”，勾选“网格运动”复选框，在“旋转速度”区域的“速度［deg/s］”数值框中输入 180，单击“应用”按钮确认并关闭对话框。

图 10-61 “流体”对话框

10.2.8 设置交界面

设置交界面的操作步骤如下。

1）单击“功能区”选项卡中的“区域”→“交界面”→“网格”按钮，启动图 10-62 的“网格交界面”对话框。

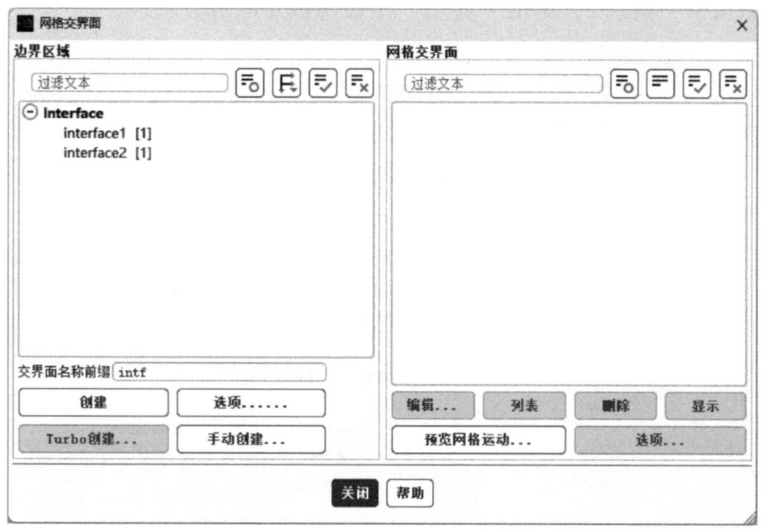

图 10-62 “网格交界面”对话框

2）在“网格交界面”对话框中单击“手动创建”按钮，弹出图 10-63 的“创建/编辑网格交界面”对话框，在“网格界面”文本框中输入“inter”，“交界面区域侧 1”选择“interface1”，“交界面区域侧 2”选择“interface2”，单击“创建/编辑”按钮确认。

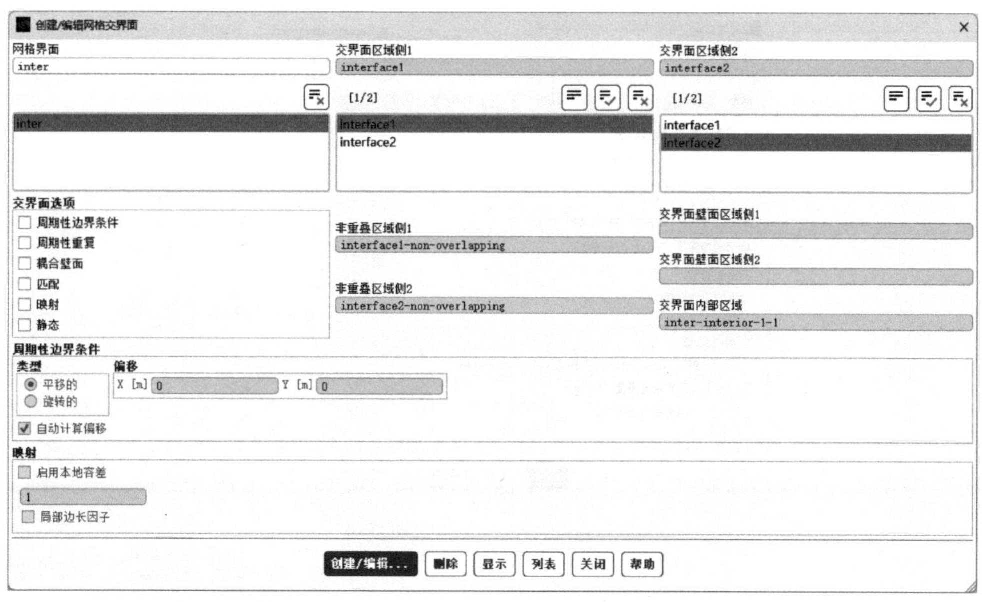

图 10-63 “创建/编辑网格交界面”对话框

10.2.9 设置边界条件

设置边界条件的操作步骤如下。

1）单击“功能区”选项卡中的“物理模型”→“区域”→“边界条件”按钮，启动图 10-64 的“边界条件”面板。

2）在“边界条件”面板中，双击“inlet”弹出图 10-65 的“速度入口”对话框。在“速度大小［m/s］”数值框中输入 2，单击“应用”按钮确认并退出。

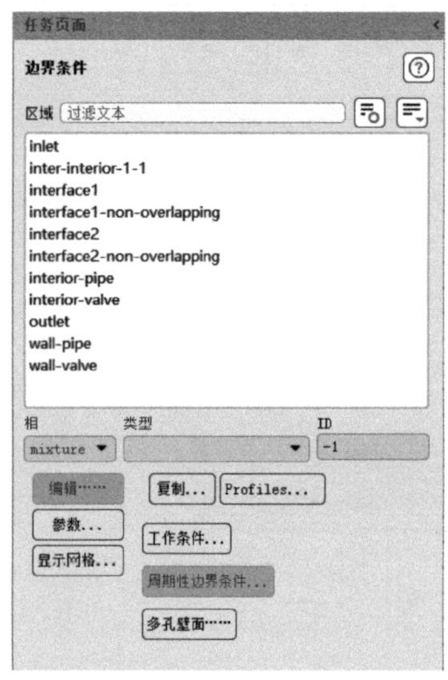

图 10-64 “边界条件”面板

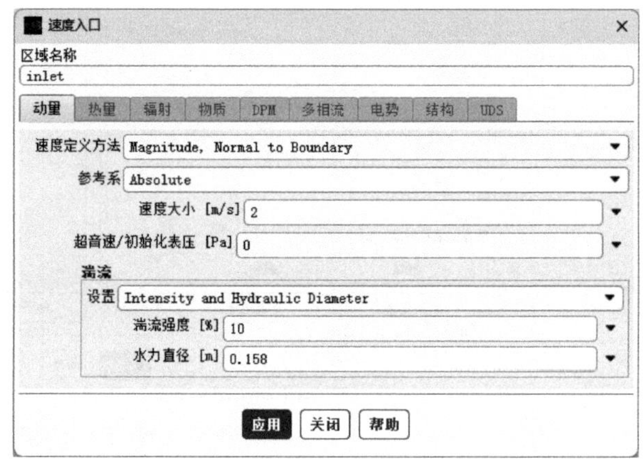

图 10-65 “速度入口”对话框

3）在“边界条件”面板中，双击“outlet”弹出图 10-66 的“压力出口”对话框。保持默认值，单击“应用”按钮确认并退出。

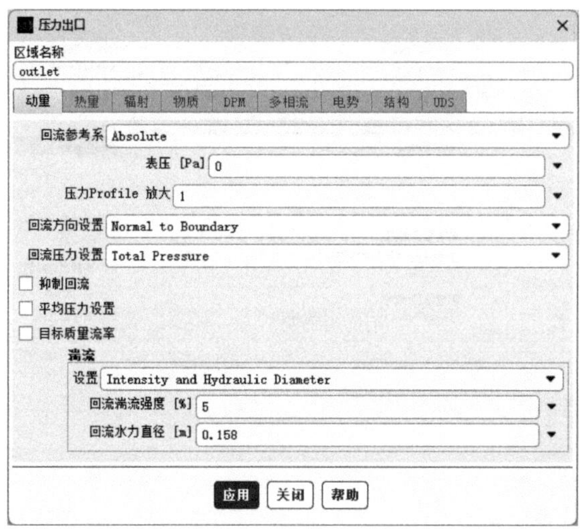

图 10-66 “压力出口”对话框

10.2.10 设置初始条件

设置初始条件的操作步骤如下。

1）单击“功能区”选项卡中的“求解”→“初始化”按钮，弹出图 10-67 的“解决方案初始化”面板。

2）在“初始化方法”选项区域中选择“混合初始化（Hybrid Initialization）”单选按钮，单击“初始化”按钮进行初始化。

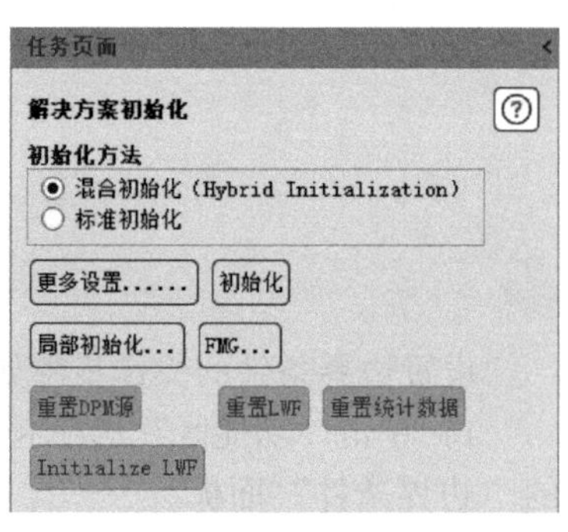

图 10-67 “解决方案初始化”面板

10.2.11 求解过程监视

单击“功能区”选项卡中的“求解”→“报告”→“残差”按钮，弹出图 10-68 的“残差监控器”对话框。保持默认设置不变，单击“OK”按钮确认。

图 10-68 “残差监控器”对话框

10.2.12 数据导出

数据导出的操作步骤如下。

1）单击“功能区”选项卡中的“求解”→“活动”→“创建”→“解决方案数据导出”按钮，弹出图 10-69 的“自动导出”对话框。

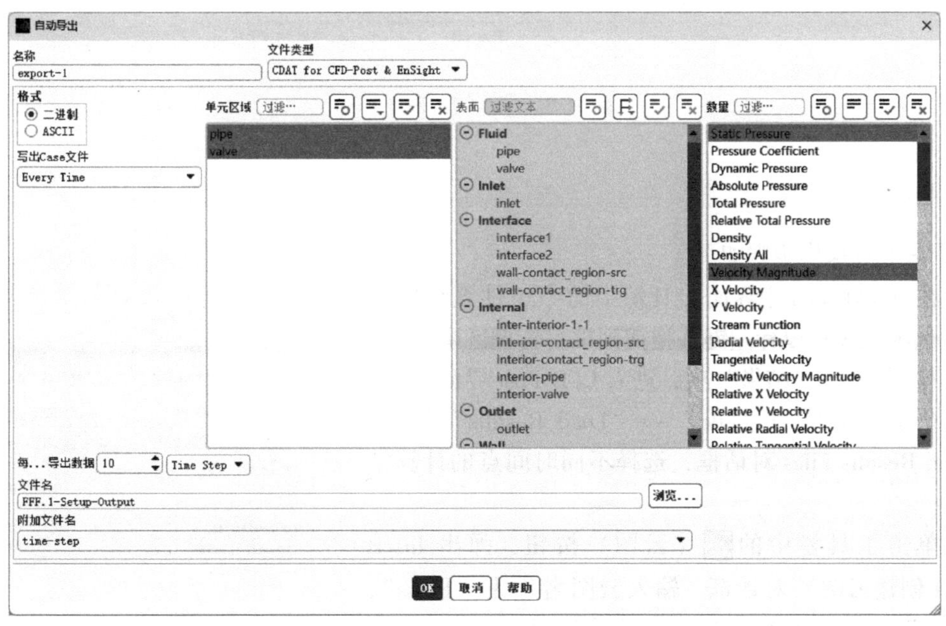

图 10-69 “自动导出”对话框

2）“文件类型”选择“CDAT for CFD-Post & EnSight”，在“每...导出数据”数值框中输入 10，在“数量”列表框中选择“Static Pressure”和“Velocity Magnitude”，单击“OK”按钮确认

并关闭对话框。

10.2.13 计算求解

计算求解的操作步骤如下。

1）单击“功能区”选项卡中的“求解”→“运行计算”按钮，弹出图 10-70 的“运行计算”面板。在“时间步长［s］”数值框中输入 0.001，在“时间步数”数值框中输入 5000，单击“开始计算”按钮计算。

2）计算收敛完成后，单击主菜单中的“文件”→“关闭 Fluent”按钮退出 Fluent 界面。

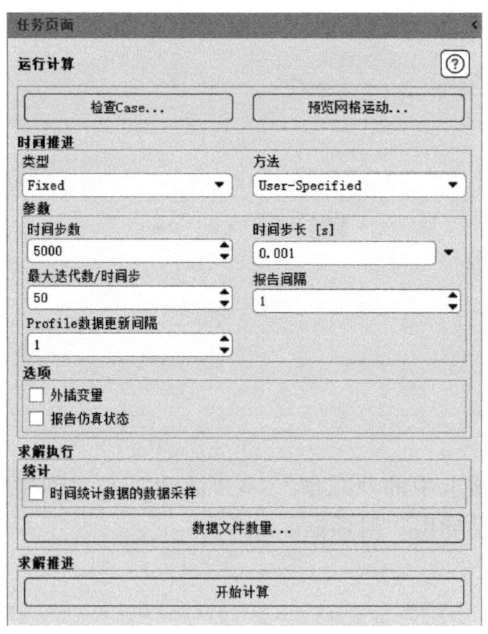

图 10-70 “运行计算”面板

10.2.14 结果后处理

结果后处理操作步骤如下。

1）在 Workbench 主界面工具箱中的“组件系统”→“结果”选项上按住鼠标左键并拖拽到项目管理区中。

2）双击 B2 栏“结果”项，进入 CFD-Post 界面。

3）单击主菜单的“File”→“Load Results”按钮，弹出 Load Results Files 对话框，选择不同时间点的计算结果文件。

4）单击工具栏中的 （云图）按钮，弹出 Insert Contour（创建云图）对话框。输入云图名称为“Press”，单击“OK”按钮进入图 10-71 的云图设定面板。

5）在“Geometry”（几何）选项卡中，“Locations”选择“symmetry 1”，“Variable”选择“Pressure”，单击“Apply”按钮创建压力云图，效果如图 10-72 所示。

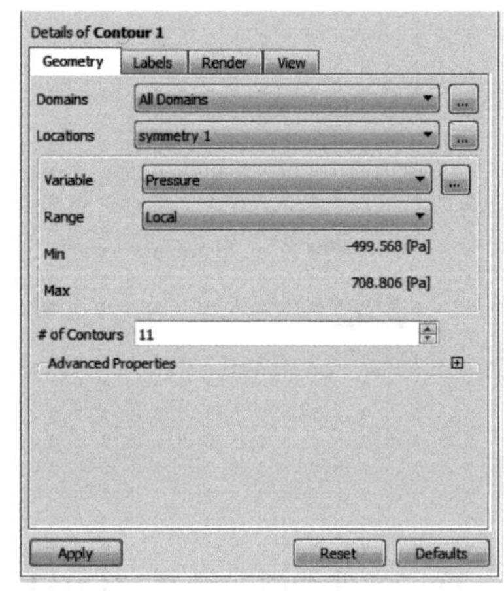

图 10-71 云图设定面板

6）同步骤 4)，创建云图“Vec”。

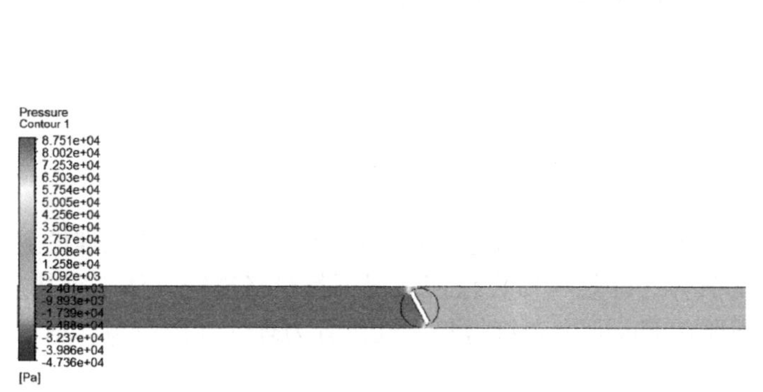

图 10-72　压力云图

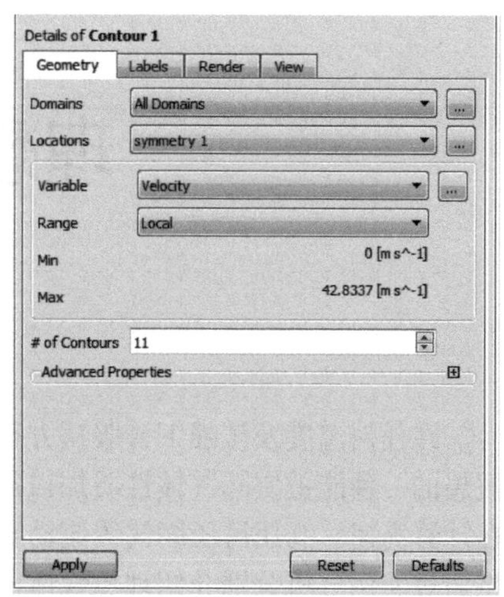

图 10-73　云图设定面板

7）在图 10-73 云图设定面板的“Geometry”（几何）选项卡中，“Locations”选择“symmetry 1”，“Variable”选择“Velocity”，单击“Apply”按钮创建速度云图，效果如图 10-74 所示。

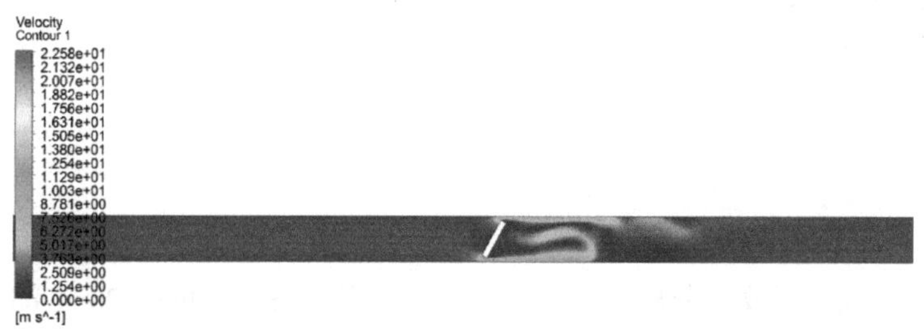

图 10-74　速度云图

10.2.15　保存与退出

保存与退出的操作步骤如下。

1）执行主菜单的“File”→“Close CFD-Post”命令，退出 CFD-Post 模块，返回 Workbench 主界面。此时主界面项目管理区中显示的分析项目均已完成。

2）在 Workbench 主界面中单击常用工具栏中的保存按钮，保存包含有分析结果的文件。执行主菜单的“文件”→“退出”命令，退出 ANSYS Workbench 主界面。

10.3　本章小结

本章介绍了滑移网格的设置方法，通过离心泵内部液体的流动和水锤现象模拟两个实例介绍了 Fluent 处理滑移网格的工作流程和相关参数的设定。

通过本章内容的学习，读者可以掌握 Fluent 中分析旋转机械问题以及处理滑移网格问题的具体方法和步骤，并基本掌握用 Fluent 处理动网格的基本思路和操作方法。

第 11 章 理想气体模拟分析

在任何温度及压强下皆服从方程 pV = nRT 的气体称为理想气体（ideal gas），该气体是理论上假想的一种能把实际气体性质加以简化的气体。理想气体在任何情况下都严格遵守气体三定律。在计算高速、高压可压缩气体流动时，需要在 Fluent 中先将材料属性设置为理性气体模型。本章将通过实例分析分别介绍理想气体模拟流动。

学习目标：

1）掌握物质材料的设定。

2）掌握初始值的设定。

3）掌握时间步长的设定。

4）掌握求解控制的设定。

5）掌握瞬态的输出控制。

11.1 高压气体释放瞬态流动

下面将通过高压气体释放的分析案例，让读者对使用 ANSYS Fluent 2024 R1 分析处理瞬态流动基本操作步骤的每一项内容有初步了解。

11.1.1 案例介绍

图 11-1 为某高压气瓶二维几何模型，内部初始压力值为 1013250Pa，请用 ANSYS Fluent 求解出其压力与速度的分布云图。

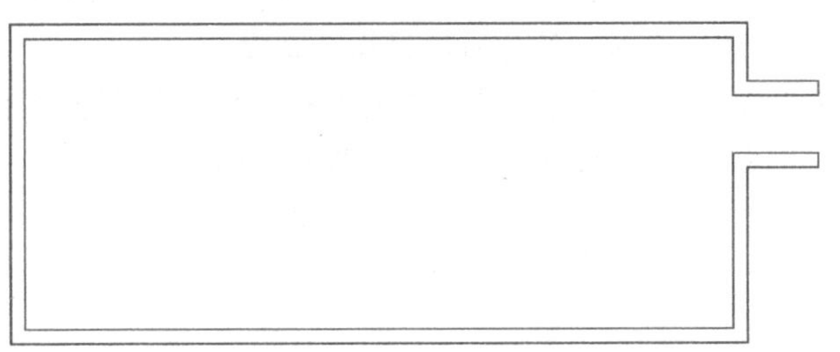

图 11-1 某高压气瓶二维几何模型

11.1.2 建立分析项目

参考算例 3.1，启动 Workbench 并建立流体分析项目，如图 11-2 所示。

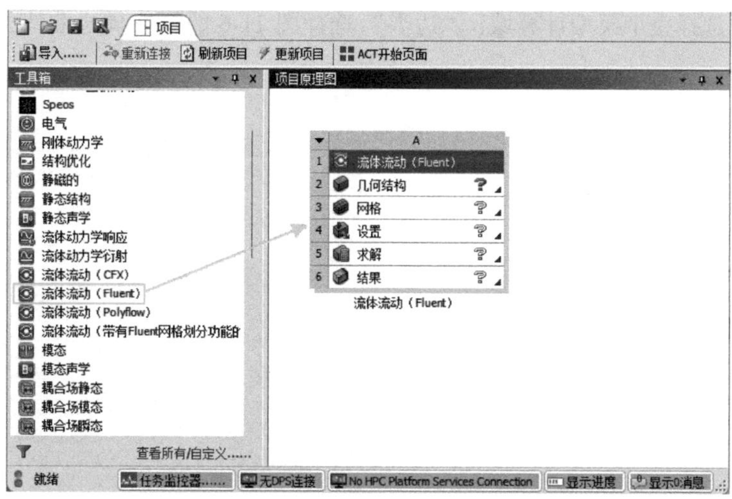

图 11-2　创建流体流动（Fluent）分析项目

11.1.3　导入几何体

导入几何体的操作步骤如下。

1）在 A2 栏的“几何结构”上单击鼠标右键，在弹出的快捷菜单中选择“导入几何模型”→“浏览”命令，此时会弹出“打开”对话框。

2）在“打开”对话框中选择文件路径，导入 press. x_t 几何体文件，此时 A2 栏“几何结构”后的 ? 变为 ✓，表示实体模型已经存在。

11.1.4　划分网格

划分网格的操作步骤如下。

1）双击 A3 栏“网格”项，进入 Meshing 界面，Meshing 界面下的模型如图 11-3 所示。然后在该界面下进行模型的网格划分。

2）右键单击模型树中的“网格”选项，依次选择“网格”→“插入”→“膨胀”命令，如图 11-4 所示。弹出图 11-5 的膨胀面板。

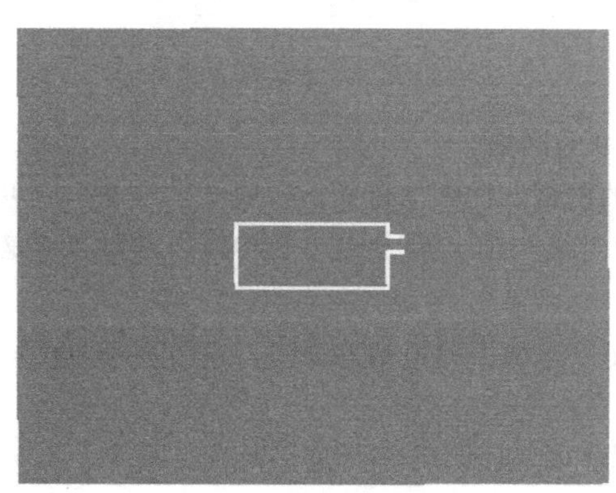

图 11-3　Meshing 界面下的模型

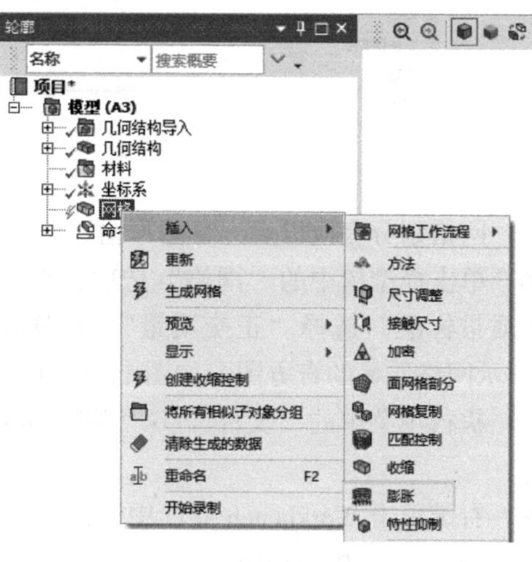

图 11-4　“膨胀”命令

“几何结构”选择整个模型计算域，“边界”选择图 11-6 的气瓶周边曲线，在“最大层数”数值框中输入 10。

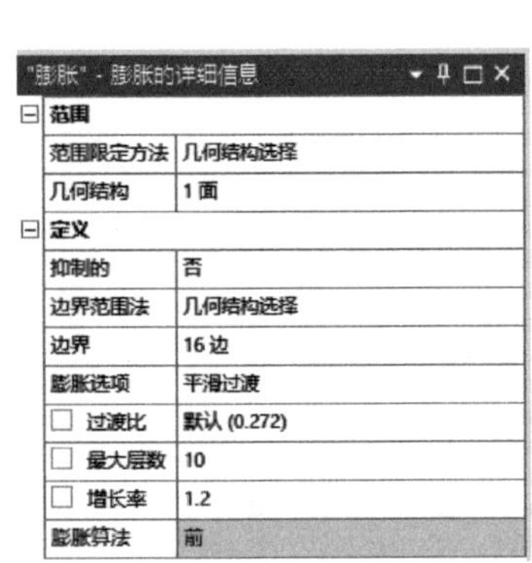

图 11-5 膨胀面板

图 11-6 气瓶周边曲线

3）单击模型树中的“网格”选项，弹出图 11-7 的网格详细信息面板。设置“单元尺寸”为 5mm。

4）右键单击模型树中的“网格”选项，选择快捷菜单中的“生成网格”命令，开始生成网格，如图 11-8 所示。

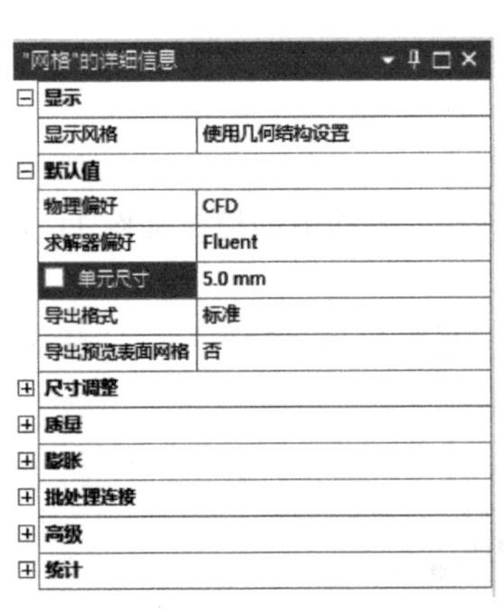

图 11-7 网格属性设置

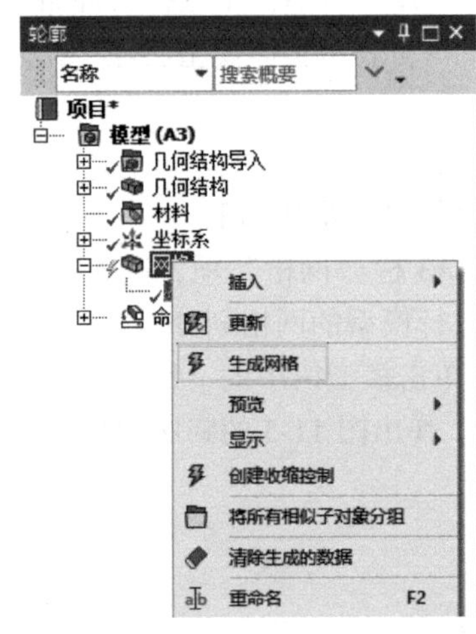

图 11-8 网格生成

5）网格划分完成以后，在图形窗口中显示图 11-9 的网格。

6）单击模型树中的“网格”选项，在图 11-10 的网格的详细信息面板中展开“质量”选项，“网格质量标准”选择“正交质量”。这样能够统计出最小值、最大值、平均值以及标准偏差，同时显示网格质量的直方图，如图 11-11 所示。

7）执行主菜单的“文件”→“关闭 Meshing”命令，退出网格划分界面，返回 Workbench 主界面。

8）右键单击 Workbench 界面中的 A3“网格”项，选择快捷菜单中的“更新”命令，完成网格数据往 Fluent 分析模块中的传递。

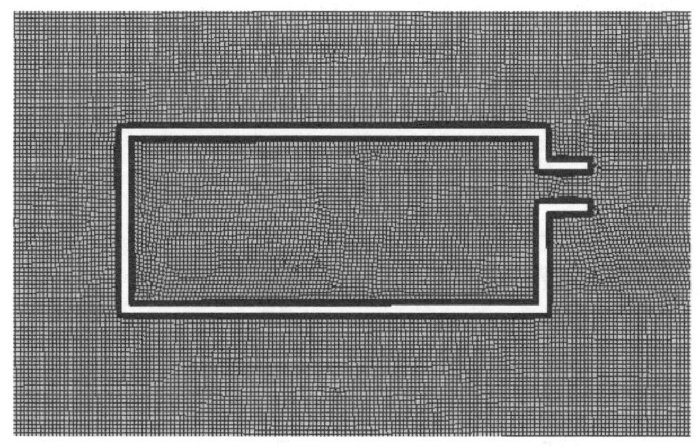

图 11-9　生成网格

图 11-10　网格详细信息面板

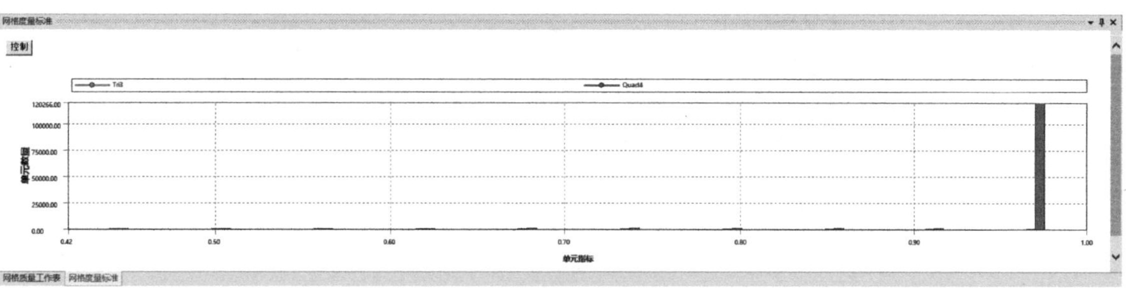

图 11-11　网格划分情况统计

11.1.5　定义模型

定义模型的操作步骤如下。

1）双击 A4 栏“设置”项，打开图 11-12 的 Fluent Launcher 对话框，单击“Start”按钮进入 Fluent 界面。

2）在“功能区”选项卡中单击“物理模型”→“通用”按钮，弹出图 11-13 的“通用”面板，在“求解器”区域中，“类型”选择“密度基”单选按钮，“时间”选择“瞬态”单选按钮，勾选“重力”复选框，在重力加速度区域的“y［m/s^2］”数值框中填入-9.81。

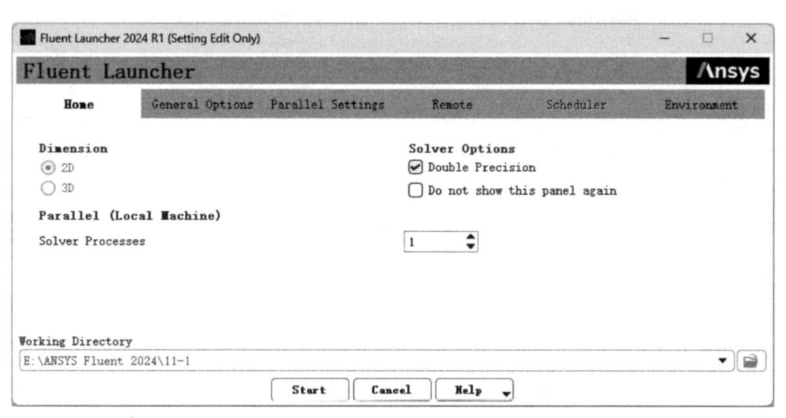

图 11-12　Fluent Launcher 对话框

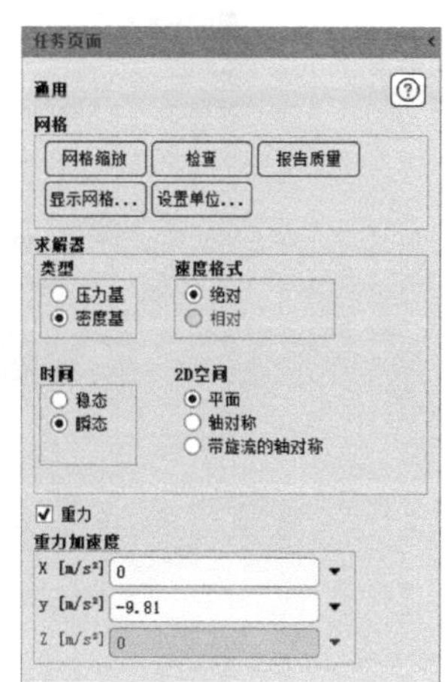

图 11-13　“通用”面板

3）在“功能区”选项卡中单击“物理模型”→“模型”→“能量”按钮。

4）在“功能区”选项卡中单击“物理模型”→“模型”→“黏性”按钮，弹出图 11-14 的“黏性模型”对话框。

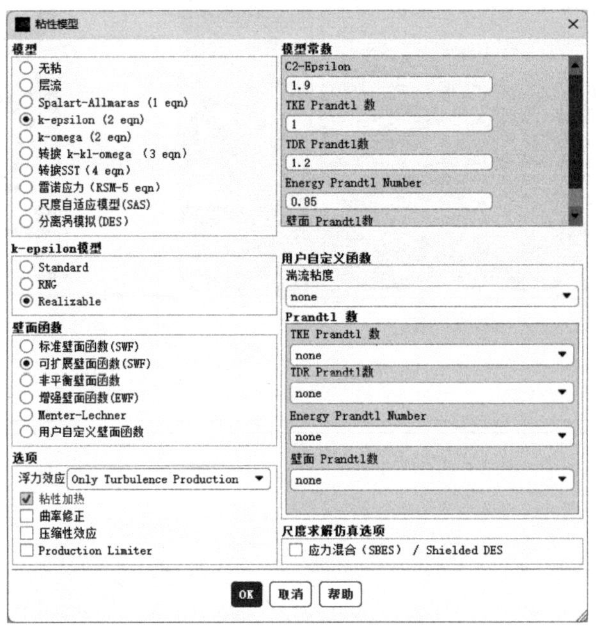

图 11-14 “黏性模型”对话框

在“模型”选项区域中选择“k-epsilon（2 eqn）”单选按钮，在“k-epsilon 模型”选项区域中选择“Realizable”单选按钮，在“壁面函数”选项区域中选择“可扩展壁面函数（SWF）”单选按钮，单击“OK”按钮确认。

11.1.6 设置材料

设置材料的操作步骤如下。

1）单击“功能区”选项卡中的“物理模型”→“材料”→“创建/编辑”按钮，弹出图 11-15 的“创建/编辑材料”对话框。

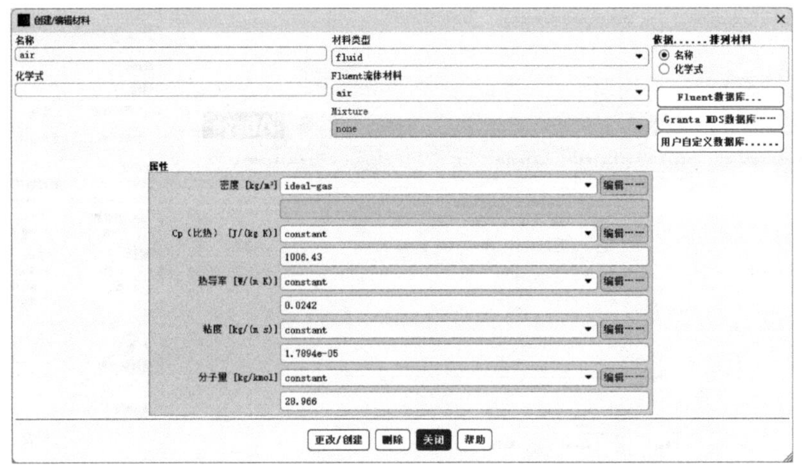

图 11-15 “创建/编辑材料”对话框

2）在“属性”区域中，“密度［kg/m^3］”选择“ideal-gas”，单击“更改/创建”按钮，确认并关闭“创建/编辑材料”对话框。

注：如果用户定义的属性需要用能量方程来求解（例如用理想气体定律求密度，用温度函数求黏度），Fluent 软件会自动激活能量方程。在这种情况下则必须要设定材料的热力学条件和其他相关参数。

11.1.7 设置工作条件

单击“功能区”选项卡中的“物理模型”→“求解器”→“工作条件”按钮，弹出图 11-16 的“工作条件”对话框。勾选“可变密度参数”区域中的“指定的操作密度”复选框，单击“OK”按钮确认并关闭对话框。

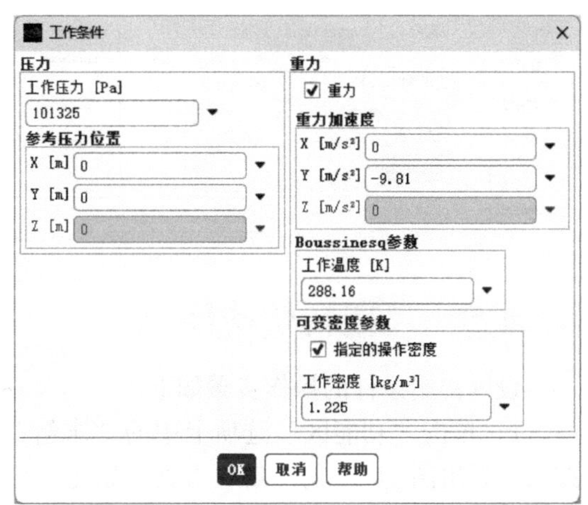

图 11-16 “工作条件”对话框

注 1：操作压强对于不可压理想气体流动和低马赫数可压流动来说是十分重要的，因为不可压理想气体的密度是用操作压强通过状态方程直接计算出来的，而在低马赫数可压流动中，操作压强则起到了避免截断误差负面影响的重要作用。

对于高马赫数可压缩流动，操作压强的意义不大。在这种情况下，压力的变化比低马赫数可压流动中压力的变化大得多，因此截断误差不会产生影响，也就不需要使用表压进行计算。事实上，在这种计算中使用绝对压力会更方便，因为 Fluent 总是使用表压进行计算，所以需要在这类问题的计算中将操作压强设置为零，而使表压和绝对压力相等。

如果密度为常数，或者密度是从温度的型函数中推导出来的，那么就不使用操作压强。操作压强的缺省值为 101325 Pa。

注 2：对于不包括压力边界的不可压缩流动，Fluent 会在每次迭代之后调整表压场来避免数值漂移。每次调整都要用到（或接近）参考压力点网格单元中的压强，即在表压场中减去单元内的压力值得到新的压力场，并且保证参考压力点的表压为零。如果计算中包含了压力边界，上述调整就没有必要进行了，求解过程中也就不再用到参考压力位置。

参考压力位置被缺省设置为原点或者最接近原点的网格中心，如果要改变参考压强位置，比如将它定位在压强已知点上，则可以在“参考压力位置”中输入参考压强位置的新的坐标值（X，Y，Z）。

11.1.8 设置边界条件

设置边界条件的操作步骤如下。

1）单击“功能区”选项卡中的“物理模型”→“区域”→“边界条件”按钮，启动图 11-17 的“边界条件”面板。

2）在“边界条件”面板中，双击“wall-part_1”，弹出图 11-18 的“壁面”对话框。在“热量”选项卡中，“传热相关边界条件”选择“对流”单选按钮，在“传热系数［W/(m^3 K)］”数值框中输入 45，在“来流温度［K］”数值框中输入 287，在“壁面厚度［m］”数值框中输入 0.001，单击“应用”按钮确认并退出。

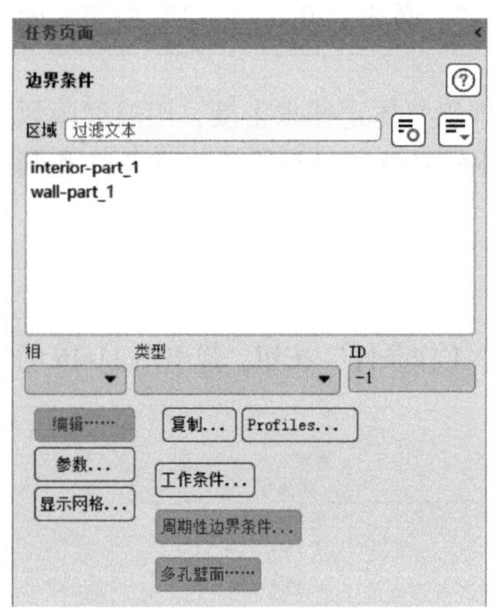

图 11-17 “边界条件”面板

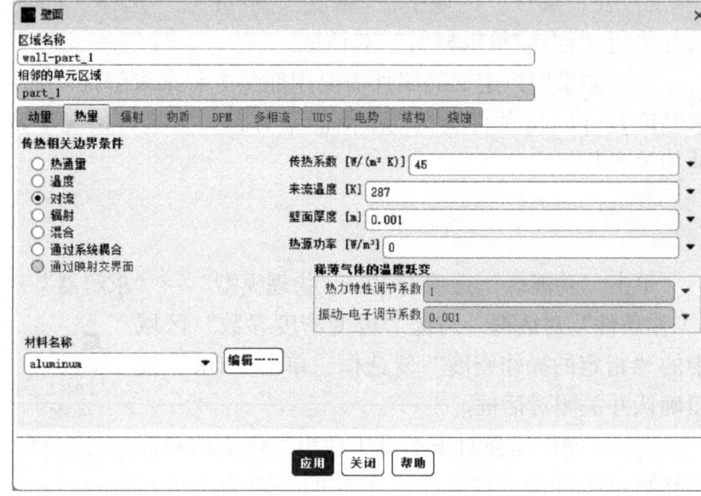

图 11-18 “壁面”对话框

11.1.9 设置初始条件

设置初始条件的操作步骤如下。

1）单击“功能区”选项卡中的“求解”→“初始化”按钮，弹出图 11-19 的“解决方案初始化”面板。

在“初始化方法”选项区域中选择“混合初始化（Hybrid Initialization）”单选按钮，单击“初始化”按钮进行初始化。

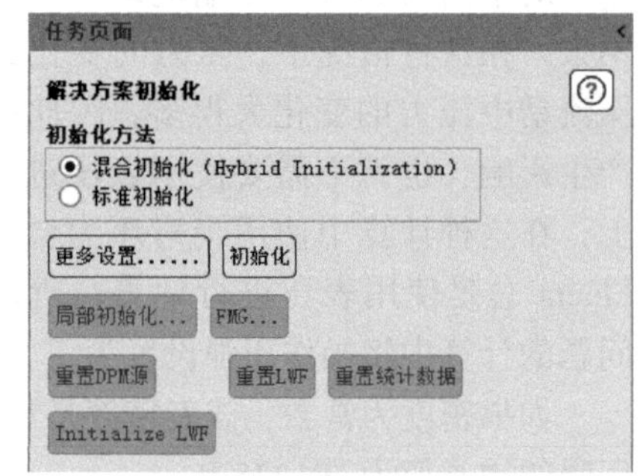

图 11-19 “解决方案初始化”面板

2）单击“功能区”选项卡中的“区域”→“自适应”→“自动”按钮，弹出图 11-20 的“网格自适应”对话框。单击“单元标记”→“新建”→“区域”按钮，弹出图 11-21 的“区域标记”对话框。

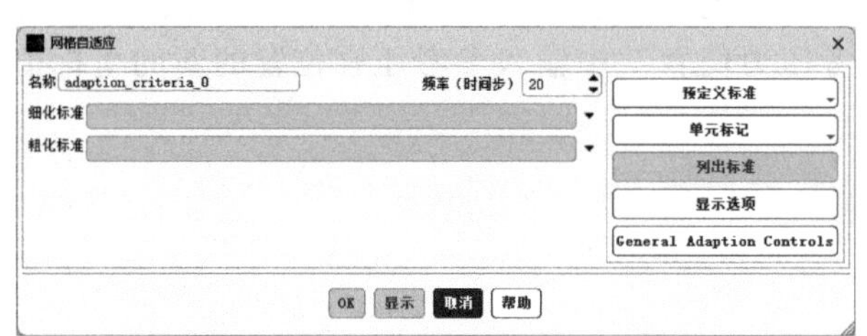

图 11-20 “网格自适应”对话框

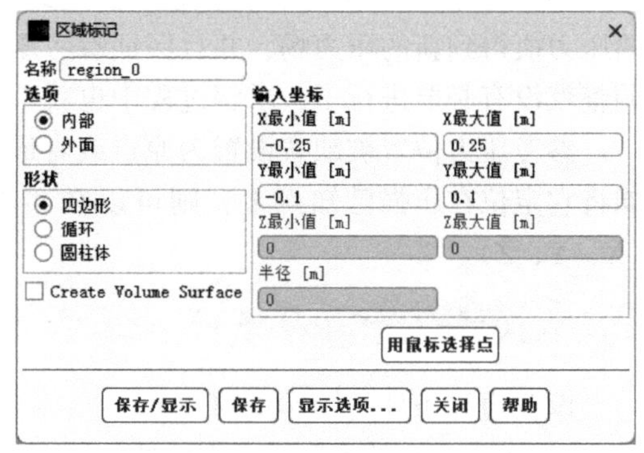

图 11-21 “区域标记”对话框

在“输入坐标”区域的“X 最小值［m］”数值框中输入-0.25，“X 最大值［m］”数值框中输入 0.25，“Y 最小值［m］”数值框中输入-0.1，“Y 最大值［m］”数值框中输入 0.1，单击“保存/显示”按钮确认。

3）在“解决方案初始化”面板中，单击“局部初始化”按钮，弹出图 11-22 的“局部初始化”对话框，在“待修补区域”中选择“part_1”，Variable 列表框中选择“Pressure”，在“值 [Pa]”数值框中填入 1013250，在“待局部初始化的标记”列表框中选择“region_0”，单击“局部初始化”按钮。

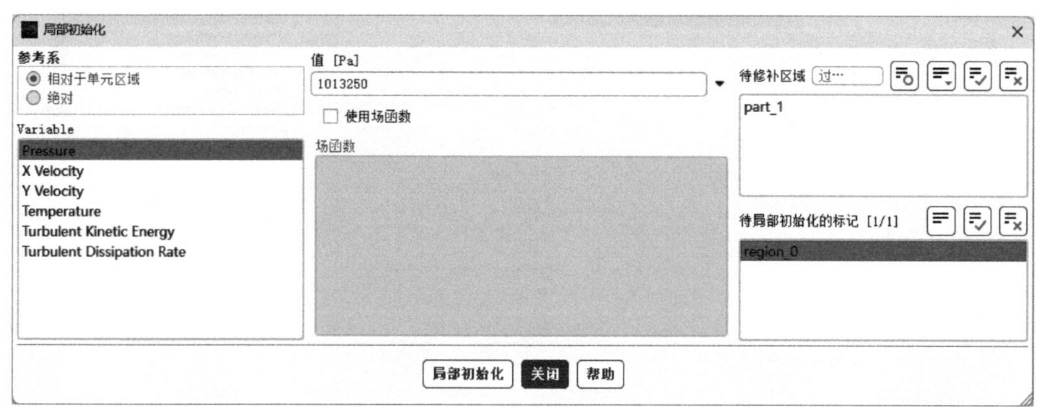

图 11-22 “局部初始化”对话框

11.1.10 求解过程监视

单击“功能区”选项卡中的“求解”→“报告”→“残差”按钮，弹出图 11-23 的“残差监控器”对话框。保持默认设置不变，单击“OK”按钮确认。

图 11-23 “残差监控器”对话框

11.1.11 数据导出

数据导出的操作步骤如下。

1）单击“功能区”选项卡中的“求解”→“活动”→“创建”→“解决方案数据导出”按钮，弹出图 11-24 的“自动导出”对话框。

2）“文件类型”选择“CDAT for CFD-Post & EnSight”，在“每...导出数据”数值框中输入 10，在“数量”列表框中选择“Static Pressure”“Velocity Magnitude”，单击“OK”按钮确认并关闭对话框。

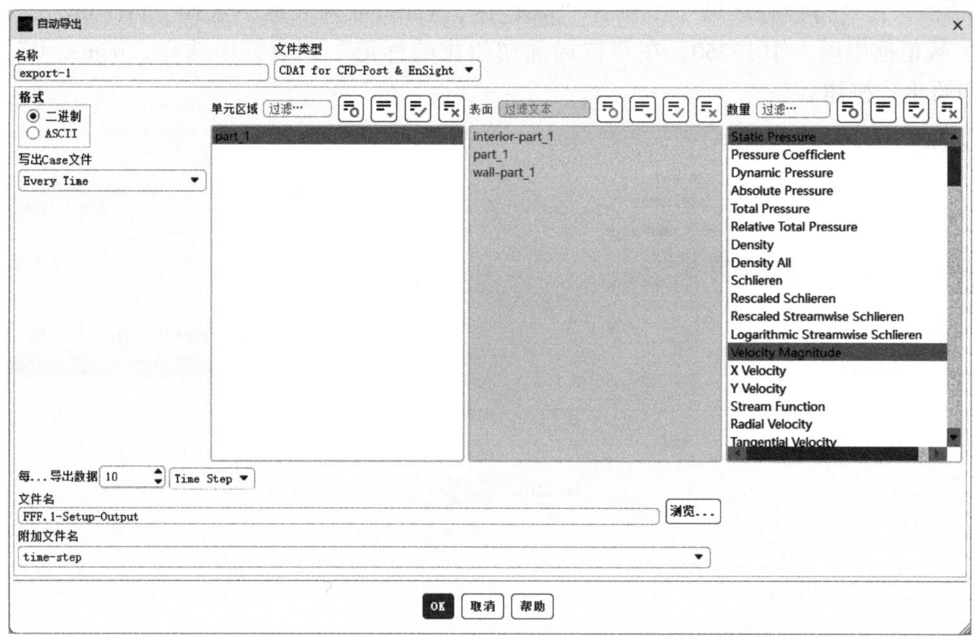

图 11-24 “自动导出”对话框

11.1.12 计算求解

计算求解的操作步骤如下。

1）单击“功能区”选项卡中的“求解”→“运行计算”按钮，弹出图 11-25 的“运行计算”面板。“参数”区域中，在“时间步长［s］”数值框中输入 0.0001，在“时间步数”数值框中输入 100，单击“开始计算”按钮计算。

2）计算收敛完成后，单击主菜单中的“文件”→“关闭 Fluent”按钮退出 Fluent 界面。

图 11-25 “运行计算”面板

11.1.13 结果后处理

结果后处理操作步骤如下。

1）在 Workbench 主界面工具箱中的“组件系统”→“结果”选项上按住鼠标左键并拖拽到项目管理区中。

2）双击 B2 栏“结果”项，进入 CFD-Post 界面。

3）单击主菜单的“File”→“Load Results”按钮弹出 Load Results Files 对话框，选择不同时间点的计算结果文件。

4）单击工具栏中的（云图）按钮，弹出图 11-26 的“Insert Contour”（创建云图）对话框。输入云图名称为“press”，单击“OK”按钮进入图 11-27 的云图设定面板。

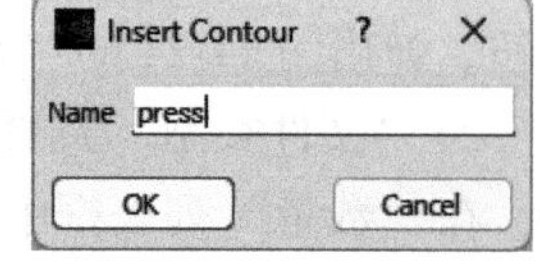

图 11-26 创建云图对话框

5）在“Geometry”（几何）选项卡中，“Locations”选择“symmetry 1”，“Variable”选择“Pressure”，单击“Apply”按钮创建压力云图，效果如图 11-28 所示。

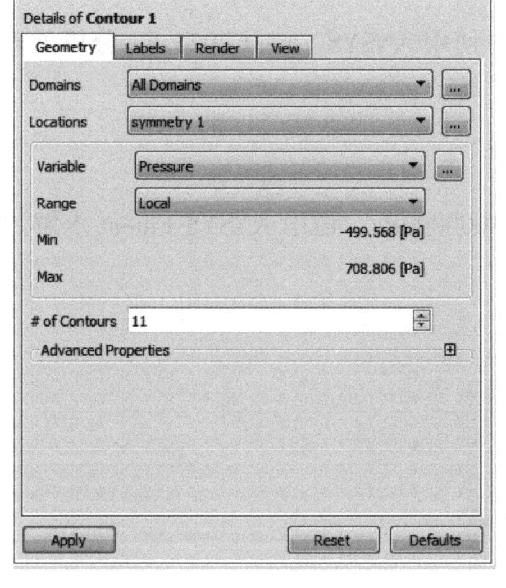

图 11-27　云图设定面板

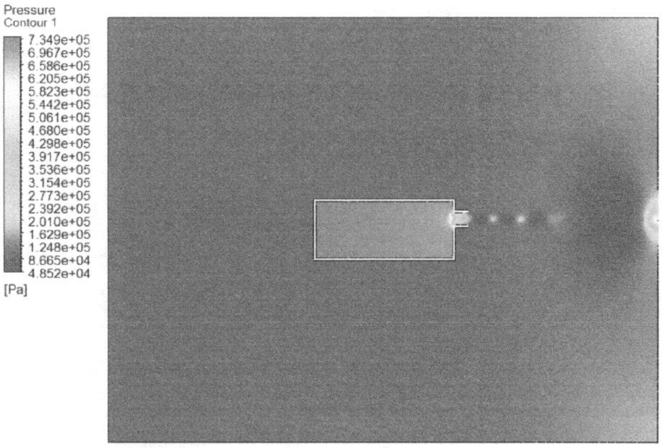

图 11-28　压力云图

6）同步骤 4)，创建云图“Vec”。

7）在图 11-29 云图设定面板的“Geometry”（几何）选项卡中，“Locations”选择“symmetry 1”，“Variable”选择“Velocity”，单击“Apply”按钮创建速度云图，效果如图 11-30 所示。

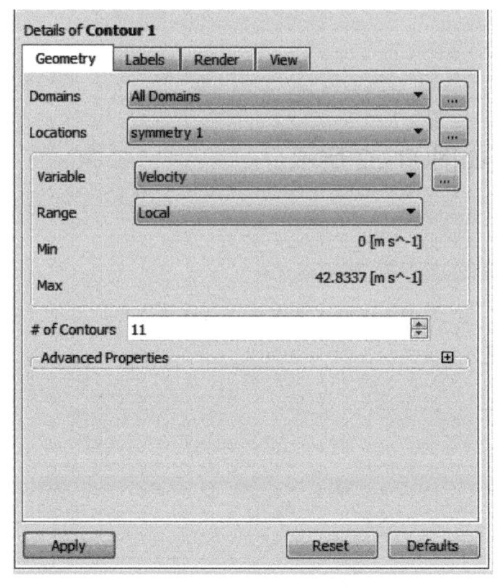

图 11-29　云图设定面板

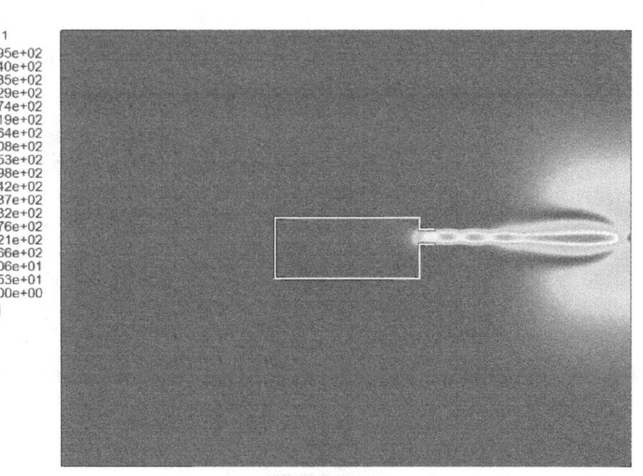

图 11-30　速度云图

11.1.14　保存与退出

保存与退出的操作步骤如下。

1）执行主菜单的“File”→“Close CFD-Post”命令，退出 CFD-Post 模块，返回 Workbench 主界面。此时主界面项目管理区中显示的分析项目均已完成。

2）在 Workbench 主界面中单击常用工具栏中的保存按钮，保存包含有分析结果的文件。执行主菜单的“文件”→“退出”命令，退出 ANSYS Workbench 主界面。

11.2 爆炸冲击波瞬态传播

下面将通过气体爆炸冲击波传播的分析案例，让读者对使用 ANSYS Fluent 2024 R1 分析处理高压理想气体瞬态流动基本操作步骤的每一项内容有初步了解。

11.2.1 案例介绍

图 11-31 为某三维空间几何模型，内部初始压力值为 1000000Pa，请用 ANSYS Fluent 求解出其压力与速度的分布云图。

图 11-31 某三维空间几何模型

11.2.2 建立分析项目

参考算例 3.1，启动 Workbench 并建立流体分析项目，如图 11-32 所示。

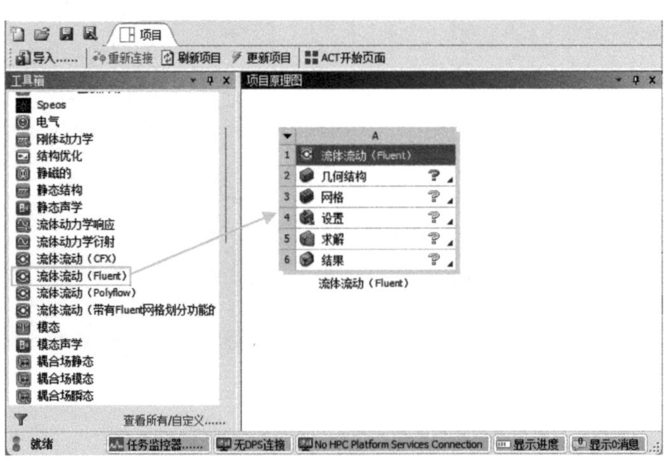

图 11-32 创建流体流动（Fluent）分析项目

11.2.3 导入几何体

导入几何体的操作步骤如下。

1）在 A2 栏的“几何结构”上单击鼠标右键，在弹出的快捷菜单中选择“导入几何模型”→

"浏览"命令，此时会弹出"打开"对话框。

2）在"打开"对话框中选择文件路径，导入 Burst. agdb 几何体文件，此时 A2 栏"几何结构"后的 ? 变为 ✓，表示实体模型已经存在。

11.2.4 划分网格

划分网格的操作步骤如下。

1）双击 A3 栏"网格"项，进入 Meshing 界面，Meshing 界面下的模型如图 11-33 所示。然后在该界面下进行模型的网格划分。

2）右键单击模型外部五个平面，在弹出的图 11-34 的快捷菜单中选择"创建命名选择"命令，弹出图 11-35 的"选择名称"对话框，输入名称"outlet"，单击"OK"按钮确认。

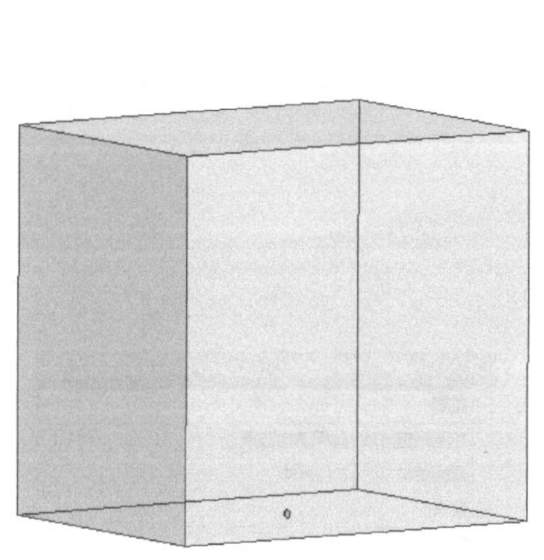

图 11-33　Meshing 界面下的模型

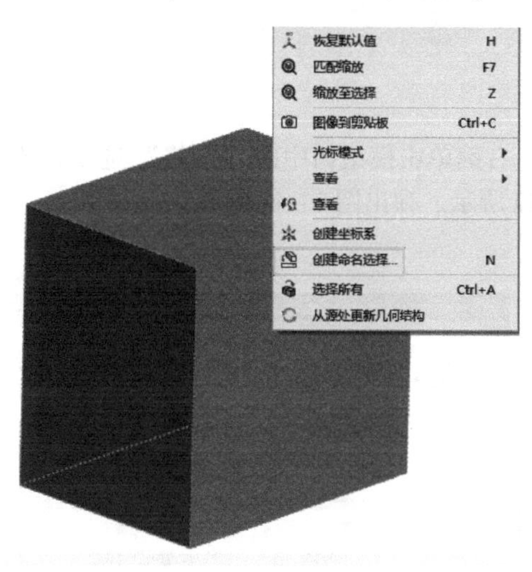

图 11-34　快捷菜单

3）同步骤 2），创建模型底面，命名为"buttom"，创建后的效果如图 11-36 所示。

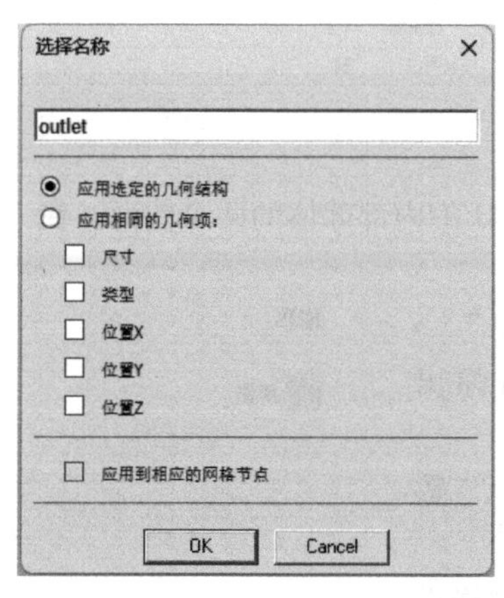

图 11-35　"选择名称"对话框

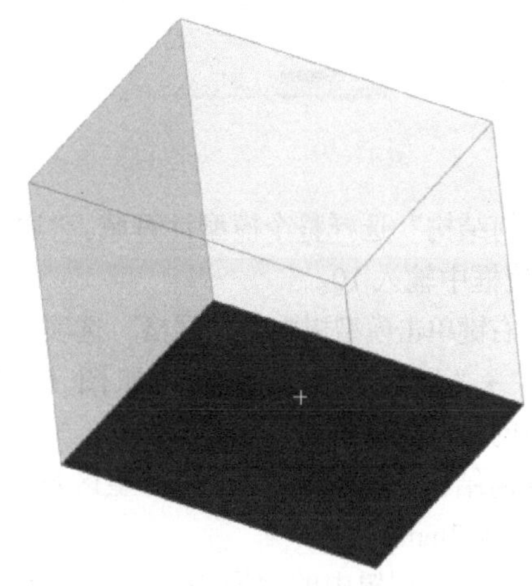

图 11-36　创建底面

4）右击模型外部几何体，在弹出的图 11-37 的快捷菜单中选择"创建命名选择"命令，弹出"选择名称"对话框，输入名称"Ambient"，单击"OK"按钮确认。

5）同步骤 4），创建内部几何体，命名为"burst"，创建完成的效果如图 11-38 所示。

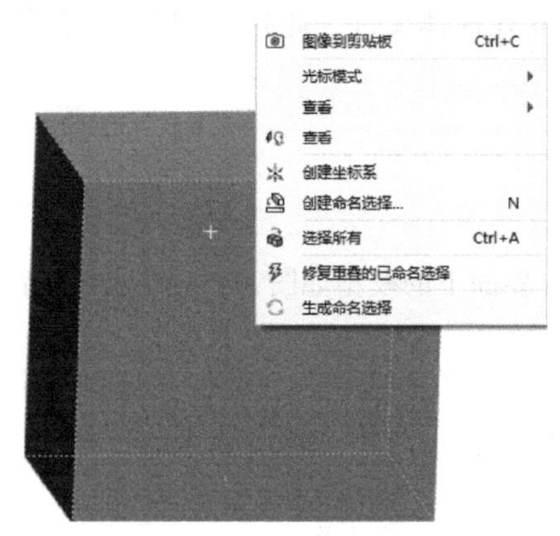

图 11-37 快捷菜单

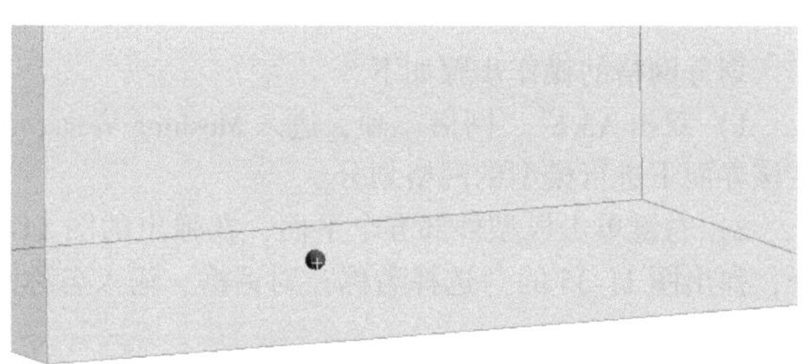
图 11-38 创建内部几何体

6）右键单击模型树中的“网格”选项，依次选择“网格”→“插入”→“膨胀”命令，如图 11-39 所示。弹出图 11-40 的膨胀面板。

图 11-39 选择“膨胀”命令

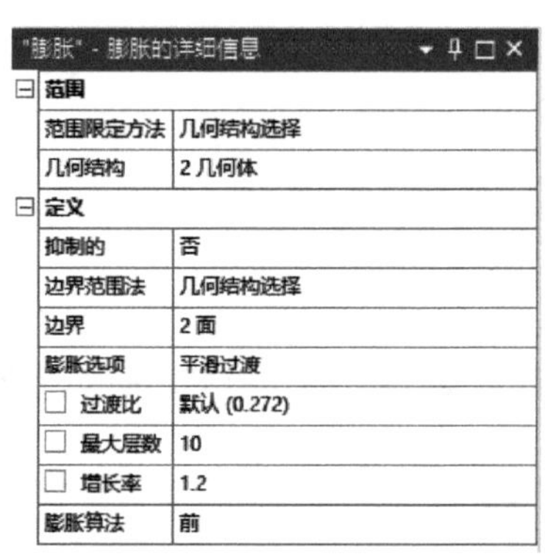

图 11-40 膨胀面板

“几何结构”选择整个模型计算域，“边界”选择图 11-41 的内部球体的两个曲面，在“最大层数”数值框中输入 10。

图 11-41 内部球体的两曲面

7）右键单击模型树中的“网格”选项，依次选择“网格”→“插入”→“尺寸调整”命令，如图 11-42 所示。然后弹出图 11-43的尺寸调整面板。

“几何结构”选择计算域中球型区域，在“单元尺寸”数值框中填入 3mm。

8）单击模型树中的“网格”选项，弹出图 11-44 的网格设置面板。设置“单元尺寸”为 60mm，展开“质量”选项，“平滑”选择“高”。

9）右键单击模型树中的“网格”选项，选择快捷菜单中的“生成网格”命令，开始生成网格，如图 11-45 所示。

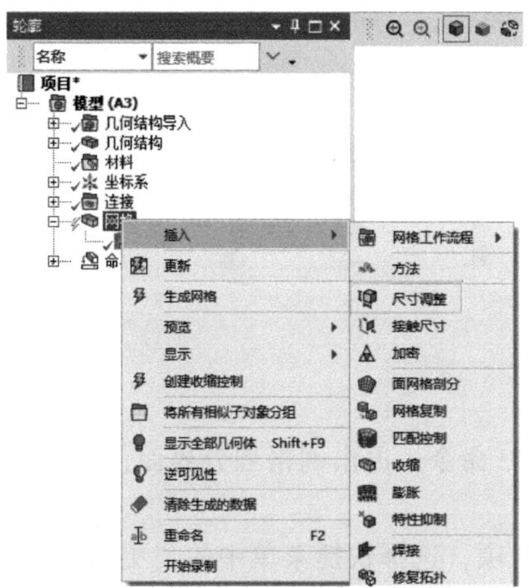

图 11-42 选择“尺寸调整”命令

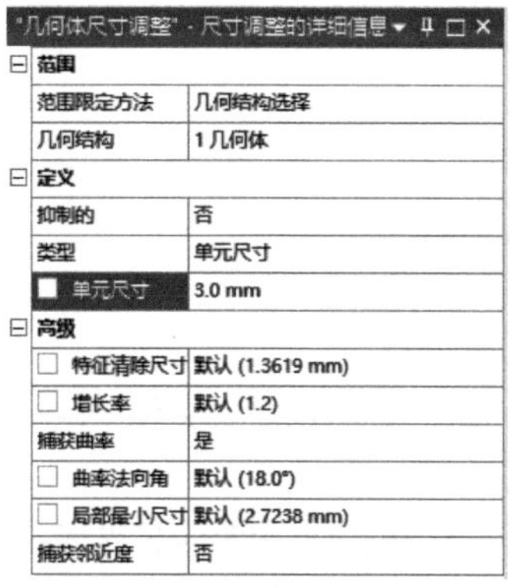

图 11-43 尺寸调整面板

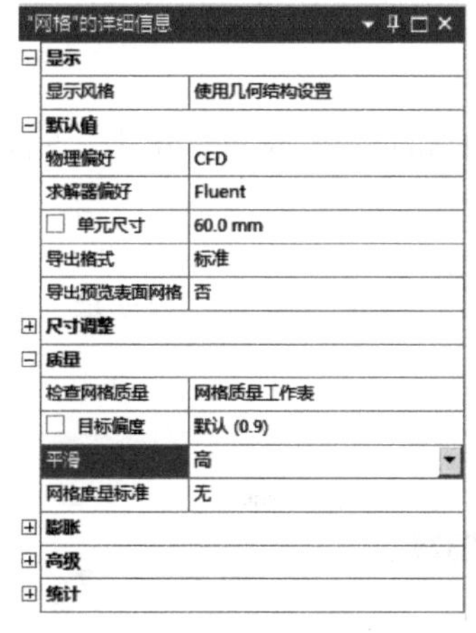

图 11-44 网格属性设置

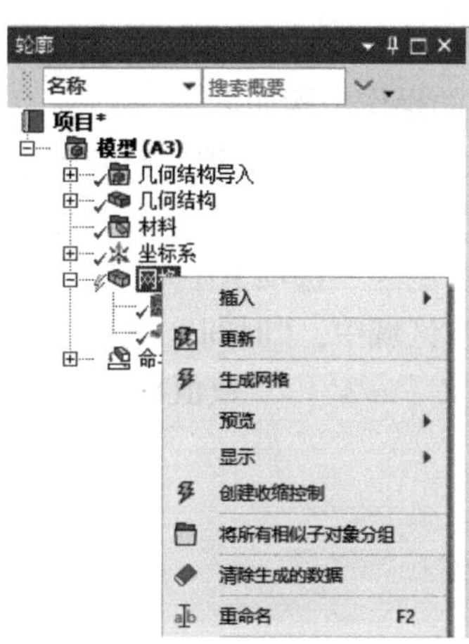

图 11-45 网格生成

10）网格划分完成以后，在图形窗口中显示图 11-46 的网格。

11）单击模型树中的“网格”选项，在图 11-47 的“网格”的详细信息面板中展开质量选项，“网格质量标准”选择“正交质量”。这样能够统计出最小值、最大值、平均值以及标准方差，同时显示网格质量的直方图，如图 11-48 所示。

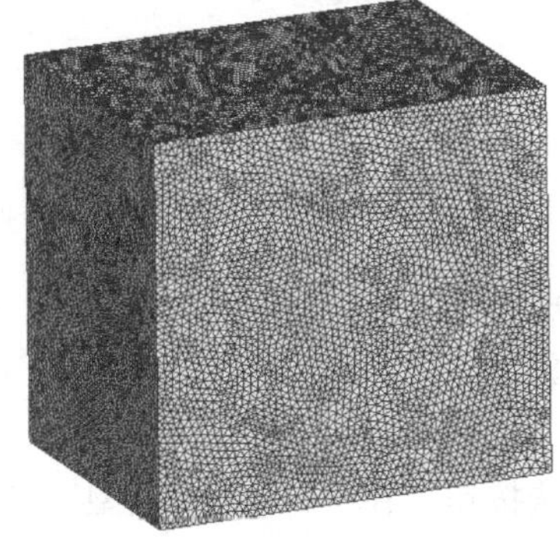

图 11-46 计算域网格

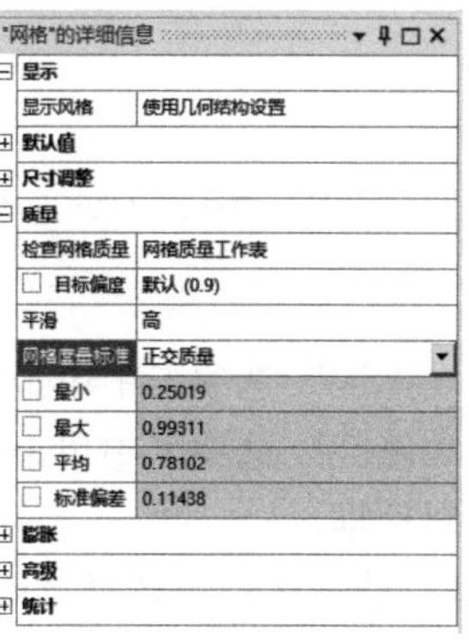

图 11-47 网格详细信息面板

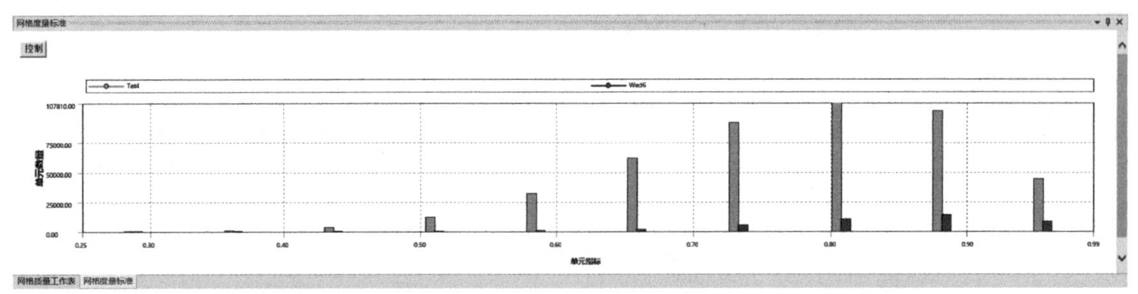

图 11-48 网格划分情况统计

12）执行主菜单的“文件”→“关闭 Meshing”命令，退出网格划分界面，返回 Workbench 主界面。

13）右键单击 Workbench 界面中的 A3“网格”项，选择快捷菜单中的“更新”命令，完成网格数据往 Fluent 分析模块中的传递。

11.2.5 定义模型

定义模型的操作步骤如下。

1）双击 A4 栏“设置”项，打开图 11-49 的 Fluent Launcher 对话框，单击“Start”按钮进入 Fluent 界面。

2）在“功能区”选项卡中单击“物理模型”→“通用”按钮，弹出图 11-50 的“通用”面板，“求解器”区域中，“时间”选择“瞬态”单选按钮，勾选“重力”复选框，在“重力加速度”区域的“Z [m/s²]”数值框中填入-9.81。

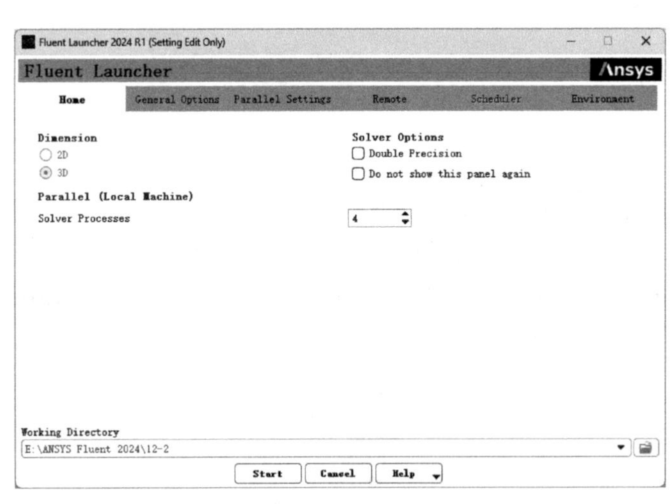

图 11-49 Fluent Launcher 对话框

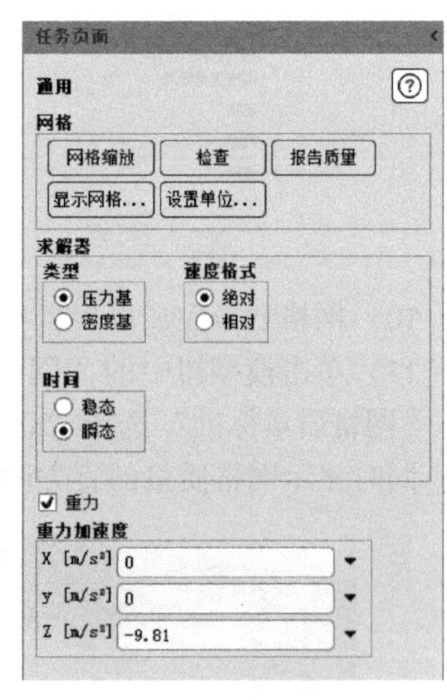

图 11-50 “通用”面板

3）在“功能区”选项卡中单击“物理模型”→“模型”→“能量”按钮。

4）在“功能区”选项卡中单击“物理模型”→“模型”→“黏性”按钮，弹出图 11-51 的“黏性模型”对话框。

在“模型”选项区域中选择“k-omega（2 eqn）”单选按钮，在“k-omega 模型”选项区域中选择“Standard”单选按钮，在“k-omega 选项”选项区域中选择“剪切流修正”复选框，单击“OK”按钮确认。

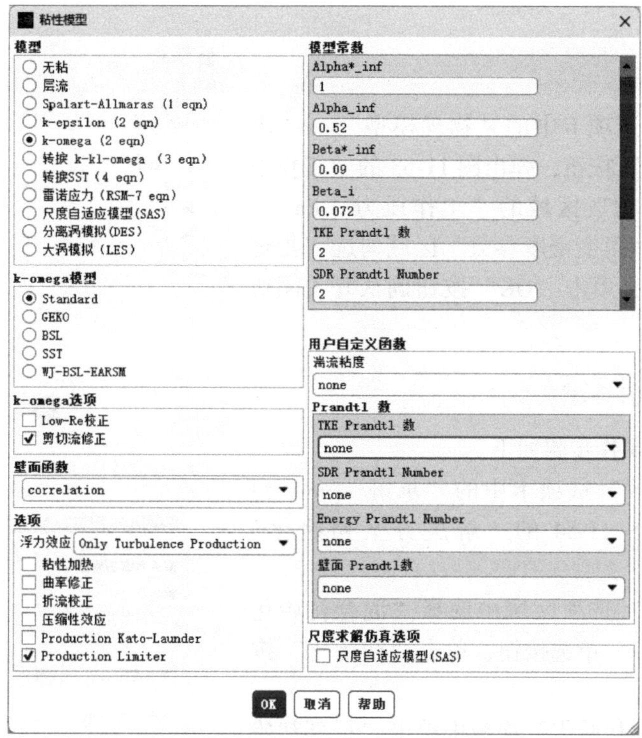

图 11-51 “黏性模型”对话框

11.2.6 设置材料

设置材料的操作步骤如下。

1）单击“功能区”选项卡中的“物理模型”→“材料”→“创建/编辑”按钮，弹出图 11-52 的“创建/编辑材料”对话框。

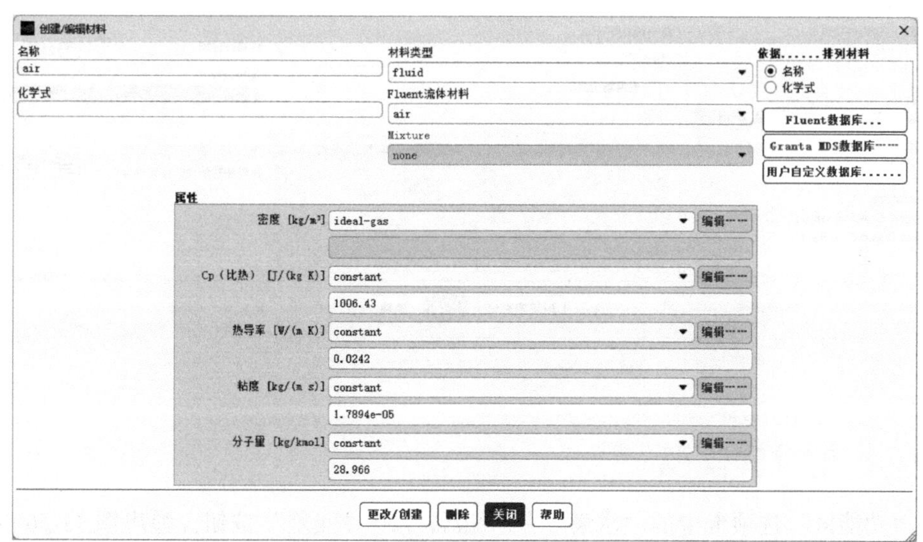

图 11-52 “创建/编辑材料”对话框

2）在“属性”区域中，“密度［kg/m^3］”选择“ideal-gas”，单击“更改/创建”按钮，确认并关闭“创建/编辑材料”对话框。

11.2.7 设置工作条件

单击“功能区”选项卡中的“物理模型”→“求解器”→“工作条件”按钮，弹出图 11-53 的“工作条件”对话框。在“压力”区域的“工作压力［Pa］”数值框中填入 0，在“可变密度参数”区域勾选“指定的操作密度”复选框，单击“OK”按钮确认并关闭对话框。

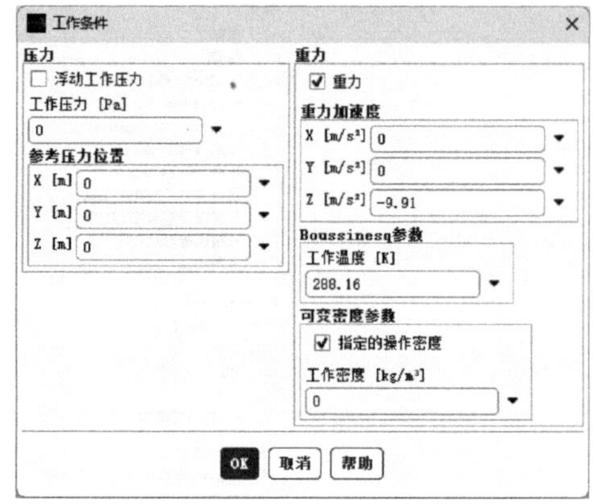

图 11-53 “工作条件”对话框

11.2.8 设置初始条件

设置初始条件的操作步骤如下。

1）单击“功能区”选项卡中的“求解”→“初始化”按钮，弹出图 11-54 的“解决方案初始化”面板。

在“初始化方法”选项区域中选择“混合初始化（Hybrid Initialization）”单选按钮，单击“初始化”按钮进行初始化。

2）在“解决方案初始化”面板中单击“局部初始化”按钮，弹出“局部初始化”对话框，“待修补区域”选择“ambient”，“Variable”选择“Pressure”，在“值［Pa］”数值框中填入 101325，单击“局部初始化”按钮。

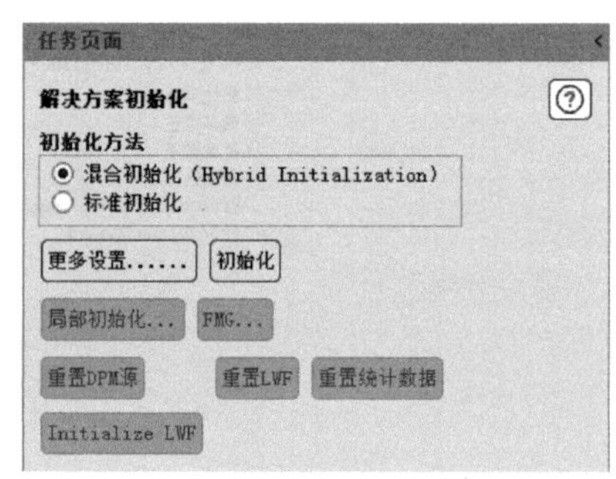

图 11-54 “解决方案初始化”面板

“待修补区域”选择“burst”，“Variable”选择“Pressure”，在“值［Pa］”数值框中填入 1000000，单击“局部初始化”按钮，如图 11-55 所示。

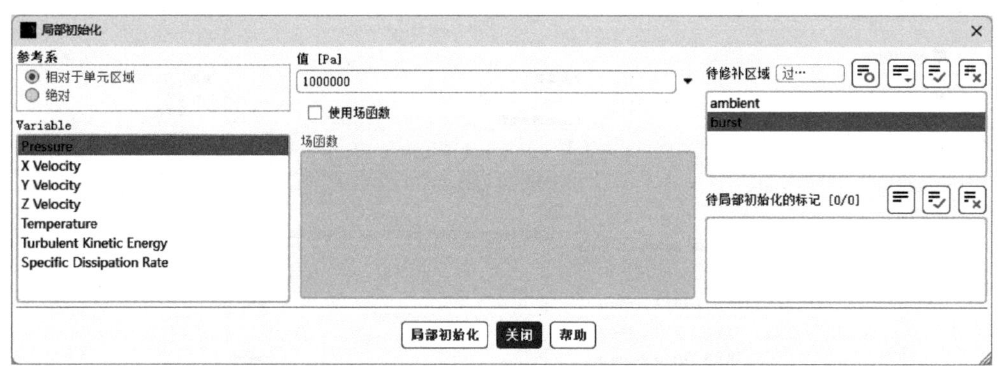

图 11-55 “局部初始化”对话框

11.2.9 求解过程监视

单击“功能区”选项卡中的“求解”→“报告”→“残差”按钮，弹出图 11-56 的“残差监控器”对话框。保持默认设置不变，单击“OK”按钮确认。

图 11-56 “残差监控器”对话框

11.2.10 数据导出

数据导出的操作步骤如下。

1）单击“功能区”选项卡中的“求解”→“活动”→“创建”→“解决方案数据导出”按钮，弹出图 11-57 的“自动导出”对话框。

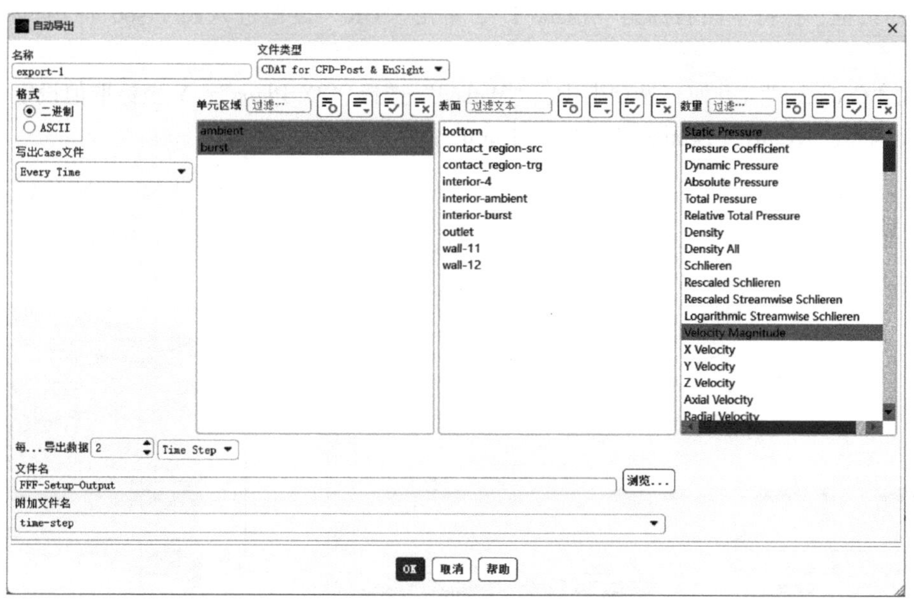

图 11-57 “自动导出”对话框

2）“文件类型”选择“CDAT for CFD-Post & EnSight”，在“每...导出数据”数值框中输入 2，在“数量”列表框中选择 Static Pressure、Velocity Magnitude 和 Static Temperature，单击“OK”按钮确认并关闭对话框。

11.2.11 计算求解

计算求解的操作步骤如下。

1）单击“功能区”选项卡中的“求解”→“运行计算”按钮，弹出图 11-58 的“运行计算”面板。“参数”区域中，在“时间步长［s］”数值框中输入 5e-6，在“时间步数”数值框中输入 1000，单击“开始计算”按钮计算。

2）计算收敛完成后，单击主菜单中的“文件”→“关闭 Fluent”按钮退出 Fluent 界面。

图 11-58 “运行计算”面板

11.2.12 结果后处理

结果后处理操作步骤如下。

1）在 Workbench 主界面工具箱中的“组件系统”→“结果”选项上按住鼠标左键并拖拽到项目管理区中。

2）双击 B2 栏“结果”项，进入 CFD-Post 界面。

3）单击主菜单的“File”→“Load Results”按钮，弹出 Load Results Files 对话框，选择不同时间点的计算结果文件。

4）单击工具栏中的 Location→ Plane（平面）按钮，弹出图 11-59 的“Insert Plane”（创建平面）对话框，保持平面名称为“Plane 1”，单击“OK”按钮进入图 11-60 的 Plane（平面设定）面板。

5）在“Geometry”（几何）选项卡中，“Method”选择“ZX Plane”，Y 坐标取值设定为-0.415，单位为 m，单击“Apply”按钮创建平面，生成的平面如图 11-61 所示。

Insert Plane ? ×
Name Plane 1
OK Cancel

图 11-59 创建平面对话框

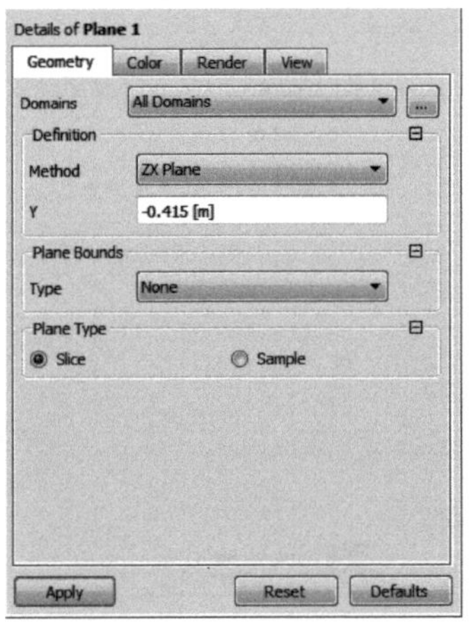

图 11-60 平面设定面板

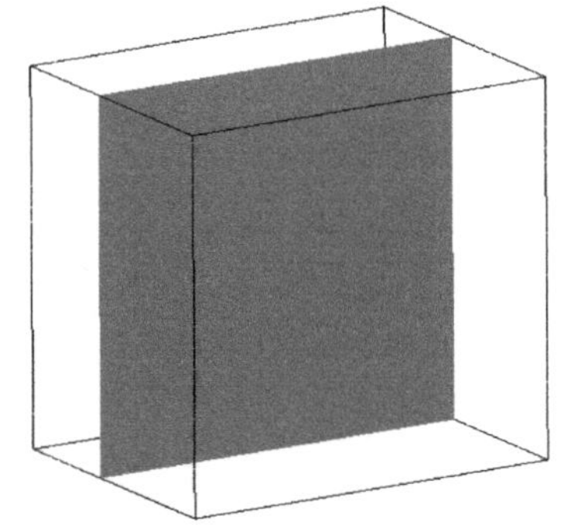

图 11-61 ZX 方向平面

6）单击工具栏中的（云图）按钮，弹出 Insert Contour（创建云图）对话框。输入云图名称为“Press”，单击“OK”按钮进入图 11-62 的云图设定面板。

7）在“Geometry”（几何）选项卡中，“Locations”选择“Plane 1”，“Variable”选择“Pressure”，单击“Apply”按钮创建压力云图，效果如图 11-63 所示。

8）同步骤 6），创建云图“Vec”。

9）在图 11-64 云图设定面板的“Geometry”（几何）选项卡中，“Locations”选择“Plane

1”，“Variable” 选择 “Velocity”，单击 “Apply” 按钮创建速度云图，效果如图 11-65 所示。

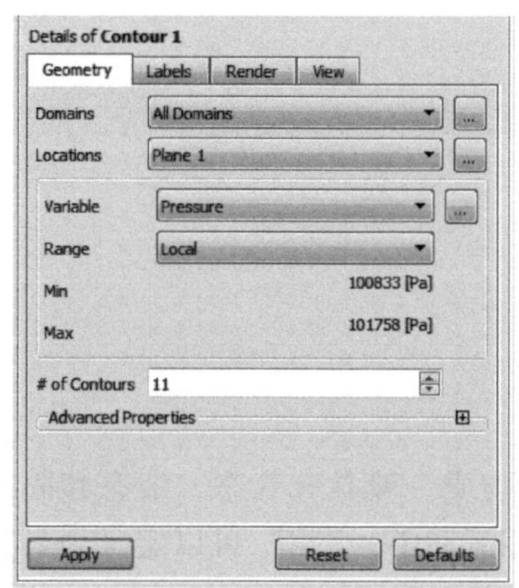

图 11-62　云图设定面板

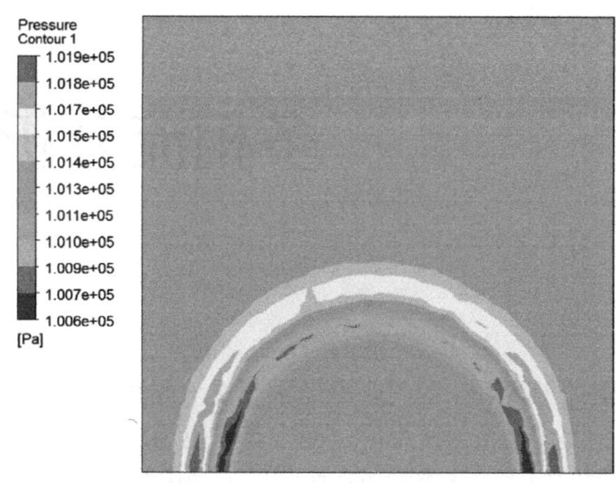

图 11-63　压力云图

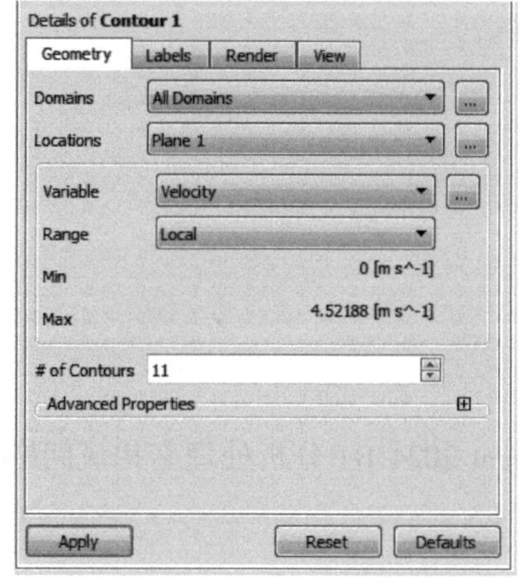

图 11-64　云图设定面板

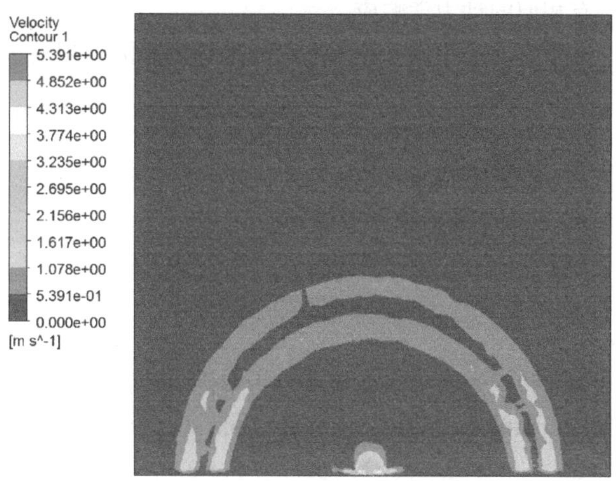

图 11-65　速度云图

11.2.13　保存与退出

保存与退出的操作步骤如下。

1）执行主菜单的 “File” → “Close CFD-Post” 命令，退出 CFD-Post 模块，返回 Workbench 主界面。此时主界面项目管理区中显示的分析项目均已完成。

2）在 Workbench 主界面中单击常用工具栏中的保存按钮，保存包含有分析结果的文件。执行主菜单的 “文件” → “退出” 命令，退出 ANSYS Workbench 主界面。

11.3　本章小结

本章通过高压气体释放瞬态流动和爆炸冲击波瞬态传播两个实例分别介绍了 Fluent 处理理想气体流动的工作流程。

通过本章内容的学习，读者可以掌握 Fluent 中物质材料的设定、非稳态初始值的设定、非稳态时间步长的设定、非稳态求解控制的设定和非稳的输出控制。

第 12 章 多相流分析

在自然界和工程问题中经常会有大量的多相流动现象。物质一般具有气态、液态和固态三相，但是多相流系统中的“相”具有更为广泛的意义。在多相流动中，“相”可以定义为具有相同类别的物质，该类物质在所处的流动中具有特定的惯性响应并与流场相互作用。例如，相同材料的固体物质颗粒如果具有不同尺寸，就可以把它们看成不同的相，因为相同尺寸粒子的集合对流场有相似的动力学响应。

本章将通过实例来介绍 Fluent 处理多相流模拟的工作步骤。

学习目标：

1）掌握网格模型的导入操作。

2）掌握边界条件的设定。

3）掌握多相流模型的设定。

12.1 明渠内水跃现象流动

下面将通过自由表面流动分析案例，让读者对 ANSYS Fluent 2024 R1 分析处理多相流问题基本操作步骤的每一项内容有初步了解。

12.1.1 案例介绍

请用 ANSYS Fluent 分析图 12-1 的模拟明渠内水跃现象的情况。

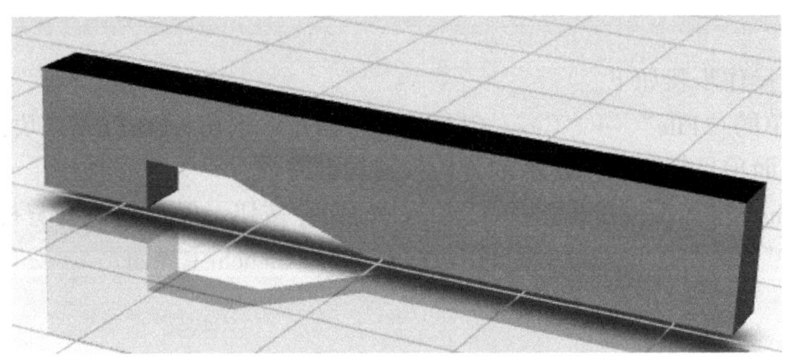

图 12-1 案例模型

12.1.2 建立分析项目

参考算例 3.1，启动 Workbench 并建立流体分析项目，如图 12-2 所示。

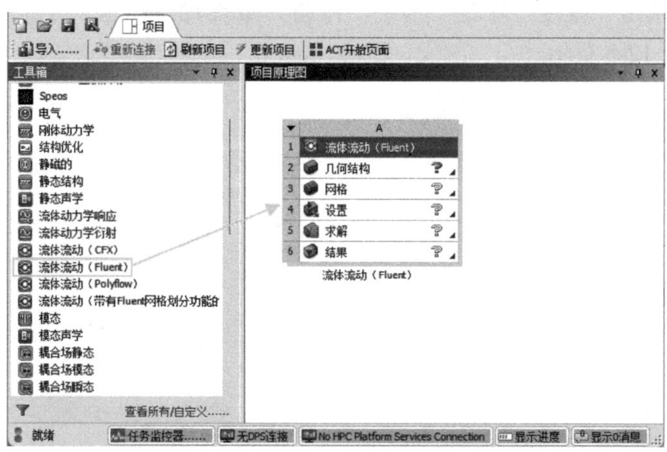

图 12-2　创建流体流动（Fluent）分析项目

12.1.3　创建几何体

创建几何体的操作步骤如下。

1）双击项目 A 中的 A2 栏“几何结构”，进入 Design Modeler 界面。

2）在图 12-3 的模型树中单击选择“XY 平面”，然后单击工具栏中的（草图）按钮，在“XY 平面”下会生成“草图 1”，如图 12-4 所示。

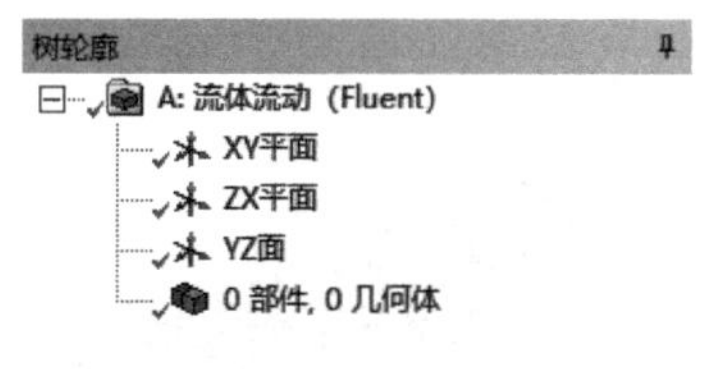

图 12-3　模型树

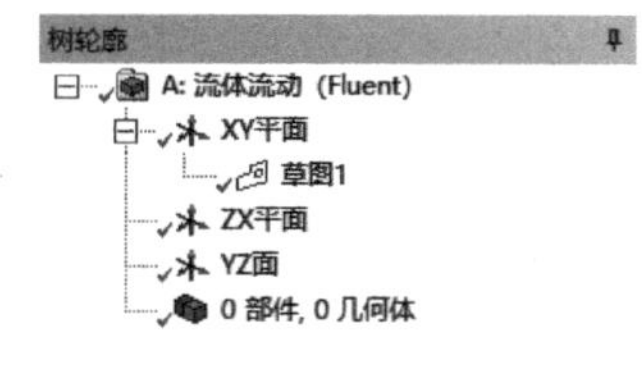

图 12-4　生成“草图 1”

3）在模型树中单击选择“草图 1”，进入图 12-5 的草图绘制选项卡，单击“线”按钮在 XY 平面中绘制直线段，效果如图 12-6 所示。

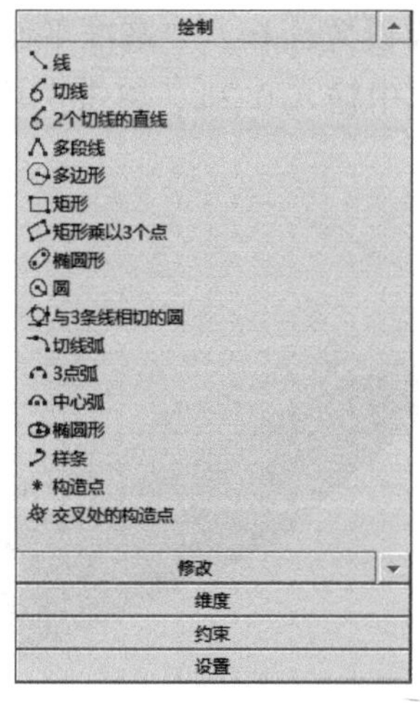

图 12-5　草图绘制选项卡

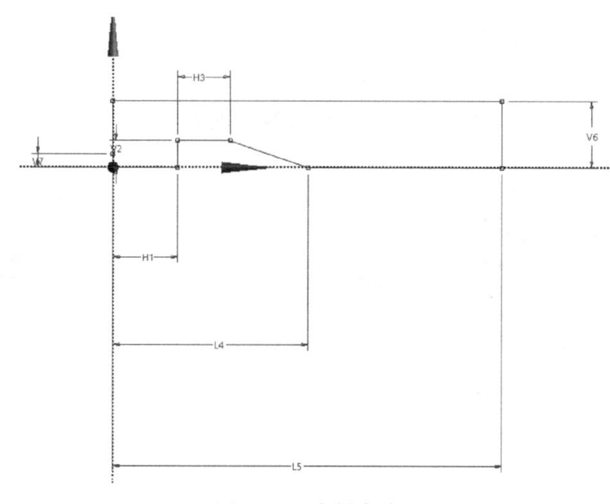

图 12-6　绘制直线段

4）在模型树中单击“维度”中的“通用”按钮，如图 12-7 所示。分别选择步骤中绘制的线段并设定尺寸，如图 12-8 所示。

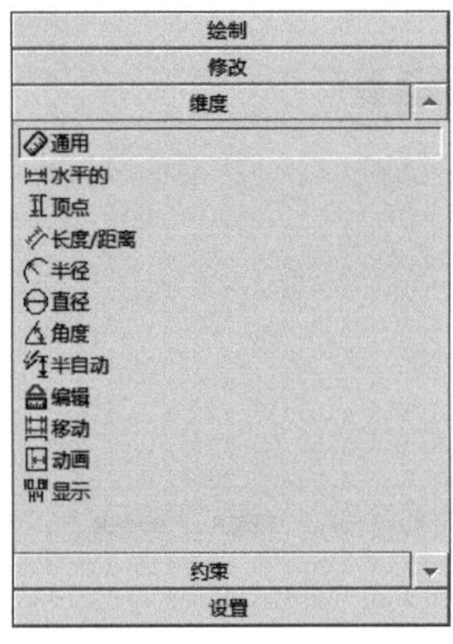

图 12-7 单击“通用”按钮

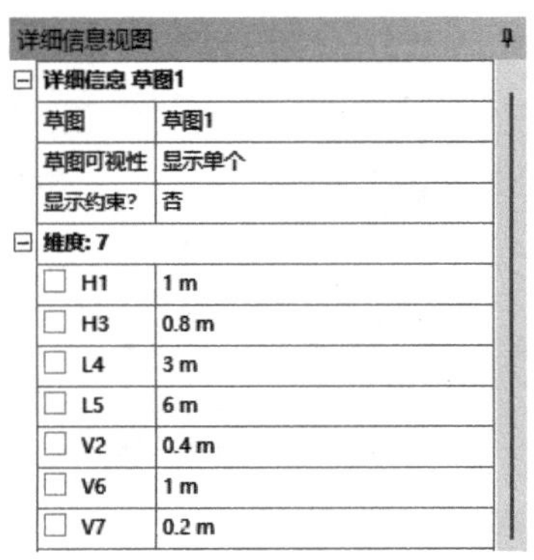

详细信息视图

详细信息 草图1	
草图	草图1
草图可视性	显示单个
显示约束?	否
维度: 7	
H1	1 m
H3	0.8 m
L4	3 m
L5	6 m
V2	0.4 m
V6	1 m
V7	0.2 m

图 12-8 设定尺寸

5）单击工具栏中的挤出按钮，弹出图 12-9 的设置面板，“几何结构”选择“草图 1”，“扩展类型”选择“固定的”，在 FD1 文本框中输入 0.5m，单击工具栏中的生成按钮，生成的几何体如图 12-10 所示。

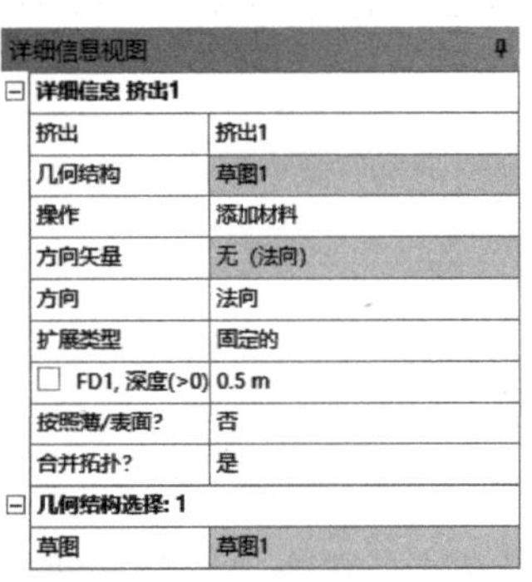

详细信息视图

详细信息 挤出1	
挤出	挤出1
几何结构	草图1
操作	添加材料
方向矢量	无（法向）
方向	法向
扩展类型	固定的
FD1, 深度(>0)	0.5 m
按照薄/表面?	否
合并拓扑?	是
几何结构选择: 1	
草图	草图1

图 12-9 拉伸设置面板

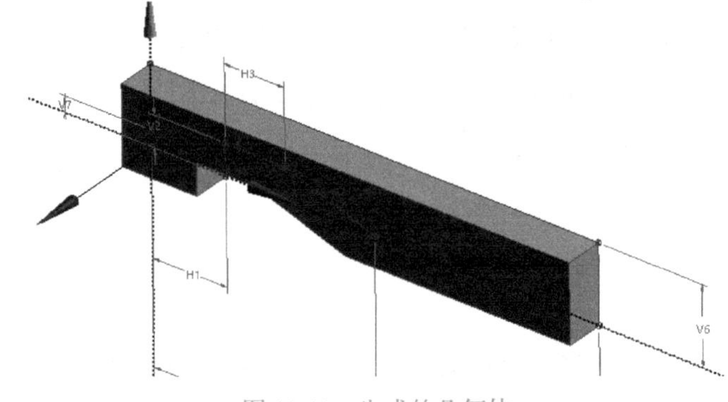

图 12-10 生成的几何体

6）单击工具栏中的（平面）按钮，弹出图 12-11 的平面设置面板，“基准平面”选择“ZX 平面”，“转换 1（RMB）”选择“偏移 Z”，在 FD1 文本框中输入 0.2m，单击工具栏中的生成按钮，生成的平面如图 12-12 所示。

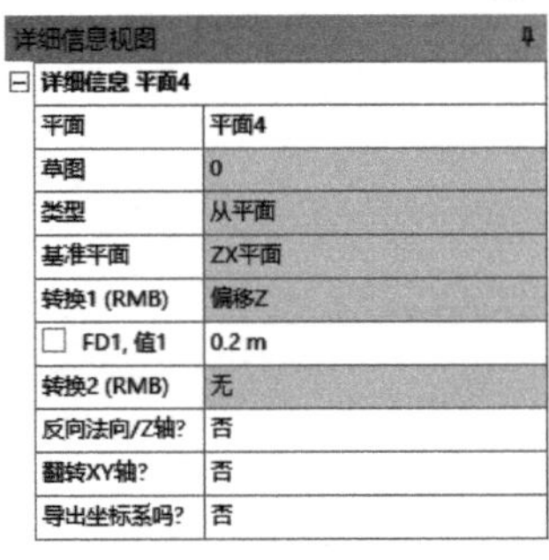

详细信息视图

详细信息 平面4	
平面	平面4
草图	0
类型	从平面
基准平面	ZX平面
转换1 (RMB)	偏移Z
FD1, 值1	0.2 m
转换2 (RMB)	无
反向法向/Z轴?	否
翻转XY轴?	否
导出坐标系吗?	否

图 12-11 平面设置面板

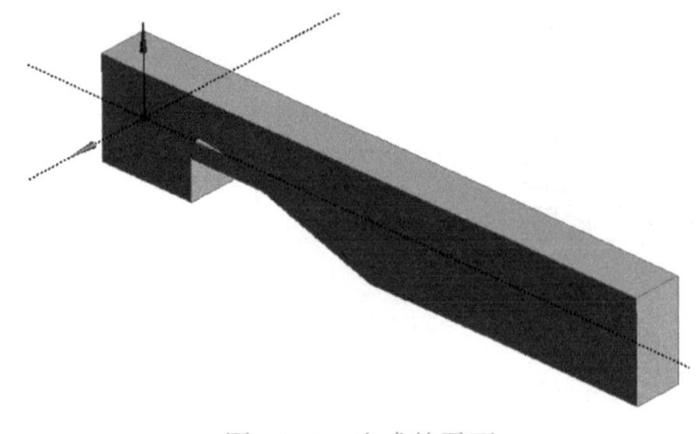

图 12-12 生成的平面

7）单击主菜单中的“工具”→“面分割”按钮，弹出图 12-13 的面分割面板。“面分割类型”选择“按平面”，“目标面”选择图 12-14 的几何入口面，“工具几何结构”选择步骤 6）中生成的平面，单击工具栏中的 生成 按钮，分割后的平面如图 12-15 所示。

详细信息视图	
详细信息 FaceSplit1	
面分割	FaceSplit1
面分割组 1 (RMB)	
面分割类型	按平面
目标面	1
工具几何结构	平面4

图 12-13 面分割面板

8）执行主菜单的“文件”→“关闭 Design Modeler”命令，退出 Design Modeler，返回 Workbench 主界面。

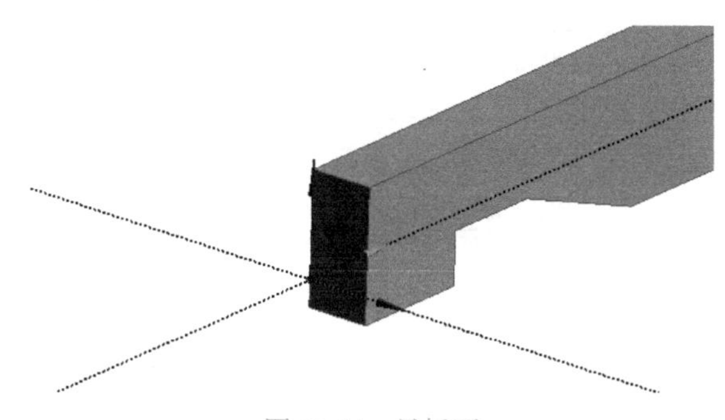

图 12-14 目标面

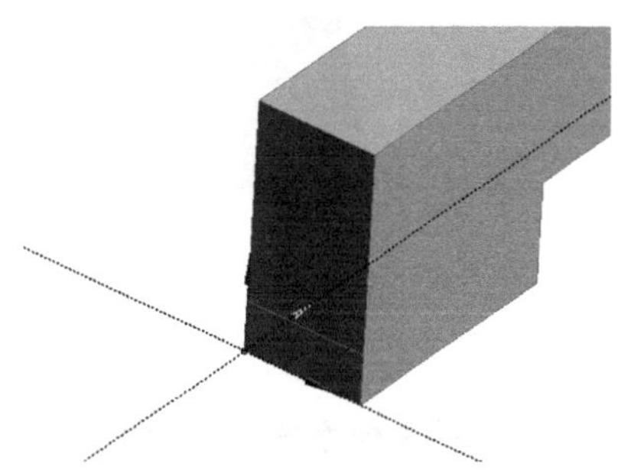

图 12-15 分割后的平面

12.1.4 划分网格

划分网格的操作步骤如下。

1）双击 A3 栏“网格”项，进入 Meshing 界面，Meshing 界面下的模型如图 12-16 所示。在该界面下进行模型的网格划分。

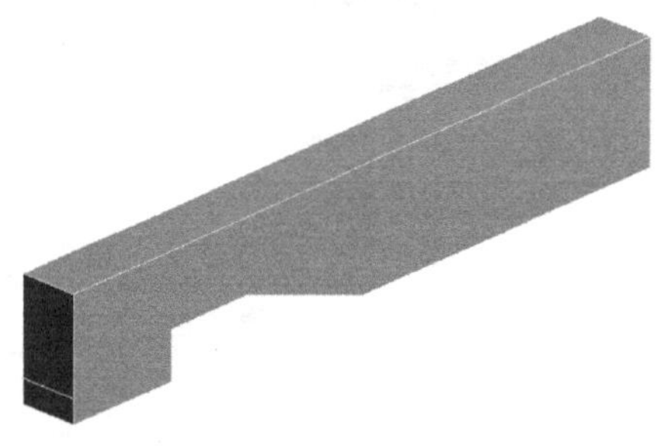

图 12-16 Meshing 界面下的模型

2）右键选择几何体入口，在弹出的图 12-17 的快捷菜单中选择“创建命名选择”命令，弹出图 12-18 的“选择名称”对话框，输入名称“inlet”，单击“OK”按钮确认。

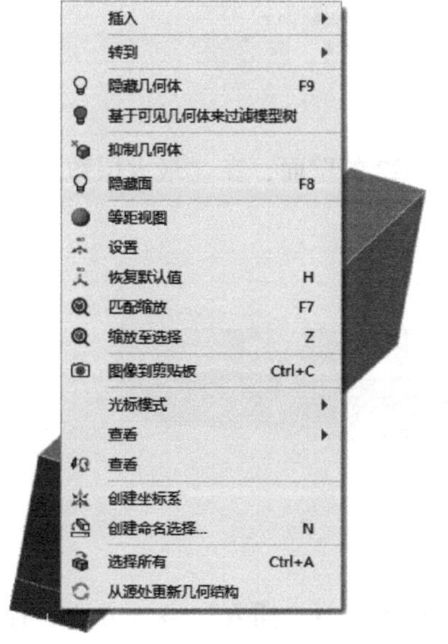

图 12-17 快捷菜单

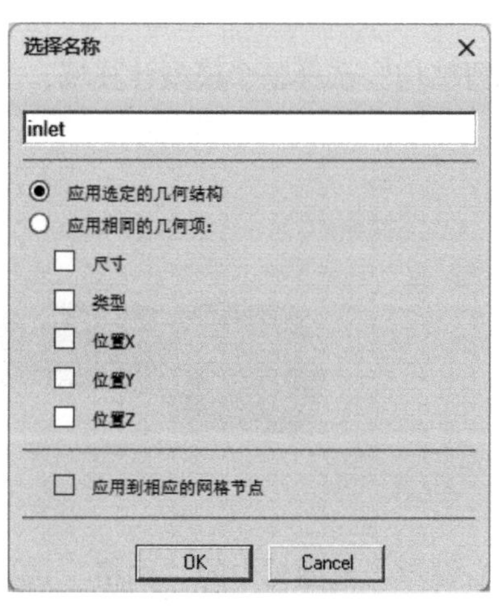

图 12-18 “选择名称”对话框

3）同步骤 2），创建几何体的出口，命名为“outlet”，如图 12-19 所示。

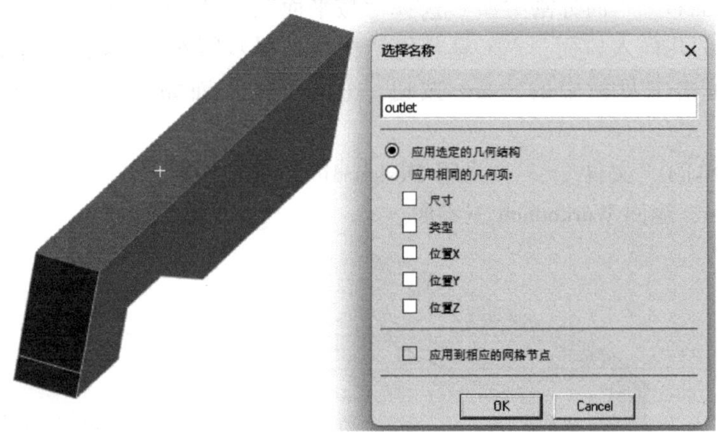

图 12-19 创建几何体出口

4）右键单击模型树中的“网格”选项，依次选择“网格”→“插入”→“膨胀”命令，如图 12-20 所示。然后弹出图 12-21 的膨胀面板。

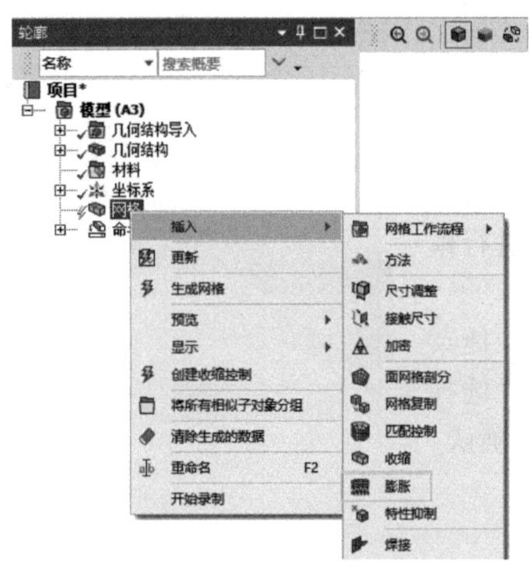

图 12-20 选择“膨胀”命令

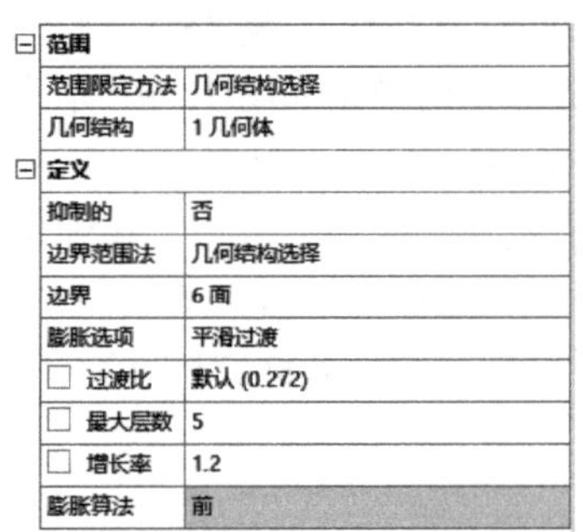

图 12-21 膨胀面板

“几何结构”选择整个模型计算域，“边界”选择图 12-22 的壁面，在“最大层数”数值框中输入 5。

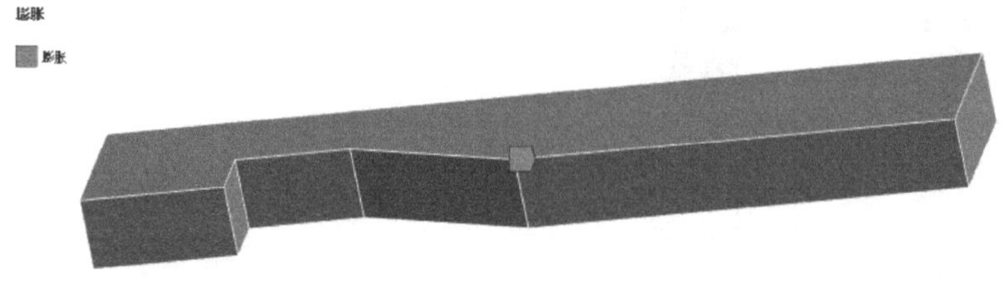

图 12-22 壁面

5）右键单击模型树中的“网格”选项，依次选择“网格”→“插入”→“方法”命令，弹出图 12-23 的多区域方法面板。

“几何结构”选择计算域中几何体区域，“方法”选择“多区域”，“映射/扫描类型”选择“六面体”。

6）单击模型树中的“网格”选项，弹出图 12-24 的网格的详细信息面板。设置“单元尺寸”为 15mm，展开“质量”选项，“平滑”选择“高”。

“多区域”- 方法的详细信息	
范围	
范围限定方法	几何结构选择
几何结构	1 几何体
定义	
抑制的	否
方法	多区域
分解类型	标准
映射/扫描类型	六面体
表面网格法	程序控制
自由网格类型	不允许
单元的阶	使用全局设置
Src/Trg 选择	自动
Src/Trg范围方法	程序控制
源和目标	程序控制
扫掠尺寸行为	扫掠单元尺寸
扫掠单元尺寸	默认
单元选项	固体
高级	
保存边界	受保护的
基于网格的特征清除	关闭
最小边缘长度	200.0 mm
写入ICEM CFD文件	否
使用分割角度	否

图 12-23　多区域方法面板

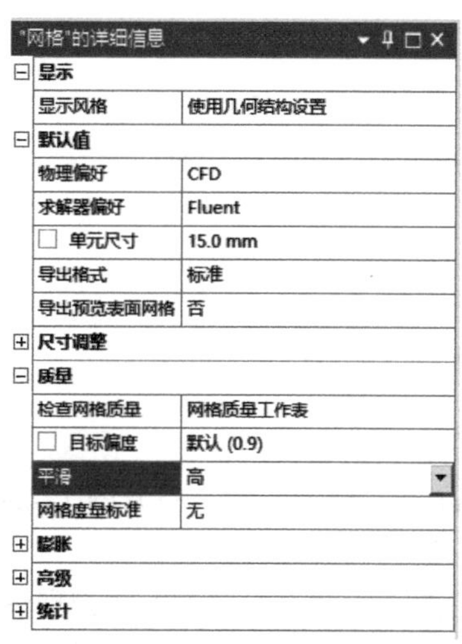

图 12-24　网格的详细信息面板

7）右键单击模型树中的“网格”选项，选择快捷菜单中的“生成网格”命令，开始生成网格，如图 12-25 所示。

8）网格划分完成以后，在图形窗口中显示图 12-26 的网格。

9）单击模型树中的“网格”项，在图 12-27 的网格的详细信息面板中展开“质量”选项，“网格质量标准”选择“正交质量”。这样能够统计出最小值、最大值、平均值以及标准偏差，同时显示网格质量的直方图，如图 12-28 所示。

10）执行主菜单的“文件”→“关闭 Meshing”命令，退出网格划分界面，返回 Workbench 主界面。

11）右键单击 Workbench 界面中的 A3“网格”项，选择快捷菜单中的“更新”命令，完成网格数据往 Fluent 分析模块中的传递。

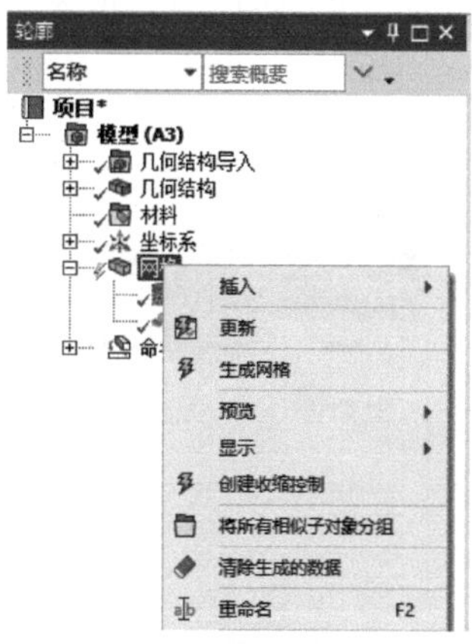

图 12-25　网格生成

图 12-26　计算域网格

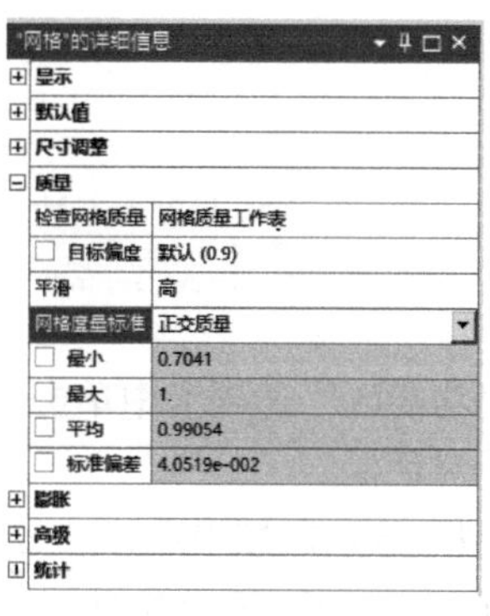

图 12-27　网格详细信息面板

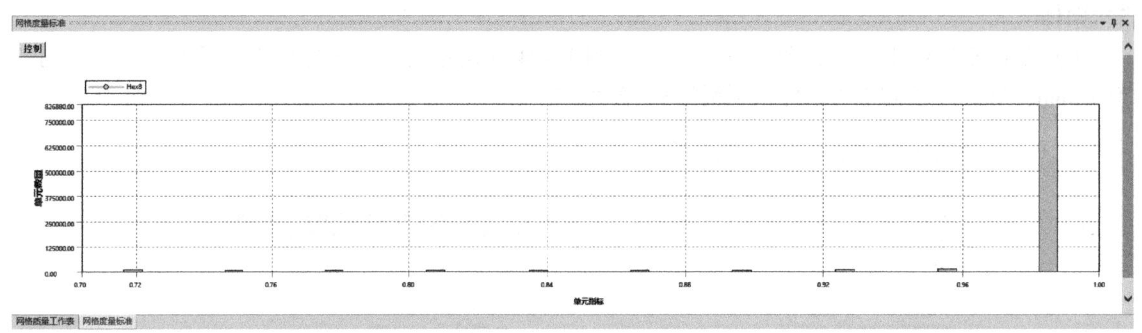

图 12-28 网格划分情况统计

12.1.5 定义模型

定义模型的操作步骤如下。

1）双击 A4 栏“设置”项，打开图 12-29 的 Fluent Launcher 对话框，单击“Start”按钮进入 Fluent 界面。

2）在“功能区”选项卡中单击“物理模型”→“通用”按钮，弹出图 12-30 的“通用”面板。在“求解器”区域中，“时间”选择“瞬态”单选按钮，勾选“重力”复选框，在“重力加速度”区域的“Y［m/s^2］”数值框中填入-9.81。

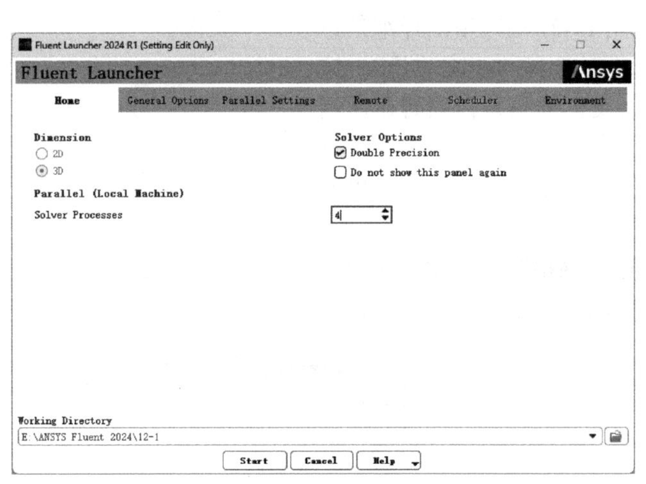

图 12-29 Fluent Launcher 对话框

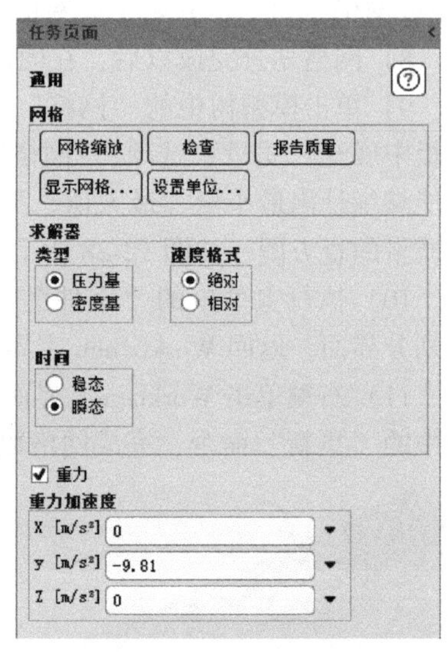

图 12-30 “通用”面板

3）在“功能区”选项卡中单击“物理模型”→“模型”→“黏性”按钮，弹出图 12-31 的“黏性模型”对话框。

在“模型”选项区域中选择“分离涡模拟（DES）”单选按钮，在“RANS 模型”选项区域中选择“SST k-omega”单选按钮，单击“OK”按钮确认。

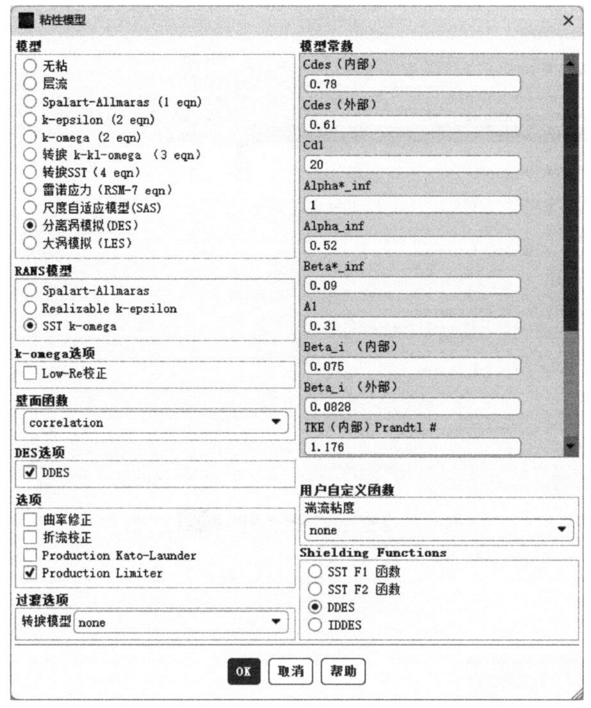

图 12-31 “黏性模型”对话框

12.1.6 设置材料

设置材料的操作步骤如下。

1）单击“功能区”选项卡中的“物理模型”→“材料”→“创建/编辑”按钮，弹出图 12-32 的“创建/编辑材料”对话框。

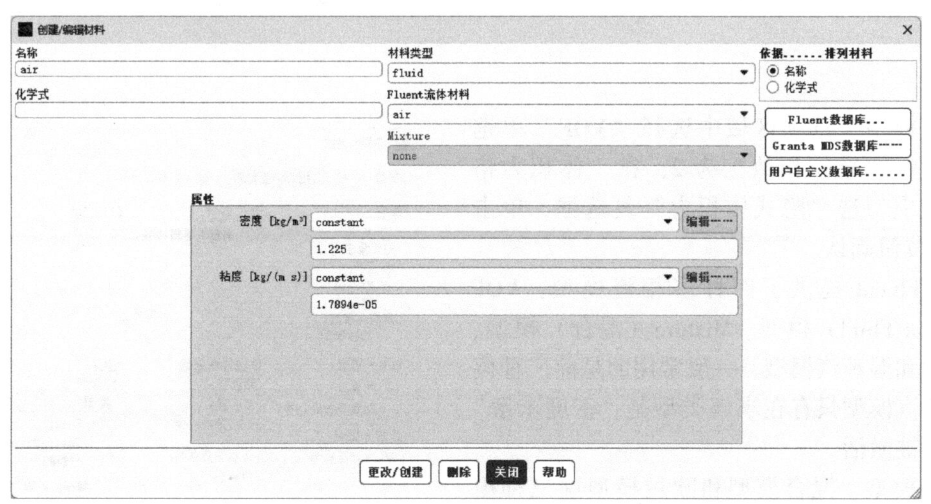

图 12-32 “创建/编辑材料”对话框

2）在“创建/编辑材料”对话框中，单击“Fluent 数据库”按钮，弹出图 12-33 的“Fluent 数据库材料”对话框，在“Fluent 流体材料”列表框中选择 water-liquid，单击“复制”按钮复制。

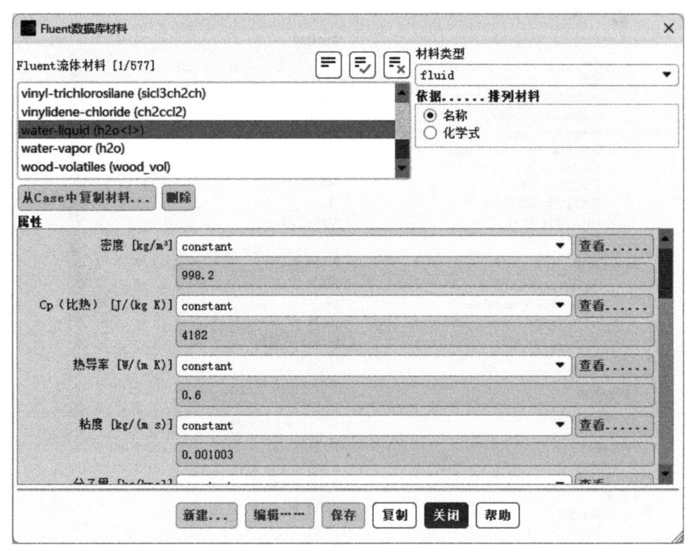

图 12-33 “Fluent 数据库材料”对话框

12.1.7 设置多相流模型

设置多相流模型的操作步骤如下。

1）在“功能区”选项卡中单击“物理模型”→“模型”→“多相流”按钮，如图 12-34 所示。然后弹出图 12-35 的“多相流模型”对话框。

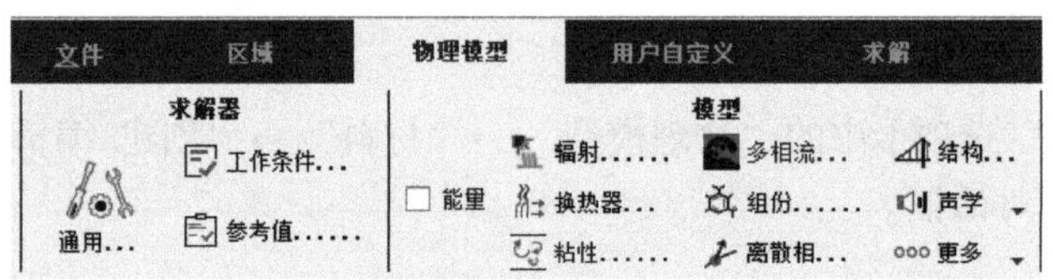

图 12-34 单击“多相流”按钮

在“模型”选项区域中选择“VOF”单选按钮，设置“欧拉相数”为 2，在“体积力格式”区域中勾选“隐式体积力”复选框，单击“应用”按钮确认。

注：Fluent 提供了四种多相流模型：VOF（Volume of Fluid）模型、Mixture（混合）模型、欧拉模型和湿蒸汽模型。一般常用的是前三种模型，湿蒸汽模型只有在求解类型是“密度求解”时，才能被激活。

VOF 模型、混合模型和欧拉模型这三种模型都属于用欧拉观点处理多相流的计算方法，其中 VOF 模型适合求解分层流和需要追踪自由表面的问题，比如水面的波动、容器内液体的填充等；混合模型和欧拉模型则适合计算体积浓度大

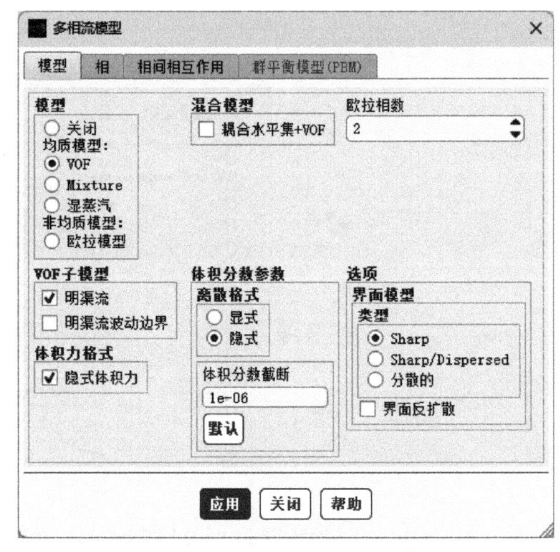

图 12-35 “多相流模型”对话框

于 10%的流动问题。

① VOF 模型

VOF 模型是一种在固定的欧拉网格下的表面跟踪方法，当需要得到一种或多种互不相融流体间的交界面时，可以采用这种模型。在 VOF 模型中，不同的流体组分共用一套动量方程，计算时在全流场的每个计算单元内，都记录下各流体组分所占有的体积率。VOF 模型的应用包括分层流、自由面流动、灌注、晃动、液体中大气泡的流动、水坝决堤时的水流、对喷射衰竭（jet breakup）和表面张力的预测，以及求得任意液–气分界面的稳态或瞬时分界面。

② 混合模型

混合模型可用于两相流或多相流（流体或颗粒）问题。因为在欧拉模型中，各相被处理为互相贯通的连续体，混合物模型求解的是混合物的动量方程，并通过相对速度来描述离散相。混合物模型的应用包括低负载的粒子负载流、气泡流、沉降，以及旋风分离器。混合物模型也可用于没有离散相对速度的均匀多相流。

③ 欧拉模型

欧拉模型是 Fluent 中最复杂的多相流模型，它建立了一套包含有 n 个动量方程和连续方程来求解每一相的体系。压力项和各界面交换系数是耦合在一起的，耦合的方式依赖于所含相的情况，并且颗粒流（流–固）的处理与非颗粒流（流–流）是不同的。对于颗粒流，可应用分子运动理论来求得流动特性。不同相之间的动量交换也依赖于混合物的类别。通过 Fluent 的客户自定义函数（user-defined functions），读者可以自己定义动量交换的计算方式。欧拉模型的应用包括气泡柱、上浮、颗粒悬浮，以及流化床。

2）在“相”选项卡中，显示图 12-36 的 Primary Phase（主项）设置，“名称”输入为“air”，“相材料”选择“air”。

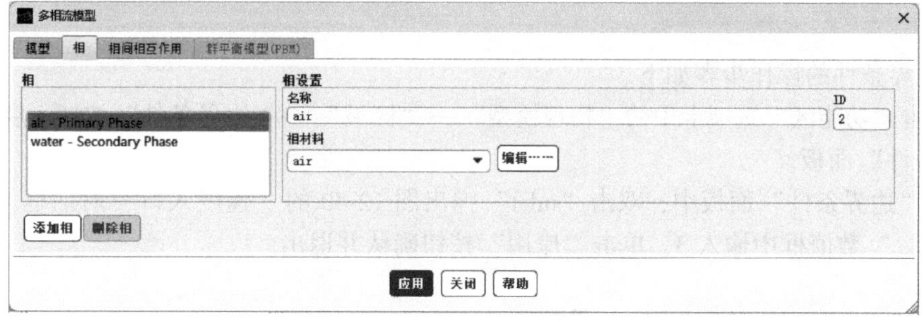

图 12-36 主项设置

在 Phases 中单击选择 Secondary Phase，显示图 12-37 的 Secondary Phase（次项）设置，“名

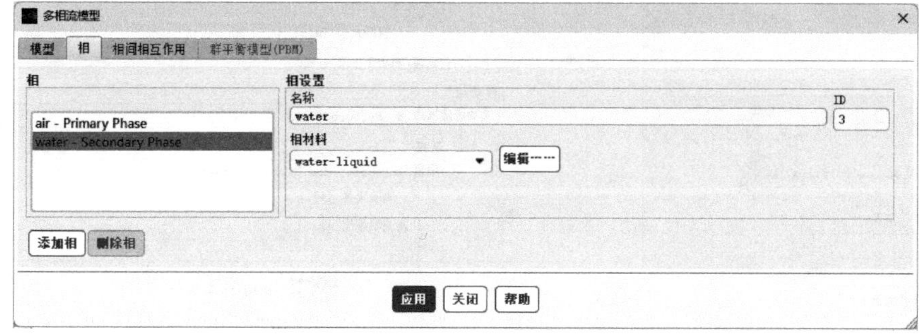

图 12-37 次项设置

称”输入为“water”，“相材料”选择“water-liquid”，单击“应用”按钮确认。

3）在图 12-38 的“相间相互作用”选项卡中，在“全局选项”区域中勾选“表面张力模型”复选框，“表面张力系数［N/m］”选择“constant”，并设置为 0.072，单击“应用”按钮确认，单击“关闭”按钮关闭“多相流模型”对话框。

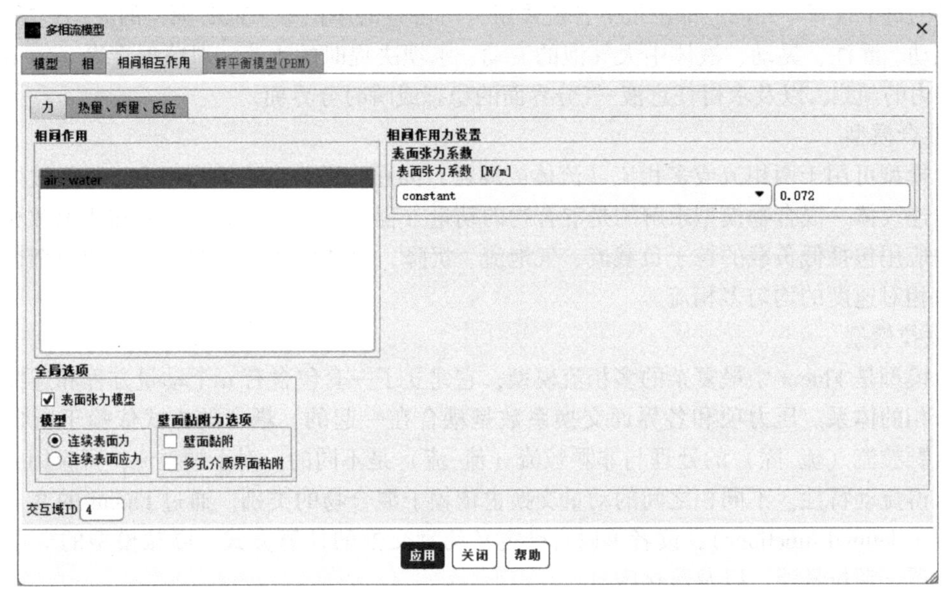

图 12-38 “相间相互作用”选项卡

12.1.8 设置边界条件

设置边界条件的操作步骤如下。

1）单击“功能区”选项卡中的“物理模型”→“区域”→“边界条件”按钮，启动图 12-39 的“边界条件”面板。

2）在“边界条件”面板中，双击“inlet”弹出图 12-40 的“速度入口”对话框。在“速度大小［m/s］”数值框中输入 3，单击“应用”按钮确认并退出。

图 12-39 “边界条件”面板

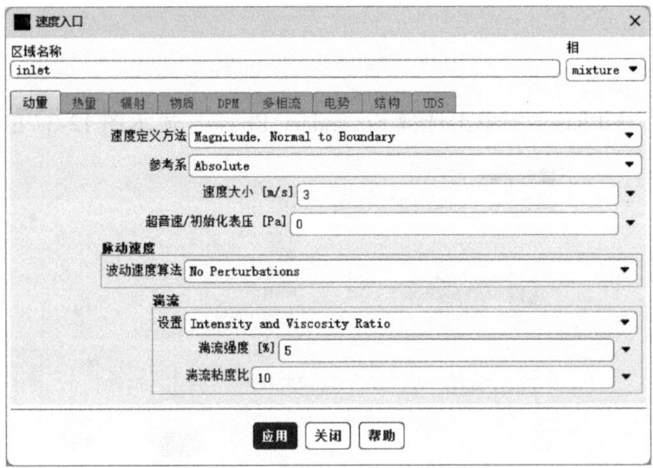

图 12-40 “速度入口”对话框

在“边界条件”面板中“相”选择“mixture”，如图 12-41 所示。双击“inlet”弹出图 12-42 的“速度入口”对话框。在“多相流”选项卡中，设置“体积分数”为 1，单击“应用”按钮确认并退出。

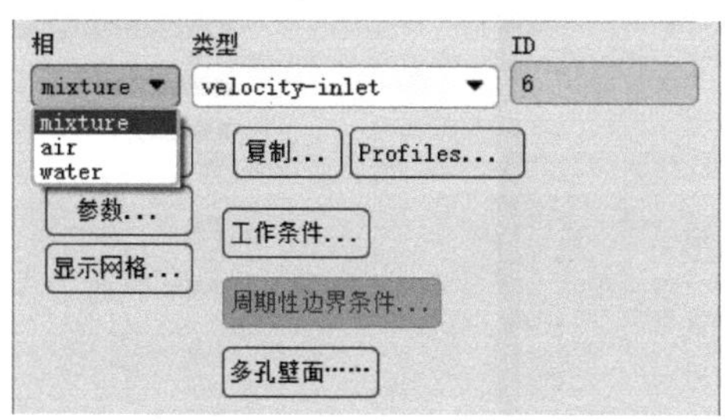

图 12-41 “相”选择“mixture”

3）在“边界条件”面板中，“相”选择“water”，双击“outlet”弹出图 12-43 的“压力出口”对话框。设置“回流体积分数”为 0，单击“应用”按钮确认并退出。

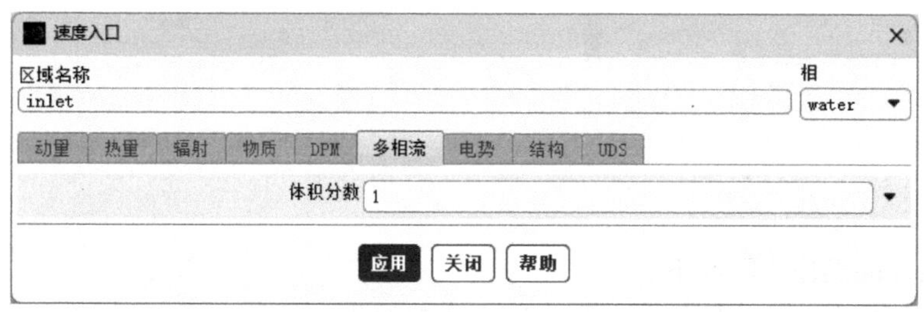

图 12-42 “速度入口”对话框

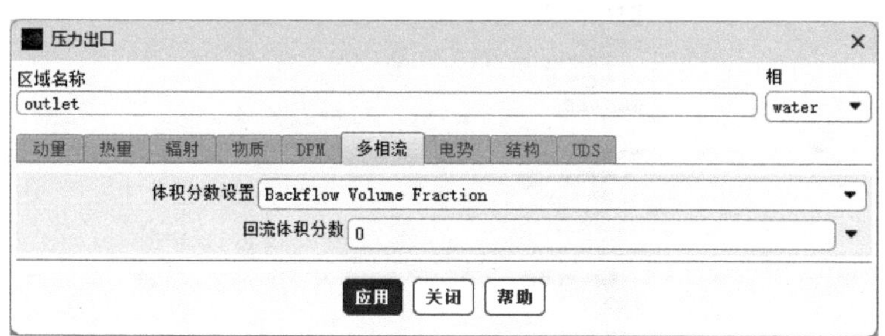

图 12-43 “压力出口”对话框

12.1.9 求解控制

调整求解控制参数的操作步骤如下。

1）单击“功能区”选项卡中的“求解”→“方法”按钮，弹出图 12-44 的“求解方法”面板。保持默认设置不变。

2）单击“功能区”选项卡中的“求解”→“控制”按钮，弹出图 12-45 的“解决方案控制”面板。保持默认设置不变。

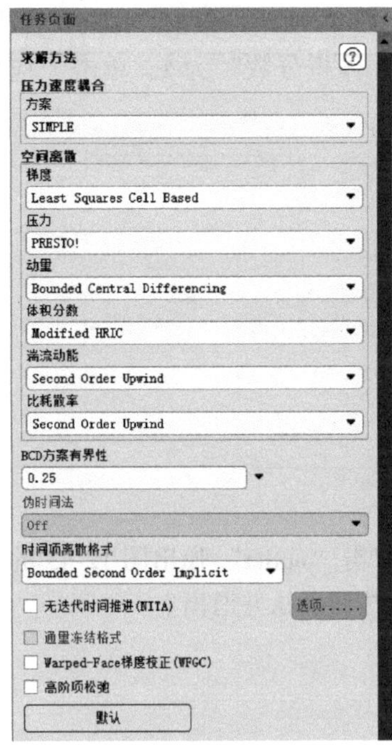

图 12-44 “求解方法”面板

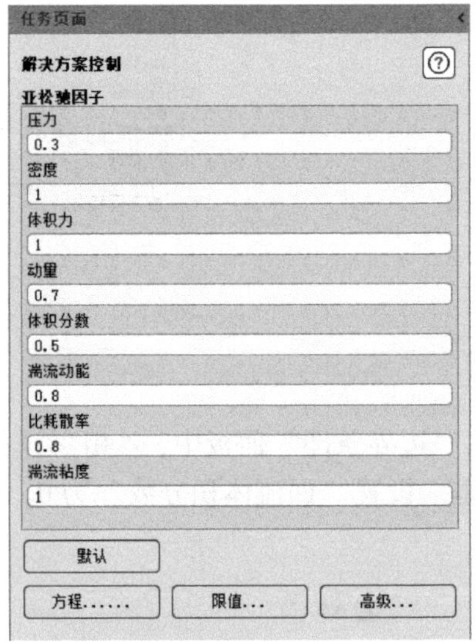

图 12-45 “解决方案控制”面板

12.1.10 设置初始条件

设置初始条件的操作步骤如下。

1）单击“功能区”选项卡中的“求解”→“初始化”按钮，弹出图 12-46 的“解决方案初始化”面板。

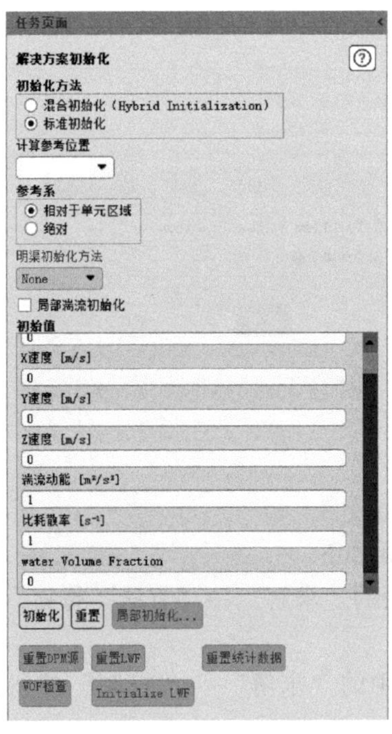

图 12-46 “解决方案初始化”面板

2）在“初始化方法”选项区域中选择“标准初始化”单选按钮，在“初始值”区域的“water Volume Fraction”数值框中输入 0，单击“初始化”按钮进行初始化。

12.1.11 求解过程监视

单击“功能区”选项卡中的“求解”→“报告”→“残差”按钮，弹出图 12-47 的“残差监控器”对话框。保持默认设置不变，单击“OK”按钮确认。

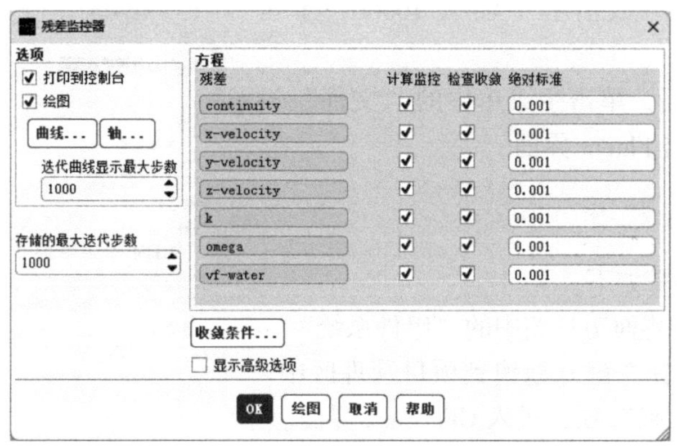

图 12-47 “残差监控器”对话框

12.1.12 数据导出

数据导出的操作步骤如下。

1）单击“功能区”选项卡中的“求解”→“活动”→“创建”→“解决方案数据导出”按钮，弹出图 12-48 的“自动导出”对话框。

2）“文件类型”选择“CDAT for CFD-Post & EnSight”，在“每...导出数据”数值框中输入 50，在“数量”列表框中选择 Static Pressure、Velocity Magnitude 和 Volume Friction（water），单击“OK”按钮确认并关闭对话框。

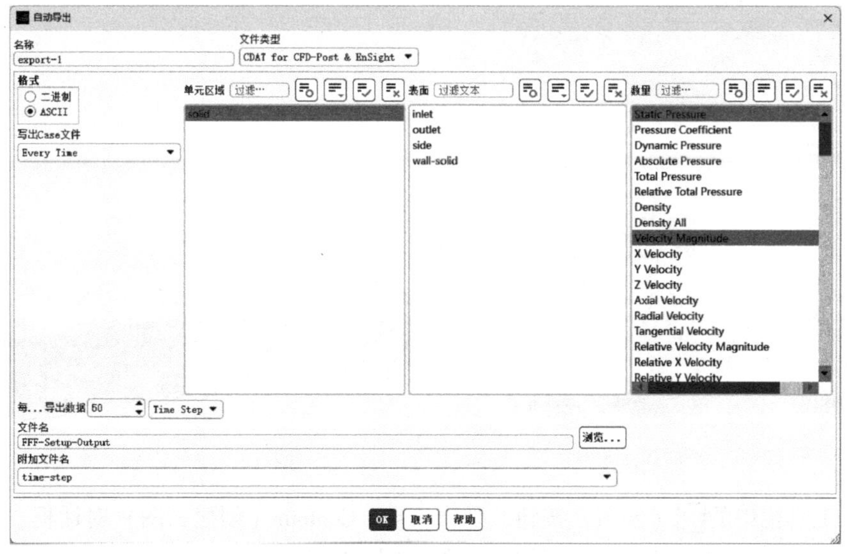

图 12-48 “自动导出”对话框

12.1.13 计算求解

计算求解的操作步骤如下。

1）单击“功能区”选项卡中的“求解”→“运行计算”按钮，弹出图 12-49 的“运行计算”面板。在“参数”区域的“时间步长［s］”数值框中输入 0.001，在“时间步数”数值框中输入 10000，单击“开始计算”按钮计算。

2）计算收敛完成后，单击主菜单中的“文件”→“关闭 Fluent”按钮退出 Fluent 界面。

图 12-49 “运行计算”面板

12.1.14 结果后处理

结果后处理操作步骤如下。

1）在 Workbench 主界面工具箱中的“组件系统”→“结果”选项上按住鼠标左键并拖拽到项目管理区中。

2）双击 B2 栏“结果”项，进入 CFD-Post 界面。

3）单击主菜单的“File”→“Load Results”按钮弹出 Load Results Files 对话框，选择不同时间点的计算结果文件。

4）单击工具栏中的 Location→ Plane（平面）按钮，弹出图 12-50 的“Insert Plane”（创建平面）对话框，保持平面名称为“Plane 1”，单击“OK”按钮进入图 12-51 的 Plane（平面设定）面板。

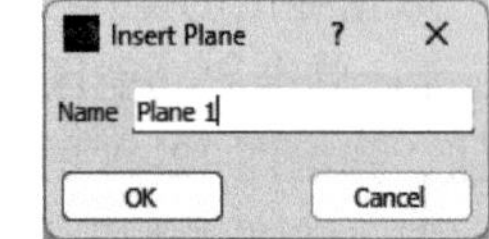

图 12-50 创建平面对话框

5）在“Geometry”（几何）选项卡中，“Method”选择“XY Plane”，Z 坐标取值设定为 0.25，单位为 m，单击“Apply”按钮创建平面，生成的平面如图 12-52 所示。

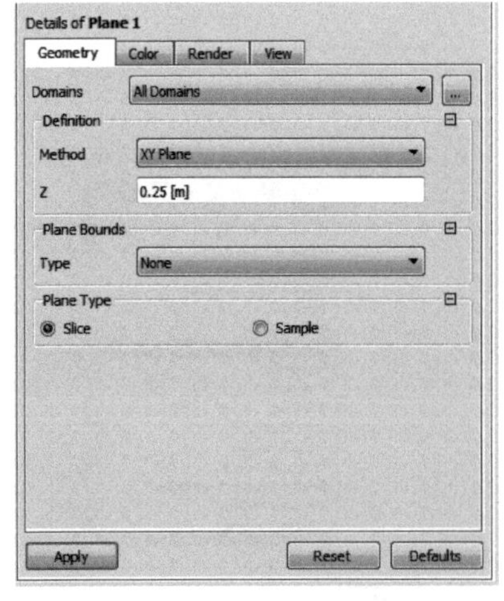

图 12-51 平面设定面板

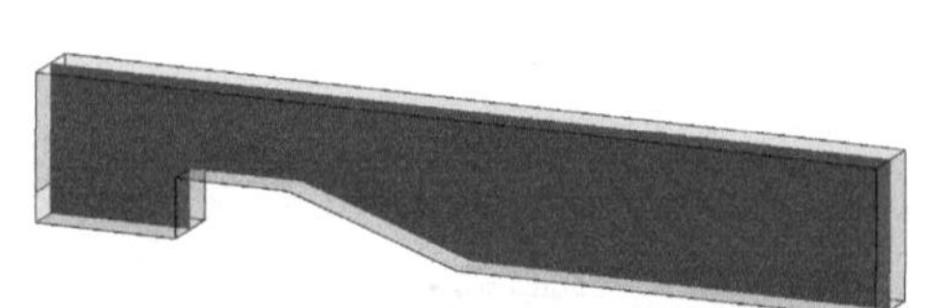

图 12-52 XY 方向平面

6）单击工具栏中的（云图）按钮，弹出 Insert Contour（创建云图）对话框。输入云图名称为“Press”，单击“OK”按钮进入图 12-53 的云图设定面板。

7）在“Geometry”（几何）选项卡中，“Locations”选择“Plane 1”，“Variable”选择“Pressure”，单击“Apply”按钮创建压力云图，效果如图 12-54 所示。

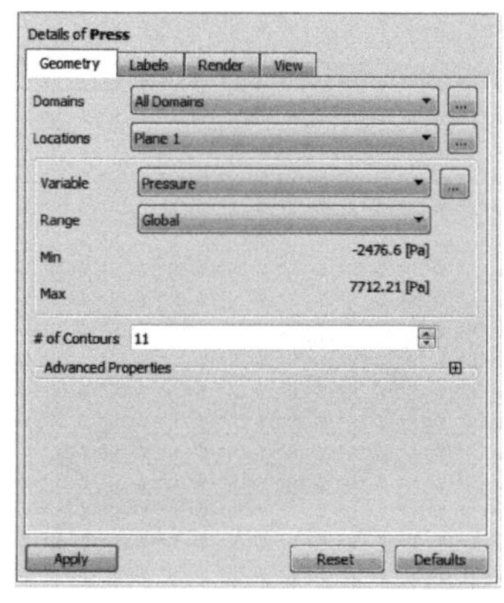

Pressure
7667.7
6756.5
5845.4
4934.2
4023.1
3111.9
2200.7
1289.6
378.4
-532.7
-1443.9
[Pa]

图 12-53 云图设定面板

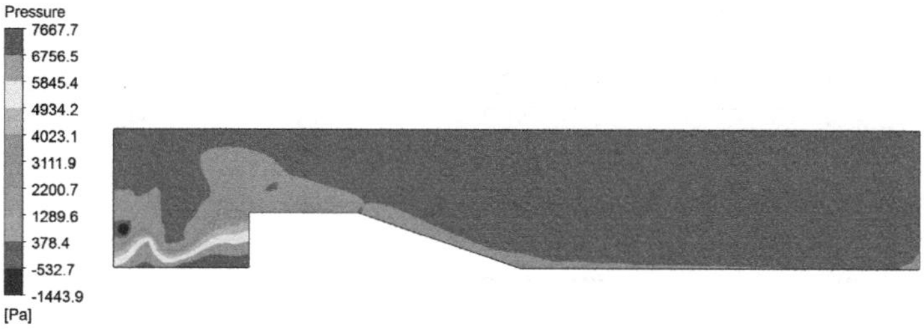

图 12-54 压力云图

8）同步骤 6），创建云图“Vec”。

9）在图 12-55 云图设定面板的“Geometry”（几何）选项卡中，“Locations”选择“Plane 1”，“Variable”选择“Velocity”，单击“Apply”按钮创建速度云图，效果如图 12-56 所示。

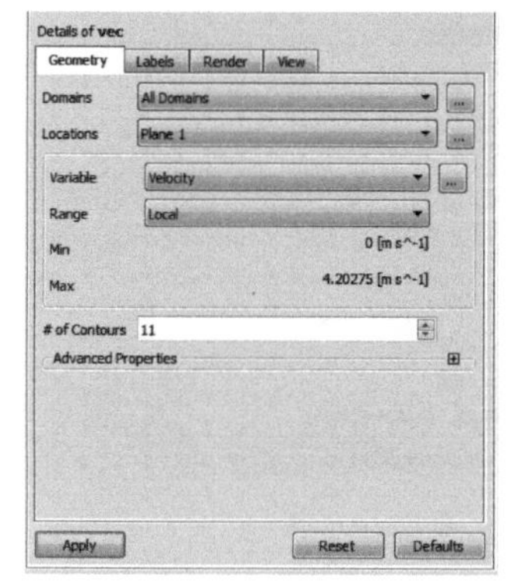

Velocity
4.2
3.8
3.4
2.9
2.5
2.1
1.7
1.3
0.8
0.4
0.0
[m s^-1]

图 12-55 云图设定面板

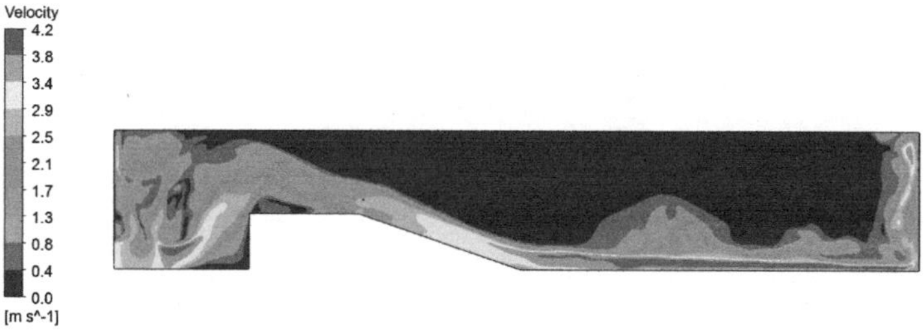

图 12-56 速度云图

10）单击工具栏中的（体绘制）按钮，弹出 Insert Volume Rendering（创建体绘制）对话框。输入体绘制名称为“Volume Rendering 1”，单击“OK”按钮进入图 12-57 的体绘制设定面板。

11）在“Geometry”（几何）选项卡中，“Variable”选择“Water. Volume Fraction”，“Range”选择“User Specified”，设置“Transparent”为 0.5，“Opaque”为 1。

在图 12-58 的“Color”选项卡中，“Variable”选择“Velocity”，单击“Apply”按钮创建体绘制云图，效果如图 12-59 所示。

12）单击工具栏中的（动画）按钮，弹出图 12-60 的 Animation（动画）对话框。选择“Timestep Animation”单选按钮，勾选“Save Movie”复选框，“Format”选择“MPEG4”。

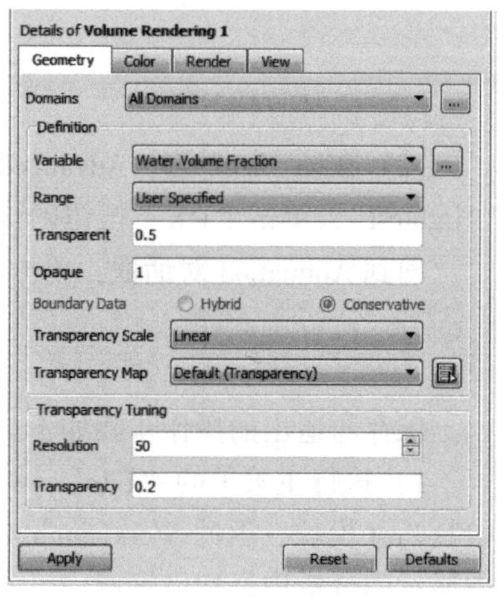

图 12-57 体绘制设定面板

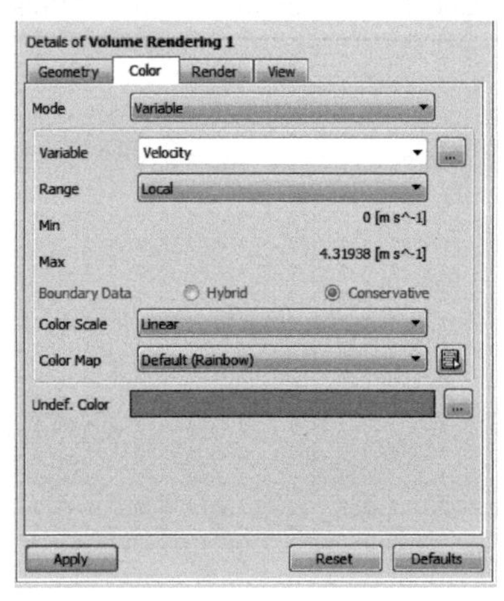

图 12-58 “Color”选项卡

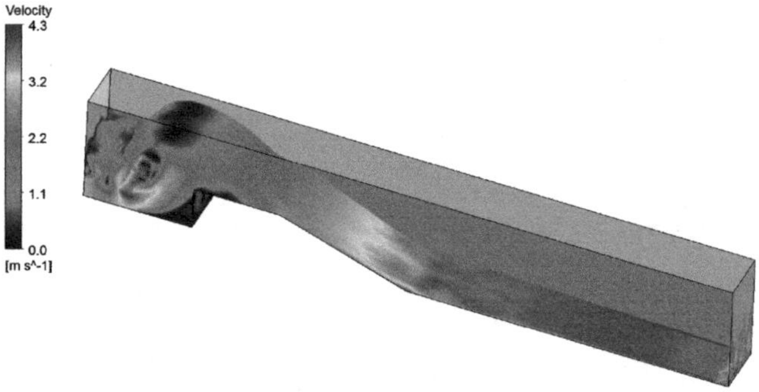

图 12-59 体绘制云图

单击“Options”按钮弹出图 12-61 的 Options 对话框，“Image Size”选择“HD Video 720p”。

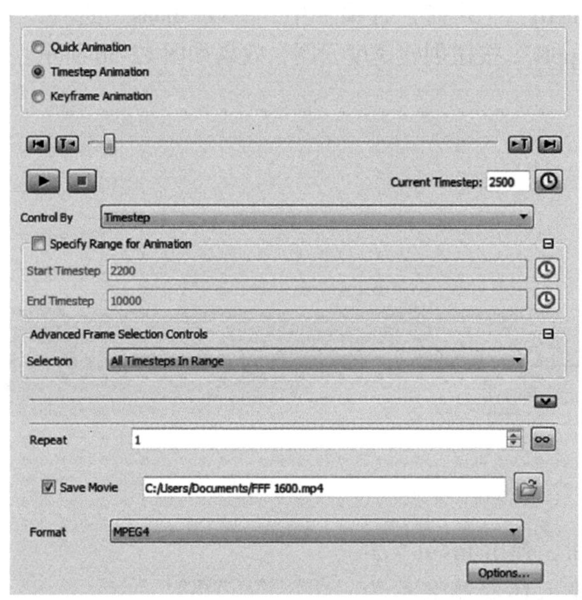

图 12-60 动画对话框

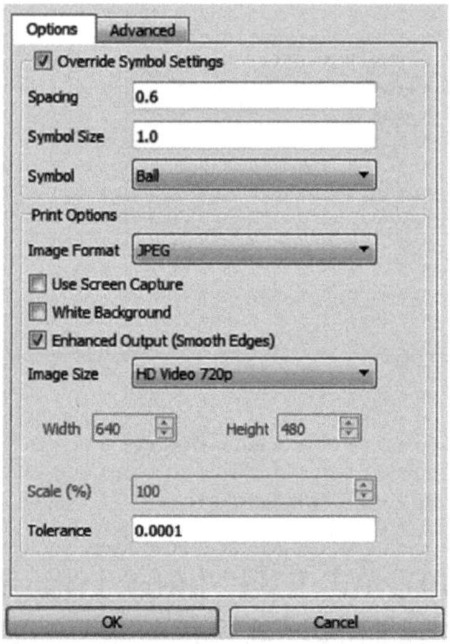

图 12-61 Options 对话框

13）在图 12-62 的“Advanced”选项卡中，“Quality”选择“Hightest”，单击“OK”按钮确认。

回到 Animation 对话框，单击▶（播放）按钮生成动画。

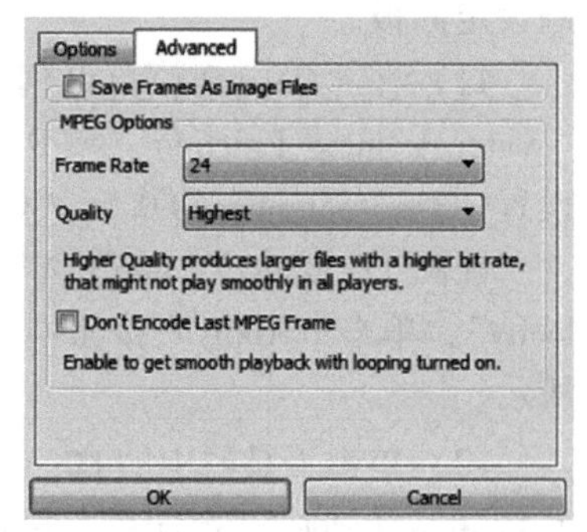

图 12-62 “Advanced”选项卡

12.1.15 保存与退出

保存与退出的操作步骤如下。

1）执行主菜单的“File”→“Close CFD-Post”命令，退出 CFD-Post 模块，返回 Workbench 主界面。此时主界面项目管理区中显示的分析项目均已完成。

2）在 Workbench 主界面中单击常用工具栏中的保存按钮，保存包含有分析结果的文件。执行主菜单的“文件”→“退出”命令，退出 ANSYS Workbench 主界面。

12.2　水罐内气液混合流动

下面将通过水罐内气液混合流动分析案例，让读者对 ANSYS Fluent 2024 R1 分析处理多相流问题基本操作步骤的每一项内容有初步了解。

12.2.1　案例介绍

图 12-63 为某三维水罐几何模型，请用 ANSYS FLUENT 求解分析气液在水罐内的分布情况。

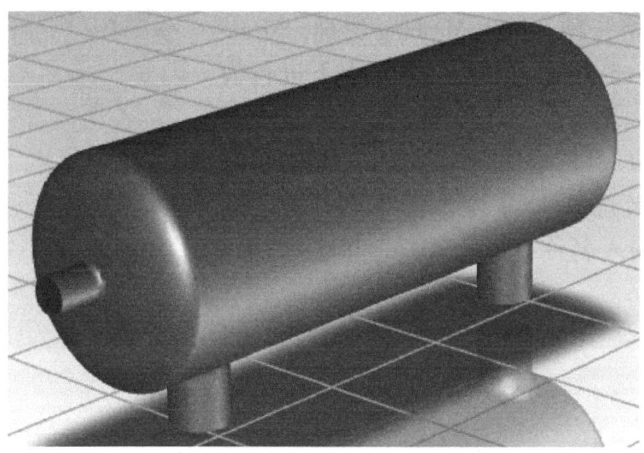

图 12-63　某三维水罐几何模型

12.2.2　建立分析项目

参考案例 3.1，启动 Workbench 并建立流体分析项目，如图 12-64 所示。

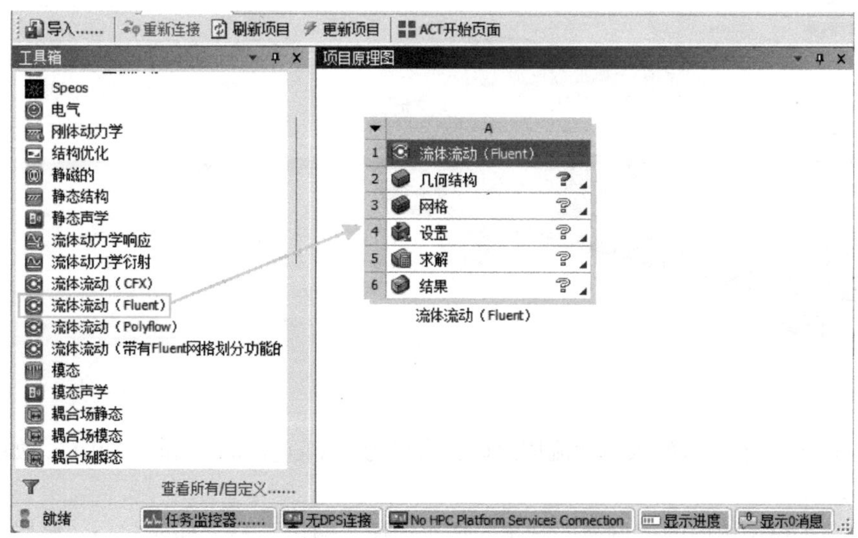

图 12-64　创建流体流动（Fluent）分析项目

12.2.3 导入几何体

导入几何体的操作步骤如下。

1）在 A2 栏的“几何结构”上单击鼠标右键，在弹出的快捷菜单中选择“导入几何模型”→“浏览”命令，此时会弹出“打开”对话框。

2）在“打开”对话框中选择文件路径，导入 Container.stp 几何体文件，此时 A2 栏“几何结构”后的 ❓ 变为 ✓，表示实体模型已经存在。

12.2.4 划分网格

划分网格的操作步骤如下。

1）双击 A3 栏“网格”项，进入 Meshing 界面，Meshing 界面下的模型如图 12-65 所示。然后在该界面下进行模型的网格划分。

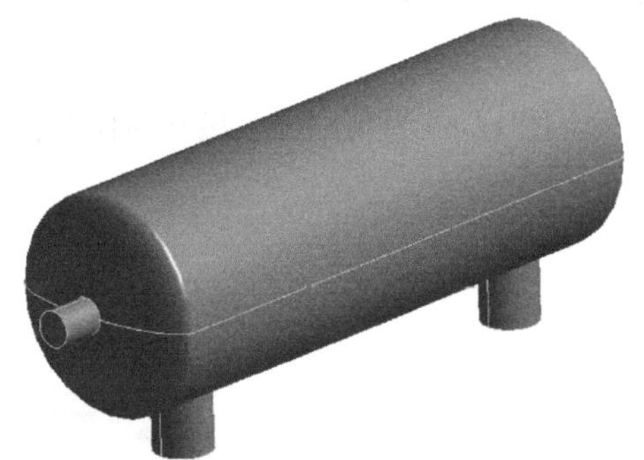

图 12-65 Meshing 界面下的模型

2）右键选择气体的入口，在弹出的图 12-66 的快捷菜单中选择“创建命名选择”命令，弹出图 12-67 的“选择名称”对话框，输入名称“inlet_air”，单击“OK”按钮确认。

图 12-66 快捷菜单

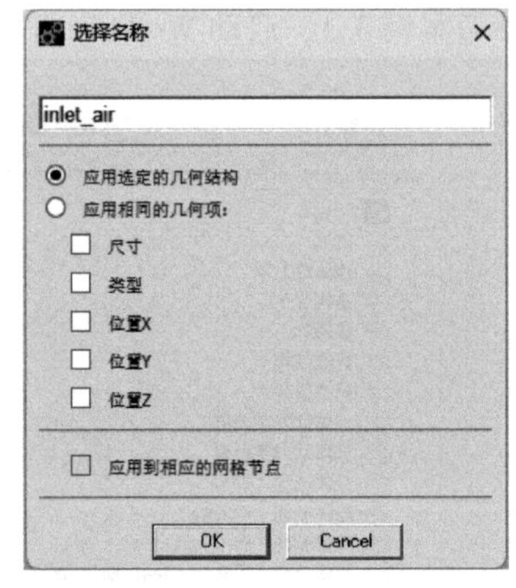

图 12-67 “选择名称”对话框

3）同步骤 2)，创建水的入口和流体出口，命名为“inlet_water”和“outlet”，如图 12-68 和图 12-69 所示。

4）右键单击模型树中的“网格”选项，依次选择“网格”→“插入”→“膨胀”命令，如图 12-70 所示。弹出图 12-71 的膨胀面板。

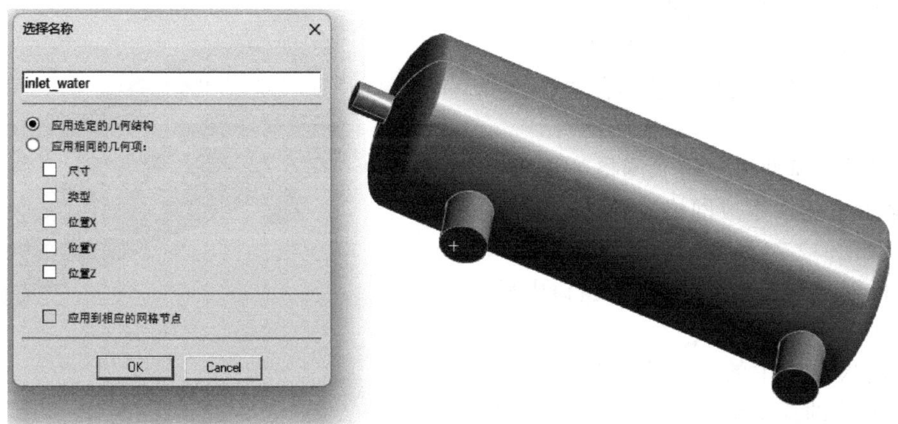

图 12-68 创建水的入口

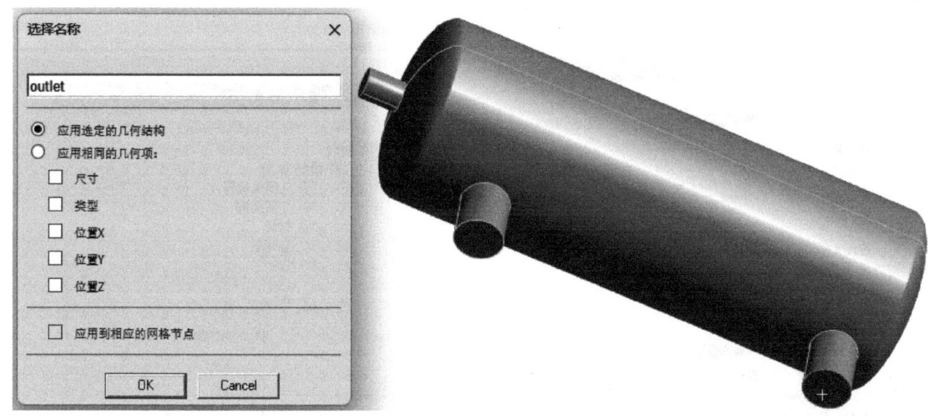

图 12-69 创建流体出口

图 12-70 选择“膨胀”命令

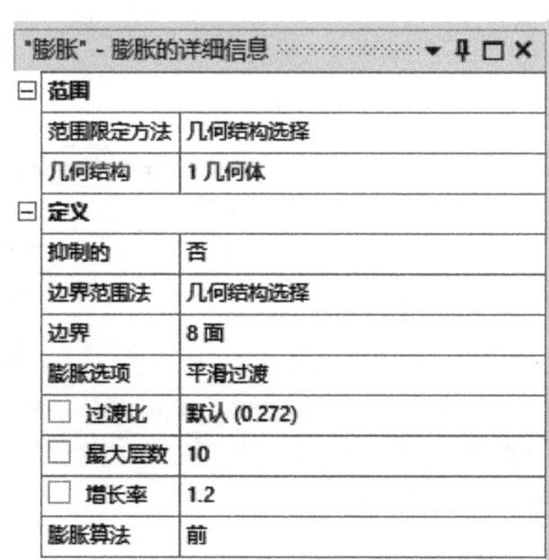

图 12-71 膨胀面板

“几何结构”选择整个模型计算域，“边界”选择图 12-72 的壁面，在“最大层数”数值框中输入 10。

5）单击模型树中的“网格”选项，弹出图 12-73 的网格设置面板。设置“单元尺寸”为 50mm，展开“质量”选项，“平滑”选择“高”。

6）右键单击模型树中的“网格”选项，选择快捷菜单中的“生成网格”命令，开始生成网格，如图 12-74 所示。

7）网格划分完成以后，在图形窗口中显示图 12-75 所示的网格。

8）单击模型树中的“网格”选项，在图 12-76 的网格的详细信息面板中展开“质量”选项，“网格质量标准”选择“正交质量”。这样能够统计出最小值、最大值、平均值以及标准偏差，同时显示网格质量的直方图，如图 12-77 所示。

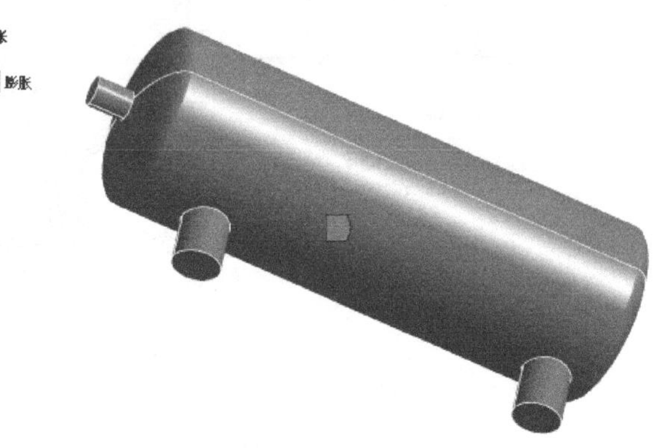

图 12-72　壁面

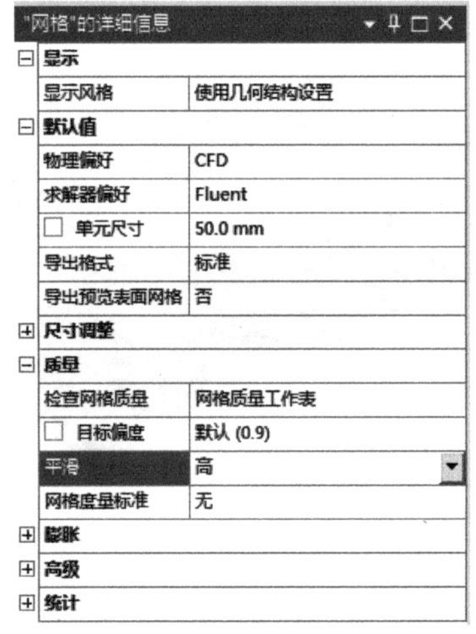

图 12-73　网格属性设置面板

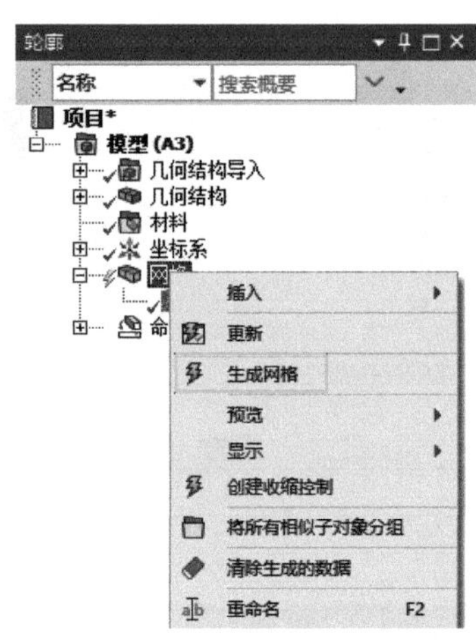

图 12-74　网格生成

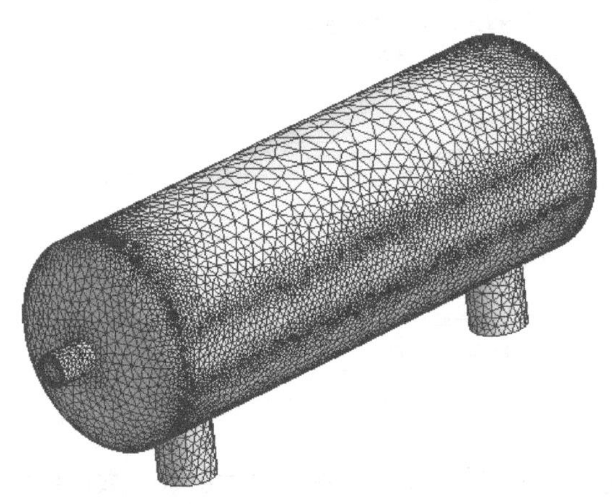
图 12-75　计算域网格

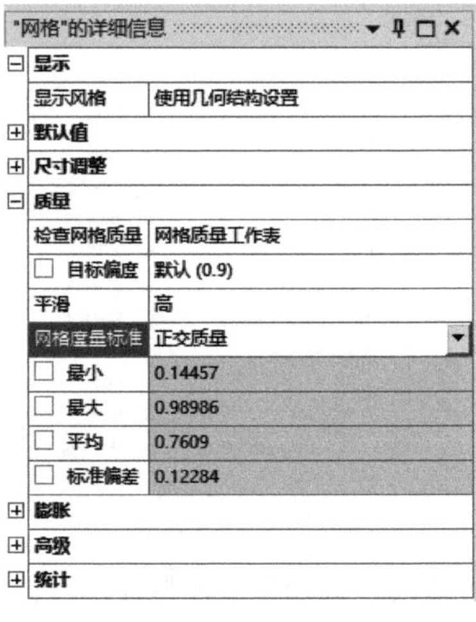

图 12-76　网格详细信息面板

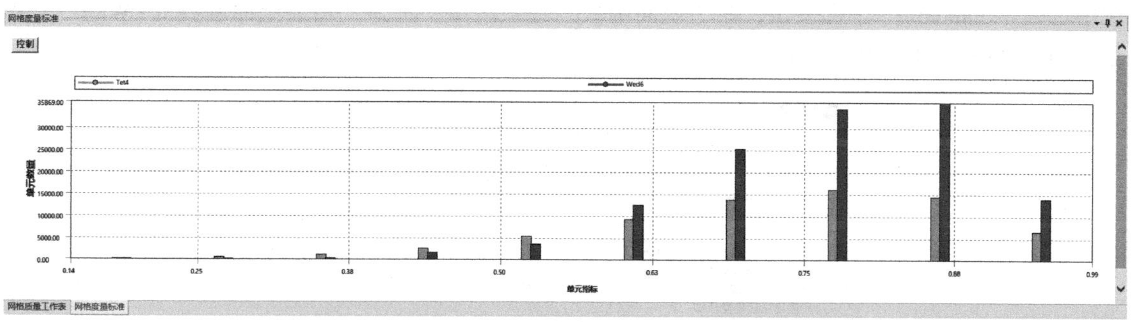

图 12-77　网格划分情况统计

9）执行主菜单的“文件”→“关闭 Meshing”命令，退出网格划分界面，返回 Workbench 主界面。

10）右键单击 Workbench 界面中的 A3“网格”项，选择快捷菜单中的“更新”命令，完成网格数据往 Fluent 分析模块中的传递。

12.2.5　定义模型

定义模型的操作步骤如下。

1）双击 A4 栏“设置”项，打开图 12-78 的 Fluent Launcher 对话框，单击“Start”按钮进入 Fluent 界面。

2）在“功能区”选项卡中单击“物理模型”→“通用”按钮，弹出图 12-79 的“通用”面板，在“求解器”区域中，“时间”选择“瞬态”单选按钮，勾选“重力”复选框，在“重力加速度”区域的“Z［m/s^2］”数值框中填入-9.81。

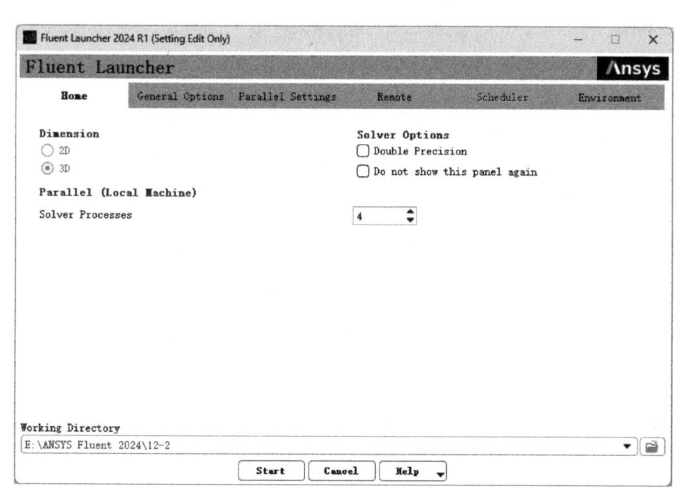

图 12-78　Fluent Launcher 对话框

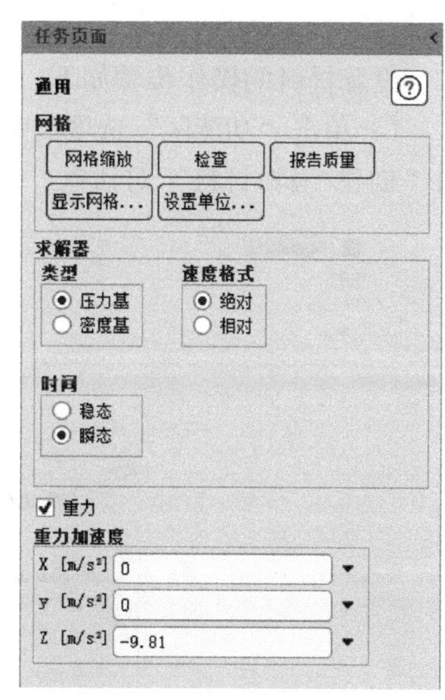

图 12-79　“通用”面板

3）在“功能区”选项卡中单击“物理模型”→“模型”→“黏性”按钮，弹出图 12-80 的“黏性模型”对话框。

在“模型”选项区域中选择“k-epsilon（2 eqn）”单选按钮，在“k-epsilon 模型”选项区域中选择“Standard”单选按钮，在“壁面函数”选项区域中选择“增强壁面函数（EWF）”单选按钮，单击“OK”按钮确认。

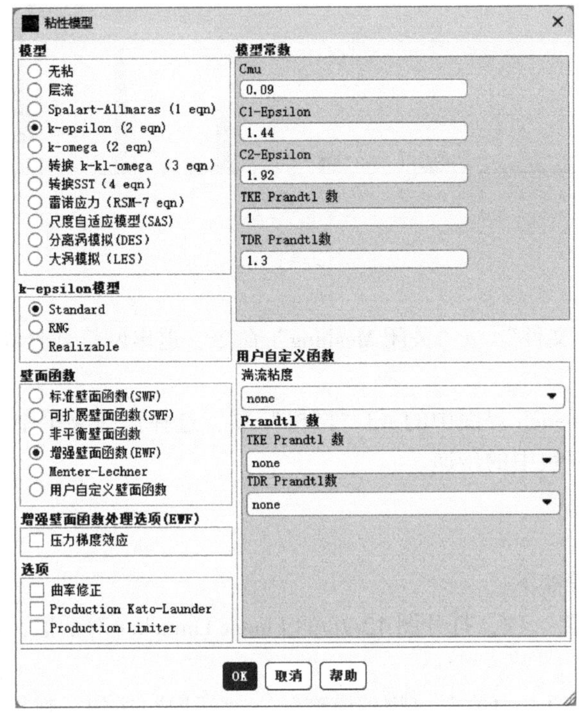

图 12-80 “黏性模型”对话框

12.2.6 设置材料

设置材料的操作步骤如下。

1）单击“功能区”选项卡中的“物理模型”→“材料”→“创建/编辑”按钮，弹出图 12-81 的“创建/编辑材料”对话框。

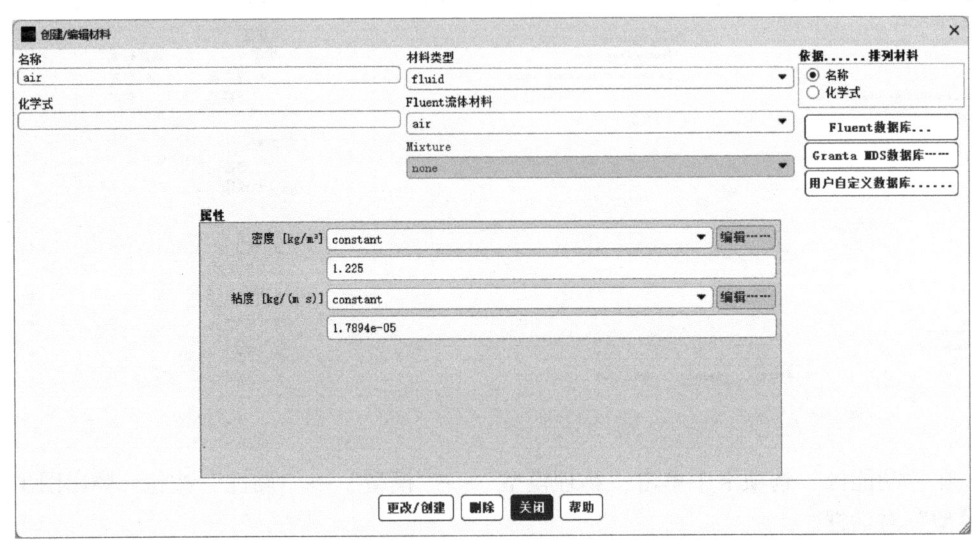

图 12-81 “创建/编辑材料”对话框

2）在“创建/编辑材料”对话框中，单击“Fluent 数据库”按钮，弹出图 12-82 的“Fluent 数据库材料”对话框，在“Fluent 流体材料”列表框中选择 water-liquid，单击“复制”按钮复制。

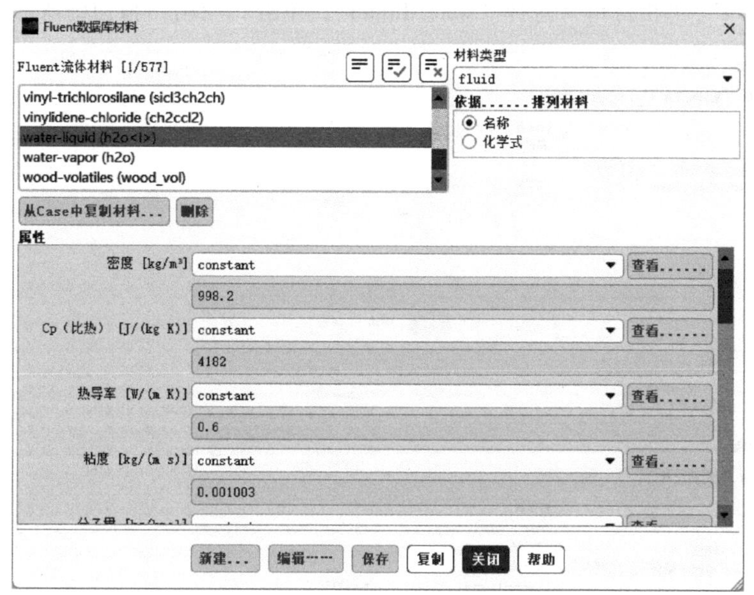

图 12-82 “Fluent 数据库材料”对话框

12.2.7 设置多相流模型

1）在“功能区”选项卡中单击“物理模型”→“模型”→“多相流”按钮，弹出图 12-83 的“多相流模型”对话框。

图 12-83 “多相流模型”对话框

在“模型”选项区域中选择“VOF”，设置“欧拉相数”为 2，在“体积力格式”区域中勾选“隐式体积力”复选框，单击“应用”按钮确认。

2）在“相”选项卡中，显示图 12-84 的 Primary Phase（主项）设置，“名称”输入为“air”，“相材料”选择“air”。

在 Phases 中单击选择 Secondary Phase，显示图 12-85 的 Secondary Phase（次项）设置，“名称”输入为“water”，“相材料”选择“water-liquid”，单击“应用”按钮确认。

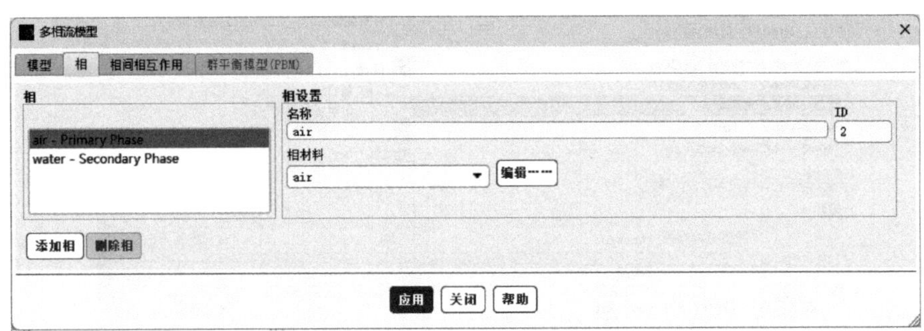

图 12-84 主项设置

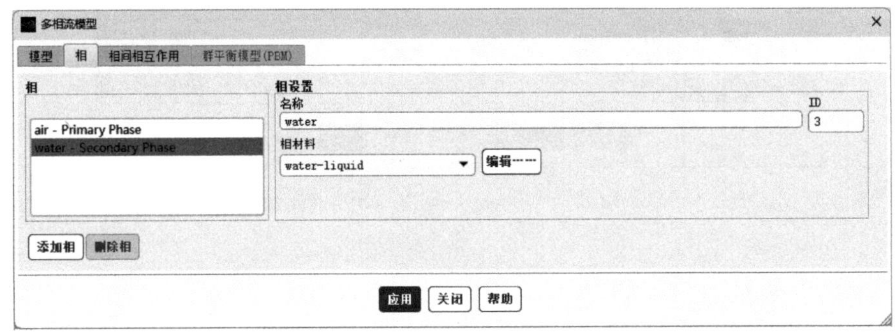

图 12-85 次项设置

3）在“相间相互作用”选项卡中，在“全局选项”区域中勾选“表面张力模型”复选框，“表面张力系数［N/m］”选择“constant”，并设置为 0.072，单击“应用”按钮确认，单击“关闭”按钮关闭“多相流模型”对话框，如图 12-86 所示。

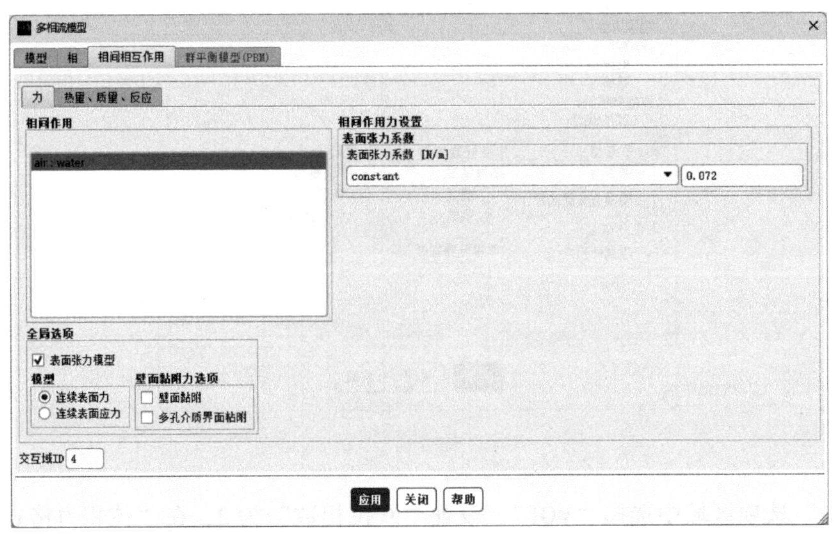

图 12-86 “相间相互作用”选项卡

12.2.8 设置边界条件

设置边界条件的操作步骤如下。

1）单击“功能区”选项卡中的“物理模型”→“区域”→“边界条件”按钮，启动图 12-87 的“边界条件”面板。

2）在“边界条件”面板中，双击“inlet_air”弹出图 12-88 的“速度入口”对话框。在“速度大小［m/s］”数值框中输入 0.1，单击“应用”按钮确认并退出。

在“边界条件”面板中，“相”选择“mixture”，如图 12-89 所示。双击“inlet_air”弹出图 12-90 的“速度入口”对话框。在“多相流”选项卡中，“体积分数”设置为 0，单击“应用”按钮确认并退出。

图 12-87 “边界条件”面板

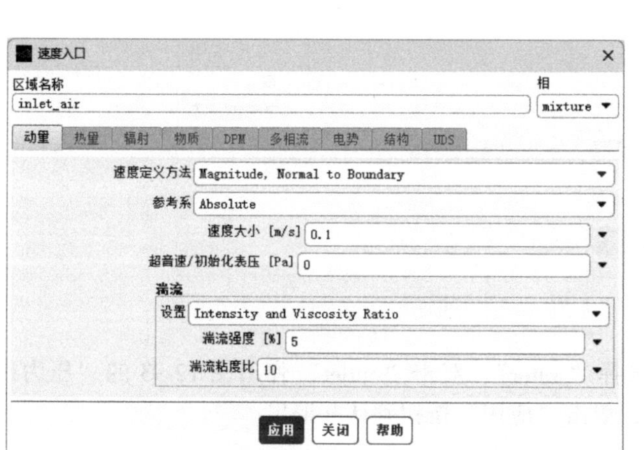

图 12-88 “速度入口”对话框

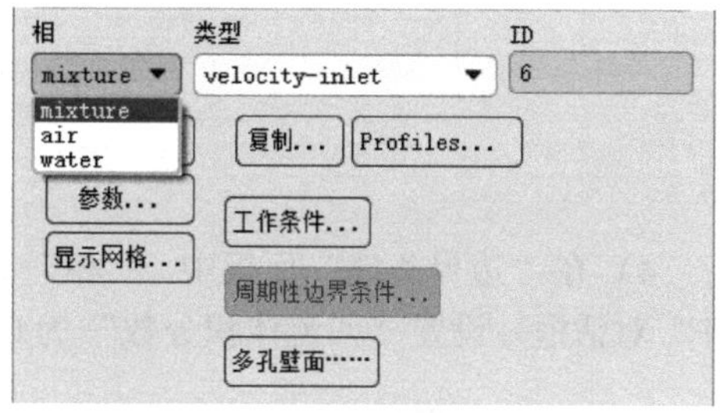

图 12-89 “相”选择“mixture”

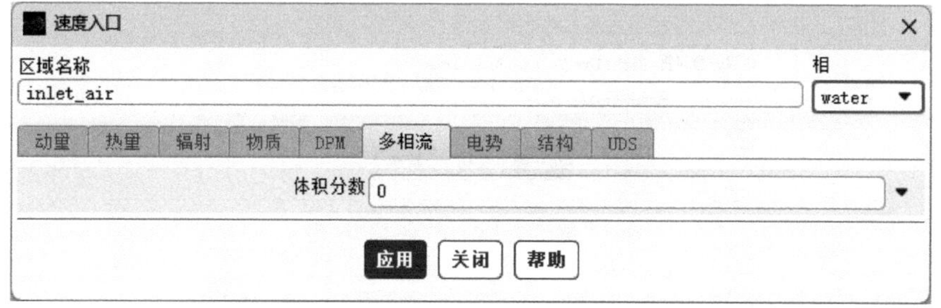

图 12-90 “速度入口”对话框

3）在“边界条件”面板中，双击“inlet_water”弹出图 12-91 的“速度入口”对话框。在“速度大小［m/s］”数值框中输入 0.15，单击“OK”按钮确认并退出。

在“边界条件”面板中，“相”选择“water”，双击“inlet_water”弹出图 12-92 的“速度入口”对话框。设置“体积分数”为 1，单击“应用”按钮确认并退出。

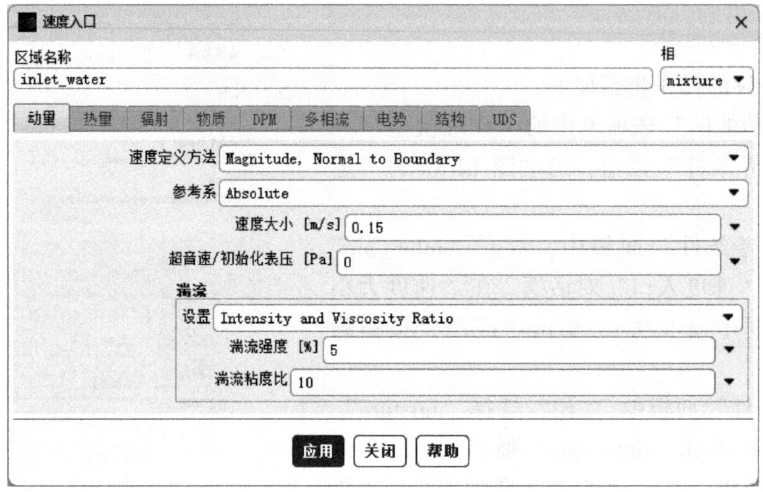

图 12-91 “速度入口”对话框

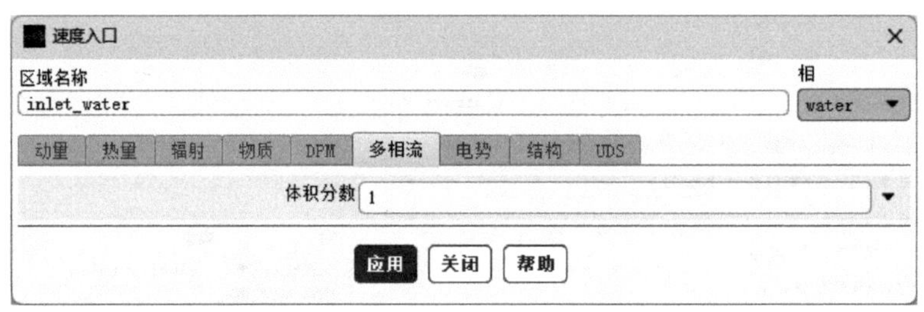

图 12-92 “速度入口”对话框

4）在“边界条件”面板中，“相”选择“water”，双击“outlet”弹出图 12-93 的“压力出口”对话框。设置“回流体积分数”为 0，单击“应用”按钮确认并退出

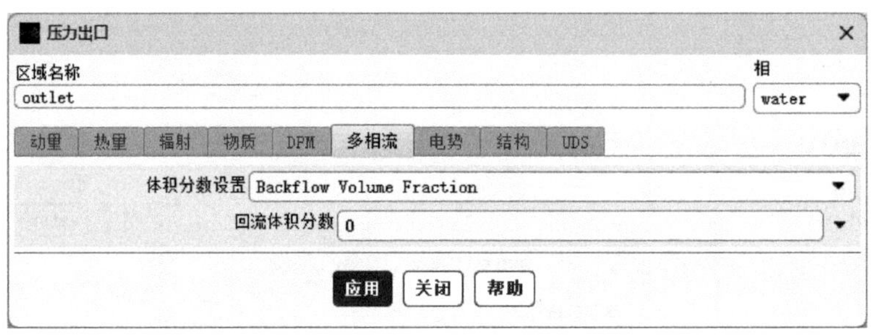

图 12-93 “压力出口”对话框

12.2.9 调整求解控制

调整求解控制参数的操作步骤如下。

1）单击“功能区”选项卡中的“求解”→“方法”按钮，弹出图 12-94 的“求解方法”面板。保持默认设置不变。

2）单击“功能区”选项卡中的“求解”→“控制”按钮，弹出图 12-95 的“解决方案控制”面板。保持默认设置不变。

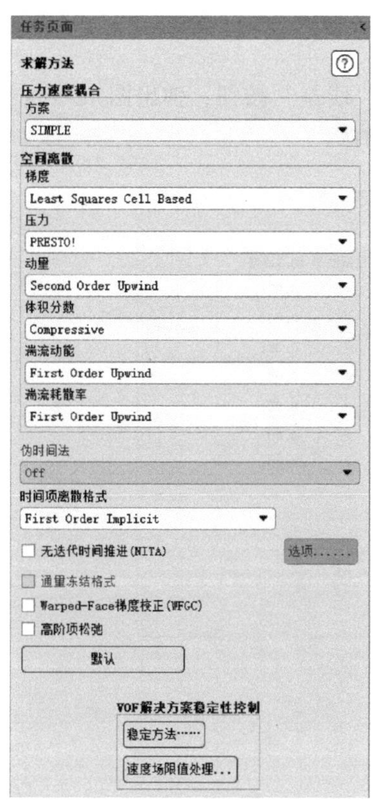

图 12-94 “求解方法”面板

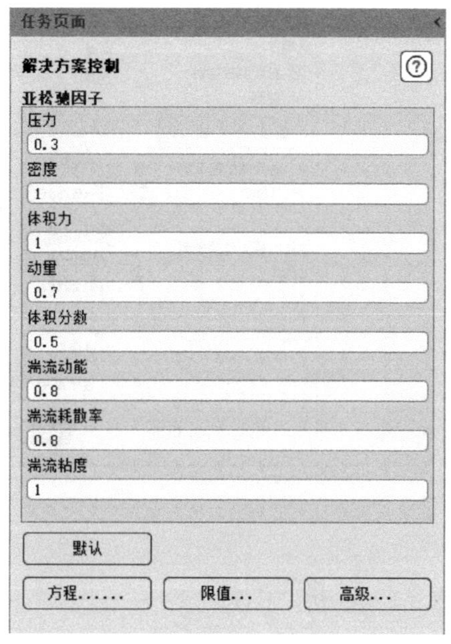

图 12-95 “解决方案控制”面板

12.2.10 设置初始条件

设置初始条件的操作步骤如下。

1）单击“功能区”选项卡中的“求解”→“初始化”按钮，弹出图 12-96 的“解决方案初始化”面板。

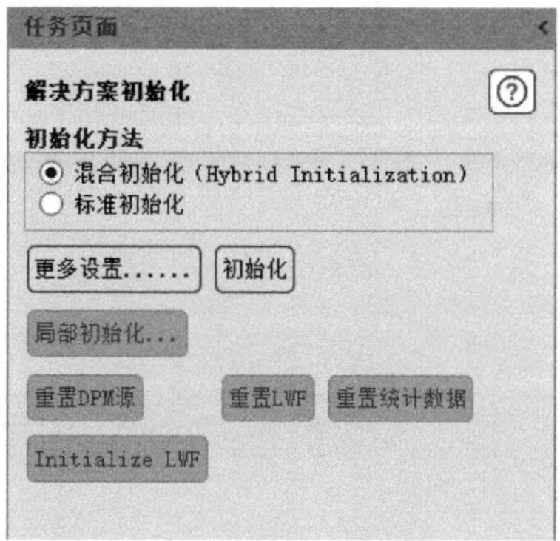

图 12-96 “解决方案初始化”面板

2）在“初始化方法”选项区域中选择“混合初始化（Hybrid Initialization）”单选按钮，单击“初始化”按钮进行初始化。

12.2.11 求解过程监视

单击“功能区”选项卡中的“求解”→“报告”→“残差”按钮，弹出图 12-97 的“残差监控器”对话框。保持默认设置不变，单击“OK”按钮确认。

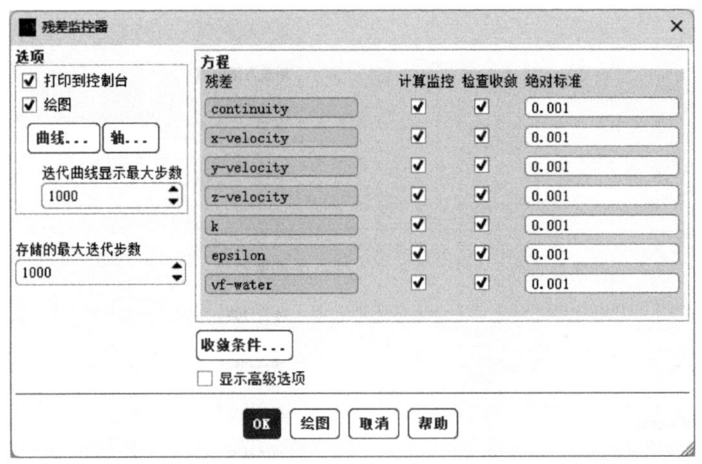

图 12-97 “残差监控器”对话框

12.2.12 数据导出

数据导出的操作步骤如下。

1）单击“功能区”选项卡中的“求解”→“活动”→“创建”→“解决方案数据导出”按钮，弹出图 12-98 的“自动导出”对话框。

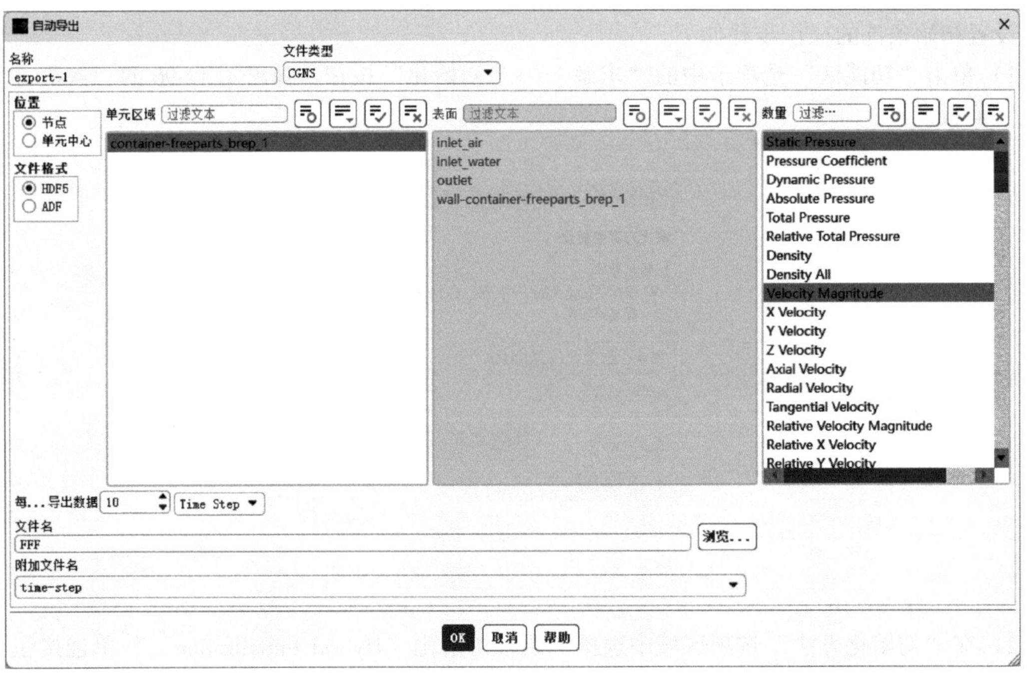

图 12-98 “自动导出”对话框

2）“文件类型”选择“CGNS”，在“每...导出数据”数值框中输入 10，在“数量”列表框中选择 Static Pressure、Velocity Magnitude 和 Volume Friction（water），单击“OK”按钮确认并关闭对话框。

12.2.13 计算求解

计算求解的操作步骤如下。

1）单击“功能区”选项卡中的“求解”→“运行计算”按钮，弹出图 12-99 的“运行计算”面板。“参数”区域中，在“时间步长［s］”数值框中输入 0.0005，在“时间步数”数值框中输入 1000，单击“开始计算”按钮计算。

2）计算收敛完成后，单击主菜单中的“文件”→“关闭 Fluent”按钮退出 Fluent 界面。

图 12-99 “运行计算”面板

12.2.14 结果后处理

结果后处理操作步骤如下。

1）在 Workbench 主界面，双击 A6 栏“结果”项，进入 CFD-Post 界面。

2）单击工具栏中的 Location→ Plane（平面）按钮，弹出图 12-100 的“Insert Plane”（创建平面）对话框，保持平面名称为“Plane 1”，单击“OK”按钮进入图 12-101 的 Plane（平面设定）面板。

3）在“Geometry”（几何）选项卡中，“Method”选择“YZ Plane”，X 坐标取值设定为-5.65，单位为 m，单击“Apply”按钮创建平面，生成的平面如图 12-102 所示。

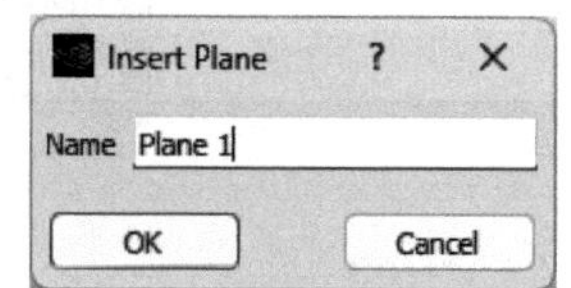

图 12-100 创建平面对话框

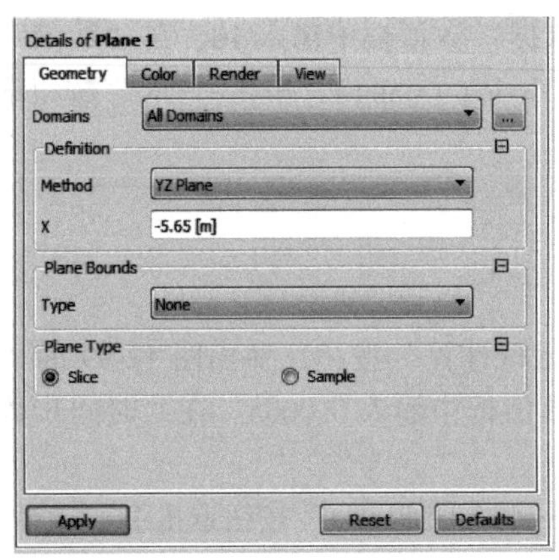

图 12-101 平面设定面板

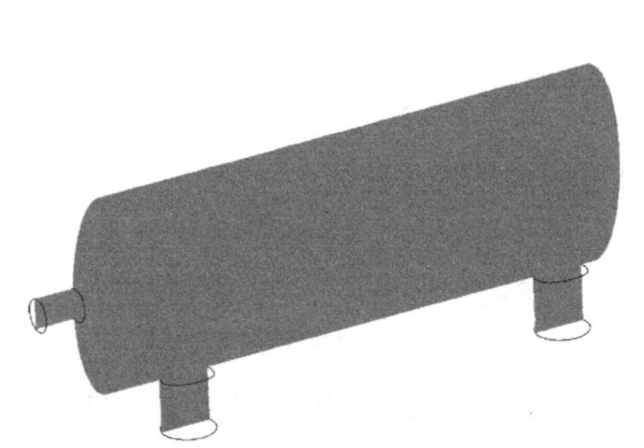

图 12-102 YZ 方向平面

4）在模型树中勾选“Wall”，双击“Wall”弹出 Wall 设置面板。在“Render”选项卡中，将“Transparency”设置为 0.7，如图 12-103 所示。

5）单击工具栏中的（云图）按钮，弹出 Insert Contour（创建云图）对话框。输入云图名称为“Press”，单击“OK”按钮进入图 12-104 的云图设定面板。

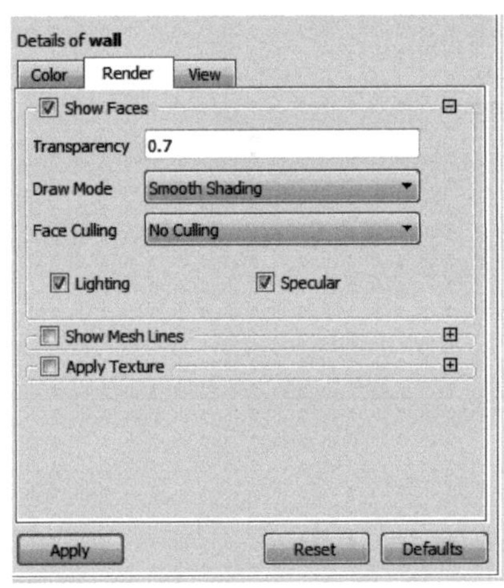

图 12-103 “Render”选项卡

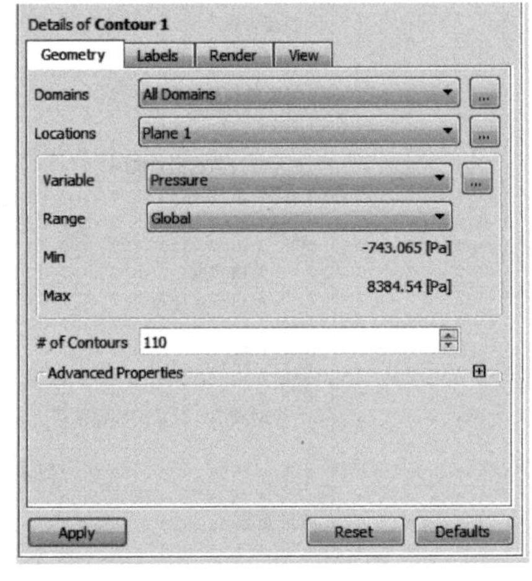

图 12-104 云图设定面板

6）在“Geometry”（几何）选项卡中，“Locations”选择“Plane 1”，“Variable”选择“Pressure”，单击“Apply”按钮创建压力云图，效果如图 12-105 所示。

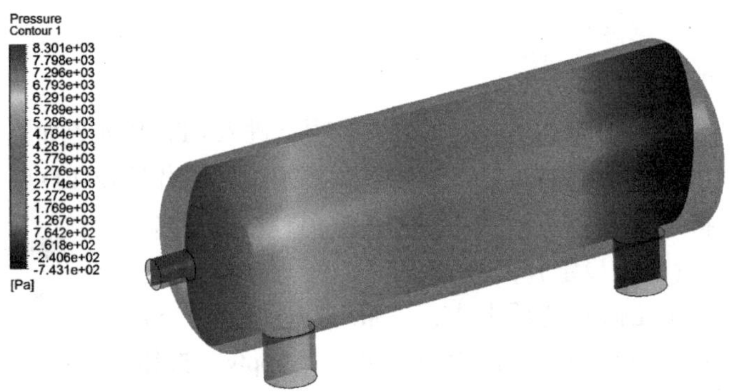

图 12-105 压力云图

7）同步骤 5），创建云图“Vec”。

8）在图 12-106 云图设定面板的“Geometry”（几何）选项卡中，“Locations”选择“Plane 1”，“Variable”选择“Velocity”，单击“Apply”按钮创建速度云图，效果如图 12-107 所示。

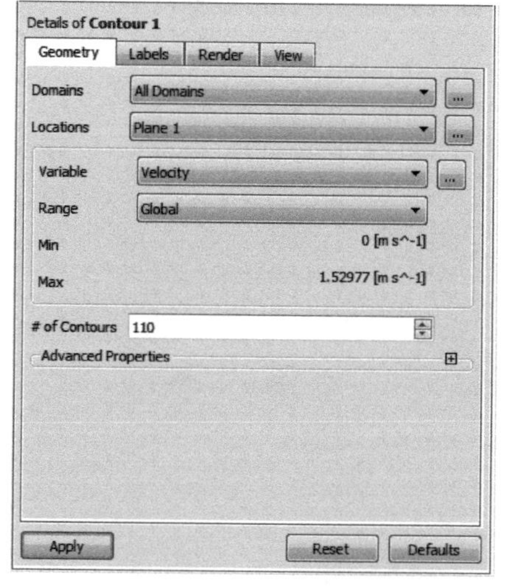

图 12-106　云图设定面板

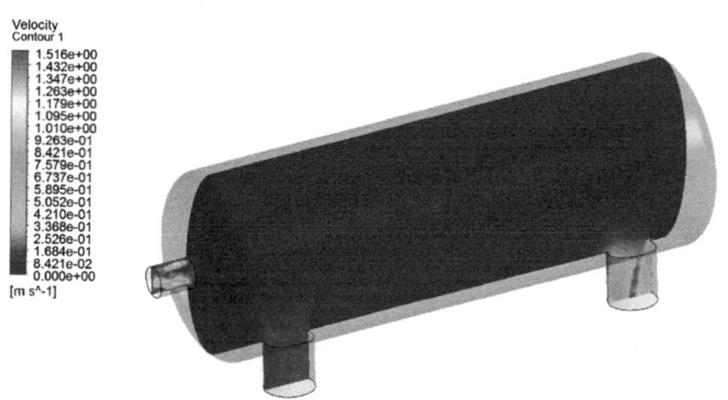

图 12-107　速度云图

9）同步骤 5），创建云图“Phase”。

10）在图 12-108 云图设定面板的“Geometry”（几何）选项卡中，“Locations”选择“Plane 1”，“Variable”选择“Phase 2. Volume Fraction”，单击“Apply”按钮创建体积百分比云图，效果如图 12-109 所示。

11）单击工具栏中的 （流线）按钮，弹出 Insert Streamline（创建流线）对话框。输入流线名称为“Streamline 1”，单击“OK”按钮进入图 12-110 的流线设定面板。

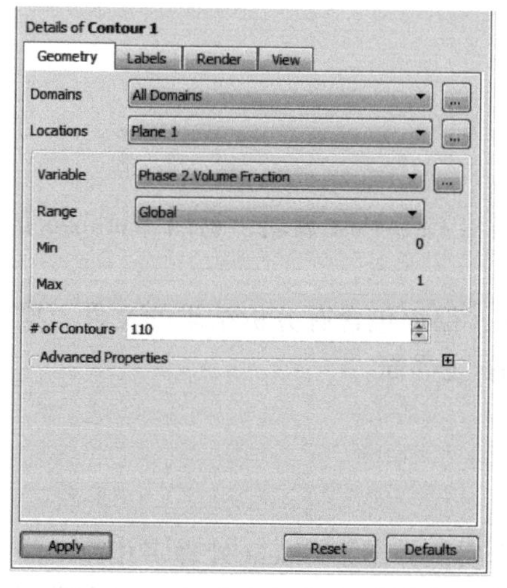

图 12-108　云图设定面板

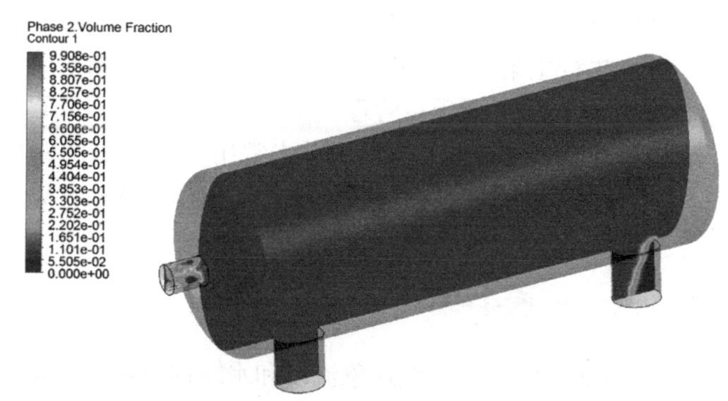

图 12-109　体积百分比云图

12）在“Geometry”（几何）选项卡中，“Type”选择“3D Streamline”，“Start From”选择“inlet_air”和“inlet_water”，在“Symbol”选项卡中，勾选“Show Streams”复选框，如图 12-111 所示。然后单击“Apply”按钮创建流线图，效果如图 12-112 所示。

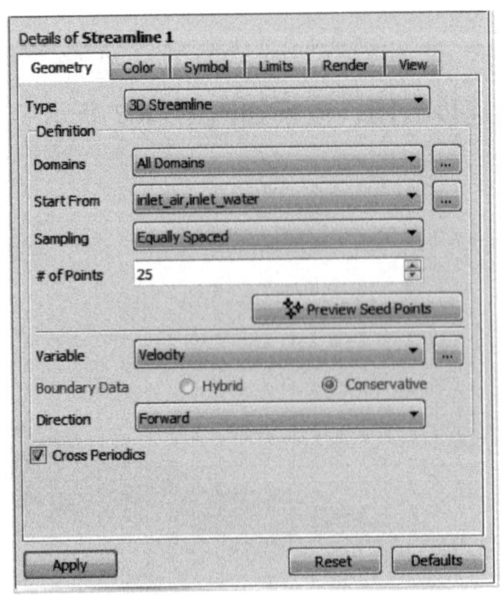

图 12-110　流线设定面板

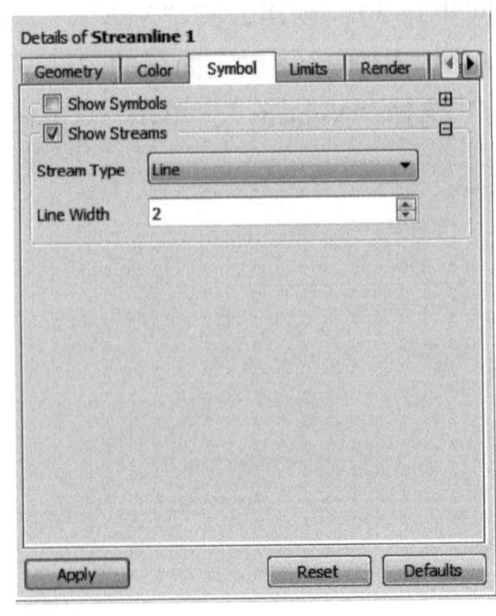

图 12-111　勾选“Show Streams”复选框

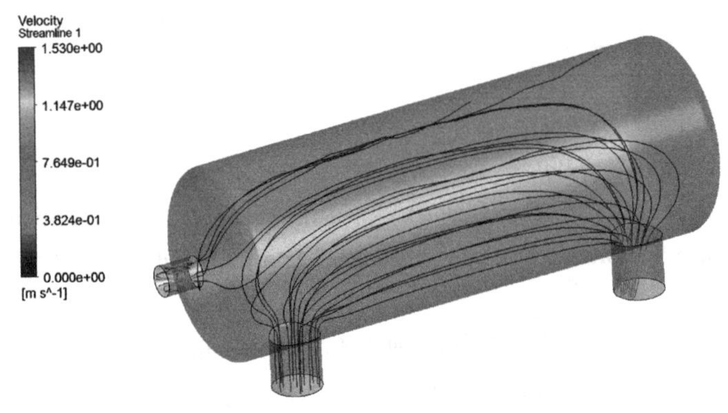

图 12-112　流线图

12.2.15　保存与退出

保存与退出的操作步骤如下。

1）执行主菜单的“File”→“Close CFD-Post”命令，退出 CFD-Post 模块，返回 Workbench 主界面。此时主界面项目管理区中显示的分析项目均已完成。

2）在 Workbench 主界面中单击常用工具栏中的保存按钮，保存包含有分析结果的文件。执行主菜单的“文件”→“退出”命令，退出 ANSYS Workbench 主界面。

12.3　本章小结

本章通过明渠内水跃现象流动和水罐内气液混合流动两个实例介绍了 Fluent 处理多相流动的工作流程。通过本章内容的学习，读者可以掌握 Fluent 中多相流模型设定的基本操作，基本掌握 Fluent 处理多相流问题的基本思路和操作方法。